LE PRINCE
DES RÊVES

NANCY McKENZIE

LE PRINCE DES RÊVES

roman

Traduit de l'américain par
Jacques Guiod

Pygmalion

Titre original :

PRINCE OF DREAMS
A Tale of Tristan and Essylte

Sur simple demande adressée à
Pygmalion, 70, avenue de Breteuil, 75007 Paris
vous recevrez gratuitement notre catalogue
qui vous tiendra au courant de nos dernières publications.

L'édition originale est parue aux États-Unis chez Del Rey, une marque de Ballantine Books.
© 2004, Nancy Affleck McKenzie
© 2005, Éditions Flammarion, département Pygmalion pour l'édition en langue française.
ISBN 2-85704-981-1

Pour James Gelston Affleck, mon père

LA BRETAGNE DE TRISTAN

MAP BY DAVID LINDROTH INC.

PREMIÈRE PARTIE

1

NÉ ENTRE LES ÉTOILES

Il pleuvait à torrents. La rivière en crue emportait les cadavres ainsi que de vulgaires troncs d'arbre. En amont, la forêt s'éclaircissait au pied de la falaise. Des soldats avançaient péniblement dans la boue, tête baissée, épaules voûtées, pour se protéger de la fureur des éléments. Sur son cheval, le capitaine contemplait le ciel. Malgré l'averse, ils entendirent son imprécation.

«Dieux des hautes collines, dieux des abîmes, dieux de la forêt vivante, du ciel éternel et de la nuit immortelle, acceptez nos remerciements! Loué sois-tu, seigneur Mithra, maître du Taureau rétif, Lumière victorieuse des ténèbres! Grande Déesse de Német, arbitre du destin, pose sur nous ton glaive étincelant et offre-nous ton sourire! Nous plions le genou devant toi, ô Yahvé, toi dont le regard vengeur peut changer un homme en pierre! Entends notre supplique, doux Jésus, toi qui mourus pour nos péchés: accorde-nous la grâce de pardonner à nos ennemis. Ai-ya! Nous avons battu les Saxons et nous exultons dans la victoire!»

Le capitaine se tourna vers ses hommes. Sous la masse sombre de ses cheveux dégoulinants, son visage était celui d'un jeune homme imberbe.

«Alors, comment c'était, Brynn? Conwyl? Haeric? Je n'ai oublié personne?»

Les soldats éclatèrent de rire, l'appelèrent «engeance de druide» et énumérèrent quarante dieux qu'il avait omis de citer. Un vétéran s'adressa à son compagnon, plus jeune que lui.

«Je n'ai jamais vu quelqu'un se réjouir comme lui du mauvais temps. Il ne supporte pas d'être enfermé quand il y a de l'orage. Conçu par la sorcière des mers, voilà ce qu'il a dû être.

— Oui, grogna son compagnon en essuyant le sang qui coulait sur sa joue. Il chante comme un ange et manie l'épée comme un démon. Né entre les étoiles, comme on dit à Lyonesse.

— Né sous les Gémeaux, oui, Kerro, né trop tard. Ne raconte-t-on pas à Lyonesse que son destin est malheureux?

— Sa mère la reine est morte à sa naissance, concéda Kerro mal à l'aise, mais ça n'apporte pas toujours le malheur.

— Je vais te dire ce qu'est la malchance, répliqua le vétéran avant de cracher à terre. Son père se meurt avant qu'il ait atteint l'âge d'homme. L'infortuné! Assez vieux pour voir son avenir lui échapper. Voilà qui fera s'abattre sur nous des ombres maléfiques.

— Toi et tes superstitions. Eh bien moi, je ne crois pas que notre prince soit malchanceux. C'est un jeune homme fort et bien bâti, un guerrier émérite et réfléchi. Tu verras, Haeric, un jour il fera un bon roi.»

Le vétéran rit.

«S'il en a la possibilité.

— Qu'est-ce que tu veux dire?

— Son père Méliodas était roi de Lyonesse et aussi de Cornouailles en tant que premier-né du Haut Roi Constantin. Le jeune Tristan a seize ans et c'est un bon guerrier, certes, mais sur quoi règne-t-il?

— Allons, Haeric, tu sais bien qu'il avait douze ans à la mort de Méliodas, il était trop jeune pour être roi. C'est justice si la Cornouailles est échue à son oncle Marc, le deuxième fils de Constantin. Tu voudrais être gouverné par un gamin?

— Ce n'est plus un gamin. Et il n'est pas encore roi de Lyonesse, sa terre natale.

— Marc attend qu'il ait subi l'épreuve du feu. Tout le monde le sait. Autrement, pourquoi l'aurait-il formé personnellement depuis quatre ans? Il le prépare à la royauté. Écoute bien ce que je te dis, quand on rentrera au pays, il fera Tristan roi de Lyonesse. D'ailleurs, tout le monde l'y honore déjà.»

Ils quittèrent la boue pour pénétrer dans la forêt.

«Tu as été à Lyonesse, reprit le vétéran. Moi je suis allé à Tintagel et à Dorr avec les troupes de Marc. J'ai dormi sous leurs tentes, je les ai entendus discuter et je te dis que tu rêves.»

Le jeune soldat ne répondit pas. Le chemin grimpait doucement vers une crête étroite. Leurs pieds glissaient sur les rochers et la terre détrempée, la pluie s'abattait sur eux.

«Dis-moi, Kerro, ajouta le vétéran, quand crois-tu que Marc se retirera pour léguer la couronne de Cornouailles à Tristan? À sa mort, peut-être? Il n'a pas quarante ans et il peut encore vivre vingt de plus. De plus, il a un fils de dix-huit ans, Gérontius. Il est bien entraîné et conduit déjà les troupes corniques[1] au nom d'un père dont il se sait être l'héritier. Quand le vieux Constantin mourra, qui chaussera ses bottes? Le jeune Tristan, premier-né de l'héritier légitime, ou Marc avec sa longue expérience et son armée? Non, Kerro, tu rêves. Le jeune Tristan est un infortuné. Malheureusement pour lui, son oncle est ambitieux et son cousin Gérontius plus expérimenté que lui. Il ne jouira jamais de ses droits. Né entre les étoiles, oui!

— Tu es injuste. C'est une erreur de ne pas tenir compte de lui. Regarde-le, il est déjà robuste et il a l'esprit vif. Tu aurais pensé à cette embuscade, toi? Comment a-t-il su que les Saxons passeraient par là? Les honneurs nous attendent, trente Bretons qui tuent cent Saxons sans avoir le moindre blessé. Des égratignures, rien de plus, fit-il en s'essuyant le visage. Ce garçon sera reconnu, je parierais ma vie.

— Hé, Tris, cria quelqu'un, chante-nous un petit air! On va mourir de froid par ce temps!

— Par le sang du Taureau, grommela Haeric alors que d'autres voix se joignaient à la première. Regarde comment ces ruffians le traitent. À l'époque d'Arthur, on savait respecter un prince.

— Ils l'honorent en lui demandant de chanter. Tu ne connais pas Tristan.

— C'est un commandant ou un barde?

— Les deux. C'est même un sorcier à sa façon. Écoute-le.»

Un chant mélancolique s'éleva, qui creva le rideau de pluie, leur mit du baume au cœur et les aida à presser l'allure. Au sommet de la crête, il agita la main pour arrêter ses hommes et acheva sa chanson sur un couplet aux rimes audacieuses. En bas, dans la vallée, brûlaient trois feux distants les uns des autres. Dans l'obscurité environnante, les tentes étaient invisibles.

«Galles d'un côté, la Cornouailles de l'autre, et, au milieu, le

---

1. Cornique: relatif à la Cornouailles. *(N.d.T.)*

vieux Constantin pour éviter qu'ils s'entre-déchirent. Mais que les dieux soient remerciés pour le feu et la nourriture.»

Au pied de la colline, une sentinelle vint à leur rencontre, le glaive brandi. Tristan lui donna le mot de passe et les hommes s'avancèrent, sales et épuisés, vers un relatif confort.

«Tristan, mais où diable étais-tu passé?»

Tristan mit pied à terre et alla vers un jeune homme qui lui envoya une bourrade amicale.

«Je commençais à perdre espoir. Qu'est-ce qu'il y a?

– Oh, Dinadan, quelle bataille! Je n'ai jamais éprouvé une telle exaltation! Et ta compagnie? Il y a des pertes chez Dorria?

– Légères, Dieu soit loué. Une fois rompues leurs lignes, ils se sont enfuis vers les falaises et la rivière. Ils étaient au moins deux cents.

– Pas deux cents, non.

– Quoi, tu les as rencontrés?

– Ils ne pouvaient détaler que par là et on les a bloqués.

– Seigneur! fit Dinadan en frappant son ami dans le dos. Comment y as-tu songé? Vous étiez nombreux?

– Trente, mais on en a eu facilement une centaine.

– Par le Christ, Constantin est au courant? Ta première bataille! Il t'a mis sur le flanc pour que tu ne participes pas trop à l'action et tu as abattu la moitié des fuyards. C'est extraordinaire! Allons, quitte ces hardes détrempées et partageons une outre de vin. Viens dans ma tente, elle est toute proche. J'ai des nouvelles, mais tu seras seul à les entendre.»

La tente de Dinadan était exiguë et sentait la peau mal tannée, mais elle était au sec. Son serviteur entretenait un maigre feu et une outre était accrochée à un trépied au-dessus des flammes. Dinadan versa le liquide clair dans deux gobelets en corne.

«Accroche ta tunique, c'est ta seule chance de la faire sécher.

– Tu n'as pas de petit bois, cela ne servira à rien.

– Dravic volera une bûche si besoin est. Tu vas mourir de froid là-dedans. Tu veux que je l'envoie chercher de quoi te coucher?

– Ce n'est pas la peine.»

Tristan retira ses bottes détrempées et se dévêtit pour ne garder que son pagne. La piètre chaleur du feu le fit frissonner. Oui, quelle bataille! Tout d'abord, le froid, l'humidité qui mord la chair, puis la caresse glacée de la peur quand les Saxons sortent des broussailles, ensuite la fièvre de l'excitation et de l'effort, l'exaltation de la victoire absolue, enfin le spectacle horrible des cadavres. Curieusement, il avait eu davantage conscience des impressions ressenties par son corps que du déroulement des combats. Ensuite, regagnant ses foyers sous l'orage, il avait entendu autour de lui les voix plaisantes des hommes épuisés, le timbre réconfortant de leurs conversations mêlées au sifflement du vent et au chuintement de la pluie. Déjà il ne se rappelait plus le plan qu'il avait élaboré ou l'instant choisi pour l'embuscade, mais il se souvenait de la réaction de chacun de ses sens, de chaque son, de chaque vision, de chaque odeur. Les fils de son esprit s'entrecroisaient pour tisser l'étoffe de ses souvenirs.

Dinadan secouait la tête en entendant Tristan lui raconter l'embuscade.

«Tris, oublie tes sensations. Quelle importance s'il faisait froid ou humide ? Combien de Saxons se sont enfuis et combien sont morts, quel était leur nombre exact ? Tu ne les as pas comptés. Je suis sûr que tu as donné un nom à chaque goutte de pluie quand elle tombait sur ton visage et que tu les as honorées d'un air à ta façon, ajouta Dinadan devant le sourire béat de Tristan. Mais tu ne peux me dire combien de Saxons ont péri !

– Un des vétérans a estimé qu'il y avait cent corps, pour la plupart tombés dans la rivière. Qu'est-ce que cela peut faire, Din, puisqu'ils sont morts ? Mais quelle glorieuse nuit pour une bataille ! »

Dinadan lui tendit un gobelet et leva le sien.

«À tes mystérieuses vertus, Tristan de Lyonesse. Puisses-tu vivre à jamais !

– À ton amitié sans faille, Dinadan, prince de Dorria. Et puisses-tu me survivre ! »

Le vin était tiède et amer. Tristan fronça le nez.

«Il se prépare quelque chose, affirma Dinadan. J'ai entendu parler les soldats. Et Constantin veut réunir son conseil. Ce soir même.

– À quel propos ?

– Les hommes s'attendent à ce que Galles défie le Haut Roi. Ils sont tous présents, tu sais, les rois gallois, à moins qu'ils n'aient dépêché leurs mandataires. Ils présentent un front uni. Ils ont certainement une idée en tête.

– Que peuvent-ils désirer hormis la terre et le pouvoir ? Dieu sait qu'ils ont assez de possessions. Non, ils en veulent à la couronne du Haut Roi. »

Tristan soupira et but. Malgré son goût affreux, le vin alluma dans son ventre un feu qui se répandit dans ses membres.

«Cette couronne pèse sur la tête de mon grand-père depuis le jour où il s'en coiffa à la mort d'Arthur, reprit-il.

– Tu n'imagines pas qu'il puisse la transmettre, tout de même ?

C'est peut-être un fardeau, mais il en connaît le poids. Et tu es le seul de sa lignée à accepter qu'il l'ait reçue. La plupart des hommes loyaux que compte la Cornouailles apprennent dès l'enfance qu'Arthur a vu en lui son digne héritier.

— Ils oublient Mordred, dit Tristan en balayant son argument du revers de la main. Je crois qu'ils s'intéressent à autre chose. Ils pourraient se retirer de l'alliance ainsi que les royaumes du Nord le firent quand nous étions enfants. S'ils partent, qu'adviendra-t-il au Haut Roi? Ce ne serait plus qu'un titre creux, un vestige fané de la gloire passée de la Bretagne. Pour uniques troupes, il n'aurait plus que nous, ses propres Corniques. La dissolution de la Bretagne d'Arthur serait achevée.

— Poétique, mais peu probable. S'ils envisagent de se retirer, pourquoi commencer par répondre à son appel? Pourquoi ne pas rester tranquillement en Galles et nous laisser affronter les Saxons? Non, ils sont venus, ils sont *tous* là.

— Le Ciel en soit remercié.

— Oui, sans eux l'issue eût été incertaine. Et je suis persuadé qu'ils le savent. C'est pourquoi je pense qu'ils se sont réunis pour exiger une récompense de la part de Constantin.

— Avons-nous été invités à ce conseil? s'inquiéta Tristan.

— Tu veux rire? Je ne suis prince que d'un maigre royaume. Tout ce qui intéresse Constantin dans Dorria, c'est le château de Dorr. Il sait que notre avenir est associé à celui de Marc, qu'il le veuille ou non. Sais-tu ce qu'en dit mon père? Et *toi*... c'est peut-être ton grand-père, mais il n'a pas beaucoup d'amour pour toi. Marc est son chéri et tu es une épine dans son pied.

— Ne recommence pas. Mon grand-père a certes de nombreux défauts mais il ne me hait pas. Quant à Marc, tu te trompes sur son compte. C'est un homme honorable, un bon guerrier et un chrétien sincère.

— C'est aussi le roi de Lyonesse.

— Il assure la régence, dit Tristan d'un ton un peu sec. Jusqu'à ce que j'aie fait mes preuves. Tel était le souhait de mon père. Il est aussi notre meilleur espoir pour ce qui est de l'avenir.

— Peuh, c'est un serpent. Je préfère te servir, Tristan, et je ne suis pas seul dans ce cas.

— Écoute, Dinadan, j'ai passé quasiment quatre années de ma vie auprès de Marc, à Dorr comme à Tintagel, et j'y ai appris tout ce qu'il avait à m'enseigner. J'ai même participé à son conseil. Crois-moi, je connais mon oncle mieux que toi.

– Pardonne-moi, Tris, dit son ami en lui tendant la main. Je ne voulais pas te froisser. Mais tu sais comme moi que l'arbre te cache souvent la forêt.

– J'ai raison en ce qui concerne mon oncle Marc.

– J'abandonne. Fais comme il te plaira.

– Je veux malgré tout savoir ce qui se dit pendant ce conseil.»

Tristan reposa son gobelet et se leva. Même nu, songea Dinadan, il avait un port royal avec ses membres déliés, ses épaules déjà carrées et ces traits virils qui commençaient à marquer son visage. Dinadan se leva à son tour et se sentit tout petit à côté de lui, bien que d'un an son aîné et vêtu d'habits princiers. Mais il y avait de la simplicité chez Tristan, son attitude était directe, ouverte. Un instant, l'idée lui vint que ce garçon n'était peut-être pas fait pour régner, pour subir les affrontements incessants des seigneurs jaloux et trouver des compromis. Était-ce ce que Constantin avait compris? Peut-être avait-il été, à l'instar du grand Galaad, conçu pour un objectif unique, une lame acérée qui traverse son époque sans dévier. Dinadan se secoua et chassa ces réflexions. Tristan se devait d'être roi si Marc venait à disparaître.

«Je veux connaître l'objet de ce conseil, insista Tristan. Joignons-nous à eux.

– Pour être publiquement humiliés quand on nous en chassera? J'ai une meilleure idée. Avec cette pluie, il n'y aura que quelques sentinelles et elles garderont probablement l'entrée pour se protéger de l'humidité. Faisons le tour.

– Je suis avec toi. À moins d'avoir apporté une autre tunique, tu ferais bien de te dévêtir comme moi. Nous allons ramper dans la boue.»

Personne ne gardait la partie arrière de la tente royale. La nuit était obscure. Les torches ne semblaient projeter aucune lueur. Sous l'averse, ils voyaient à peine leurs mains. Au bout de quelques minutes passées couchés dans la boue, ils étaient si sales qu'ils ressemblaient plus à des bûches qu'à des êtres humains. Ils soulevèrent le pan de toile et passèrent la tête à l'intérieur de la tente.

Les sens de Tristan furent aussitôt assaillis par la chaleur que dégageaient les hommes serrés les uns contre les autres, l'odeur de sueur et de crasse, les haleines rendues fétides par le mauvais vin et, par-dessus tout, l'âcre parfum du feu. Mais cette chaleur lui était agréable tandis que la pluie perçait son corps de milliers d'aiguilles et que la boue l'aspirait. Il entendait le sifflement des flammes jaillissant du bois humide mais une silhouette massive lui bloquait la vue. Non loin de lui, il perçut la respiration rauque d'un vieillard. Son bras glissa à travers la glaise pour atteindre Dinadan.

«On est juste derrière Constantin, chuchota-t-il.

– Tais-toi donc, imbécile, lui enjoignit son compagnon. C'est son lit de camp. J'avais omis de te le préciser. Il est blessé.

– Blessé?

– Chut. Ce n'est rien. À l'épaule, je crois.»

Un homme prit la parole, une voix de basse claire et mélodieuse qu'il ne connaissait pas mais qui avait l'autorité naturelle d'un commandant. Un vieil homme, se dit-il, de qui émanait encore une force indéniable. Un Gallois à en juger par son accent. Son récit de la bataille était plutôt favorable aux Gallois et il parlait d'affrontement décisif. Il n'avait pas tort, sauf que le terrain leur avait été propice. Aujourd'hui, il y avait huit cents Saxons de moins qu'hier; ils étaient cependant encore des milliers dans les territoires de l'Est, le long des côtes saxonnes. Le jeune homme s'efforçait de percevoir ses paroles mais sa voix l'envoûtait. Il y avait en elle du lyrisme, son timbre était à la fois doux et guttural comme s'il cherchait à discourir alors qu'il était fait pour chanter. Comme s'il voulait utiliser une seule corde de harpe et laisser toutes les autres au repos.

«Peredur, murmura Dinadan, chef des rois gallois. Un digne vieillard, oncle de Perceval, roi de Gwynedd.»

Tristan essaya de se rappeler la carte dressée dans le cabinet de travail de Marc, au château de Dorr. Gwynedd était le plus grand et le plus puissant des royaumes gallois, il en était aussi la tête de pont depuis leur fédération à la mort d'Arthur. Le roi Perceval était un noble guerrier, crédité de nombreux hauts faits. Tristan se souvenait parfaitement du chant que le barde Hawath avait entonné à son propos. C'était pour rencontrer Perceval qu'il avait imploré Marc de le laisser combattre aux côtés de Gérontius. Mais Perceval n'était pas venu: il avait évoqué un soulèvement irlandais et peut-être était-ce vrai. Les pillards irlandais étaient actifs. Quoi qu'il en soit, il avait été déçu.

Il entendit le nom de Rhydderch de Powys. Où se trouvait donc Powys? Les noms inscrits sur la carte ne lui revenaient plus en tête, mais il se souvint du récit de Hawath qui faisait s'entrecroiser les lignées de toutes les grandes familles galloises, tous les enfants de

Cunedda, et peu à peu les noms des royaumes s'imposèrent à lui : Gwynedd, Powys, Dyfed, Northgallis et Guent.

Le vin circulait et les conversations allaient bon train.

« Tous les semeurs de discorde sont là, dit Dinadan. Peredur est le seul vieillard.

— Qui sont-ils ? Je ne les reconnais pas.

— Granach de Powys, Emrys de Northgallis, Llanyrr de Dyfed et Marhalt de Guent, puisse-t-il rôtir en enfer ! C'est lui qui a violé la fille de Granach alors qu'elle se rendait au couvent où son père l'avait placée. C'était il y a deux ans. Je t'ai certainement raconté cette histoire. Fort comme un bœuf, voilà ce qu'il est, et aussi têtu. Il n'a pas accepté le refus de la jeune fille. Il la désirait, alors il l'a prise.

— Est-ce qu'il l'a tuée après ça ?

— Il l'a épousée.

— C'était à coup sûr ce qu'ils avaient comploté », s'amusa Tristan.

Les voix se turent quand Peredur reprit la parole.

« Messire le roi, en tant que Bretons loyaux, nous songeons tous à l'avenir de votre royaume. Nous avons combattu pour vous au long de ces vingt dernières années, contre les Saxons et les Angles, contre les Irlandais et même les Pictes. »

Constantin s'agita sur sa couche. *Quand cela vous seyait*, marmonna-t-il, mais Peredur ne l'entendit pas.

« Nul Haut Roi ne peut vivre éternellement et, parmi nous-mêmes et ceux que nous représentons, certains souhaitent préserver l'unité de la Bretagne. Nous voulons savoir qui vous choisirez pour successeur. Discutons-en et, avant de quitter ce champ de bataille, soyons assurés que l'avenir nous évitera la guerre et le sang après votre mort. »

Constantin se redressa péniblement, le souffle rauque.

Tristan ne put s'empêcher de penser que les propos de Peredur étaient audacieux.

« Messire, dit péniblement le Haut Roi. Il n'y aura nulle effusion de sang et l'avenir vous est assuré. Mon fils Marc est mon héritier. Qui pourrait mieux qu'un prince de sang royal endosser mon manteau... lorsque je serai près de trépasser ? »

Des murmures furieux parcoururent la tente. « De sang *royal* ? Mais pour qui se prend-il au nom de la Création divine ? » « Ce vieux bouc se prend pour Pendragon ! Écoutons-le ! » « Par Llud de l'Autre Monde, j'aurai Perceval avant d'avoir Marc ! »

« C'en est assez de ces chiens de Corniques ! » dit quelqu'un un peu trop fort, et tout le monde se tut. Les seuls bruits que l'on percevait sous la tente étaient le sifflement des flammes et la respiration du vieux roi.

La voix cordiale de Peredur rompit le silence.

«Messire le roi, nous autres Gallois contestons ce choix.

— Allez au diable!» gronda Constantin, et tous se levèrent comme un seul homme en criant.

2

MARHALT

Il commet une erreur, se dit Tristan. Un tel défi n'apporterait rien à Constantin. Ils lui étaient supérieurs en nombre. Les Gallois étaient prêts, organisés et bien dirigés. Qui se dresserait face à Constantin? Gérontius, bon combattant mais piètre remplaçant de Marc; lui-même; Dinadan de Dorria; et les princes de Dumnonia, qui servaient la Cornouailles depuis des générations. Ils n'étaient pas plus de cinq cents. Et c'était absurdité, pour ne pas dire folie, de se faire la guerre alors que les Saxons étaient encore tout près.

Cette pensée avait à peine traversé son esprit que Tristan entendit quelqu'un l'énoncer.

«Seigneurs, tout ceci est inconvenant, trancha la voix de Peredur. Nous sommes alliés, après tout. Nous sommes tout ce qui subsiste d'une Bretagne unie. Nous fûmes grands jadis, et certains se rappellent encore le règne d'Arthur et ce que c'était que de vivre en paix. Nous affronter, c'est rendre mauvais service à la Bretagne, car les Saxons attendent de s'emparer de nos dépouilles.

– Comment proposez-vous de résoudre ce problème? lança un Cornique. Allez-vous revenir sur votre insolente opposition?»

Peredur attendit le retour du silence.

«Cela nous est impossible. Nous nous opposons à Marc parce qu'il s'est révélé un chef cupide et égoïste qui ne pense qu'à son profit et pas à l'intérêt de la Bretagne, dit-il en levant la main pour parer à toute protestation. Je suis certain que vous voyez cela d'un

21

œil différent. Vous êtes heureux d'accroître votre puissance à nos dépens. Mais c'est ainsi que nous voyons les choses, et cela ne ressemble en rien aux pratiques d'Arthur. Nous sommes nombreux à ne pas vouloir servir le roi Marc. Nous voulons un chef qui honore les hommes au-delà de ses propres frontières et nous proposons Perceval de Gwynedd.

— Ha, lâcha avec mépris Constantin, votre propre neveu, par tout ce qui est saint ! Quelle surprise !

— Oui, mon propre neveu, répliqua Peredur avec calme, mais c'est aussi un homme qui a rarement suivi mon conseil quand je désirais voir Gwynedd prendre la première place au sein des divers royaumes. Au lieu de Gwynedd, il a toujours privilégié la Bretagne. Il se souvient d'Arthur.

— Oh, certainement, et il veut aussi sa couronne.

— Non, trancha Peredur. Il n'a jamais eu une telle ambition. C'est *nous* qui l'avons pour lui. Il ignore même que nous avançons son nom. »

Cette nouvelle fit taire chacun.

« Alors comment savez-vous qu'il acceptera ? » demanda quelqu'un.

Constantin fut pris d'une quinte de toux. Peredur attendit qu'il eût fini.

« Si la Bretagne le choisit, il la servira. Je le connais bien. Ses ennemis eux-mêmes ne doutent pas de ses prouesses guerrières. Il fut l'un des Douze à survivre à Camlaan.

— Mon fils Méliodas en fut un autre, cracha Constantin. Il y a des héros par-delà *vos* frontières, Peredur !

— Messire le roi, nul ne cherche à le nier. Si Méliodas avait vécu pour être votre héritier, nous ne serions pas ici pour vous demander d'en choisir un autre. »

Dans le noir, Dinadan avait trouvé le bras de Tristan et le serrait.

« Je n'en choisirai pas un autre, dit Constantin essoufflé. Marc est aussi capable que son frère.

— Nous contestons ce choix, répliqua Peredur avec gravité.

— Comment, si, comme vous le prétendez, vous ne voulez pas d'une guerre intestine ?

— Nous nommerons un champion qui, au nom de Perceval, affrontera en combat singulier celui à qui vous aurez confié votre défense. Si le nôtre l'emporte, nous désignons l'héritier ; s'il perd, ce sera vous. Ce soir, par tous les dieux que nous adorons, nous jurerons de respecter à tout jamais cette décision, proclama-t-il devant les hommes médusés. Mais il y a trois conditions. Les deux champions doivent être fils de roi. Tous deux doivent être des hommes d'honneur, des Bretons de naissance. Et ils doivent se porter volontaires. Est-ce acceptable?

— Grand-père, murmura quelqu'un, laissez-moi y aller, laissez-moi me battre pour mon père.

— Silence, Gérontius, grogna Constantin. As-tu oublié ta cheville? Elle est grosse comme un melon. Tu peux à peine t'appuyer dessus. Et Marc, pourquoi n'est-il pas ici?

— Est-ce acceptable? répéta Peredur. Ou n'y a-t-il personne qui veuille se battre pour la Cornouailles?

Tristan sortit la tête de la tente et entraîna Dinadan. Il frémissait d'excitation.

«Tu ne veux pas voir ce qui va se passer? s'étonna Dinadan. C'est l'avenir de la Bretagne qui se joue en cet instant!

— Cours jusqu'à la tente et rapporte-moi mon épée.»

Dinadan le regarda sans comprendre. Tristan ramassait de grosses poignées de boue qu'il étalait sur son torse, ses bras et ses jambes.

«Au nom du Ciel, qu'est-ce que tu...

— Vite, ne perds pas une seconde. Il me faut mon épée!»

Dinadan disparut dans la nuit. Tristan couvrit ses cheveux de boue jusqu'à en faire une masse gluante qu'il ramena sur sa nuque. Puis il s'occupa du reste de son corps. Il était à présent si noir que Dinadan ne le vit pas quand il revint et qu'il lui fallut l'appeler.

«Je suis ici, gros balourd, juste à côté de toi.

— Seigneur, tu es devenu fou ou quoi?

— Je n'ai pas besoin du baudrier, l'épée suffira. Je vais défendre mon oncle Marc.

— Ils vont te tuer!

— Écoute-moi, dit-il avec gravité. Tu crois que j'ignore ce qui se raconte dans mon dos? Tu crois que je suis sourd? Tout le monde, toi y compris, pense que mon oncle Marc se joue de moi. C'est là ma chance de lui rendre le plus grand service de sa vie et de faire valoir mes droits. Si je l'emporte, il devra me sacrer roi de Lyonesse ou passer pour une canaille dans toute la Bretagne. C'est un défi pour lui autant que pour moi.

— Laisse plutôt faire Gérontius, conseilla Dinadan dont les yeux s'embuaient de larmes.

— C'est impossible, il est blessé.

— Tu vas à la mort. Je sais qui ils choisiront, Marhalt, ce boucher!

– Tout homme a son point faible. Je découvrirai le sien. Et il a plus que ça à perdre. Je n'ai ni épouse ni royaume. Et si je meurs, eh bien, ce sera pour moi une sensation inédite.

– Mon Dieu, gémit Dinadan. Toi et tes satanées sensations ! Pour une fois, tu ne peux pas penser comme tout le monde ? Dans ce cas, laisse-moi y aller. Je suis plus âgé et je suis fils de roi, j'ai donc autant de droits que toi.

– Ton cœur n'y serait pas, dit Tristan avant de serrer son ami contre lui. Le mien, si. »

Il se dirigea vers l'entrée de la tente, écarta les sentinelles et apparut dans la lumière blafarde. Les visages se tournèrent vers lui et les hommes poussèrent des cris de surprise. Tristan se présentait à eux, l'épée à la main.

« Je relève le défi de Peredur au nom du roi Marc de Cornouailles ! »

Il y eut des rires, des sourires amers aussi, mais Peredur, seul au milieu de l'assistance, le considérait sans broncher.

« Êtes-vous fils de roi ?

– Oui, seigneur. »

Les rires fusèrent à nouveau. « Le roi des marécages, oui ! » « Il est plus noiraud qu'une catin espagnole ! » « Dites plutôt qu'il est noir comme un Picte ! » « Retourne dans ta caverne, espèce de sauvage ! »

Peredur leva la main pour obtenir le silence.

« Quel est le nom de votre père ?

– Méliodas de Lyonesse, roi de Cornouailles. »

Les rires cessèrent brutalement.

« C'était effectivement un roi. Votre nom ?

– Tristan.

– Soyez le bienvenu, Tristan, prononça Peredur en s'inclinant. Quel âge avez-vous ?

– L'âge n'est pas l'une des exigences, seigneur. Je suis breton de par ma naissance. Engendré et élevé par le roi Méliodas, éduqué par Marc. Vous trouverez en moi un homme d'honneur.

– Je vous crois, assura Peredur avant de se retourner. Roi Constantin, acceptez-vous ce garçon ? »

Constantin dévisagea Tristan et chercha le soutien de Gérontius, mais celui-ci ne dit rien.

« Nul autre que lui ne s'est porté volontaire, déclara Peredur.

– C'est mon petit-fils, confirma le roi avec un hochement de tête. Bien entendu, je l'accepte. S'il est assez sot pour mordre à votre appât.

– Fort bien, Tristan. Je regrette de ne pas avoir mis de condition

24

d'âge, mais puisqu'il en est ainsi, je dois vous accepter. Voici l'homme que vous rencontrerez, annonça-t-il en désignant un personnage placé derrière lui. Il s'appelle Marhalt.»

De l'ombre sortit l'homme le plus grand que Tristan eût jamais vu. Massif, doté de membres gros comme des troncs d'arbre et de mains pareilles à des battoirs, Marhalt toisa son jeune adversaire. Tristan se prit à se demander quel cheval avait pu le porter depuis Galles, mais peut-être avait-il marché? Le caractère incongru de cette question le fit sourire et Marhalt plissa le front.

«Alors, Tristan, on me trouve drôle?

– Nullement, seigneur.

– Alors cesse de ricaner ou je te réduis en chair à pâté.

– Je pose une condition, seigneur, dit Tristan dont l'exigence fit murmurer les hommes de l'assistance.

– Et quelle est-elle? demanda Peredur.

– Sire Marhalt aura le choix des armes, moi celui de l'heure et du lieu.

– C'est d'accord.

– C'est d'accord, dit à son tour Marhalt.

– Attendez! cria Gérontius du fond de la tente. Tristan, mon cousin, cette épreuve doit me revenir par devoir. Laisse-moi l'affronter. C'est l'honneur de mon père qui est aujourd'hui défié.

– Tu es blessé, Gérontius, ce serait injuste...

– Injuste? s'écria le prince à qui les larmes montaient aux yeux. Et tu trouves que *ceci* est juste? Seigneur Peredur, il n'a que seize ans et il n'a passé qu'un an dans l'armée...

– Merci de ta louange, mon cousin, dit Tristan les dents serrées.

– Cette épreuve lui revient, seigneur! lança quelqu'un depuis l'entrée de la tente. Tristan a massacré une centaine de Saxons avec trente hommes seulement, et si cela ne le rend pas digne de se battre contre ce chien lubrique, je ne vois pas qui pourrait l'être, ajouta Dinadan, la main posée sur son baudrier.

– Ha ha! Chien lubrique! répétèrent des Corniques tandis que les Gallois se redressaient brusquement.

– Silence! tonna Peredur. Nous ne voulons pas la guerre civile! Marhalt se battra, voilà tout.

– Tristan, je t'en prie, le supplia Gérontius, il est trop fort pour toi, tu ne pourras le vaincre. Si quelqu'un doit mourir, il vaut mieux que ce soit moi.

– Ton père ne serait certainement pas de cet avis. Prends courage, mon cousin, peut-être le battrai-je.

25

– Tristan, comment mon père pourrait-il te remercier d'un si noble sacrifice ?

– Si je meurs, en te donnant Lyonesse, mais si je vis, en me le donnant à moi.

– Il est déjà à toi, Tristan. Il n'attendait que ton retour de la bataille. Il n'est pas nécessaire que... ceci, dit-il en désignant le géant gallois.

– Je le ferai afin de prouver que c'est un honneur de mourir pour un homme tel que Marc. Ils ne le croient pas en cet instant. Nombre de nos hommes n'y croient pas non plus. Mais, après ce soir, et quoi qu'il advienne, nul ne pourra plus le nier. Ne comprends-tu pas que l'avenir de la Cornouailles est en jeu au même titre que celui de la Bretagne ? »

Gérontius se pencha vers lui pour l'embrasser.

« Bien. Il en sera ainsi, dit Peredur afin de capter à nouveau l'attention de chacun. Marhalt, quelles armes choisissez-vous ?

– Je n'en choisis qu'une, répondit Marhalt avec un regard de dédain pour le jeune homme. L'épée.

– Et vous, Tristan, quand ce combat singulier aura-t-il lieu ?

– Maintenant, seigneur. Ici, à l'extérieur de cette tente.

– *Maintenant ?* s'exclama Marhalt. Sous cette pluie battante ?

– Maintenant.

– Mais... Il faut donc que j'accepte ? demanda le géant à Peredur.

– Oui, répondit celui-ci. Tristan avait le choix du lieu et de l'heure. Vous vous battrez sur-le-champ.

– Je n'ai même pas le temps d'endosser mon armure ? fit Marhalt, de plus en plus agité.

– Préparez-vous comme il vous siéra, lui accorda Tristan en s'inclinant. Et retrouvez-moi dehors. »

Les lèvres de Peredur esquissèrent un sourire admiratif. Tristan sortit de la tente, suivi de Dinadan.

« Vite ! dit Tristan en prenant à part son ami. Apporte-moi davantage de boue. Recouvre-m'en d'une bonne couche bien épaisse. Il ne pleut plus et elle sèche déjà. Prie pour qu'il y ait une petite averse, Dinadan, ou au moins de la brume.

– Je crois bien que tu auras les deux. C'est une nuit de brouillard, si je ne m'abuse.

– Je l'espère. Marhalt est myope.

– Comment le sais-tu ?

– J'ai étudié son regard. Il est gaucher aussi. Et pas très malin.

26

– Ça, je m'en serais douté, mais comment as-tu appris tout ça?

– Sa femme le mène par le bout du nez, c'est évident, glosa Tristan. Cette histoire de viol, c'est une idée de femme, de toute évidence. Et puis, quel combattant digne de ce nom mettrait une armure pour se battre dans la boue?

– Il vaudrait mieux qu'il n'ait qu'un pagne, comme toi?

– Oh oui.

– Tristan, un seul coup d'épée et tu es mort.

– Une cotte de mailles n'y ferait rien, tu sais. Je pourrais aussi bien être nu.

– Que je sois damné si cela ressemble à une stratégie.

– Au moins je serai libre de mes mouvements. Imagine-le avec sa tunique de cuir toute couverte de cuivre, ses cuissardes de cuir. Avec le temps qu'il fait aujourd'hui, elles doivent être trempées. Tu aimerais porter ça, toi? Il les a probablement fait sécher devant le feu, de sorte qu'elles sont maintenant toutes raides. Qu'éprouvera-t-il alors? Avec un tel attirail, il sera aussi lent qu'une tortue de mer!

– Tristan, tu ne penses vraiment donc qu'à *éprouver* des choses? s'étonna Dinadan qui piétinait dans la boue. Cette brute ne se posera pas ce genre de questions, il se contentera de se jeter sur toi.

– Dans une demi-heure, ce sera réglé. À présent, laisse-moi seul, je dois réfléchir.»

Dinadan se retira alors que Peredur sortait de la tente, suivi des seigneurs gallois, du roi Constantin appuyé sur Gérontius et de tous les Corniques. Vingt hommes allumèrent des torches et formèrent un grand cercle. Le sol boueux était défoncé par les pieds innombrables qui l'avaient foulé. Les flaques d'eau reflétaient la lueur des flammes alors que la pluie se remettait à tomber.

Marhalt arriva dans son armure de cuir détrempée, aussi engoncé et mal à l'aise que Tristan l'avait prévu.

«Ne t'esquive pas, petit, ça ne te servira à rien. On va se battre à mort.

– J'ai dit mes prières, lui répondit Tristan en le saluant de son arme. Je suis prêt.»

Peredur donna le signal et le combat commença.

Ils tournèrent lentement l'un autour de l'autre. Tandis que son esprit se consacrait à Marhalt, observant ses mouvements, étudiant ses feintes et évaluant sa mobilité, les sens de Tristan se concentraient sur la brume qui s'épaississait et sur le halo des torches. L'épée resplendit, Marhalt se fendit, Tristan sauta de côté pour parer le coup.

Marhalt pivota sur lui-même, frappa en vain. Tristan plongea à son tour et exécuta une sorte de saut périlleux avant d'atteindre le géant au bras. Marhalt cracha à terre. Il était rapide pour un homme de cette corpulence, étonnamment rapide. Et d'une force incroyable. Le choc des deux lames avait failli arracher son épée à Tristan.

À nouveau ils tournèrent l'un autour de l'autre. Bien entendu, Marhalt se fendit de l'autre côté, mais Tristan se dégagea et, revenant sur lui, le toucha à la cuisse, à travers le cuir de l'armure. Peu après, la main du géant s'abattit sur Tristan, mais elle se referma sur la boue et le jeune homme se déroba. Les premières volutes de brume apparurent au milieu du cercle de torches. Tristan entendit le Gallois grogner, il le vit secouer la tête. *Sers-toi de ton nez et de tes oreilles*, se dit-il, *pas de tes yeux. Entends-le, sens-le! Écoute le bruit de ses pieds!* Il fit un bond en arrière et resta en suspens, sur la pointe des orteils. Le géant se jeta sur lui, l'épée dressée. Tristan s'écarta et frappa. À travers la brume, il vit un ruisselet de sang sur le bras de son adversaire.

Dieux des hautes collines, dieux des abîmes. Tristan roula à terre. *Dieux de la forêt vivante.* Ce fut alors toute une série de coups, d'esquives, de parades. Une fois encore, Tristan toucha le géant au bras. Le sang coula sur sa tunique de cuir, si rapide, si abondant! Marhalt émit une sorte de sifflement et passa à l'attaque. L'épée de Tristan était sans cesse repoussée, comme un objet inutile. Il ne pouvait tenir contre le Gallois et battait peu à peu en retraite. *Dieux des sables brûlants.* Les grosses bottes de Marhalt dérapaient sur la boue. *Dieux du ciel éternel et de la nuit immortelle, entendez ma supplique!* L'épée miroitait dans la lumière, resplendissait, s'abattait. Tristan se démenait comme il le pouvait, égratignant ou blessant parfois le géant. *Ce bœuf ne connaît donc pas la douleur?* se dit-il. *Ô, Mère admirable, je suis un moustique!* Furieux, Marhalt courut sur lui, patina dans la boue et tomba sur un genou. Tristan le frappa à l'épaule, mais le cuivre et le cuir amortirent le coup et Marhalt se redressa en titubant. Ils croisèrent le fer et, d'un coup puissant, le Gallois projeta Tristan vers l'un des soldats formant le cercle. L'homme recula, Tristan s'écroula. À quatre pattes, il rampa dans le noir, au-delà de la fumée des torches embrasées.

«Espère de couard!» beugla Marhalt en s'avançant vers lui. Le cercle se rompit. Des hommes criaient. Tristan glissait sur le sol, incapable de se rétablir. Le bruit l'empêchait d'entendre le géant.

Il se releva. Marhalt était là, sa respiration se matérialisait dans la brume nocturne. Il regardait autour de lui sans rien voir.

«Lâche! Espèce de démon! Montre-toi si tu l'oses!»

Dans l'obscurité, le géant ne pouvait distinguer son corps maculé de boue. *Mithra, maître du Taureau rétif, bénis mon épée!* Tristan se recroquevilla sur lui-même avant de bondir sur son adversaire, mais c'était comme heurter un mur de pierre. Son corps tout entier fut ébranlé, ses doigts relâchèrent leur étreinte. Marhalt haleta et faillit lui arracher son arme. Tristan recula, son pied rencontra la racine d'un arbre. Il plongea de côté au moment même où s'abattait le fer du Gallois. Manqué! Il se releva en tremblant et s'appuya un instant à l'arbre. Il ne sentait plus sa main.

«Je savais bien que tu étais un couard, bâtard de Cornique! Fils de catin! Tu vas mourir!»

La voix était toute proche. Tristan saisit son épée de l'autre main et rampa en silence vers la gauche. Des lumières resplendissaient, seules ou par paires. Où était donc passé le géant? Un clou de bronze miroita un instant. Là! Roulant sur le sol, il frappa l'homme au genou, mais Marhalt se retourna et, d'un coup de poing dans la hanche, le projeta contre un arbre. Tristan poussa un cri, le souffle coupé. Le Gallois, déchaîné, hurla. Tristan vit sa lame s'abattre sur lui, il voulut parer mais sa propre épée lui fut arrachée. Il recula, trop lentement. L'arme du géant le poursuivait. Il s'écroula, le corps endolori, trempé de sueur. Ses jambes le lâchaient, il haletait. *Jésus-Christ, toi qui connais la douleur de la mort, pardonne-moi mes péchés.*

«Aiiiii-eeee-aaaah!»

Le géant poussa un cri et se projeta en avant, mais son genou céda. Il glissa et s'abattit sur le corps du jeune homme, lâchant son épée. Tristan hurla lorsque la masse du Gallois le percuta. Aveuglés par la douleur, ses yeux ne voyaient plus que des étoiles. Il ne pouvait plus respirer. De grosses mains enserraient son cou et cherchaient à l'étouffer. *Jésus, mon Dieu!* L'heure n'était plus à la prière. *Fais quelque chose! Agis!* La vie s'en allait, il sentait ses forces l'abandonner, sa jeunesse s'éteindre. Tous ces espoirs déçus, ces chants restés muets… Les doigts épais tentèrent en vain de se refermer sur sa gorge. D'horribles jurons gallois retentirent: les mains implacables avaient retrouvé leur proie. Tristan n'avait plus de force, plus d'espérance, il ne connaissait plus que la terreur aveugle. Pourtant, au plus profond de son être, il se révoltait. Ses doigts palpaient la boue, cherchaient quelque chose à saisir,

29

n'importe quoi, tandis que les ténèbres l'envahissaient et qu'il se démenait pour ne pas sombrer dans l'oubli. Là! Le contact froid et la rigidité d'un métal ouvragé. La poignée d'une épée! Aveugle, essoufflé, il rassembla ses ultimes forces, banda chacun de ses muscles et leva lentement les bras au-dessus de sa tête avant de frapper, de frapper encore! La lame s'abattit avec tant de violence que son poignet céda. Il y eut alors un bruit sourd suivi d'un rugissement, puis, à la limite de la perception, un cri. Son propre cri.

3

LE SANCTUAIRE

De très loin lui parvint le bruit de l'eau qui coule. Il imagina un étang paisible au cœur d'une forêt, une lumière marbrée, des mousses fraîches qui frôlaient sa joue. Une onde claire glissait sur les rochers tel un flot d'argent. Il frissonna quand des gouttelettes glacées s'écrasèrent sur son visage. Il tressaillit, goûta l'eau sur ses lèvres. Quelqu'un le soutenait, quelqu'un lui relevait la tête pour l'aider à boire. Où était-il? Des mains lui caressèrent les cheveux et lui posèrent délicatement la tête sur quelque chose de doux et d'odorant. Un rameau? Un oreiller? Des pas feutrés sur la pierre, des pas qui s'éloignaient. Il était seul. Il n'entendait rien hormis le doux appel d'une sturnelle, il ne sentait rien au-delà de la brise qui faisait frémir ses cheveux, du sceau apposé sur ses paupières, du bonheur d'une soif étanchée. Comme il sombrait à nouveau dans l'inconscience, il reconnut cet endroit et sourit. *Je suis au Ciel.*

Vers le soir, Tristan ouvrit les yeux. Il était couché sur une paillasse, dans une petite cellule aux fenêtres donnant sur l'est et sur l'ouest. La lumière de cette fin d'après-midi projetait une forme oblongue et dorée sur le sol d'ardoise. Les murs étaient de bois et de clayonnage, de la boue séchée passée à la chaux. Sur une table en bois il vit une vieille cruche en terre, un gobelet en corne, deux pots fermés par un bouchon de liège et présentant une étiquette recouverte de symboles, une chandelle non allumée dans un bougeoir ébréché, des habits propres soigneusement pliés, un couteau à la lame fine, un mortier et son pilon, enfin un bol en céramique délicate. Le sol avait été nettoyé. Nul grain de poussière ne dansait dans la lumière. Il distingua la paille maigre d'un balai dressé dans l'ombre d'une porte basse et cintrée. Aux murs ne figurait aucun ornement, mais seuls des bouquets d'herbes séchées, bleues, roses, brunes, violettes et vert passé, y étaient accrochés. Il lui semblait connaître cet endroit, il s'en rappelait la quiétude, le parfum des plantes, l'air chargé des fragrances de la mer. S'il n'était pas au Ciel, il n'en était pas très loin.

Il ferma les yeux. Il savait, sans se poser de questions, qu'il ne pouvait bouger. Pas un instant, il ne se demanda pourquoi ou comment il était arrivé dans cet endroit. Mais il tendait l'oreille pour entendre la mer, toute proche assurément. Il lui semblait pouvoir en sentir le rythme régulier au plus profond de son être, comme l'appel sourd d'une mère qui lui faisait signe, à lui, le fils perdu, et l'invitait à revenir. Dans un soupir, il laissa son esprit partir à la dérive, au rythme de la marée, et il s'abandonna au sommeil.

La porte grinça doucement et les pas déjà entendus se rapprochèrent. Une main fraîche se posa sur son front. S'arrachant aux rêves suscités par le mouvement des vagues, il ouvrit les yeux. Au-dessus de lui se dressait une grande silhouette vêtue d'une robe grise à capuchon. Un instant, la terreur lui coupa le souffle. Aucun visage ne se dessinait à l'intérieur du capuchon! Le personnage se tourna vers la lumière et Tristan poussa un cri. C'était une tête de mort! *Oh, seigneur Jésus, si je ne suis pas au Ciel, alors suis-je en Enfer?*

«Doucement, mon garçon. Jarrad, le linge et la coupe.»

Des mains robustes lui soulevèrent la tête et les épaules avec la plus grande douceur tandis qu'un jeune homme, vêtu d'une robe grise comme son maître, plaçait devant ses lèvres une coupe emplie d'un breuvage bienfaisant. Il but et respira plus facilement. Le personnage encapuchonné reposa la tête de Tristan sur l'oreiller et lui essuya la bouche.

«Eh bien, fit une voix familière, tu nous es enfin revenu.»

Il rejeta son capuchon. Son visage, quoique mince et osseux, avec ses yeux enfoncés dans leurs orbites et ses cheveux grisonnants, était celui d'un homme plein de vie.

«Oncle Pernam! voulut dire Tristan, mais ses lèvres n'émirent qu'un souffle.

– Chut, ne parle pas encore. Il suffit que tu sois enfin éveillé. Tu me reconnais? Je vois que oui. Sois le bienvenu à Lyonesse. Tu es dans mon hospice. Tu t'y trouves depuis trois mois, avec des hauts et des bas, mais tu vas guérir.»

Tristan lui adressa un regard étonné.

Pernam hocha la tête comme s'il avait réellement formulé sa question. Jarrad apporta le bol de céramique. Il plongea un morceau d'étoffe dans l'eau fraîche et baigna le visage et le cou de Tristan tout en lui parlant.

«Oui, trois mois. On a du mal à croire que tu ne te rendes pas compte du temps écoulé. Nous sommes en plein été.»

Tristan fit des efforts pour se souvenir. Où était-il allé? Pourquoi se trouvait-il au Sanctuaire de Pernam? Que ne l'avait-on ramené chez lui, par-delà la chaussée, sur le promontoire? Que se passait-il donc?

Pernam fit signe au garçon, qui déposa le bol sur la table et déboucha l'un des pots. Il le lui apporta, ainsi qu'un couteau et davantage d'étoffe.

«Pernam, dit-il d'une voix qui ressemblait à un croassement.

– Bien, constata son oncle en souriant. Ne te hâte pas. Tes souvenirs te reviendront bientôt. Repose-toi, suis le rythme de ton corps. Tu guériras plus vite si tu écoutes ta voix intérieure.»

Tristan ne pouvait maîtriser sa panique. On lui ôtait sa couverture, on le lavait, *et pourtant il ne sentait rien*!

«Pernam! lança-t-il distinctement. *Je suis mort! Je ne sens plus rien!*

– La Grande Déesse soit louée, tu es on ne peut plus vivant, dit Pernam qui tenait le couteau et le pot. C'est de mon fait si tu as perdu toute sensation, je t'ai administré une drogue destinée à endormir la douleur.»

La douleur! Ce mot le frappa avec toute la violence de la vérité. Récemment – mais quand exactement? –, il avait beaucoup souffert. Il s'en souvenait vaguement.

«Deux fois par jour, nous avons posé un emplâtre sur ta blessure, lui expliqua Pernam, mais tu n'es jamais revenu à toi. Je te préviens, cela risque de faire mal, mais c'est nécessaire, ajouta-t-il en plongeant son couteau dans une pâte verdâtre. Tiens-toi tranquille.»

Tristan ne sentit ni la lame sur sa peau ni la pâte qu'on y étalait, mais plutôt un millier d'aiguilles chauffées à blanc, sous son bras droit et sur son torse. La sueur coulait sur son front, il haletait. Pernam tendit le pot à Jarrad et tamponna le front du jeune homme.

«Bien. Je recommencerai demain matin.

« – Deux fois par jour? murmura Tristan. Pernam, que m'est-il arrivé? »

Avec douceur, Pernam replaça la couverture sur Tristan, chuchota quelques mots au garçon et le fit sortir de la pièce. Puis il essuya une fois encore le front de son neveu.

« Tu t'es battu en combat singulier. Et tu as tué un géant. »

Marhalt! Ce nom s'imposa brusquement à lui et, tout d'un bloc, les souvenirs lui revinrent, dans le moindre détail, au point d'en être choquants. Il se rappelait le combat comme si c'était hier.

« Marhalt est mort?

– Oui, c'est bien ce nom. Tu lui as fendu le crâne. Est-ce ainsi que l'on se bat de nos jours? Cela m'a paru peu orthodoxe. »

Tristan s'efforça de sourire.

« Il avait cinq fois ma taille et ses mains cherchaient à m'étrangler. Il vous faudra me pardonner.

– Mon cher, toute la Cornouailles te pardonne, dit Pernam avec un sourire qui donna un air enfantin à son long visage osseux. Tout le monde t'aime aujourd'hui. Mon père, Constantin, a pleuré de joie, et mon frère, Marc, t'a baisé le front.

– Marc était ici?

– Deux semaines durant alors que la fièvre te dévorait. Il t'a fait roi de Lyonesse. »

Tristan ferma les yeux. *Enfin…*

« Je suis désolé, je n'en savais rien.

– Lui aussi l'était, mais il reviendra quand tu auras recouvré tes forces et que tu seras en mesure de le recevoir à Lyon's Head. »

Il contempla le visage calme de Pernam. Depuis toujours, cet oncle, cadet des trois fils de Constantin, lui avait été une consolation. Il avait aussi été le seul, parfois, à écouter ses odes et ses rêves. Pernam avait toujours été tel qu'aujourd'hui, un homme serein, sans détour, qui comprenait la vie. Pas une fois il ne s'était dérobé quand Tristan avait désiré lui parler.

« Pernam, dit le jeune homme à voix basse, je croyais que j'étais mort. Le géant m'a tué, je m'en souviens bien.

– Cela a effectivement failli se passer ainsi. Ta blessure était profonde. Tu as perdu presque tout ton sang et nul ne croyait que tu survivrais. Ils t'ont pansé de leur mieux et ramené sur un brancard. Oui, ils t'ont amené à moi, dans cette chambre, plus mort que vif. J'ai six nouveaux apprentis, ajouta doucement Pernam. Tu les as bien éduqués, Tristan, tout ce qu'ils savent, c'est toi qui le leur as enseigné. Ils étaient avec moi quand j'ai ôté le bandage de ta blessure.

— Était-elle si affreuse ?

— Les médecins militaires ont fait de leur mieux, dit l'oncle en ébauchant un sourire, mais ils n'ont pu ôter toute la boue. Cela suppurait.

— C'est pourtant cette boue qui m'a sauvé la vie. Cette brute m'étranglait.

— Quoi qu'il en soit, je dirai seulement que j'ai dû rouvrir la blessure et te laisser saigner. Tu as passé deux semaines avec une fièvre qui aurait pu t'emporter et six autres semaines en sueur, à grelotter sans arrêt. À un moment, il y avait ici quatre tables chargées de remèdes. Comme tu peux le voir, il n'y en a plus qu'une. La potion apaisante et l'emplâtre. Ça, des prières et du repos, voilà tout ce dont tu as besoin à présent.

— Je me souviens, du moins je crois, qu'il m'a brisé le poignet. »

Pernam souleva le bras droit de Tristan afin de l'examiner. Quoi, c'était son propre bras, ce bâton osseux et noueux ? Son corps s'était-il ratatiné au point de ne plus former qu'un linceul à ses os ? Pernam lui fit plier le poignet pour lui montrer que tout était normal.

« Ce n'était pas une vilaine fracture. Elle s'est réduite facilement. Tu retrouveras l'usage de ton poignet.

— Mais comment se fait-il que je ne sente rien, pas même les mouvements de mon bras, et que cette blessure me brûle atrocement ? »

Pernam ne répondit rien et reposa le bras de Tristan sur la couverture. La lumière baissait dans la petite chambre.

« Mon oncle…

— Si je n'ai rien dit jusqu'à ce jour, c'est que je n'étais pas sûr, répondit Pernam en indiquant la poitrine de Tristan. Mais si tu le sens malgré la force de la drogue, c'est qu'il en est bien ainsi.

— De quoi parlez-vous ?

— De poison. La lame en était badigeonnée.

— Du poison !

— Il n'avait rien d'ordinaire, crois-moi. J'ai ici de nombreux antidotes, je les ai tous essayés, et tu as guéri. Cela fut très long, mais nous avons réussi à rassembler les ingrédients adéquats. Je crains que la blessure ne se limite pas à la chair.

— Que voulez-vous dire ?

— Il y avait autre chose que du poison, prononça lentement Pernam. Cette épée était enchantée. »

Tristan le dévisagea sans comprendre. Pernam soupira et regarda par la fenêtre. Les premières étoiles s'allumaient.

«Aujourd'hui, rares sont ceux qui détiennent encore un tel secret. Jadis, quand mon père était jeune, quand Cador, mon grand-père, était au service du Haut Roi Arthur, ce pouvoir reposait entre les mains des hommes. Le grand Merlin l'exerçait. Tu as certainement entendu parler de lui.

– Merlin l'Enchanteur? Bien évidemment. Mais, pour moi, il n'est que le héros d'un chant bardique, comme Kay le Manchot, Badwyr à l'Épée étincelante et le grand Lancelot du Lac.

– Que chantent les bardes si ce n'est notre glorieux passé? Ces hommes étaient bien réels, comme toi et moi. Bien que serviteur de Dieu, Merlin était, de son vivant, aussi fait de chair et d'os, comme toi.

– Les bardes racontent que, comme Arthur, il n'est jamais mort.

– Ils ont un peu tendance à broder, dit Pernam avec un sourire, mais il y a du vrai dans leurs propos. Merlin était un grand enchanteur et il a toujours utilisé ses dons à bon escient. Viviane d'Avalon, la Dame du Lac, était une enchanteresse, ainsi que Morgane, la Visionnaire. En revanche certains faisaient un mauvais usage de leurs pouvoirs: ainsi Morgane de Rheged et la terrible Morgause, la sorcière des Orcades. Mais ils ont tous disparu. Même Avalon n'est plus que ronces et pommiers. Leurs secrets ne se sont pas envolés avec eux, apparemment. On aura ensorcelé l'épée de ce Gallois.»

Dehors, un rossignol se mit à chanter. Pernam se leva et alluma une chandelle. La pénombre se changea en nuit quand la flamme s'éveilla. Tristan ne voyait plus que le visage de son oncle.

«Est-ce que cela sera toujours ainsi? On ne peut donc m'aider?

– La douleur sera moindre avec les années, mais je crains que tu ne la ressentes toujours, à moins que l'on découvre l'antidote, si je puis employer cette expression.

– Mais comment trouver l'antidote à un enchantement?

– Celui qui jette un sort peut aussi l'annuler. En tout cas, je suis certain d'une chose: si tu n'avais pas tué Marhalt, tu serais mort.

– C'est évident.

– Ce n'est pas ce que je veux dire. Même s'il s'était contenté de t'égratigner, la malédiction de l'épée aurait eu raison de toi. Si tu as vécu, c'est parce que le maître de l'épée a péri.

– Mais de quoi diable parlez-vous, mon oncle?

– Il n'y a pas d'autre explication. Après une telle blessure, un tel voyage, si tu es encore là, c'est que Marhalt est mort.

– C'est absurde.

36

– J'ai entendu parler de telles malédictions. Les druides en faisaient usage. Une personne détentrice du secret des druides peut avoir ensorcelé cette épée en pensant protéger celui qui la manie. Il deviendrait quasiment impossible à exterminer.

– C'était le cas.

– Tant que Marhalt vivait, son épée pouvait décimer ses ennemis. S'il mourait au combat, le sort protégerait son adversaire. Mais non sans conséquences.

– Il me faut donc retrouver celui qui a donné cette épée à Marhalt?

– Celui ou celle. Ah, voilà ton souper, dit Pernam en entendant gratter à la porte. Entrez donc. Je vais te redresser et ils te serviront à manger. Laisse-les faire, cela fait partie de leur éducation.»

Six jeunes gens, vêtus de robes comme Pernam, s'approchèrent en tenant chacun une chandelle et un panier. Ils placèrent une serviette sous le menton de Tristan et tirèrent des paniers une miche de pain tout juste sortie du four, un flacon de soupe fumante et un bol vernissé. Les garçons versèrent la soupe dans le bol et portèrent celui-ci à ses lèvres. Brûlante, elle réchauffa aussitôt son ventre et ses membres. Il n'avait pas la force de manger seul le pain; un garçon en trempa un morceau dans la soupe et le déposa sur sa langue. On le fit boire dans un gobelet en corne tandis qu'un des jeunes gens s'asseyait près de la fenêtre pour chanter en s'accompagnant sur une petite harpe.

«Ne sont-ils pas charmants? lui murmura à l'oreille Pernam.

– Les anges de Pernam, dit Tristan après avoir contemplé leurs visages juvéniles.

– Ils appartiennent à la Déesse, pas à moi. Même si Jarrad trouble mon sommeil de temps à autre... Tu étais comme eux, Tristan, la dernière fois que je t'ai vu. Méliodas était encore en vie. Oui, tu étais aussi beau, et je ne crains pas d'affirmer que tu le seras encore quand tu auras recouvré la santé et qu'on t'aura débarrassé de cette barbe hirsute.

– J'ignorais que j'avais de la barbe.»

Les doigts de Pernam effleurèrent ses joues. Il ne sentit pas le contact de sa chair mais au contraire celui de ses poils raides.

«Quatre années passées dans l'armée ont fait de toi un homme. Marc et Guvranyl t'ont volé ta jeunesse et t'ont façonné à leur image. Et maintenant tu es un roi. Je suppose qu'il devait en être ainsi, soupira Pernam, tu es de la trempe de Méliodas, pas de la mienne.»

Les garçons rangèrent les affaires et le chanteur mit un terme à son ode. Pernam reposa doucement la tête de Tristan sur l'oreiller.

«Je veux voir Dinadan, dit le jeune homme. Pouvez-vous l'envoyer chercher?

— Il est ici, dans la partie de la maison réservée aux hôtes. Il ne s'en est pas absenté un instant. Je te l'enverrai dès demain matin.»

Pernam leva la main et les garçons entonnèrent un chant rythmé, sans paroles. Cette étrange musique formait comme des volutes qui s'insinuaient dans ses pensées, effaçaient les lisières de la douleur et le menaient doucement à l'oubli.

«Dinadan, sourit Tristan quand le visage familier apparut à la porte.

— Tristan! Par le Christ, tu as l'air d'un cadavre.»

En trois pas, Dinadan fut à ses côtés et serra fort la main de Tristan au point que les larmes lui vinrent aux yeux.

«C'est si bon de te revoir, Din. Et ne pleure pas, je vais vivre.

— Je l'espère bien, après tout ce que nous avons connu, soupira l'autre en s'essuyant les yeux. Ah, Tris! Je veux dire… seigneur, fit-il en mettant un genou en terre. Sire Tristan, roi de Lyonesse.

— Relève-toi, voyons, tu as l'air d'un idiot.

— Ce n'est pas nouveau. C'est la première fois que tu entends ce titre?

— Oui.

— Tu t'y habitueras. Alors, comment te sens-tu? Mais peut-être que je ne devrais pas te poser cette question?

— Mal. J'éprouve une telle douleur au niveau de la poitrine que je peux à peine respirer, mais au moins je sens quelque chose. Hier, je me faisais l'effet d'un cadavre ambulant, aujourd'hui je suis comme un homme blessé.

— La plupart des humains avaleraient n'importe quoi plutôt que de connaître la douleur, mais pas toi.»

Avec effort, Tristan leva une main décharnée et montra le sachet de lin accroché à son cou à l'aide d'une cordelette de soie.

«Tu vois ça? Sens. Cela empeste une herbe magique que mon oncle connaît et, tant que j'en respire les vapeurs, la douleur sera supportable. Il me le fait porter depuis que je rejette sa drogue. Il dit qu'une trop grande douleur empêche la guérison. Il m'a arraché à la mort et je dois lui obéir.

— Ton oncle Pernam est un magicien, fit Dinadan d'un air

admiratif. Fais ce qu'il te demande. Je ne peux croire la moitié des choses que j'ai vues ici. Même si... ses mœurs sont parfois étranges.

— Tous les hommes sont différents. C'est un guérisseur au service de la Mère. Ses talents ne sont pas ceux d'un guerrier.

— Je sais, mais ces garçons... ne sont-ils pas terriblement jeunes?

— Aucun d'eux n'est ici contre son gré. Pernam n'accepte que les jeunes gens venus lui offrir leurs services, des jouvenceaux qui rêvent non de tuer ou de conquérir des royaumes mais de tout autre chose. Guérir est tout pour lui.

— Je le sais, il m'a fait courir à travers champs pour cueillir certaines plantes.

— Toi? Mais tu n'y connais rien!

— Je n'y connaissais rien. Leth et Aran m'ont aidé – les jumeaux qui ont les yeux gris. Ils m'ont appris ce que je devais rechercher. Me croirais-tu si je te dis que je suis pratiquement allé jusqu'à Tintagel pour trouver une certaine sorte de fougère? Ils jetaient la moitié de ce que je collectais et j'ai failli m'empoisonner avec des champignons. Ton oncle m'a sauvé. Mon séjour à Lyonesse a été des plus passionnants.

— Dinadan, je ne te remercierai jamais assez.

— Laisse-moi te servir à Lyon's Head quand tu te sentiras assez bien pour rentrer. Mon père m'a donné la permission d'être à ton service plutôt qu'à celui de Marc, maintenant que tu es roi!

— Je ne demande pas mieux! s'écria Tristan en tendant la main à son ami. Parle-moi de Marhalt. Est-ce que je l'ai vraiment tué?

— Plutôt, oui! Tu lui as ouvert le crâne d'un seul coup d'épée. Il a fallu deux hommes pour la lui retirer. Elle est dans ma chambre à présent. Elle est entaillée, un souvenir de ce combat. Où qu'il repose aujourd'hui, il aura à tout jamais un morceau de métal cornique fiché dans son cerveau.

— C'est l'épée que mon père m'a remise un mois avant sa mort, confia Tristan d'un air lugubre.

— Ne t'inquiète pas, la lame en est toujours aussi robuste. Je l'ai éprouvée contre la mienne.

— Le Ciel en soit loué. Tu sais, Dinadan, depuis l'aube je suis là à réfléchir. Si c'était à refaire, je me demande si je provoquerais à nouveau Marhalt.

— Parce que tu as failli en mourir?

— Non, avoua lentement le jeune homme en pressant la main de son ami, parce que quelque chose me dit qu'il n'en sortira rien de bon.

– Tu es roi de Lyonesse et les Gallois ont été contraints d'accepter Marc à la tête de la Bretagne. N'est-ce pas ce que tu voulais?»

Tristan soupira en regardant le plafond lézardé. La brise marine vint caresser ses joues. Brusquement, il se sentit très las.

«Peut-être est-ce une chose dont j'ai rêvé ou que m'a dite Pernam, mais j'ai le sentiment que mon destin est lié à celui de Marhalt et qu'un jour il me rendra le coup que je lui ai porté.

– La douleur et la maladie sont la cause de ces superstitions, lâcha Dinadan avec mépris. Marhalt est mort, il ne te nuira plus.»

4

ESMERÉE

Vers la fin de l'été, Tristan fut assez fort pour marcher sans aide. Il appréciait sa nouvelle liberté et, un matin, las de se promener dans l'enceinte du Sanctuaire de Pernam, il en franchit la porte et emprunta le chemin escarpé qui menait à la grève, au pied de la falaise. Il s'empressa de se dévêtir et entra dans la mer en frissonnant. Puis, prenant son souffle, il plongea pour jouir de la douceur de l'onde sur sa peau. Voilà, songea-t-il, ce qu'un amant doit éprouver après une longue absence. Depuis combien de temps ne s'était-il uni à elle et n'avait-il connu son étreinte! Il remonta à la surface, rejeta l'eau salée par sa bouche et ses narines et se laissa paresseusement flotter. Le soleil matinal baisait son visage et sa poitrine tandis que la fraîcheur de la mer effleurait ses jambes comme pour l'inciter à revenir dans son domaine secret. Quand ses orteils commencèrent à s'engourdir, il regagna le rivage où il demeura un instant pour profiter de l'ultime caresse de son amante. À cette pensée, son intimité réagit et il éclata de rire en tendant les mains vers la mer.

«Grande Mère, pourvoyeuse de vie, je te salue!

– Tristan!»

Il se retourna et vit Dinadan courir sur la grève.

«Tu es donc là. Pernam te cherche partout. Pourquoi ne m'as-tu pas dit où tu allais?

– Je voulais être seul.

41

– Tu n'as pas besoin d'être seul, plaisanta Dinadan en découvrant l'état de son ami, mais tu as besoin d'une femme.

– Cela m'arrive souvent depuis quelque temps, répliqua Tristan qui, le rouge aux joues, ramassa ses habits. Surtout quand on me masse après l'exercice. Pernam prétend que cela fait partie de la guérison et il ne s'inquiète pas.

– Je suis d'accord avec lui. Inutile de s'inquiéter. Trouve-toi seulement une femme.

– Oh, ce n'est pas difficile... Mais comment sais-tu tout ça ? Il me semblait que tu n'avais pas le temps de t'intéresser aux filles. Pourquoi ne m'as-tu rien dit ?

– Je t'en aurais volontiers parlé, répondit Dinadan qui rougissait à son tour, mais le temps nous était compté sur le champ de bataille.

– Tu es sérieux ? Quand est-ce arrivé ?

– L'hiver dernier, après le conseil de Marc, à Tintagel. Tu es resté sur place, moi j'ai raccompagné mon père jusqu'à Dorria.

– C'était après Noël, je m'en souviens. Continue.

– Quoi, continue ?

– Ton visage a la couleur d'une pomme mûre, fit remarquer Tristan en laçant ses sandales. Petit cachottier ! Allez, dis-moi tout.

– Eh bien, euh, elle s'appelle Diarca.

– Ne me donne pas son nom, pauvre sot, elle t'en voudra à mort et je ne pourrais la blâmer. Raconte-moi plutôt ce que c'est que de coucher avec elle.

– Je t'en prie ! Je ne peux quand même pas te révéler tous les détails ! s'écria Dinadan, le visage empourpré.

– Pourquoi pas ? Bon, oublie tout si cela t'est si difficile. Je suis curieux, rien de plus. Viens, partons.

– Tu le découvriras bientôt par toi-même. Regarde-toi, tu as tellement grandi depuis l'hiver ! Tu as maintenant les jambes d'un cheval de course et la carrure d'un bœuf, de plus tu es roi de Lyonesse. À peine rentré chez toi, elles attendront devant ta porte.

– J'ai aussi une vilaine cicatrice qui me barre le corps, dit Tristan en prenant son ami par l'épaule. Prie pour que je trouve une femme que cela n'effraie pas. »

Une fois arrivés en haut de la falaise, ils s'arrêtèrent pour reprendre haleine.

« Le Ciel me vienne en aide, haleta Dinadan, tu as plus de souffle que moi. Si tu es un invalide, alors moi je suis roi de Rome ! Qu'attends-tu, Tristan ? Il est temps de rentrer chez toi et de t'emparer de cette royauté qui te tend les bras.

– J'attends l'autorisation de Pernam. Je le lui dois bien.

– Allons, tu es assez fort pour regagner Lyon's Head.

– Il me prépare une nouvelle décoction, une herbe amère qu'il broie et me fait boire. Je dois en prendre chaque matin, ajouta Tristan en frissonnant. Le goût en est horrible mais cela me fait du bien.»

Ils étaient arrivés au Sanctuaire et le portier les laissa entrer. Pernam les retrouva dans la grande salle, un panier à la main. Il s'inclina devant eux.

«Bonjour. Je vois que tu as nagé, Tristan.

– Vous n'allez pas me dire que c'est interdit?

– Au contraire, l'eau de mer a des vertus curatives. Nage tant que tu veux, mais jamais seul.

– Pourquoi me cherchiez-vous? demanda Tristan un peu vexé. Pour me faire boire encore cet horrible breuvage?

– J'ai quelque chose de nouveau ce matin, répondit Pernam en indiquant son panier. Le goût en est bien meilleur. Viens prendre ton déjeuner, je t'en donnerai.»

Pernam ne dit plus rien jusqu'à ce qu'ils se fussent attablés dans la chambre de Tristan. Leth apporta un pichet de lait de chèvre bien chaud ainsi que du pain et du miel, mais Pernam repoussa le repas habituel. Il sortit de son panier un gros gâteau rond aux raisins parsemé d'écorce de citron. Il en coupa une tranche pour chacun d'eux et ils mordirent prudemment dedans.

«Mais c'est délicieux! s'exclama Tristan. C'est le meilleur gâteau que j'aie jamais mangé. Êtes-vous sûr que l'herbe s'y trouve?

– Certain.

– Vous qui disiez toujours que vous n'aviez pas de dons de cuisinier. Comme vous êtes modeste!

– Je ne l'ai pas préparé. Quelqu'un d'autre s'en est chargé, une femme.»

Les deux jeunes gens se regardèrent et les lèvres de Pernam ébauchèrent un sourire.

«Cela t'étonne? Peut-être, Tristan, te présenterai-je à cette généreuse amie si tu apprends à ouvrir ton esprit.

– Je vous demande pardon, mon oncle. Oui, amenez-la-moi que je la remercie de ce merveilleux gâteau. Me sera-t-il possible d'en avoir encore quand je serai revenu à Lyon's Head?

– Probablement pas, à moins que tu ne veuilles chevaucher jusqu'ici. C'est une femme du cru. Mais procédons dans l'ordre. Il nous faut d'abord savoir si ce gâteau est aussi puissant que le breuvage. Il se peut que la cuisson atténue les effets de l'herbe. Nous le saurons dans une semaine. Si cela te fait du bien, je lui demanderai de t'en préparer un autre, et si ton état n'empire pas dans la quinzaine à venir, je te renverrai chez toi.»

Dinadan affichait un sourire satisfait mais Tristan détourna les yeux.

«Avez-vous une harpe, mon oncle? Depuis l'aube, je ne songe qu'à la musique.

— J'en ai justement une, lui répondit Pernam qui adressa un signe à Leth. Elle est très belle quoique assez petite. C'est une harpe de voyage faite de corne, de cuivre et de crins de cheval. Elle aurait jadis appartenu à Merlin l'Enchanteur.

— C'est vrai? Je ne connaissais pas cette histoire. Comment cet instrument est-il arrivé en Cornouailles? Merlin était gallois.

— En ce temps-là, Galles et la Cornouailles étaient amis, commença Pernam dont le regard se perdit dans le lointain. C'était à l'époque d'Arthur, et même avant, à celle d'Uther Pendragon. Grâce à cette harpe, Merlin aurait ensorcelé le Haut Roi Uther et il lui aurait donné l'apparence de Gorlois, le duc de Cornouailles, pour lui permettre de coucher sans qu'elle le sût avec la duchesse Igraine et d'engendrer Arthur. Au matin, quand notre ancêtre Gorlois attaqua les troupes du roi et fut tué, Merlin fit sortir Uther de Tintagel avant que le courrier n'apporte à la duchesse la nouvelle du trépas de son mari et qu'elle ne découvre la supercherie. Dans sa hâte, il oublia sa harpe. Belle histoire, non? dit Pernam en se tournant vers son neveu. J'ignore si elle est vraie. Marc m'a offert cette harpe à son arrivée à Tintagel. La Déesse sait qu'il n'en avait pas l'usage.»

Le jeune garçon entra, porteur de la fameuse harpe. Tristan la prit avec délicatesse car c'était un objet ancien, puis il la cala contre lui, en pinça les cordes et se mit à chanter d'une voix limpide.

«Si je ne savais pas la vérité, je dirais qu'elle est faite pour toi, déclara Pernam en adressant un clin d'œil à Dinadan. Elle est désormais à toi, Tristan. Reçois-la avec ma bénédiction, et puisse-t-elle t'apporter la joie.

— À moi? Mon oncle, comment vous remercier? C'est... c'est un trésor!

— Tu peux commencer par te retirer dans un endroit tranquille pour en éprouver toute la sensibilité. Va, petit barde, je lis le désir dans tes yeux. Et ce soir, tu chanteras au souper.»

Quand Tristan fut parti, Pernam et Dinadan restèrent un instant sans parler tandis que Leth débarrassait la table.

«Avez-vous vu son visage quand vous avez évoqué son retour et son expression quand vous lui avez offert la harpe? remarqua Dinadan. Parfois… parfois je me demande s'il désire *vraiment* être roi de Lyonesse, mais dans le cas contraire, pourquoi a-t-il affronté Marhalt?

— C'est un barde dans un corps de prince, répondit Pernam en se levant. Il y a vingt ans, trente ans peut-être, à l'époque d'Arthur, on l'aurait célébré dans toute la Bretagne, mais il est né trop tard. Il est écartelé entre deux natures, il est né entre les étoiles, ajouta-t-il avec un soupir. Puisse la Mère lui pardonner.»

Seul dans le jardin baigné de soleil, jambes croisées à l'ombre d'un laurier, Tristan faisait courir ses doigts sur la harpe, fermant les yeux afin de mieux se délecter.

Sur l'allée menant à la porte, une femme marchait en compagnie de ses serviteurs. Elle entendit la musique et leur fit signe de se taire. Elle demeura un instant immobile, retenant son souffle, puis elle se glissa dans le jardin. En découvrant Tristan béat, perdu dans sa musique, elle ne put s'empêcher de soupirer et les larmes lui vinrent aux yeux. Ah, cette musique! Elle coulait de ses doigts telle une rivière sonore qui l'enveloppait au point de l'engloutir. Il leva la tête vers le soleil et se mit à chanter. Elle ne prêta pas réellement attention aux paroles, celles d'une vieille chanson de pêcheurs, mais sa voix! Douce et mélancolique, tragique et puissante, elle l'émouvait à chaque syllabe. Elle écoutait, ravie, sans se rendre compte que ses joues pâles étaient baignées de larmes. Quand la dernière note se fut envolée, il ouvrit les yeux et la vit.

«Qui êtes-vous?» fit-elle dans un sanglot.

Tristan se figea. L'espace d'un instant, il la prit pour un ange du Ciel venu l'arracher à ce monde. Ses cheveux étaient nimbés de lumière et son visage demeurait dans l'ombre. Elle vint s'agenouiller auprès de lui.

Elle réitéra sa question, mais il était incapable de remuer les lèvres. Il ne pouvait que la contempler, fasciné. De beaux yeux bruns mouillés de pleurs, des lèvres douces et tremblantes, une peau aussi pâle que le lis au matin… un torrent de sensations l'envahit.

«Peu importe, reprit-elle. Ne me dites pas comment l'on vous appelle car je sais votre véritable nom.

— Comment est-ce possible? balbutia-t-il, conscient que, même enfant, il ne s'était jamais montré aussi gauche.

45

— Vous êtes Orphée, affirma-t-elle en tendant la main pour écarter les cheveux qui retombaient sur son front. Car votre mélodie n'est qu'enchantement. »

Il ferma les yeux au contact de ses doigts.

« Ma dame, si je suis Orphée, alors vous devez être Eurydice, répliqua-t-il avant de rouvrir les yeux et de la voir sourire.

— Quel beau compliment. Merci, jeune seigneur. Combien de temps allez-vous rester auprès du prince Pernam ? demanda-t-elle en se relevant.

— Une quinzaine de jours, dit-il, incapable de bouger, comme un arbre dont les racines plongent dans la terre. Vous reverrai-je ?

— Je viens ici trois fois par semaine. Je serai là après-demain. Attendez-moi, Orphée. »

Il ne parla pas d'elle à Dinadan. Même s'il l'avait voulu, il n'aurait pas trouvé les mots. Son ami travaillait aux écuries de Pernam, réparant la toiture, évaluant les mules et les chevaux, discutant de croisements ou enseignant à Jarrad le nom des parties les plus nobles de ces animaux. Abandonné à lui-même, Tristan cherchait un coin paisible du jardin ou du verger, de la vieille maison ou des appentis adossés à la falaise. C'étaient des lieux de paix et chacun pouvait y guérir de ses blessures. Il lui suffisait de soleil, de vent et de vagues pour qu'il composât une ode.

C'est ainsi qu'elle le trouva la deuxième fois, penché sur sa harpe, le soleil sur le visage et le vent dans les cheveux. Il releva la tête et la vit près de la porte de la buanderie, ses beaux cheveux resplendissant comme du bois poli à la lumière du jour. Il se redressa brusquement, abandonnant sa harpe dans l'herbe. Derrière elle, il entrevit un mouvement. Vêtu de sa robe grise, Pernam sortit de l'ombre et les observa tous deux.

Il lui offrit son bras et ils s'approchèrent de lui. Cette femme voletait littéralement dans la cour, elle gratifiait son oncle de son plus beau sourire et lui parlait d'une voix claire de choses sans importance, de laine et de tissage. Tristan balaya ces mots d'un geste de la main. Elle emplissait son champ de vision : la chaleur surprenante qu'elle dégageait, sa peau diaphane, les courbes aussi merveilleuses que terrifiantes qui se dessinaient sous son corsage. La sueur lui coula dans le dos. Il aurait voulu lui être totalement indifférent, comme l'était Pernam, mais non, pour rien au monde il n'aurait changé de place avec son oncle.

« Mon Orphée, nous nous rencontrons à nouveau. »

Il inclina poliment la tête et espéra qu'elle ne remarquerait pas ses tremblements.

«Je crois le moment venu de faire les présentations, dit doucement Pernam qui observait Tristan, les sourcils légèrement froncés. Tristan, voici ta bienfaitrice, la femme qui a favorisé ta convalescence. Dame Esmerée. Esme, voici mon neveu, Tristan.»

Elle ne put s'empêcher d'écarquiller les yeux tandis que le rouge lui montait aux joues.

«Tristan, murmura-t-elle. Le roi de Lyonesse.»

Elle fit la révérence, mais il s'empressa de la relever.

«Dame Esmerée, fit-il d'une voix aussi douce que le vent de la nuit, le souffle de la mer sur les prés. Je désirais tant vous rencontrer. Soyez remerciée de votre gâteau.

— Ce n'était rien, seigneur. Une toute petite chose. Je suis heureuse qu'il vous ait plu.

— Non, ce n'est pas une petite chose, alors que je n'avais pour seule perspective qu'avaler cet horrible breuvage toute ma vie durant. Vous ne pouvez imaginer quelle importance je lui confère.»

Le vent avait défait les cheveux de la jeune femme, qui retombaient librement autour de son visage et sur ses épaules. Une boucle ornait son sein blanc. Sentant un regard posé sur lui, Tristan se tourna vers Pernam dont l'air était empreint de compassion mais aussi de désapprobation.

«Dame Esmerée nous aide de bien d'autres manières, dit-il en ramassant la harpe et en les entraînant sur le chemin qui menait au jardin. Ses femmes et elle tissent et cousent nos robes, ainsi que les habits que nous distribuons aux petits pauvres des environs. Nous lui sommes tous redevables.»

À l'entrée du jardin, Pernam rendit sa harpe à Tristan et s'inclina devant Esmerée.

«Merci, Esme. J'aurai la laine que vous demandez lors de votre prochaine visite. Quand votre époux doit-il rentrer?

— À la fin de la semaine, selon le courrier, répondit-elle alors qu'une ombre traversait son visage. Il devrait rester six jours.

— Les couvertures ne sont pas pressées, précisa Pernam avant de s'incliner et de disparaître.

— Votre oncle est très bon, dit-elle à Tristan avec un sourire un peu amer. Je lui dois la vie de ma cadette, ajouta-t-elle en le prenant par le bras pour le conduire au jardin. Il l'a sauvée d'une morsure de serpent alors même que le prêtre la tenait pour morte. C'est le plus puissant guérisseur de toute la Cornouailles. Pour moi, cela tient à ce qu'il n'abandonne jamais. La vie, la vie ici-bas, a plus d'importance pour lui que pour les frères chrétiens. Ils ne pensent qu'à l'autre vie. »

Un banc de pierre se dressait à l'ombre du laurier. Esmerée s'assit et força Tristan à prendre place auprès d'elle.

« Depuis l'instant où j'ai entendu votre musique, je ne songe qu'à une chose : composeriez-vous une ode pour ma fille ?

— C'est pour *vous* que j'ai composé celle-ci, balbutia-t-il. J'ignorais que vous aviez un mari.

— Et moi, fit-elle en lui saisissant la main, j'ignorais que vous étiez fils de roi, sauveur de la Cornouailles, roi de Lyonesse, mon seigneur et souverain. Je vous imaginais barde !

— Je le suis parfois. On ne croit pas que j'ai pu me livrer à toutes ces violences.

— Quel âge avez-vous, Tristan ? Seize ans ?

— Dix-sept. Pendant ma maladie, j'ai eu une année de plus.

— Dix-sept ans… l'âge des promesses pour un homme. Vous commencez seulement à connaître votre force, à savoir qui vous êtes et qui vous pouvez devenir. Vous avez des dons multiples. Vous avez reçu le courage et la beauté en bénédiction. Vous êtes certainement né pour accomplir de grandes choses.

— Pernam m'a raconté que vous étiez une femme du cru, dit-il en haussant les épaules, mais vous êtes jeune et de noble lignée. Votre époux doit être un seigneur et votre place est à la cour. »

Elle demeura si longtemps silencieuse que Tristan releva la tête pour la regarder. Elle avait les larmes aux yeux.

« Qu'ai-je dit ? Je ne voulais pas vous affliger.

— Merci pour ces paroles, seigneur. Une femme aime à les entendre parfois. Je ne suis pas si jeune, déclara-t-elle en se forçant à sourire, car j'ai vingt-trois ans. Mon époux est effectivement un seigneur qui passe beaucoup de temps à la cour. Je reste ici parce que… je le préfère, et mon mari aussi. J'ai besoin d'espace… le vent, la mer. Je n'apprécie pas trop la compagnie des hommes.

— Alors nous sommes de la même étoffe, vous et moi.

— Vous êtes un roi, Tristan, objecta-t-elle en se relevant. Vous devez apprendre à l'aimer. »

Il se leva à son tour, en silence, et l'accompagna à la porte où ses serviteurs l'attendaient près de son chariot.

« Quand reviendrez-vous, dame Esmerée ?

– Dans deux jours. Ensuite mon mari sera là. Quand il repartira, vous serez déjà à Lyon's Head.

– Oh non, je patienterai. Je n'ose pas m'en aller sans mon gâteau.

– N'attendez pas, s'empressa-t-elle de dire en lui pressant la main. Je vous en prie. Je vous le ferai porter. Ne m'attendez pas. »

Avant même qu'il pût répliquer, elle avait disparu.

5

LA FEMME DE SEGWARD

Le soir même, il parla d'elle à Dinadan. Son ami souriait en l'entendant chanter ses louanges et il le taquinait, lui disant qu'il avait enfin donné son cœur.

« Il est grand temps. Tu es aussi mûr que cette poire, déclara-t-il en croquant dans un fruit juteux, ce qui fit rire Tristan.

– Quelle comparaison ! Dis plutôt que je suis un oisillon prêt à prendre son envol.

– Eh bien vole, petit faucon, vole. J'ai hâte de voir cette adorable personne. Dire qu'une telle beauté rend visite à ton oncle Pernam et que celui-ci y reste indifférent.

– Et son balourd de mari qui abandonne une telle épouse. Si elle était mienne, je ne la laisserais pas un seul instant, perdue sur ce rivage, vulnérable.

– Vulnérable, dis-tu ? En es-tu sûr ? Peut-être a-t-elle été placée sous la protection de Pernam.

– J'aimerais le croire, fit Tristan pensif. En dépit de ses apparences, c'est un homme puissant. Mais je ne crois pas qu'elle aime son mari.

– Comment peux-tu avancer pareille chose ? Lui aurais-tu posé la question ?

– Bien évidemment, non. Pour qui me prends-tu ? Non, c'était quelque chose dans sa voix, dans son comportement, à l'instant où elle a parlé de lui, rien de plus.

— Tu sauras bientôt si elle est d'accord.

— D'accord? s'écria Tristan qui rougissait. Tu crois que c'est ce que je recherche?

— Oui. Car si ce n'est pas coucher avec elle, que souhaites-tu?

— Parfois, Din, tu es comme tous les autres. Tu penses avec ta virilité et non pas avec ton cerveau. Qu'attends-je d'elle? Je veux chanter pour toucher son cœur, son âme. Elle éprouve les mêmes choses que moi quand elle entend ma musique, nous avons un langage commun. Je désire sa compagnie, rien de plus, mais je la désire à chaque seconde.

— Bien, dit son ami en scrutant son visage à la lueur de la chandelle. Abuse-toi. Cela n'a peut-être aucune importance. Mais un jour, Tristan, tu te surprendras toi-même. Car tes pieds, comme les miens, sont faits d'argile.

— Il n'est pas question de badinage entre elle et moi, reprit Tristan en se levant. Et l'idée même de voir en Esmerée une…

— Quoi? Qu'as-tu dit? Je croyais que son nom était Esme.

— C'est ainsi que l'appelle mon oncle Pernam, mais quelle importance, Din? On croirait que tu as vu un spectre.

— J'espère me tromper, répondit Din en arpentant la pièce, mais je suis persuadé que non. C'est un nom si peu courant. Par Dieu, Tristan, voici que tu affrontes à nouveau le destin. Ne te rappelles-tu pas ce scandale? Ne sais-tu donc pas qui elle est? C'est la femme de Segward!

— *Quoi?* s'exclama Tristan.

— Je me souviens l'avoir vue à Dorr, poursuivit Dinadan. J'avais treize ans, quatorze peut-être. Tu étais resté à Tintagel avec Guvranyl quand Marc vint au château de Dorr. Elle était là, avec Segward. Je me rappelle ce qu'on murmurait à son propos, sa beauté, la jalousie de Segward à son égard. Les femmes la détestaient à cause de sa beauté, les hommes auraient tout fait pour respirer le même air qu'elle. La cour tout entière ne parlait que de cela et Segward était furieux. Même Marc l'admirait trop à son goût. Une nuit, Segward trouva un jeune garçon dans sa chambre et il perdit l'esprit: il l'accusa de viol et de trahison bien que sa femme fût entourée de ses servantes et qu'elle ne fût pas au lit. On découvrit ce garçon mort le lendemain matin. Son gruau avait été empoisonné. Cela ne te dit rien? Tout le monde savait que c'était Segward. Il chercha d'abord à se défendre, mais ce lui fut impossible: ce n'était qu'un enfant à qui les femmes avaient demandé de leur rappporter du vin. Il dut verser une forte somme à sa famille car ce n'était pas un enfant du peuple. Son père avait sa place à la cour de Marc. Cela aurait pu embraser la Cornouailles, mais Marc sut ramener le calme, dit-il en reprenant sa place à table, en face de Tristan. Segward mit sa femme à l'abri, mais nous savons aujourd'hui où il la cachait. Tristan, si seulement il découvre que tu lui as tenu la main, il te tuera sans s'occuper de ce que pense Marc. Vindicatif, plein de haine, voici ce qu'il est.

– Vindicatif, oui, mais pas ouvertement. Cet incident avec le page est significatif. Il ne tue qu'en secret, pour ne pas s'exposer aux représailles. Il manipule les hommes comme un joueur le ferait de simples pions. Quelqu'un d'autre tue en son nom.

– En tout cas, prends garde, lui conseilla Dinadan. Il a des espions dans cette maison, sois-en persuadé. C'est pourquoi je te demande de ne plus jamais lui reparler.

– Il n'en est pas question. Si chacun réagissait comme toi, elle n'aurait aucun ami.

– Je te parierais qu'il le souhaite. À l'exception de Pernam, tu t'en doutes : même s'il est le frère de Marc, il ne constitue en rien une menace. Mais toi ! Tu es roi de Lyonesse et candidat potentiel à la couronne de Marc, même si tu t'obstines à le nier. Ne te mets pas dans une position telle que l'un ou l'autre voudrait se débarrasser de toi.

– J'essaierai, dit Tristan avec lassitude. Je sais que tu es de bon conseil. Segward sera ici à la fin de la semaine. Ne devrais-je pas l'accueillir de façon officielle, avant même de recevoir Marc et d'être oint par l'évêque ? Cela l'honorerait.

– Pour l'amour du Ciel, non ! Garde le lit, fais-lui croire que tu es pratiquement à l'agonie. Quoi qu'il advienne, il ne doit pas te soupçonner d'avoir posé les yeux sur sa femme.

Esmerée apporta deux gâteaux à Tristan à l'occasion de sa nouvelle visite au Sanctuaire de Pernam, assez pour lui permettre de tenir pendant la venue de son mari. Elle ne resta que peu de temps et Pernam ne les quitta pas un seul instant. Tristan la trouva pâle et peu souriante. Il joua pour elle l'air qu'il avait composé pour sa fille et elle le remercia longuement, lui prenant la main et la posant sur son sein. Pendant une fraction de seconde, il lut dans son regard l'inquiétude mais aussi le désir. Puis elle le laissa partir et ne se consacra plus qu'à sa conversation avec Pernam.

Tristan dormit peu au cours de la semaine suivante. Le gâteau se révéla efficace. Sa blessure ne l'inquiétait plus vraiment, mais il lui restait une vilaine marque rouge après que ses autres cicatrices avaient quasiment disparu. Il passa beaucoup de temps à lutter avec Dinadan sur la grève de Pernam. En effet, sur des lieues à la ronde, plages et falaises appartenaient à son oncle et il ne risquait pas d'être surveillé. Le soleil, l'exercice physique et la nage en eau profonde donnèrent à Tristan force et santé. L'inaction bientôt lui pesa. Il parla alors de revenir à Lyon's Head, d'envoyer chercher son oncle Marc et l'évêque et de se mettre enfin à gouverner les terres de son père.

Dinadan s'en réjouissait, car c'était là le prince, le guerrier intrépide qu'il avait rencontré au château de Dorr alors que tous deux commençaient leur entraînement. C'était là l'esprit de bravoure et d'aventure qui avait emporté son admiration et vaincu son cœur. C'était là l'homme qui avait tué le géant Marhalt.

Six jours s'étaient écoulés, et Esmerée n'était pas venue. Les premières tempêtes automnales s'abattirent sur le rivage. Il leur fallut chercher un abri, fermer les fenêtres et allumer du feu. Cela dura sept, huit, neuf jours. Impassible comme à son habitude, Pernam allait quotidiennement se promener une heure environ. Tristan passait la moitié de la nuit éveillé, imaginant les pires catastrophes avant de succomber au rugissement monotone des brisants.

La tempête se déchaîna le dixième jour. Tristan s'éveilla tard et regarda les herbes humides qui scintillaient au soleil. Le ciel était à présent bleu pâle, les bâtiments chaulés resplendissants, les couleurs pourvues d'une intensité surnaturelle. Il se leva et s'éclaboussa d'eau le visage et les cheveux. La grève serait couverte de bois de dérive, d'algues, de poissons crevés et d'épaves, mais cela faisait trois jours qu'il n'avait pas senti l'eau salée sur sa peau. Il se demandait s'il réussirait à persuader son ami de l'y accompagner quand celui-ci poussa la porte.

« Tristan ?

— Qu'y a-t-il ?

— Je crois que c'est Esmerée mais je n'en suis pas certain.

— Que veux-tu dire ?

— Jarrad affirme que le portier a réveillé Pernam à l'aube. Un serviteur attendait devant la porte à côté d'un chariot. Pernam l'a fait entrer. Depuis, il est enfermé dans une pièce avec Leth, Aran et le mystérieux passager.

— Et tu crois que c'est Esmerée ? Serait-elle malade ?

— J'ai seulement reconnu son serviteur. Je ne l'ai pas vue elle, mais Jarrad l'a aperçue : il a assuré qu'il y avait du sang.

— Quoi ?

– Elle a peut-être été frappée, Tristan, suggéra Dinadan en l'attrapant par le bras. Il prétend que c'est déjà arrivé.

– Frappée...»

Dinadan se glissa hors de la pièce et ferma la porte derrière lui.

«Laisse-moi y aller! s'écria Tristan. S'il l'a touchée, il en répondra sur sa vie!

– Ah oui? Et sous quel prétexte? C'est sa femme, Tristan. Calme-toi plutôt.

– Conduis-moi jusqu'à elle, il faut que je la voie.

– Seulement quand tu seras calmé.»

Tristan se jeta sur son baudrier, oublié depuis bien longtemps, et s'en ceignit.

– Par le Christ! s'exclama Dinadan. Es-tu devenu fou? Il n'est pas *ici*! On ne l'aurait pas amenée s'il était encore à Lyonesse. Réfléchis un peu!

– Je la trouverai seul», dit Tristan en toisant son ami.

Dinadan n'eut pas le temps de réagir. Tristan était déjà dans le couloir pour appeler Pernam.

«Un jour, grommela Dinadan, c'est vers la mort qu'il se précipitera ainsi.»

Tristan tomba sur Pernam. Le vieil homme le prit par le bras et le lui serra à lui en faire mal.

«Silence!»

Tristan leva la tête vers son oncle, dont le visage était froid comme l'ardoise.

«C'est un hospice. Tu obéiras à la règle.

– Mais je...

– Silence! répéta-t-il en le secouant sans ménagement. M'as-tu compris? Si tu me désobéis, je te donne congé: tu seras à Lyon's Head avant la tombée de la nuit.»

Le jeune homme ne chercha pas à résister plus longtemps.

«Efforce-toi de te rappeler qui tu es, lui conseilla Pernam dont le visage était livide dans la lumière matinale.

– Conduisez-moi jusqu'à elle, lui répondit Tristan dont la fureur s'était changée en haine.

– Viens avec moi.»

Tout au bout du couloir, une porte ouvrait sur un porche surplombant le verger, les dépendances et la mer. Pernam s'appuya à un pilier, tira un linge de sa robe et s'essuya le front.

«Louée soit la Grande Mère, pourvoyeuse de vie et d'abondance, murmura-t-il. Louée soit la Déesse Mère pour la force qu'elle accorde aux femmes. Tristan, ajouta-t-il en se tournant vers son neveu qui venait d'ouvrir la bouche pour parler, tu es désormais roi de Lyonesse. Tu es le roi de cette terre que nous foulons. Ta parole est la loi. C'est une obligation qui limite le champ de ton action. Tu dois à ton peuple de te montrer généreux, juste et bon. Jamais, dans aucune circonstance, tu ne devras agir à la hâte ou sous le coup de la colère. Débarrasse-toi de cette épée ridicule.»

Tristan soupira et céda. Il défit son baudrier et posa son épée à terre. Le regard de Pernam se fixa sur la ligne d'horizon, où le bleu étincelant du ciel s'unissait au bleu profond de la mer.

«Je suis peut-être un insensé de te garder ici après ce qui s'est passé. Si tu n'étais pas le roi, je te renverrais.

— Mais *je suis* le roi, dit lentement Tristan. Conduisez-moi jusqu'à elle.

— Pas tant qu'elle ne me l'aura pas demandé.

— Mais je...

— Pense à elle, pauvre égoïste. Pense à *elle* et non à ta fierté mal fondée. Un bon roi place toujours les besoins de ses sujets avant les siens. Souviens-t'en.»

Tristan s'assit sur un morceau de bois encore humide.

«Vous avez raison, mon oncle, comme toujours. Mais je désire tant la voir.

— Et pourquoi donc? Pour lui promettre de la protéger? Une promesse creuse, oui. Tu ne pourrais la tenir, même si tu plaçais des gardes autour de sa maison. Tu ne peux la protéger de son mari.

— Je peux l'affronter, je peux me battre...

— Quelle sorte de roi défie ses vassaux à propos d'affaires qui ne le concernent pas? Ton peuple perdrait confiance en toi. Un roi qui pénétrerait nuitamment dans la maison du premier venu, qui en voudrait?

— Elle n'est pas la première venue.

— Ah, fit Pernam en changeant de ton, tu veux donc lui offrir des paroles d'amour, lui faire offense avec une affection qu'elle ne peut te rendre? La placer devant un choix impossible, refuser de céder à son propre souverain ou se trancher la gorge? Tu la mettrais gravement en danger dans le seul but d'exprimer tes sentiments.

— Non, non, protesta Tristan en se prenant la tête dans les mains, ce n'est pas du tout ça.

— Qu'est-ce alors?

— Vous pensez que je dois avoir des regrets, n'est-ce pas? Oui, je regrette qu'il en soit ainsi, je regrette d'avoir dit ou fait quelque chose qui ait rendu sa situation plus intolérable. Est-ce à cause de moi qu'il a fait ça?

— Non, ce n'est pas toi, mais la boisson, la jalousie, un caractère déplorable. Pratiquement chacune de ses visites s'achève ainsi. Il s'empare de la moindre excuse pour la frapper. Il aime sentir sa chair sous sa main. Parfois, il se montre jaloux d'un berger, expliqua Pernam l'air soucieux. D'un jardinier, d'un garçon d'écurie, d'un marin... Peu importe. Le vin lui monte à la tête.

— Il ne boit jamais à la cour de Marc.

— Pas ouvertement peut-être. Mais tu peux être certain qu'au petit matin, quand il est seul, il ne peut s'en empêcher. Au plus profond de lui-même, il se méprise.

— Il y a de quoi.

— Tu partiras aujourd'hui même avec Dinadan, mais viens me trouver ce matin. Tu pourras lui parler.»

Cependant il lui fallut attendre encore trois jours avant que Pernam ne lui permît de la rencontrer.

«Elle est mécontente que tu sois encore là et elle ne désire pas que tu la voies ainsi.

— Je ne m'en irai que lorsqu'elle m'aura reçu.

— Elle souhaite retrouver ses enfants, mais elle ne veut pas que tu contemples ses meurtrissures.

— Je lui ramènerai ses enfants.

— Segward l'apprendrait avant la tombée de la nuit, dit Pernam avec un rire désabusé, et il serait ici au matin. Tu ne lui rends pas service.»

Au matin du troisième jour, Pernam vint frapper à la porte de Tristan. Le jeune homme humecta ses cheveux et son visage, enfila une tunique propre, saisit sa harpe et suivit son oncle jusqu'à la chambre d'Esmerée.

«Sois bref», dit Pernam en s'en allant.

Tristan prit son souffle et poussa la porte. Esmerée portait une robe grise et elle regardait par la fenêtre. Sa chevelure tombait en cascade dans son dos.

«Esmerée.

— Pourquoi êtes-vous ici? murmura-t-elle. Je voulais vous voir partir.

— Comment le pourrais-je?»

Il aurait tant aimé la frôler, prendre sa main, mais il craignait que le contact d'un homme ne lui fût insupportable. Elle se tourna lentement. Un voile blanc de deuil recouvrait son visage.

«Vous ne pouvez m'aider en demeurant ici, Tristan. Vous ne pouvez que me nuire.

— Alors je m'en irai. Demain. Mais d'abord j'ai des choses à vous dire.

— Non! s'écria-t-elle. Je ne tiens pas à les entendre. Ah, vous êtes cruel, Tristan, soupira-t-elle quand il souleva le coin de son voile.

— Je veux voir votre visage. Non parce qu'il est beau mais parce que c'est *le vôtre*.»

Il s'attendait à y trouver des marques, mais il eut tout de même le souffle coupé en voyant les cernes sous ses yeux, les empreintes violettes sur ses pommettes, ses lèvres enflées. Elle lui lança un regard de défi, allant jusqu'à se mettre en pleine lumière pour qu'il voie mieux les taches jaune-vert sur ses joues. Sur son cou, des cercles violacés trahissaient la pression qu'y avaient exercée les doigts de l'immonde personnage.

«Vous êtes satisfait?

— Pour cela, il mérite la mort.

— Non! cria-t-elle en lui saisissant le bras. Il ne m'a pas tuée, brisé les os ou défigurée à vie. Tout ce que vous voyez guérira avec le temps. Il ne ferait rien qui puisse déprécier son bien. Parfois…, hésita-t-elle, je souhaiterais qu'il m'abîme le nez ou qu'il entaille ma peau. Peut-être n'aurait-il plus hâte de revenir. Ah, Tristan, vous comprenez maintenant pourquoi je voulais vous cacher ceci? Vous voudrez vous venger de lui parce que vous êtes jeune, bon et juste, mais le droit est avec lui, pas avec vous. Et vous êtes son roi. Il doit s'agenouiller devant vous et vous jurer allégeance, et vous le regarderez dans les yeux et l'accepterez. Sinon…, fit-elle en frémissant si fort qu'il la prit par la taille pour qu'elle ne tombe pas. Sinon, il mettra tout en œuvre pour vous anéantir. Si vous affichez un tel mépris à son égard, il sera persuadé que nous sommes amants et, une nuit, un fidèle serviteur vous poignardera dans le dos. Pour moi comme pour vous, laissez-le agir et composez-vous un masque.

— Je le sais. Oui, tout ceci, je le sais.»

Son corps gracile, tremblant contre son bras et à demi appuyé contre lui, le remplissait d'émoi. Comme si elle l'avait senti, elle le repoussa doucement.

— Vous êtes si jeune, Tristan, et si innocent, mais il vous faut tout de même apprendre la ruse.

— Un jour, dit-il avec calme, il mourra. Pas de ma main, peut-être, mais à cause de moi.»

Elle plissa le front mais son regard lui indiquait qu'elle ne lui en voulait pas.

« Est-ce ce que vous êtes venu me dire ?

– Non, ce n'est pas cela, répondit-il avec un sourire, et je ne puis l'exprimer avec des mots. C'est pourquoi j'ai apporté ma harpe. »

Le soir de ce même jour, allongé sur sa couche, Tristan contemplait les ombres nées de la pleine lune. Dans l'air, un goût de sel annonçait la fin de l'été. Il regardait le faisceau de lumière blafarde avancer lentement sur le sol de sa cellule, heure après heure, et il se demandait si le temps s'écoulait aussi lentement pour elle.

Il perçut un bruit. Un pas plus léger qu'un soupir, un bruissement d'étoffe, et là, dans la lueur de la lune, une silhouette se dressait, pieds nus, encapuchonnée.

« Leth ? s'enquit Tristan, étonné du galbe des pieds de l'inconnu. Aran ? »

Le capuchon retomba. Des cheveux bruns encadraient un visage féminin. Dans cette lumière irréelle, elle semblait sculptée dans l'albâtre, pure, étincelante, intacte.

« Esmerée ! »

Elle posa un doigt sur ses lèvres et sourit. Il se redressa brusquement. La lumière de la lune révélait une épaule dénudée. Sortant de l'ombre, elle vint jusqu'à lui et s'agenouilla à son côté. Son souffle chaud lui caressa la joue. Quand elle se pencha, sa robe s'entrouvrit, révélant le sillon profond de sa poitrine. Il gémit, mais elle le baisa sur les lèvres et lui prit la main afin de la poser sur ses seins aux mamelons déjà dressés.

« Pourquoi ? » haleta-t-il.

Sa peau était soyeuse, d'une incroyable douceur. Elle rit puis elle retint son souffle quand la main de Tristan la caressa avec une délicatesse dont elle n'avait osé rêver.

« Oh, fit-elle, la bouche collée à son oreille, je fais cela pour vous autant que pour moi. Je veux, rien qu'une fois, connaître le plaisir sans la douleur. Et vous, mon doux, mon beau, mon généreux ami, si vous devez encourir sa colère et sa haine, que ce soit au moins justifié. Je vais vous apprendre à aimer une femme, dit-elle en plaquant sa main sur sa poitrine pour qu'il perçoive les battements de son cœur. C'est un cadeau que je vous fais. Et si vous vous montrez bon élève, vous m'en remercierez toute votre vie durant. »

À nouveau elle l'embrassa puis, frémissant à son contact, elle se dénuda.

DEUXIÈME PARTIE

6

MARC

«Bonne chasse aujourd'hui, seigneur?

— Ce sont les derniers chevreuils que nous verrons cette saison, Segward, à moins d'avoir beaucoup de chance.»

Un groupe d'hommes suivit le roi dans la grande salle, faisant claquer leurs bottes sur le carrelage, soufflant sur leurs doigts et parlant haut pour raconter les événements de la journée.

Marc s'avança vers la cheminée et tendit les mains pour se réchauffer. C'était un homme mûr: sa barbe et sa chevelure grisonnaient, mais son corps, aguerri par la discipline militaire, était encore mince et musclé. Quelques rides à son cou ou sur ses mains témoignaient de son âge. Il portait des bottes, des cuissardes et une tunique de cuir ainsi qu'une grande cape de laine. Sur son épaule était accroché le grand insigne émaillé de la Cornouailles, le Sanglier noir aux yeux d'ambre, et son cou était ceint d'un torque d'or. Un serviteur s'approcha avec une coupe d'hydromel. Marc but d'une seule traite, soupira et se détourna du feu.

«Finalement, ce fut une bonne journée. Et vous, Segward, avez-vous des nouvelles?

— Pas encore, seigneur.

— À l'heure qu'il est, ils ont certainement rencontré les Saxons. Il n'y a pas une semaine de cheval d'ici à l'embouchure de la rivière.

— Les barbares en ont peut-être remonté le cours, dit Segward en haussant les épaules. Constantin a assez d'hommes pour les battre, même sans les Gallois. Mais s'ils sont sur les terres d'amont, cela prendra davantage de temps.

– Et d'argent. »

Le visage de Marc s'assombrit. Derrière lui, ses compagnons de chasse étaient attablés tandis que des serviteurs leur apportaient à manger. Le repas ne pouvait commencer sans lui, mais il ne se dirigea pas vers eux pour autant. Il préférait dévisager son conseiller. Segward était à peine plus âgé que lui mais il n'avait rien d'un guerrier. Lourd, la chair molle, les bras ornés de bracelets d'argent, les doigts couverts de bagues massives, vêtu d'une tunique de laine à large rebord, il ressemblait, selon Marc, à un paysan vêtu des habits d'un riche bourgeois. Mais c'était compter sans ses yeux. Vifs, rien ne semblait leur échapper et ils paraissaient capables de voir dans le noir. C'est pour ce regard et pour la subtilité de ses raisonnements que Marc en avait fait son conseiller politique. Ainsi, il ne servirait nul autre que lui.

« Peut-être aurais-je dû suivre votre conseil et dénicher les Gallois, dit Marc, mais vous vouliez voir Tristan ici même et je ne pouvais faire les deux. »

Segward ne répondit rien : ils avaient souvent eu cette discussion.

« La prochaine fois, Segward, j'irai seul. Je ne vous laisserai plus m'en dissuader. On raconte que je laisse la défense de la Bretagne à mes parents, père, fils ou neveu, tandis que je me cache à Tintagel. Je ne puis l'admettre.

– Quelqu'un doit protéger nos terres de ces maudits Gallois. Nous savons qu'ils vous craignent et surveillent vos déplacements. Si vous quittez la Cornouailles, seigneur, ils s'abattront dessus comme un essaim de guêpes.

– Que Gérontius s'occupe d'eux et se fasse un nom. Je devrais être en Bretagne, dans mes royaumes, et faire savoir qui je suis.

– Pourquoi ? Votre succession au Haut Royaume est déjà assurée. Vous avez peu à gagner contre les Saxons et peut-être beaucoup à perdre. Attendez, mon seigneur, et songez à ce que disait le roi Arthur : *Tout vient à point pour qui sait attendre.*

– Ah oui ? grommela Marc. Et où est-il à présent ? Mort depuis vingt-trois ans, tué à quarante ans par son propre fils. Voilà ce que c'est qu'attendre. »

Après dîner, le vin et l'hydromel coulèrent à flots. Les hommes s'allongeaient près de l'âtre, chassant les chiens pour avoir un peu de chaleur. Marc occupait son siège habituel, celui du roi de Cornouailles. Il était résolu à ce qu'un jour sa propre renommée dépasse celle d'Arthur et que les générations à venir se rappellent son nom. Aujourd'hui, bien des années pourtant après la mort d'Arthur, l'évocation de Pendragon avait le don de l'irriter. Qui était donc Arthur pour mériter une telle admiration ? Un bâtard né du viol et de la trahison, rien de plus.

Il ne devrait pas être difficile de faire mieux qu'un homme ayant si mal démarré dans la vie, songeait Marc plein de rage, mais le peuple aimait Arthur. Il avait fait preuve du don le plus rare : parvenir à gouverner ses sujets en leur inspirant de l'amour. Quand il était jeune, même les Corniques l'appréciaient car il avait choisi pour héritier Cador de Cornouailles, le fils de Gorlois. Marc en personne l'aurait suivi n'importe où s'il avait été fidèle à sa promesse.

Mais le gland ne tombe jamais bien loin de son arbre, comme le dit le proverbe. Quand Constantin, le fils de Cador, avait atteint l'âge d'homme, Arthur l'avait-il officiellement nommé ? Non pas. Arthur avait scandalisé toute la Bretagne en reconnaissant comme son propre fils un bâtard païen venu des Orcades et en faisant de ce rustre son héritier à la place de Constantin. Arthur avait préféré à Constantin cette engeance de démon, ce rejeton de sorcière, ce traître né d'un inceste, Mordred !

Les lèvres de Marc esquissèrent un sourire plein d'amertume : le grand Arthur s'était ainsi déshonoré. L'héritier qu'il s'était choisi avait été sa mort. Marc lui-même n'aurait pu concevoir plus douce vengeance.

Ses doigts se crispèrent sur le bras de son siège. Que faire de Tristan de Lyonesse ? Dieu l'avait béni, assurément, en lui laissant la vie sauve. Le petit peuple de Cornouailles l'aimait. Le fils de Méliodas, voilà comment on l'appelait encore, et c'était un bon garçon, noble, généreux, à l'image de son père. C'était justement là que le bât blessait : il était fait à l'image de Méliodas.

Pour avoir grandi dans l'ombre de celui-ci, Marc avait constaté l'emprise que son frère avait sur les hommes. Comme Arthur, il ne se contentait pas de les inspirer, il gagnait leur loyauté et leur amour. Chacun se serait fait tuer pour lui. Que n'aurait pas donné Marc pour connaître le secret d'une telle magie ! Si Méliodas n'avait pas péri de la main des Irlandais, Marc n'occuperait pas le trône du roi à Tintagel, la couronne de Bretagne à portée de main, et il le savait. Il souhaitait de tout cœur que le fils ne bénéficiât pas de la chance du père. Devoir tant à Tristan lui faisait horreur et il ne savait comment honorer cette dette. Il ne voulait pas d'un nouveau

Méliodas dans son royaume, un homme dont le peuple dirait: *Sans lui, Marc ne serait pas roi.*

«Seigneur, lui dit à l'oreille Merron, son sénéchal, quelles sombres pensées vous agitent? Prenez une coupe de vin. La chasse a été fructueuse. Au cours de la semaine, nous aurons connaissance d'une nouvelle victoire sur les Saxons. Le prince Gérontius s'en reviendra couvert de gloire. Pourquoi nourrir des idées noires?

— Et Tristan, murmura Marc comme s'il se parlait à lui-même, reviendra-t-il lui aussi?

— Certainement. Les hommes croient son épée enchantée et veulent tous se battre à ses côtés. Il est ainsi entouré des meilleurs chevaliers de Cornouailles. Ne doutez pas de son retour.

— Il lui suffira d'être égratigné par un fer saxon tandis que je suis ici, en Cornouailles, et je ne pourrai plus chevaucher parmi mes sujets. Segward, dit-il en se tournant vers lui, pourquoi vouliez-vous tant le voir partir?

— Ne vous rappelez-vous pas, seigneur, prononça Segward d'une voix suave, que le jeune Tristan a récemment cédé à ses humeurs et qu'il s'est longtemps cloîtré dans son château? Il s'est jeté dans l'action sans réfléchir: chevauchées interminables au petit matin, voyages en bateau en pleine tempête. L'appel du combat, voilà ce qu'il lui fallait pour le ramener à la raison. Vous le connaissez bien, seigneur, une fois réveillé le soldat qui sommeille en lui, plus rien ne peut l'arrêter. Il a sans aucun doute fait fuir les Saxons. Pendant plusieurs mois, on reparlera de ses exploits.

— Dites-moi, Segward, avez-vous une nouvelle fois espionné mon neveu? Il me semble que j'ai des ennemis plus dangereux.

— J'espionne tout le monde, seigneur, fit Segward avec un sourire forcé.

— Bien, mais n'oubliez jamais que je ne puis me permettre de voir son cadavre exposé devant ma porte. Laissez-le donc à Lyonesse, hors de tout danger. Qu'il joue de la harpe et compose des mélodies. Il vit de rêves, pas de complots. Ce n'est qu'un barde.

— Il est le fils de Méliodas, répliqua Segward, impassible, et, à ce titre, il faut le surveiller.

— Soit, surveillez-le s'il le faut, dit Marc en s'intéressant à nouveau au feu qui brûlait dans la cheminée. Mais s'il est blessé, veillez à ce que je n'en sois pas tenu pour responsable.»

La porte s'ouvrit en grand et une rafale de vent fit danser les flammes. Un courrier entra en titubant. Merron se précipita vers lui alors que toute conversation avait cessé dans l'immense salle.

L'homme se débarrassa de la neige qui recouvrait sa cape et suivit Merron jusqu'au siège de Marc avant de mettre un genou en terre.

«Messire le roi.

— Relevez-vous, Krinas. Nous apportez-vous des nouvelles de victoire ou de défaite?

— Nous, loyaux Bretons, avons remporté une victoire éclatante sur les Saxons», répondit Krinas sans manifester la moindre émotion.

Des hourras éclatèrent dans la salle et les hommes tendirent l'oreille.

«Nous les avons rencontrés à cinq lieues en amont de la rivière, seigneur, mais ils étaient plus que nous ne l'avions estimé. Cela nous a pris...

— Combien?

— Deux mille environ. Cynric en personne était présent. Il nous a fallu une semaine, mais nous avons fini par les chasser des terres et les rejeter à la rivière. Hélas, nous n'avons pu longtemps tenir l'embouchure. Ils étaient trop mobiles et nous étions si peu. Il nous a fallu brûler les champs.

— Peu importe, dit Marc d'une voix forte afin que chacun l'entendît. Nous leur avons refusé l'accès qu'ils désiraient. Jamais leurs fermiers ne s'établiront sur notre sol. Qu'ils reprennent la mer et fulminent de rage. Je me moque bien de savoir s'ils possèdent les mers, car nous possédons la Bretagne!»

Les soldats l'acclamèrent, ivres et joyeux, tandis que Marc affichait un sourire narquois. Pas un ne se disait que la Cornouailles était une contrée entourée de mers, bordée de rivages, aussi vulnérable par bateau que par voie de terre. Il était certain que Segward y songeait et qu'il pensait aussi aux pillards irlandais, conscients de cet état de choses.

— Hourra! s'exclama Marc en levant sa coupe. À la gloire de la Bretagne et à la gloire de mon père, le Haut Roi Constantin!

— À Constantin! crièrent les hommes en faisant claquer leurs bottes.»

Mais le courrier pâlit et s'agenouilla à nouveau.

«Seigneur.

— Qu'y a-t-il, Krinas? Parlez, dit Marc en réclamant le silence d'un geste de la main.

— Nous avons payé un lourd tribut, messire. Le Haut Roi Constantin... le Haut Roi est mort.»

Marc n'afficha pas la moindre réaction.

«Longue vie au Haut Roi! lança quelqu'un. Longue vie à Marc!

— Longue vie au Haut Roi Marc! reprirent en chœur tous les autres en se congratulant mutuellement avant de s'agenouiller devant leur souverain.

— Comment est-il mort? demanda Marc, toujours impassible.

— La nuque brisée, seigneur. Une simple escarmouche. Il fut jeté à bas de son cheval. Sire Gérontius et sire Tristan l'avaient imploré de ne pas monter, mais il ne voulait pas aller au combat sur une litière.

— Une mort honorable. Nous le pleurerons au cours d'une cérémonie publique. Quand Gérontius ramènera-t-il son corps?»

Le courrier évita son regard. Il plongea une main tremblante dans son sac et en tira un parchemin non scellé.

«Messire le roi, seigneur, bredouilla-t-il en s'efforçant de regarder Marc dans les yeux. Voici une lettre de sire Tristan où il expose ses regrets… à propos de cette tragédie… Le prince Gérontius a également été tué.»

Les soldats poussèrent un cri de surprise et Merron prit Marc par l'épaule. Pétrifié, le roi fixait le messager, incrédule. Segward s'empara du message que présentait le courrier.

«Seigneur, il s'est porté au secours de Constantin, lui et toute sa compagnie. Mais c'était une embuscade: ils n'ont pas vu les Saxons cachés dans les bois et ils ont été pris par surprise.

— Comment avons-nous pu les défaire alors? demanda Marc d'une voix quasi inaudible.

— Sire Tristan de Lyonesse, votre neveu, les a délogés avant de les repousser vers la rivière. Ils ont perdu deux fois plus d'hommes que nous.

— Leurs pertes sont inférieures aux nôtres! s'écria Merron en pressant le bras de Marc. Comment aurait-on prévu cela? Cynric en personne… on dit qu'il était sur ses terres il y a moins d'un mois, seigneur. Comment Gérontius a-t-il…

— Assez, ordonna Marc d'une voix glaciale avant de se tourner vers ses hommes. Laissez-moi. Vous, Segward, restez.»

Marc s'avança vers l'âtre et Segward prit place devant une vieille tapisserie qui, tendue devant une fenêtre, servait désormais de protection contre le froid. Longtemps, il écouta les sanglots d'un homme habitué depuis longtemps à la douleur mais pas au déferlement de celle-ci. Comme tout irait mieux si Marc avait un ennemi à combattre, un mécréant à punir de ses mains! Non, ce qu'il lui fallait, c'était une femme.

«Seigneur, murmura Marc, je m'en souviens, à la mort d'Élisane, je pensais : *Va en paix, femme infortunée. Tu as fait ton devoir, tu m'as donné trois fils afin de bâtir mon royaume.* À présent, dit-il les yeux clos, le souffle court, ils ont disparu, tous les trois. Constantin alors que ce n'était qu'un bébé, Gerfeint à l'âge de sept ans. Et aujourd'hui, ma fierté, mon premier-né... *Seigneur Jésus !* Qu'ai-je fait pour mériter pareil châtiment ?

– Demandez-vous plutôt ce que vous allez faire désormais, lui conseilla Segward avec un tel calme que Marc en fut surpris.

– L'ensevelir aux côtés de mon père.

– Non, Marc, qu'allez-vous faire de la Cornouailles ?

– Quoi, la Cornouailles ?

– Vous êtes le Haut Roi de Bretagne, mais l'avenir de la Cornouailles repose toujours entre vos mains. Réfléchissez-y, Marc. Le peuple a le droit de savoir. Qui sera roi de Cornouailles après vous ?

– Dois-je donc prendre cette décision ici même ? *Ce soir ?*

– Oui.

– Pourquoi ?

– Parce que l'heure est venue d'agir. Êtes-vous prêt à faire de votre neveu Tristan votre héritier ? À le reconnaître publiquement à son retour ? À le laisser prendre la place de Gérontius ? À lui promettre Tintagel ?

– Non ! lança Marc en détournant les yeux. Mais qui y a-t-il d'autre ? ajouta-t-il en passant la main dans ses cheveux en désordre. Mon Dieu, Segward, comme Méliodas me hante depuis sa tombe ! D'abord il s'empare de Lyonesse, puis de la Cornouailles... Maudit soit-il ! Le fils de Méliodas aura finalement recouvré son héritage et moi... moi, Marc, Haut Roi de Bretagne, je ne laisserai rien derrière moi !

– Pas nécessairement... »

Marc se tourna brusquement vers son conseiller. Segward posait sur lui un regard froid, intense. *Comme un oiseau convoite un ver,* songea le roi.

«Nous avons déjà eu l'occasion de parler d'une dynastie, reprit Segward. Une lignée de rois de Bretagne issus d'une semence cornique, une lignée qui régnera à tout jamais et que je peux vous aider à construire. Une lignée de rois qui descendront de vous, Marc.

– Ma lignée est éteinte, dit sèchement Marc.

– En donnant la Cornouailles à Tristan, vous abandonnez ce rêve.

– Je ne l'ai pas abandonné, c'est Dieu qui me l'a pris !

— Quand les vagues de la mer renversent le château de sable que vous avez édifié, vous enfuyez-vous de la grève en pleurant ? Ou en bâtissez-vous un autre ? fit Segward dont les yeux se plissaient de malice.

— Un autre ? s'étonna Marc, qui se sentait aussi peu maître de lui-même qu'une feuille au vent.

— Vous êtes encore jeune, avec un peu de chance vous vivrez encore vingt ans. Assez pour voir trois autres fils atteindre l'âge d'homme. Assez pour vous doter d'un nouvel héritier. C'est aussi simple que ça, Marc : remariez-vous.

— Me remarier ? s'écria Marc en se relevant brusquement. Vous parlez comme un insensé. La dernière chose dont j'ai envie, c'est bien d'une mégère criarde qui met son nez dans mes affaires. Un héritier, c'est une chose – je l'avoue, je n'y avais pas songé –, mais une épouse, c'en est une autre. Une femme, c'est facile à trouver mais difficile à conserver. D'ailleurs vous le savez, ajouta-t-il avec un sourire de connivence.

— Il y a toujours un prix à payer, dit Segward dont le sourire s'agrandissait mais dont les yeux se plissaient davantage. Mais supposez que je vous nomme une femme à la fois jeune, douce et jolie, qui voit en vous plus un père qu'un mari et qui ne songe jamais à vous désobéir ? Que diriez-vous alors ?

— Vous rêvez, cela n'existe pas.

— Admettez-le un instant, rien de plus. La dynastie de Marc repose en son sein.

— Cela ne ramènerait pas Gérontius.

— Non, et si c'est ce que vous désirez, je ne puis vous aider.

— Évidemment, si une telle créature existait, j'y réfléchirais sérieusement, grommela Marc en arpentant la pièce.

— Imaginez aussi que ce mariage unisse à jamais la Cornouailles à un royaume rival et qu'un ennemi potentiel devienne un ami.

— Dans ce cas, j'accepterais sur-le-champ. Joueriez-vous aux devinettes, Segward ? Une telle fille existe-t-elle ?

— Oh oui, mon cher Marc, affirma le conseiller en relevant le bas de sa tunique de ses grosses mains, je n'ai fait que vous dire la vérité.

— Qui est son père ? Quel ce royaume rival ?

— Vous rappelez-vous les Gallois ? lança Segward en souriant devant l'étonnement de Marc. Son père est l'homme le plus puissant de Bretagne après vous-même. Le roi Perceval de Gwynedd.

— Les enfants de Perceval sont encore au berceau. Je vous préviens, Segward...

— Je vous demande pardon, seigneur, mais les années ont passé. Ses fils seront en âge de combattre dans un an ou deux et sa fille a tout juste quinze ans.

— Quinze ans? Déjà? La fille de Perceval... S'allierait-il avec moi? Après Marhalt?

— Maintenant que vous êtes Haut Roi de Bretagne, je n'en doute pas un seul instant. Il a toujours recherché la paix par le biais d'une alliance forte. Le mariage à une Gwynedd vous rapportera Galles. Perceval a de la parenté à Strathclyde; il y a au moins un espoir de traité au nord. Cette union ne peut être que bénéfique.

— Elle n'est donc promise à personne?

— À ma connaissance, non. On dit que c'est une beauté et nous devons nous hâter de faire une proposition. Tournez le dos au passé, Marc, ne regardez que le futur.

— Aidez-moi à décider de l'importance de mon offre et j'envoie un courrier dès les premières lueurs du jour.

— Non, non, seigneur, dit Segward dont le visage rebondi s'illumina d'une sorte de sourire, un courrier ne peut faire l'affaire. Pourquoi tant de hâte? Avez-vous oublié la fierté inouïe de ce Gallois? Pour négocier les termes du contrat, dépêchez plutôt un conseiller, un homme en qui vous ayez confiance. Agissez avec grâce et subtilité, sans trop d'éclat, et laissez passer l'hiver.

— Vous irez, Segward, il n'y a pas meilleur que vous. Soyez mon ambassadeur et arrangez tout.

— Merci, seigneur, je suis très honoré.

— Au printemps, j'irai moi-même la chercher.

— C'est le soldat qui parle en vous, messire, pas le diplomate. Vous êtes trop direct.

— Et alors, *je suis* un soldat. Et la route la plus courte est la meilleure.

— Mais vous êtes aujourd'hui seigneur de Bretagne. Cette fameuse route directe pourrait vous faire des ennemis. Songez plutôt à un chemin détourné. Il y en a peut-être en Galles, à Guent dirons-nous, qui se révolteront à la seule idée de vous voir poser le pied en terre galloise.

— Que voulez-vous que je fasse alors? s'écria Marc exaspéré. Que je l'envoie chercher comme si elle était ma servante? Je ne pense pas que Perceval apprécierait ce geste!

— Il y a en tout un juste milieu, dit Segward après un instant de réflexion. Celui-ci est vieux comme le temps, emprunté par Arthur Pendragon en personne. Expédiez une escorte royale et un mandataire, qu'ils l'accompagnent vers le sud avec cérémonie et accueillez-la ici, aux portes de Tintagel. Perceval sera impressionné, l'honneur sera sauf et vous n'aurez pas foulé un sol étranger.

— Une fois que nous serons fiancés, les Gallois seront certainement nos amis.

— Une fois le mariage consommé et béni par des héritiers, une fois un fils de Galles héritier du trône de Bretagne, ils vous aimeront, soyez-en certain. Mais, jusque-là, vous ne serez reçu qu'à Gwynedd, et encore avec réserve.

— Puisque Galles est aussi dangereux pour un Cornique, comment puis-je vous envoyer, Segward? Je ne risquerai pas votre vie, j'ai trop besoin de vous.

— Perceval se devrait de me protéger pendant les négociations. Je ne suis pas vraiment un guerrier, on se moquerait peut-être de moi, mais on ne m'attaquerait pas. Me tuer n'aurait rien d'honorable. Je ne peux non plus être votre mandataire, dit Segward en posant délibérément la main sur le bras de Marc. Je ne suis pas de haute naissance. Je ne suis pas de sang royal. Vous insulteriez Perceval en me déléguant auprès de lui.

— Qui choisir alors?

— Je ne vois qu'un homme...»

Marc avait une boule dans la gorge. Sa respiration s'accélérait. Il se mit à arpenter la grande salle. Le chien abandonna l'âtre et le regarda en gémissant.

«C'est peut-être le seul qui convienne, Segward, mais il n'irait jamais... Jamais je ne le lui demanderais! À dire vrai, mon remariage le prive de son avenir. Comment pourrais-je lui demander de ramener ma fiancée? C'est trop cruel! C'est aussi digne de *vous*», ajouta-t-il en éclatant de rire.

Segward s'inclina car il prenait cette remarque pour un compliment. Marc reprit sa déambulation.

«Non, c'est trop évident. Chacun sait quel danger il encourrait en se rendant en Galles. Ils le tueraient avant même qu'il débarque! Et de quoi aurais-je l'air, moi?

— Ils le croient mort, dit Segward avec un calme qui tranchait avec l'exaltation de Marc. Nous avons nous-mêmes lancé ce bruit.

— Ils sauront qu'il vit dès qu'ils le verront.

— Non. Peredur est mort et Perceval ne l'a jamais rencontré. Seuls ses soldats pourraient le reconnaître, mais il a tellement changé. Ils n'ont aperçu qu'un enfant de seize ans couvert de boue, et il en a aujourd'hui dix-huit. Bien entendu nous lui donnerons un faux nom.

Il sera votre cousin, Tantris de Caer Boudicca, fils de Rivalen, fils du frère de Constantin, Gerfeint.

— Rivalen n'a jamais eu de fils.

— Les Gallois l'ignorent. C'était un ermite, il aurait pu engendrer cent enfants sans qu'ils l'apprennent.

— Il était fou, Segward, il s'est jeté du haut d'une falaise à l'âge de trente ans.

— Ils l'ignorent, vous dis-je. Ce qui importe, c'est qu'ils voient dans votre mandataire un fils légitime de la maison de Cornouailles.

— Non, Segward, déclara Marc en revenant vers lui, suivi de près par son chien. Ça ne marchera pas. Même s'il les abusait, même s'il acceptait d'y aller, ce qu'il ne fera pas, je passerais pour un imbécile! Mes propres sujets trouveront ma décision injuste, ils croiront que je l'ai délibérément envoyé à la mort. Il est le fils de Méliodas et le peuple l'aime. Plus personne ne m'appréciera en Cornouailles si je le précipite dans la gueule du lion. Ils me mépriseront!

«Je lui ai donné Lyonesse et il s'en contentera. Qu'il croupisse sur ce rocher désolé qu'il aime tant. Qu'il reste à tout jamais dans ce coin perdu de Bretagne, hors de ma vue, hors de mon peuple. Je ne veux pas risquer ma couronne pour le fils de Méliodas.

— Vous ne m'avez pas écouté apparemment, dit Segward qui attisait les braises.

— Si, j'ai tout entendu, et je vous répète que cela ne marchera pas. Ils le tueront et j'en serai tenu pour responsable.

— Non, le danger est si évident que les Gallois n'auront pas l'idée de le soupçonner. Ils ne croiraient pas la vérité même s'il la proclamait.

— Vous essayez de me convaincre qu'il n'y a aucun risque?

— Pas précisément, fit Segward dont la voix s'adoucit. Il y a un risque, naturellement. Le danger est indéniable vu son total manque de subtilité. Imaginez un instant que le pire survienne. Réfléchissez, Marc, à ce que cela signifierait pour vous.

— Je vous l'ai expliqué, je ne veux pas voir son cadavre exposé devant ma porte.

— Mais si c'est devant celle de Perceval? suggéra Segward dont les petits yeux brillaient. Si les Gallois faisaient cela à votre place?

— On m'en jugera toujours coupable, dit Marc en se mordant les lèvres.

— Pourquoi donc? Vous serez le seul survivant à pouvoir diriger la Cornouailles. Vous en serez l'héritier incontesté. Vous n'aurez aucun rival et vous pourrez choisir une jeune fille cornique pour fonder votre succession. Vous pourrez faire absolument tout ce que vous voulez. Ne comprenez-vous pas que vous ne pouvez pas perdre? dit Segward en révélant de petites dents acérées. Vous gagnez sur les deux tableaux!»

Il rit en silence. On n'entendait que le craquement des bûches dans l'âtre. Le chien, lassé, s'était rendormi près du feu.

«Comment le convaincrez-vous de partir? demanda enfin Marc.

— Il n'y a rien de plus facile, répondit Segward avec un long soupir de satisfaction. Il se portera lui-même volontaire.

— Vous divaguez!

— Je le connais mieux que vous ne croyez. Il est mon voisin à Lyonesse. Envoyez-lui une lettre, ouvrez-lui votre cœur. Parlez-lui de votre projet d'unifier les royaumes, de recréer le genre d'union qui prévalait à l'époque d'Arthur. Vous savez l'amour qu'il porte à Arthur et à ses compagnons.

— C'est parce qu'il lui est arrivé de rencontrer Galaad alors qu'il était enfant. Il lui a fait grande impression.

— Expliquez-lui que vous avez fait une offre pour la fille de Perceval, même si vous n'avez pas le désir de vous remarier, parce que vous avez la vision d'une Bretagne unie sous la houlette d'un grand roi. Parlez-lui de votre problème: la guerre vous a pris tous vos parents hormis Pernam et lui.

— Pernam! ricana Marc. Cet amateur de garçons! Comment le compter comme parent?

— Dites bien que seul Tristan est digne de vous représenter. Mais vous ne pouvez l'envoyer en Galles, pour des raisons évidentes. Demandez-lui conseil à propos de ce que vous devez faire.

— Il m'enjoindra de cesser de trembler et d'aller moi-même en Galles.

— Là, c'est vous qui parlez, pas Tristan. Je sais ce qu'il dira.

— Vous avez l'air bien sûr de vous.

— J'en suis pratiquement certain. Une autre raison l'incitera à y aller.

— Et laquelle est-ce?

— Perceval. Depuis l'enfance, Tristan désire rencontrer Perceval de Gwynedd. Parfois il lui arrive de rêver de lui.

— Mais comment le savez-vous?

— J'ai mes sources. Que cela me plaise ou non, ajouta Segward en riant, et une fois encore Marc se détourna.

– Et s'il se passe quelque chose, s'il est découvert ou en vient à tuer l'un d'eux? Mon mariage sera sacrifié et ma dynastie balayée, une fois de plus.

– Sans compter la guerre avec les Gallois. C'est un risque à courir, mais le jeu en vaut la chandelle. Si vous êtes vainqueur, toutes les jeunes filles de Bretagne vous voudront pour époux. Ne souhaitez-vous pas fonder une lignée qui fasse oublier le nom d'Arthur? Ou voulez-vous que Tristan vous aime jusqu'à la fin de vos jours, qu'il vous succède et vous éclipse? Tel est le choix qui vous est proposé aujourd'hui, Marc de Cornouailles.»

Marc ouvrit la fenêtre donnant sur l'ouest. Le vent s'engouffra dans la salle, chargé d'odeurs marines. Des nuages couraient dans un ciel glacé, ponctué d'étoiles. Il respira à fond et expira lentement. La vie était brève et souvent amère. Serait-il au nombre de ces milliers d'êtres qui vivent et meurent sans laisser de traces? Ou l'un de ces élus dont on se souvient encore après plusieurs générations, comme Cunedda, Ambrosius, Lancelot ou Arthur?

«Bien. J'accepte.»

Ils parlèrent longuement de l'offre que ferait la Cornouailles. Puis Marc s'étira et vida sa coupe.

«Je ne saurai jamais comment vous parvenez à élaborer des plans aussi astucieux, mais je parie qu'il y a un détail auquel vous n'avez pas pensé.

– Vraiment?

– Et si, comme cela est arrivé à Arthur en personne, la fiancée tombait amoureuse du mandataire avant de connaître son promis? Un monarque aussi prestigieux qu'Arthur en fut contrarié jusqu'à son dernier souffle.

– Elle ira où elle doit aller et vous donnera les fils qu'il lui faut vous donner. Vous est-il si important qu'elle vous aime?

– J'ai horreur de la discorde au sein de ma propre maison.

– Mettez-vous à sa place, seigneur. Elle est jeune et contrainte de quitter son foyer à tout jamais. Elle haïra jusqu'au visage de votre mandataire. Penser à la Cornouailles lui fera horreur.

– Mais si elle en veut à Tristan de l'emmener loin de chez elle, elle m'en voudra encore plus une fois arrivée ici.

– En Cornouailles, elle sera loin de son cadre familial et trop effrayée pour révéler ses sentiments. Elle a quinze ans. Il est peu probable qu'on la connaisse hors de sa propre vallée. Usez de votre charme, Marc. Vous pouvez être son protecteur, son guide, son ami. Soyez pour elle un deuxième père et elle vous révérera. Si tout est bien organisé, une vie fort agréable vous attend.

— Pour un certain temps seulement, précisa Marc en se lissant la barbe. Et *si* nous avons de la chance. Auriez-vous oublié la vraie nature des femmes? Avant l'âge de vingt ans, elle croira tout savoir de tout. Les chatons eux-mêmes apprennent à devenir des chats.

— Donnez-lui une ribambelle d'enfants et, à vingt ans, elle n'aura plus de temps à vous consacrer.

— Je suppose que vous avez raison, dit Marc en s'étirant à nouveau. Nous reparlerons de tout ceci demain matin. Rien ne peut être entrepris avant les funérailles.»

L'air grave, il se dirigea vers la porte. À peine sa main en avait-elle effleuré la poignée qu'il se retourna.

«Au fait, vous ne m'avez pas dit son nom. Celui de la mère de ma dynastie. Comment s'appelle-t-elle?

— Iseut.

— Iseut. C'est étrange, mais joli.

— C'est gallois, expliqua Segward en masquant un bâillement. Cela veut dire "la belle". Je vous ai dit qu'elle l'était.

— Toutes les femmes sont belles à quinze ans...»

Sur ce, Marc hocha la tête, souhaita une bonne nuit à son conseiller et disparut.

7

ISEUT

«J'en ai assez de cette vieille sorcière. Qu'elle me laisse enfin tranquille!»

Un mouvement de tête fit virevolter ses boucles abondantes. Iseut monta la dernière marche et fit signe à Branwen de la rejoindre.

«Rappelle-toi, si elle dit *la moindre chose* à propos de Palomydès, tousse comme si tu t'étouffais et nous nous en irons.

— Oui, ma dame.

— Bien. Je dois y aller.»

Le loquet se souleva sous la pression de ses doigts et la lourde porte glissa en silence sur ses gonds bien huilés. Ensemble, elles se dirigèrent vers l'officine de la reine et sa chaleur humide. Au sud, une haute fenêtre embuée par la vapeur du chaudron laissait passer un long rai de lumière hivernale. La reine se tenait devant sa table de travail et mesurait des doses de poudres sombres contenues dans une série de flacons. Sachant qu'elles ne devaient pas parler avant qu'on leur adresse la parole, les jeunes filles la regardèrent en silence mélanger les poudres et les verser dans un sac de toile bleu. En un tournemain, les flacons furent rangés, la table débarrassée et le sac posé sur une étagère. La reine se retourna.

«Ah, Iseut, vous voici enfin.»

De petites rides marquaient les coins de sa bouche et de ses yeux, mais Guinblodwyn de Gwynedd était toujours renommée pour sa beauté. Nulle part, en Galles, on ne trouvait des lèvres aussi rouges, des cheveux aussi noirs, un teint aussi diaphane. Elle se comportait comme si elle se trouvait sous le regard de ses admirateurs.

Iseut fit la révérence.

«Vous m'avez demandée, mère?

— Il y a plus d'une heure de ça. Où étiez-vous?

— À mes leçons.»

La reine ne lui fit pas remarquer que c'était un mensonge. Elle savait que Paulus, le tuteur, était ivre depuis midi et qu'Iseut en personne lui avait apporté du vin. Mais, au fond d'elle-même, la reine regrettait un tel manque de subtilité de la part d'une fille de son sang.

«Peu importe. Cela m'a donné le temps de finir ma préparation. À présent, la pâte contre les fièvres, dit-elle en désignant un bouquet d'herbes séchées. Commencez donc par là, vous deux: les graines dans le pot noir et les parties vertes dans le chaudron.

— Dois-je le faire, mère? dit Iseut alors que Branwen se préparait déjà à obéir. Je déteste mélanger des herbes et préparer des drogues. C'est bon pour Branwen, elle aime ce travail, mais, moi, leur odeur me donne la nausée.»

Elle plissa le nez. Cette odeur âcre était l'un de ses plus anciens souvenirs. Toute sa vie, lui semblait-il, on l'avait fait venir ici et elle avait dû feindre un intérêt pour cette pitoyable sorcellerie domestique qu'elle méprisait.

«Des mots creux de la part d'une tête vide, dit la reine en se rinçant les mains dans une coupe vernissée bordée d'or. Quand vous serez reine et qu'il vous incombera de préserver la santé du roi, de ses compagnons, de leurs femmes et de leurs enfants, que ferez-vous?

— Branny me suivra et elle soignera les malades.

— Pauvre sotte. N'abandonnez jamais votre pouvoir à autrui.

— Je m'en moque. Cela ne me plaît pas. Les reines ne sont pas toutes obligées de faire ça. Grand-mère, par exemple.

— Votre grand-mère Anet a d'autres talents. C'est une bonne tisserande, une artiste de premier plan. Toute la Bretagne s'enorgueillit de ses tapisseries. Mais vous, Iseut, qu'allez-vous faire pour vous distinguer? Qu'offrirez-vous aux dieux qui vous ont donné la vie?»

Iseut fronça les sourcils. À nouveau cette référence aux dieux païens. Sa mère passait pourtant pour chrétienne. Chacun savait que, pour l'amour de Perceval, elle avait suivi l'enseignement chrétien et, avant la naissance d'Iseut, avait été baptisée dans la Vraie Foi. Mais dernièrement, Iseut avait senti que la piété de sa mère s'effilochait comme une étoffe trop longtemps exposée au soleil. Elle frissonna et préféra ne pas songer à sa parenté avec les Guinblodwyn.

«Eh bien, Iseut?

— Je sais chanter.

— Excellent. Je vous fiancerai à un barde alors!»

Elle tendit la main vers la table où Branwen s'affairait déjà. Iseut la rejoignit à contrecœur.

Guinblodwyn observa les deux jeunes filles et s'attarda sur la ressemblance entre ces deux enfants de naissance si différente: la même stature, le même front, le même menton. Mais cela s'arrêtait là. Comme sa paysanne de mère, Branwen était décidément assez commune avec ses cheveux châtain clair, ses yeux noisette et ses taches de rousseur. Elle se fondait dans la masse.

Mais Iseut! La jeune Iseut se distinguait parmi ses paires, même au sein de sa famille, comme un cygne parmi des oies. Il suffisait à sa mère de contempler ce joyau pour que son cœur s'emplît de fierté et de douleur. D'où lui venait donc une telle chevelure? Tous les membres de sa lignée et la plupart de celle de Perceval avaient les cheveux sombres, mais ceux d'Iseut étaient pareils à des flammes rouge et or. Sous leurs étonnants cils bruns, ses yeux céruléens changeaient aussi souvent de nuance que la mer dont ils avaient aussi la profondeur et l'intensité. Sa peau aurait dû se couvrir de taches de son, mais elle était au contraire pâle, lisse, immaculée au point qu'on la comparait depuis toujours à celle de Guinblodwyn. Dans un an ou deux, sa fille la surpasserait. Comment cette enfant pouvait-elle ignorer sa propre beauté? Comment pouvait-elle manifester aussi peu d'intérêt à l'égard d'une arme si redoutable?

«Iseut, il est temps que vous songiez au mariage. Vous devez savoir que votre père et moi en avons discuté. Dans l'année, très probablement, vous serez fiancée.

— Et à qui?

— À un bel homme qui vous honorera: Palomydès, prince de Powys.

— Oh non, mère, je ne puis le supporter!»

Iseut adressa un bref regard à Branwen qui jeta les herbes dans le chaudron. Une volute à l'âcre parfum s'éleva et Branwen fut prise d'une quinte de toux. La reine se rembrunit.

«Comme c'est pitoyable! Où est donc votre subtilité, Iseut? Toutes les deux, restez ici!

– Je ne pourrai côtoyer Palomydès, dit Iseut les larmes aux yeux.

– Et pourquoi?

– Il... il sent.

– Powys est une vaste contrée. Granach, son roi, est sur le déclin. Vous serez reine d'ici un an ou deux. Une telle perspective vaut bien qu'on supporte l'odeur d'un homme.

– Sa seule vue me révulse! Je préférerais être enlevée par un Irlandais et emmenée de l'autre côté de la mer!

– Ne soyez pas stupide. Être la reine, cela ne se limite pas à coucher avec le roi. Vous aurez le pouvoir si vous êtes assez forte pour vous en emparer. Bien, écoutez-moi. Je vous ai fait venir ici pour vous dévoiler votre avenir et vous laisser le temps de vous y préparer. Palomydès vous courtise depuis six mois. C'est très long pour obtenir une réponse. C'est non seulement l'héritier de Powys mais aussi un guerrier à la réputation honorable. Il est amoureux de vous, je dirais même qu'il est envoûté. Il vous traitera bien. En outre il est gallois et vous n'aurez pas à quitter votre pays natal. Vous pourriez facilement connaître pire, mais mieux, je ne crois pas.

– Je n'épouserai jamais Palomydès.

– Si j'accepte sa proposition en votre nom, dit la reine dont les narines palpitaient d'énervement, vous vous marierez à lui, que vous le vouliez ou non.

– Et qu'en dit *mon père*? Il ne me fiancerait pas contre mon gré, *lui*.»

Guinblodwyn se raidit à cette allusion à son époux. Branwen tira doucement sur la manche d'Iseut. Puis la reine désigna un tabouret.

«Asseyez-vous, dit-elle en arpentant la pièce. Votre père n'aura aucun scrupule à vous fiancer contre votre gré, pour reprendre votre expression. D'ailleurs il est en ce moment même en train de négocier une union qui fera de vous la risée de tous.

– Je le sais.

– Vous le savez? cria la reine.

– Chaque jour il s'enferme avec cet horrible petit étranger. Je sais de quoi ils parlent. Tout le monde dit que ce diable d'homme est très dur en affaires.»

Au grand étonnement d'Iseut, la reine porta une main tremblante à son front.

«Ô, Grande Mère, accorde-moi la patience! Il est impossible que des âmes aussi ignorantes sachent tant de choses. Mais vous, vous savez qui est ce nabot monstrueux?

– Non, ma dame.

– C'est… c'est un Cornique! cracha la reine.

– Quel prince sert-il? répondit calmement Iseut.

– Cela n'a aucune importance! Vous n'irez pas en Cornouailles. Je ne le permettrai pas. Je préférerais vous voir morte!

– Je mourrai plutôt que d'épouser Palomydès, oui! lança-t-elle en sautant à bas de son tabouret. Et qu'est-ce qui vous permet de croire que père négocie malgré moi? Il m'a demandé – *demandé*, vous entendez? – si j'accepterais d'aller en Cornouailles. Il m'a expliqué l'importance de la chose, et il trouve que je suis assez grande pour être consultée. Vous me croyez ignorante et docile, eh bien non! Je suis assez intelligente pour savoir qu'il n'y a qu'un prince en Cornouailles, et que c'est le roi. Marc est son nom. Le Haut Roi de Bretagne!

– Ne l'appelez pas ainsi! Le droit veut que ce titre revienne à votre père. C'est *lui* qui devrait être le Haut Roi!

– Et vous la Haute Reine? J'ai entendu ce conte un millier de fois. Père a au moins la grâce d'accepter la défaite des Gallois.

– Êtes-vous devenue folle? bredouilla la reine qui tremblait au point de devoir s'appuyer à la table. Vous ne pouvez dire que vous participerez à cette infamie. Marhalt était mon frère!

– Oncle Marhalt a été vaincu, répondit sèchement Iseut en repoussant les doigts de Branwen toujours accrochés à sa manche. Vous n'y pourrez rien changer. Et comme vous ne pouvez être Haute Reine, à moi aussi vous refusez ce titre.

– Vous n'êtes qu'une enfant, dit Guinblodwyn en se radoucissant, vous ne savez pas ce que vous dites. Le roi de Cornouailles est assez vieux pour être votre père. C'est un homme vain, égoïste et mesquin.

– Et Palomydès ne l'est pas?»

Branwen tira à nouveau sur le bras d'Iseut. La reine se redressa de toute sa hauteur et son visage se durcit.

«Il suffit, je ne veux plus vous entendre. Vous ferez ce que je dis. L'émissaire de Cornouailles ne vivra pas assez longtemps pour sceller cette alliance avec Gwynedd. Le printemps venu, nous serons en guerre avec les Corniques, et vous serez mariée à Palomydès.

– Jamais!»

La reine leva la main comme pour la frapper puis elle se ressaisit. Iseut se retrouva assise sur le tabouret.

«Je puis vous obliger à faire exactement ce que je désire.

— Mon Dieu! dit la jeune fille en serrant les poings tandis que ses yeux s'emplissaient de larmes. J'en ai assez de votre sorcellerie! Vous ne pouvez tout régir! Pourquoi ne me laissez-vous pas vivre comme je le veux?

— Pour vous, j'ai trouvé une maison où vous serez honorée, respectée, chérie même, et où vous détiendrez le pouvoir. Je vous ai donné le meilleur, contentez-vous-en.

— Non! s'écria Iseut en essuyant ses larmes du revers de la main. Je refuse même de parler à Palomydès. Sa famille est liée à la vôtre depuis des générations: je ne changerais même pas de maître. Vous continuerez à régenter ma vie. Plutôt mourir, vous dis-je!

— Vous ne pourrez pas, dit la reine avec un sourire narquois, vous coucherez avec Palomydès et vous lui donnerez deux fils.

— Je dirai à père que vous voulez tuer l'émissaire de Cornouailles.

— Faites cela, dit la reine dont le sourire se figea, et je ferai comprendre à Palomydès que vous l'avez accepté. En tant que fiancé, il a droit à votre lit. C'est un homme fort, il ne refusera pas son dû!

— Non! hurla Iseut en se levant. Dieu est mon juge et je ne serai pas votre esclave! Je me moque de savoir qui a fait une offre à mon endroit: j'épouserais un chien pour fuir loin de Galles! Et de vous! Je vais dire à père que je pars, dit-elle alors qu'elle se dirigeait vers la porte en sanglotant, et que j'accepte la proposition de l'envoyé. Je lui parlerai de vous et de Palomydès et il me protégera! Il m'a toujours aimée! Et il vous déteste!

— Iseut! Je vous l'interdis!»

À nouveau elle leva la main. Iseut sentit ses jambes la lâcher. Sa vision se brouilla alors qu'elle atteignait la porte. Une petite main se glissa dans la sienne et l'entraîna dans l'escalier. La douce voix de Branwen la suppliait de se hâter. Derrière elles, le gémissement de la reine se changea en une terrible malédiction druidique.

Iseut était prostrée sur son lit tandis que Branwen lui caressait les cheveux.

«Branny, oh, Branny, pourquoi me hait-elle à ce point?

— Vous êtes plus jolie qu'elle ne l'a jamais été, même quand elle était jeune, et sa beauté est sa fierté.

— Même quand j'étais petite, elle n'était pas bonne avec moi. Je pouvais faire n'importe quoi, je ne lui ai jamais plu.

— Elle a toujours su que vous la dépasseriez. À votre naissance, elle a lu dans le cristal et vu ce qui allait advenir.

— La sorcellerie me fait horreur, dit Iseut en frissonnant. Toute sa vie durant, elle n'a envisagé qu'une chose, le pouvoir.

— Si vous étiez Haute Reine de Bretagne, elle devrait s'agenouiller devant vous, dit Branwen en tenant dans ses mains une boucle de cheveux d'Iseut. Cette idée lui est insupportable. Elle a parcouru un long chemin depuis le minuscule royaume de son père et elle est aujourd'hui reine de Gwynedd. Mais Haute Reine de Bretagne! Elle a tout fait pour le devenir, et cela ne m'étonne pas qu'elle soit si furieuse.

— Que veux-tu dire? Qu'elle a tout arrangé? Elle aurait pu parler de son projet à mon oncle Peredur, mais elle n'a pu influer sur le combat. Branny, que sais-tu au juste?

— Rien. Rien que je puisse prouver, en tout cas. Et puis, cela n'a plus aucune importance.

— Rien dont je ne puisse parler à mon père?

— Oh non, et puis vous ne devriez pas la railler en lui parlant de l'amour du roi.

— Elle devrait avoir honte que tout le monde soit au courant. Père a au moins une douzaine de bâtards dont il s'occupe et certainement une autre douzaine qu'il ne connaît même pas. Les bâtards de Perceval, voilà ce qu'on chuchote dans son dos. Je l'ai entendu. Ceredig est l'un d'eux, le savais-tu? Te rends-tu compte? Mon propre demi-frère, un serviteur! C'est entièrement la faute de mère. Sa cruauté et sa sorcellerie ont éloigné père. Honnêtement, Branny, je ne vois pas comment tu peux passer des heures dans cette officine, avec tous ces horribles pots.

— J'aime les simples. C'est intéressant. Et utile.

— Parfois j'ai l'impression de ne pas pouvoir respirer et je me demande si elle n'a pas empoisonné l'air de Gwynedd. Oh, Branny, quitter père m'est insupportable, mais si je n'échappe pas à mère, je mourrai!

— Vous vous enfuirez. Vous irez en Cornouailles. C'est ce que dit sire Segward.

— Sire Segward? dit Iseut en se redressant. Tu connais le nom de l'émissaire?

— Ceredig me l'a dit, il s'occupe d'eux.

— Il les a entendus parler?

— Peu de chose: ce que vous avez dit à la reine est pure vérité. Sire Segward est au service du roi Marc, c'est lui qui s'intéresse à vous.

— Mais pourquoi moi? s'étonna la jeune fille. Il doit savoir que tout Galles le méprise.

– Justement. Il veut panser cette blessure que son neveu nous a infligée. Pour la même raison, le roi Perceval l'écoute. Tous deux veulent une Bretagne unie. Ils rêvent de la même alliance qu'Arthur.

– Je ne crois pas à ces contes de bonne femme. Gallois, Corniques et Lothians, tous buvant sous un même toit ? Balivernes !

– Peu importe, ce rêve est fascinant. C'est pourquoi le roi Perceval étudie sa proposition, c'est aussi pourquoi il se montre discret sur la présence de cet homme. Ils négocient en secret mais Perceval l'écoute. Votre fils pourrait bien être le Haut Roi de Bretagne, ajouta-t-elle.

– Ne me parle pas d'enfants, je t'en prie, je n'en veux pas, fit Iseut en secouant la tête.

– Marc vous répudiera si vous ne lui en donnez pas. Son fils a été tué à l'automne et il n'attendra pas longtemps pour avoir un nouvel héritier.

– Tu viendras avec moi, Branny, dit-elle en embrassant sa compagne sur la joue. Je ne peux pas me séparer de toi, non, je ne le peux pas. Tu es la seule à qui je puisse parler, ma seule amie. Tu viendras avec moi, n'est-ce pas, où que j'aille ?

– Je... je sers le roi votre père, répondit Branwen, les yeux baissés.

– Père n'a aucune raison de s'y opposer. Il me donnera n'importe quoi pour se faire pardonner de m'avoir envoyée au loin. Dis seulement que tu viendras avec moi. Quel avenir t'attend ici, après tout ? Tu veux être toute ta vie la servante de ma mère ? Viens avec moi en Cornouailles, nous te trouverons un prince et tu seras une dame avec une maison bien à elle.

– Le roi m'a promis un bon parti, dit-elle lentement tandis que son visage blêmissait.

– Ma chère Branny... Si c'était possible, il l'aurait fait depuis longtemps. La plupart des filles sont promises, sinon mariées, dès l'âge de seize ans. Tu es utile à ma mère mais elle peut aussi t'empoisonner. Branny, je te le demande, viens avec moi. Pendant un temps nous aurons le mal du pays, mais nous serons bien mieux ailleurs.

– Est-ce si important ? dit-elle en voyant Iseut pleurer abondamment comme elle le faisait toujours quand l'émotion la submergeait.

– Oui, Branny, à un point que tu ne peux imaginer. Dis que tu viendras... C'est donc d'accord ?

– Je ferai ce que m'ordonne le roi, dit-elle lentement avant de se diriger vers la porte. Enfermez-vous bien et n'allez nulle part sans escorte. La reine veut empêcher cette union à tout prix. Et Palomydès est son âme damnée.

– Cette horrible créature ! dit Iseut en frissonnant. Le roi Marc ne peut être pire. Mais où vas-tu, Branny ?

– Trouver Ceredig. Pour demander audience au roi. »

Mais la porte s'ouvrit à la volée, la plaquant au mur. Sur le seuil se tenait un homme grand et corpulent, richement vêtu et porteur de bagues et de bracelets d'argent. Ses cheveux et sa barbe étaient bruns et bouclés. Des poils sombres couvraient le dos de ses mains et sa poitrine. Ses yeux bleus se posèrent sur Iseut dès qu'il entra dans la chambre.

« Sire ! » cria-t-elle en sautant à bas de son lit.

Elle s'empara d'une dague ornée de pierres précieuses posée sur sa table de nuit. Derrière l'homme, Branwen se glissa, discrète comme une ombre, et s'enfuit dans le couloir.

« Comment êtes-vous venu ici ? Ce sont les appartements des femmes. Votre présence y est interdite. »

Ses petites dents blanches luisaient au milieu de sa barbe. Il referma doucement la porte et laissa la barre se remettre en place.

« C'est interdit pour les autres, mais pas pour moi, ma beauté. Pas maintenant que vous m'avez accepté.

– Vous êtes fou ! Je ne veux pas de vous. Si vous avez parlé à ma sorcière de mère, vous n'avez entendu que des mensonges. Je vous déteste, Palomydès, je ne vous épouserai jamais.

– Une telle modestie sied à une jeune fille.

– Je préférerais me marier avec un crapaud, dit-elle en brandissant sa dague.

– J'aime qu'une femme ait de l'esprit.

– Ne m'approchez pas, bête immonde, si vous tenez à la vie. Mon père n'a pas approuvé cette union. Si vous me touchez, il vous tuera.

– Je n'ai pas d'inquiétude de ce côté-là. Une fois que je vous aurai prise, il ne pourra vous marier à un autre.

– Et vous prétendez être un prince, avec des pensées aussi abjectes ?

– Je prendrai ce qui m'a été promis. La Grande Mère sait à quel point j'ai attendu, dit-il en jetant sa tunique à terre. Allez, oubliez vos rougeurs et votre dague. Soyez gentille avec moi, Iseut, et je le serai avec vous.

– Je vous méprise, cracha-t-elle en essayant de frapper la main qu'il tendait vers elle. Vous sentez plus mauvais qu'un tas de fumier. Sortez immédiatement ou j'appelle la garde !

– Elle ne viendra pas, dit-il en riant, votre mère y a veillé. Allons,

Iseut, vos insultes ne m'atteignent pas, vous avez peur, rien de plus. Cela passera.

– Peur? C'est vous qui devriez trembler: mon père vous le fera payer de votre vie! Vous n'êtes qu'un instrument dans les mains de ma mère, elle veut seulement ruiner les projets que père a pour moi, et vous, vous mourrez en fin de compte.

– Je ne vous crois pas.»

Il se jeta sur elle mais elle l'évita et se releva d'un bond pour lui faire face, de l'autre côté de la couverture en fourrure.

«Sortez! Immédiatement!

– Seulement quand j'aurai obtenu ce que je suis venu chercher, dit-il tandis qu'un sourire se dessinait sur ses lèvres épaisses. Par la Déesse, que vous êtes belle quand vous êtes en colère!»

Il s'élança vers le lit, mais Iseut parvint à le saisir par le bras et à le blesser de sa dague.

«Catin!»

Il retomba lourdement sur le sol. Elle courut alors jusqu'à la porte et en releva la barre, mais il l'attrapa par l'épaule et la fit se retourner avant de la plaquer contre la porte. Tournant la tête, elle le mordit à la main. Il la gifla.

«Petite roulure!»

Du sang coulait de sa blessure mais il ne le sentait même pas. Sa main saisit la lame et il la jeta à terre, puis, après avoir baissé ses chausses, il écrasa son corps contre celui d'Iseut et sa bouche contre son cou. Impuissante, elle réussit seulement à lui donner un coup de genou dans le bas-ventre.

En riant, il colla sa bouche à la sienne mais elle lui mordit la lèvre. À nouveau il la frappa. Elle se mit à hurler, un goût de sang dans la bouche. La main de l'homme tirait sur ses vêtements, remontait entre ses jambes, touchait sa chair au plus intime d'elle-même. Elle se débattit et réussit à lui labourer le visage de ses ongles.

«Père!»

Il se moquait bien de ses cris. L'étoffe se déchira. Des mains grossières parcouraient son corps, la caressaient sans ménagement, lui écartaient les cuisses. Elle abattait ses poings sur son visage, ses épaules, hurlant et le maudissant de toutes ses forces.

Des coups résonnèrent. Derrière elle la porte vibrait. Était-ce la voix de son père? Palomydès, soufflant comme un bœuf, recula d'un pas et remonta ses chausses. La porte s'ouvrit brusquement et Iseut tomba à terre.

«Palomydès! Au nom de Dieu, que se passe-t-il ici?»

Perceval se tenait sur le pas de la porte. Branwen se précipita pour s'agenouiller à côté de la jeune fille.

«Messire le roi», dit Palomydès.

Derrière Perceval, accouraient les gardes, l'épée à la main.

«Que faites-vous dans la chambre de ma fille? Qu'avez-vous fait à cette enfant? Parlez!

— Seigneur, dit Palomydès en mettant un genou en terre, je ne lui ai pas nui. La princesse Iseut et moi-même sommes secrètement fiancés et je... enfin...

— Quoi? hurla Perceval, frémissant, tandis que les gardes entouraient l'homme.

— Seigneur, je convoite votre fille depuis quelque six mois. Nous sommes fiancés et c'est l'un de mes droits.

— Ma fille ne se fiancera pas tant qu'elle ne l'aura pas voulu et que je n'aurai pas donné mon consentement, mais cela, vous le saviez. Non, vous êtes venu la forcer, forcer mon choix aussi.

— Oh non, sire, jamais, je vous le jure, jamais.

— Menteur!»

Iseut avait relevé la tête et Perceval put voir sa joue gonflée, ses lèvres ensanglantées. Pendant un long moment nul n'osa respirer. Lentement Perceval tira son épée et en posa la pointe sur la gorge de Palomydès.

«Si vous l'avez forcée, dit-il d'une voix tremblante, je vous tuerai.

— Seigneur! Jamais...

— Silence! Iseut?»

Elle lança un regard furieux à Palomydès. Son front était couvert de sueur.

«Je vous avais prévenu. Je vous l'avais dit que mon père vous tuerait, mais vous ne m'avez pas crue.

— Iseut! Dites-le-lui que je vous ai à peine touchée.

— Infâme menteur!

— Mais je ne vous ai pas prise! Je vous en conjure, dites-lui la vérité, je ne vous ai rien fait...

— Parce que mon père est arrivé à temps. Vous aviez les chausses sur les genoux.

— Immonde personnage! vociféra Perceval dont l'épée s'enfonçait un peu plus dans la gorge du traître. Je devrais vous tuer rien que pour avoir osé poser le pied dans sa chambre. Vous êtes pure alors? fit-il en se tournant vers Iseut.

— À peine, mais toujours négociable, répondit-elle avec un sourire désabusé.

– Oh, Iseut, dit doucement Perceval en l'attirant contre lui. Ma douce petite fille. Je ferai ce que vous m'ordonnez. Dois-je le châtrer ? Commandez !

– Oh, père, fit-elle en réprimant un sanglot. Cela ne serait que justice, mais il n'est qu'un instrument. Tout ceci, c'est la volonté de mère.

– *Quoi ?*»

Blême, il se tourna vers Branwen, qui approuva d'un signe de tête.

«Mon Dieu ! Sa propre fille !

– Et ce n'est pas tout, reprit Iseut. Elle projette d'empoisonner l'envoyé cornique pour nous contraindre ainsi à entrer en guerre contre la Cornouailles. Je devais être mariée à ce... à ce monstre. S'il mourait, je régnerais sur Powys, et elle sur moi.

– Conduisez Palomydès à ses appartements et qu'il n'en sorte pas, ordonna-t-il à ses gardes après avoir remis son épée au fourreau. Je déciderai plus tard de son sort. D'abord je parlerai à la reine. Lleu, prenez une douzaine d'hommes et allez la chercher. Entravez-la si elle ne veut pas venir librement ! Je n'en puis plus, dit-il en s'essuyant le front. Avec l'aide de Dieu, je me débarrasserai d'elle. Ah, mon adorable petite fille, si je vous ai épargné un destin, c'est pour vous en imposer un autre. Ce jour même, j'ai passé un accord avec Marc de Cornouailles. Vous serez Haute Reine de Bretagne, Iseut, mais je vous donne à un homme en qui je n'ai nulle confiance.

– Au moins... dit-elle péniblement, si je dois partir, ce sera en un lieu où je pourrai témoigner de l'honneur de notre pays. Et puis... il ne peut être aussi mauvais que Palomydès.

– Si je le croyais ainsi, déclara Perceval d'une voix forte, je ne vous laisserais pas partir.

– Puis-je emmener Branny avec moi ? Oh, père, je vous en prie. Si je dois vivre parmi des étrangers qui me détestent parce que je suis galloise, laissez-moi emmener au moins une amie avec moi.»

Perceval la serrait contre lui. Il releva la tête et ses yeux sombres se posèrent sur Branwen. La jeune fille tremblait doucement et elle évita son regard.

«Peut-être quelqu'un de plus âgé vous guiderait-il mieux en terre étrangère. À seize ans, elle ne peut être votre guide.

– Oh si ! s'exclama Iseut. C'est ma meilleure amie, je le jure, en dépit de sa naissance. Elle me sert depuis l'enfance. Je ne supporterais pas de partir sans elle. Elle n'a pas de famille, rien qui puisse la retenir. Elle n'a pas d'amie en dehors de moi.

— Branwen? dit Perceval, soudain très pâle. Le veux-tu? Je ne te garderai pas si tu souhaites partir. »

Branwen lui adressa un regard plein d'émotion, puis elle inclina la tête devant son roi.

« Je ferai ce que mon seigneur jugera bon.

— Fort bien, dit-il après un instant d'hésitation, je donnerai des ordres en ce sens. »

Mais sa voix, grave, accusant la fatigue, sonnait comme celle d'un très vieil homme.

8

LYON'S HEAD

Le vent du nord fouettait le long littoral rocheux de la Cornouailles, ses landes désolées, ses vallées glacées, et hurlait à travers des forêts aux branches brisées. Sa fureur s'étendait jusqu'à la lisière de la Bretagne, marquée par Lyonesse et le rivage de la mer Étroite, pour franchir ensuite la chaussée balayée par les marées et, enfin, le grand promontoire obscur érigé devant les tempêtes.

La forteresse de Lyon's Head se dressait au bord de la mer et ses fondations plongeaient dans une masse rocheuse, croc jailli hors de l'océan tumultueux. Des tours et des remparts surplombaient les flots. De hauts murs ceignaient un paisible village, une prairie et un bois, le tout ponctué de lourdes portes de fer, d'un poste de garde et d'une longue allée menant à la terre ferme. La marée haute et la tempête la recouvraient, isolant complètement la forteresse. Cette nuit-là, l'océan agité par le vent venait lécher les murs du poste de garde comme pour prévenir les hommes de la précarité de leur abri.

Dinadan frissonna et se blottit dans sa cape. Le feu de bois dansait dans l'âtre mais ne donnait que peu de chaleur.

«Qu'il fait froid!» murmura-t-il avant de se tourner vers Tristan et de hausser les épaules.

Le roi de Lyonesse était assis en tailleur, sa harpe posée contre son sein, perdu dans une ballade. Dinadan s'empara de l'outre pleine de vin aux épices et laissa le chaud breuvage couler dans sa gorge. Un instant, ses frissons cessèrent. Il contempla le rouleau placé devant lui, ouvert sur la table, et il soupira.

Depuis que Tristan était devenu roi, plus d'un an auparavant, ses sautes d'humeur étaient de plus en plus fréquentes. Nul ne se plaignait. Ses sujets l'aimaient sans réserve, les terres étaient fertiles, sa domination bienveillante et ses jugements toujours empreints de justice. Les Irlandais avaient tenté de débarquer par deux fois, les Saxons une fois, et tous avaient été battus sans qu'il y eût pratiquement la moindre perte du côté des Corniques. Marc avait de ses propres mains déposé la couronne de Méliodas sur la tête de Tristan. L'avenir était assuré. Dinadan regarda une fois encore le rouleau frappé du sceau du Haut Roi. Marc savait-il que Tristan était malheureux ?

Les dernières notes de la harpe moururent et ce fut la fin de cette chanson triste.

« Pour l'amour de Dieu, Tristan, si je t'entends encore te lamenter ou comparer la mer à un sein de femme, je m'en vais t'en dénicher une ! Si tu as envie d'Esmerée, va la voir. Sinon retrouve la paix de l'esprit. Tu vas me rendre fou.

— Je t'entraîne vers la démence, Dinadan ? dit Tristan en reposant sa harpe. Ce n'est pas mon but. C'est cette douleur infernale, interminable que je ressens en moi. Je n'apprécie plus les choses comme avant... cette brûlure, cet héritage de Marhalt s'aggrave par mauvais temps. Par une nuit comme celle-ci, je peux à peine respirer.

— Va vivre à Camelot ou à Dorr et non pas au bord de la mer.

— J'appartiens à ce paysage.

— Cesse de parler comme un barde. Tu sais bien que je plaisantais. Je n'ai pas plus envie que toi de te voir près de Marc. Puisque ta cicatrice te fait toujours aussi mal, demande à Esmerée qu'elle t'envoie des gâteaux. Tu n'auras pas à la voir : j'irai les chercher si tu me le demandes.

— Il vous tuera tous les deux, dit Tristan en reprenant sa harpe. Il me suffit de prononcer son nom pour la mettre en danger. Comment puis-je savoir quels espions il a placés dans ma maison ? Il n'ose peut-être pas s'en prendre à moi mais il n'accorde que peu de prix à sa vie, ajouta-t-il s'asseyant à côté de Dinadan et en déposant sa harpe près du manuscrit. Après chacune de ses visites, il lui laisse une marque : c'est ainsi que je sais qu'il est venu.

— Comment est-ce possible puisque tu ne l'as pas vue depuis l'été ?

— Il fait en sorte que je sois au courant. Un jour on en parle au marché, une autre fois un courrier apporte des nouvelles. Oh, Dinadan ! gémit Tristan en se prenant la tête dans les mains. Sa vie est devenue un enfer depuis que je l'ai connue. Et je ne puis rien faire pour l'aider !

— Cela continue donc malgré ton départ ?

— Oui. Parce qu'elle a donné naissance à une petite fille et parce qu'il estime qu'elle me ressemble.

— Est-elle de toi ? questionna Dinadan en baissant la voix.

— Je l'ignore. Esme lui a juré qu'elle était de lui, mais Segward ne la croit pas.

— Et toi, que crois-tu ?

— Je pense qu'elle est mienne, dit-il avec tristesse, autrement Pernam n'aurait pas aussi peur. Il est furieux après moi. Je m'y attendais, mais je ne vois pas d'autre raison à sa colère.

— Les remèdes de ton oncle pourraient t'aider. Souviens-t'en, tu en avais pris avant de la rencontrer.

— Oui, soupira Tristan, mais je préfère ne rien réclamer. Il regrette probablement de m'avoir guéri et de m'avoir présenté Esme. Et puis je mérite mon mal, après tout ce qu'elle endure à cause de moi.

— C'est *elle* qui est venue à *toi*, rappela Dinadan en poussant vers lui l'outre de vin. Allez, bois. Il nous faut parler de la lettre de Marc.

— Je n'en ai pas envie.

— Il le faut pourtant. Je te connais, tu feras ce qu'il te demande rien que pour briser la monotonie de ta vie. Je ne te laisserai pas faire. Quel impudent !

— Je n'ai jamais voulu être Haut Roi de Bretagne ni même roi de Cornouailles. Qu'il se trouve un autre héritier. Pauvre Gérontius... Je l'aimais bien, pas toi ? Il était bon et brave même s'il avait l'esprit un peu lent. Il me manque. Il aurait près de vingt ans aujourd'hui, dit-il après avoir bu, et il se chercherait une femme...

— À propos de...

— Je connais Marc, Dinadan. Il n'a nulle envie de se remarier. Il aime les femmes, mais pas assez pour s'en entourer, comme le disait toujours mon père.

— Peu importe ses envies, il va se remarier, un point c'est tout, et il te prive de ton héritage.

— Je ne m'y intéresse pas.

— En tout cas, c'est le tien. Il souhaite non seulement te le voler, comme le pensent bien des gens, mais il a l'arrogance suprême de te prier de le voler *pour lui*! Comment ose-t-il?

— Oh, c'est très simple, dit Tristan en s'amusant de la colère de son ami. Et la cause est noble. Il sait que je puis faire ça pour lui et que lui-même ne le peut pas. À qui d'autre le demander alors?

— Tu ne crois tout de même pas à ces sornettes d'âge d'or pareil à celui instauré par Arthur? C'est de la poudre aux yeux pour que tu ne voies pas ses réelles intentions.

— Il ne se marierait pas pour une cause aussi mesquine ou rien que pour me nuire. Non, ce qui l'intéresse, c'est coucher avec elle, lui faire un enfant et les cloîtrer dans quelque forteresse. Voilà ce qu'est le mariage pour Marc. Dans quinze ans, il viendra réclamer son fils. Si tu veux te mettre en colère, pense à cette pauvre fille. À peine sortie de l'enfance, elle ne connaîtra de l'amour que le souffle de Marc, ses mains sales, ses besoins pressants. Pauvre petite. Elle est comme Esme. Parfois, conclut Tristan, je trouve bien cruel le fardeau que Dieu impose aux femmes.

— Pourquoi t'inquiètes-tu pour cette princesse galloise? Nous ne savons rien d'elle. Espérons seulement qu'elle n'a ni ambition ni pouvoir, sinon Marc fera de sa vie un calvaire. Bon, assez parlé des femmes, intéresse-toi plutôt à ce parchemin. Ne peux-tu consacrer un instant à ce problème? Le Haut Roi de Bretagne te demande ton avis.

— J'ai déjà pris ma décision, dit Tristan en haussant les épaules. J'irai.

— Non! s'écria Dinadan en tapant du poing sur la table. Oncle ou pas, c'est un fourbe de vouloir suggérer...

— Il ne suggère rien.

— Il réclame ton aide, ton avis. Une ruse à peine déguisée, oui.

— Peu importe.

— Accordes-tu donc si peu d'importance à ta vie? s'enquit Dinadan en lui étreignant les épaules. Que fais-tu de nous qui t'aimons? Que fais-tu de Lyonesse? Si tu meurs, ton royaume reviendra à Marc.

— Il ne m'envoie pas là-bas pour me tuer, jamais il ne ferait une telle chose.

— Peut-être pas lui, mais Segward, si. Tristan, ouvre les yeux: il tient sa vengeance. Il ne s'en prendra pas à toi ouvertement, quelqu'un d'autre fera la sale besogne, un Gallois, par exemple, qui aura voulu venger Marhalt. Aucun tort ne sera fait à Marc et encore moins à Segward. Quel porc vicieux!

— Si Segward avait le projet de me détruire, dit gravement Tristan, Marc ne l'approuverait pas. Conclusion, soit Marc l'ignore, soit ce n'est pas aussi dangereux que tu le prétends.

— Dans ce cas, pourquoi n'y va-t-il pas lui-même ?

— Je te l'ai déjà expliqué, il se prend pour un second Arthur.

— Tu sais où ça l'a mené ? Sa fiancée est tombée amoureuse de son émissaire.

— Me comparer à Lancelot, déclara Tristan en souriant, c'est le plus beau compliment que tu puisses me faire.

— Sois sérieux un instant. S'il n'y a pas de danger, pourquoi ce faux nom, cet héritage fictif ? S'il s'agit là d'authentiques masques, le premier venu pourrait s'en parer. Non, c'est une ruse de la part de Segward pour faire croire à Marc qu'il n'y a pas de risque, mais elle ne m'abuse pas. Tu ne peux pas aller en Galles déguisé, avec un nom d'emprunt, au prix d'un subterfuge, si noble soit-il. En moins d'une semaine, on t'aura percé à jour et tu seras tué. Marc n'aura pas sa fiancée mais Lyonesse tombera dans son escarcelle, et Segward sera vengé.

— Sans cette jeune fille, réfléchit Tristan, Marc n'aura pas l'alliance qu'il désire avec Galles, et je crois que c'est ce qui lui importe le plus. Non, Marc gagnerait Lyonesse en m'envoyant à la mort mais il perdrait la Bretagne. Et s'il me trahit, qu'en penseront ses fidèles ? Ils ne feront plus montre de loyauté à son égard. Ne crains pas pour moi, Dinadan. Être le Haut Roi, c'est tout ce qui importe à Marc.

— Ne vois-tu pas que Segward a convaincu Marc que ces ruses grossières garantiront ta sécurité, même si lui-même n'y croit pas ?

— Tu veux dire que le plus proche conseiller de Marc l'aurait trahi ?

— Oui, et ce ne serait pas la première fois. Segward fait passer sa haine personnelle avant le sort de la Cornouailles.

— Il est plus intelligent que ça.

— Et quand la passion l'emporte-t-elle sur l'intelligence ? Quand une femme est en cause. Tu as souillé son lit, il fera *n'importe quoi* pour te tuer. Il duperait Marc, il duperait sa propre mère. Surtout s'il était certain de ne jamais être accusé. Tris, insista Dinadan en le prenant par le bras, refuse. Pense à Lyonesse, à son avenir, à ceux que tu laisserais derrière toi.

— Et que fais-tu de mon honneur ? Une seule raison me pousserait à refuser, et c'est la couardise.

— Ridicule. Ce n'est pas de la lâcheté que de refuser de se jeter dans la gueule du loup. Écoute-moi, fit Dinadan en ôtant sa main de son épaule. Tu ne t'es jamais soucié de ce que pensent les gens. Quelle est ta véritable raison? Elle est certainement d'ordre sentimental, et non politique. Désires-tu entendre leurs bardes? Mettre d'innombrables lieues entre Esmerée et toi? Admirer les montagnes de Gwynedd? Prévenir la belle Iseut? Je ne comprends pas.»

Un étrange sourire se dessina sur les lèvres de Tristan. Son regard se porta au-delà du mur de pierre, au-delà même de la nuit.

«Je veux rencontrer Perceval de Gwynedd, dit-il enfin. Je le veux depuis que je suis enfant. Depuis que le barde Hawath est venu à Lyonesse chanter pour mon père. Après *Le Lai d'Arthur*, il a entonné *L'Histoire de Perceval et de Galaad*. Tu ne connais pas? Cela m'a ému au plus haut point.

— Tu es sérieux?»

Tristan semblait ne pas l'entendre et son regard se portait toujours vers le lointain.

«Perceval est l'un de ces hommes bénis qui possèdent à la fois raison et vision. Il a combattu avec Arthur. Sire Galaad était son ami. Il a uni les royaumes gallois. De tels hommes n'existent plus de nos jours. Je veux le rencontrer avant qu'il ne rejoigne les ombres de ses ancêtres. J'attends cette chance depuis des années. La voici enfin.

— Pauvre insensé! Tu ne rencontreras que la mort, et tout ça pour un conte chanté par un barde!

— De quoi nous parlent les bardes hormis de nos héros? interrogea doucement Tristan. Din, si je cherchais seulement l'aventure, je dormirais une fois encore avec Esmerée. Non, je suis impatient depuis plus de six mois, je suis poussé par une chose que je ne puis décrire. Je ne sais comment t'expliquer...

— Essaie, je t'en supplie.

— Bien. J'ai besoin de savoir de quoi je suis fait, dit-il après un temps de réflexion. Ce qui est possible, ce qui me manque. J'éprouve comme un vide, là, fit-il en désignant sa poitrine. Je désirais la gloire au combat, l'amour d'une femme. Il est des instants, rares comme des rubis dans le sable, où la vérité s'impose à moi, tel un sourire divin, et je vois clairement qui je suis et à quoi sert ce monde. Je ne vis que pour ces instants. Me comprends-tu?»

Dinadan secoua la tête. Tristan se tourna vers les volets que le vent cherchait à franchir en hurlant et sur lesquels s'abattait la pluie glacée.

«Entends-tu, sens-tu cette puissance? Cette menace? Esmerée

parlait d'exubérance. Comment ne pas s'émerveiller? Une telle sauvagerie! Fais-lui face, défie-la, elle t'imposera une reddition si totale que tu t'y perdras. Et en te perdant, tu te trouveras.

— Mais que diable me racontes-tu?

— Peut-être devrais-je m'exprimer différemment, soupira Tristan. Que tu le veuilles ou non, Dinadan, tu sais que je ne suis pas fait pour la royauté. *Moi*, j'en suis sûr, et tu dois le reconnaître pour être franc avec toi-même. Cela ne signifie pas que j'abdique. Je suis le roi légitime de Lyonesse et j'ai la compétence nécessaire pour administrer ces terres balayées par la tempête. J'assumerai ma tâche, ajouta-t-il avec un sourire quand il constata le soulagement de son ami. Mais je me meurs ici. Je ne supporte plus les disputes quotidiennes des courtisans et les suppliques de mes sujets. Je n'entends que les discours des sycophantes, les mensonges doucereux destinés à s'attirer mes faveurs. Dis-moi, est-ce cela être roi?

— Oui.

— Comment Arthur a pu endurer cet état de fait pendant vingt-six ans, je l'ignore. Je préférerais affronter les Saxons.

— La guerre contre les Saxons est aussi l'un des devoirs du roi.

— Je veux, j'ai soif de cette action d'éclat, de ce combat pour l'honneur et la gloire... pas de cet affaiblissement progressif, de ce travail de sape pareil à celui de la mer contre les fondations de Lyon's Head. Donne-moi quelque chose de grand! Parfois, j'aimerais mieux être un pêcheur et me battre toute la journée contre les flots.

— Que cherches-tu Tristan? Le trouveras-tu en Galles si ce n'est pas ici?

— Cela se rencontre à l'endroit où l'on s'y attend le moins, dit Tristan dont la blessure se réveillait au point de le faire grimacer. Il y a cet instant, sur le fil du rasoir, où tout peut arriver, où le grand inconnu s'abat sur toi, où la prochaine seconde peut être ta dernière ou ta première. Tu découvres alors des choses qui t'étaient à ce jour étrangères. En risquant le tout pour le tout, on se révèle soi-même.

— Tu veux une vie plus excitante? s'inquiéta Dinadan.

— Non! s'écria Tristan avec une certaine exaspération. Je vais te montrer ce dont je parle!»

Il se dirigea vers la porte et, d'un coup d'épaule, ébranla le lourd panneau de chêne. Une rafale de vent le repoussa dans la pièce. Avec un cri de défi, il s'élança vers les remparts et s'accrocha à la pierre tandis que le vent lui coupait le souffle.

C'était cela, la magnificence ! En contrebas, la mer se fracassait sur les rochers, et il en sentait les vibrations au tréfonds de son être. Les embruns s'abattaient sur son visage. Malgré tout il s'éloigna du mur et rit face à la bourrasque. C'était ça, la force ! C'était ça, le pouvoir ! Comment Dinadan pouvait-il ne pas comprendre ? C'était ça la complète possession, être supplanté par une puissance qu'on ne peut maîtriser. Maudite soit cette tempête, bénie soit-elle ! La joie, la reddition totale, le sentiment de se perdre dans l'infini, une chose aussi intense qu'une note de musique plaquée sur une harpe, un corps de femme que l'on pénètre ! Se battre, chanter, aimer, vivre vraiment... Pour cela, il abandonnerait tout, il se rendrait n'importe où. Oui, c'était pour cela ct non pas pour Marc qu'il irait en Galles et affronterait son destin.

9

GWYNEDD

La proue du vaisseau cornique se profilait à l'entrée du port. Le long du rivage, les troupes galloises s'amassaient sous des étendards frappés du Loup gris de Gwynedd paissant sur champ d'azur. À l'extrémité du quai, Perceval, en cape écarlate, était entouré de ses chevaliers. Derrière lui, les collines se paraient des mille nuances d'une végétation naissante. À leur sommet, dominant le port, les tours de pierre grise d'un château surgissaient entre les arbres. Dans un ciel marqué de traînes de nuages, le soleil inondait le paysage d'une lumière jaune pâle annonciatrice du printemps.

Sur le pont, aux côtés du capitaine et suivi de son escorte, Tristan rectifia le drapé de sa cape. Il portait à l'épaule le Sanglier noir de Cornouailles et non pas l'Aigle de Lyonesse. Il était simplement vêtu, mais ses bottes étaient en peau de biche d'une extrême finesse; son cou s'ornait du torque d'or martelé de Gérontius. Il avait refusé de se séparer de son épée, cadeau de son père, et l'avait mise dans un fourreau de cuir bruni par le temps au point de dissimuler la splendeur de l'arme. Il observait les collines fleuries, le château, la route boueuse menant au port, les soldats et leurs uniformes mal ajustés, le roi en grande tenue.

Galles n'était pas riche. Son littoral subissait les attaques des pillards irlandais, sa terre était stérile et pierreuse. Sa véritable force résidait en ses hommes et ses femmes, un peuple farouche et indépendant, fier de son artisanat, de son audace au combat et, par-dessus tout, de son remarquable don pour la musique. Mais il avait un gros défaut, aux yeux de Tristan, un défaut qu'il partageait avec la plupart des autres Bretons : il préférait l'indépendance à la force de l'union. Seul Arthur était parvenu à tous les unir, à la différence de Maximus, Ambrosius, Uther ou Constantin. La Bretagne était alors une puissance respectée, une lumière dans les ténèbres, un rempart contre l'ennemi, qu'il s'agisse de barbares ou de la Rome impériale. Perceval était un roi précieux, un Gallois porteur d'une vision, un homme qui voyait par-delà ses propres frontières pour arriver à une union digne de celle réalisée par Arthur.

Le vaisseau approchait du quai et Tristan distingua mieux Perceval. Avec sa corpulence moyenne, ses cheveux et sa barbe sombres, son physique n'avait rien d'exceptionnel. Mais étant donné la façon dont ses compagnons s'inclinaient dès qu'il tournait la tête vers eux, il était clair qu'ils le tenaient en haute estime. Tristan sentit son cœur battre un peu plus fort. Si les contes disaient vrai, c'était l'homme qui, sous le règne d'Arthur, avait été le compagnon d'enfance du légendaire sire Galaad. Que n'aurait-il offert pour une heure tête à tête avec Perceval de Gwynedd ! Aujourd'hui, émissaire de Marc, il allait vivre cet instant.

Le vaisseau glissa le long du quai, les aussières furent lancées et la passerelle déployée. Perceval s'avança à la tête de ses compagnons alors que Tristan et son escorte descendaient à quai. Légèrement plus grand que lui, Tristan mit un genou en terre.

« Sire Perceval, déclara-t-il en gallois, recevez les salutations de mon parent, Marc, roi de Cornouailles, Haut Roi de Bretagne.

— Relevez-vous, prince, dit Perceval dont le regard se posait alternativement sur le blason d'épaule et le vieux fourreau. Puis-je avoir l'honneur de connaître votre nom et votre famille ? ajouta-t-il dans un latin impeccable.

— Sire le roi, mon nom est Tantris de Caer Boudicca. Je suis le fils de Rivalen, fils de Gerfeint, frère de Constantin et cousin du Haut Roi, répondit Tristan, en latin lui aussi, les yeux baissés. Je suis le dernier membre de la famille de Marc, poursuivit-il en relevant la tête, à l'exception de son frère Pernam, qui est un guérisseur et non pas un guerrier. J'eusse souhaité être de plus haute naissance, seigneur, pour vous rendre les honneurs que vous méritez. »

Cette déclaration produisit son effet parmi les hommes et Perceval s'autorisa à sourire.

« Vous portez le Sanglier de Cornouailles. Cela me suffit. Soyez le bienvenu à Gwynedd, Tantris de Boudicca, dit-il en écartant les bras comme pour embrasser la mer, le port et les collines. Et que votre séjour parmi nous puisse être des plus plaisants. »

Un palefrenier leur amena des chevaux et les deux hommes prirent la direction du château, suivis des troupes galloises et de l'escorte cornique. Chemin faisant, Tristan donna à Perceval des nouvelles de Camelot, des chaloupes et des troubles que connaissait l'interminable rivage saxon, des descentes irlandaises sur la côte de Cornouailles. À son tour, Perceval lui parla des invasions venues du Nord, des attaques menées tout au long de l'hiver par les Pictes contre Lothian et Strathclyde. Les Pictes formaient un peuple infatigable qui ne redoutait rien depuis qu'Arthur ne régnait plus sur la Bretagne.

« Comment les autres royaumes gallois prennent-ils ma visite et le mariage de votre fille à Marc? interrogea Tristan.

– Vous êtes direct, seigneur Tantris, dit Perceval dont les yeux s'illuminaient bien que son visage demeurât grave. C'est une union que nous autres, Gallois, apprécions. La plupart des hommes ne poseraient une telle question que dans la chambre du conseil, une fois le festin et les chants du barde achevés.

– Veuillez m'excuser, sire, mais je ne suis pas habitué à la diplomatie. Votre réponse m'intéresse, en cet instant même où je sens les regards posés sur moi.

– Vous êtes également très observateur, mais je doute que vous soyez en réel danger. Dyfed est avec moi ainsi que Northgallis. Powys n'est pas favorable mais ne fera rien pour s'y opposer. Pour des raisons évidentes, Guent y est hostile. »

Guent, la terre natale de Marhalt. Tristan hocha la tête.

« Me trouverez-vous trop direct si je vous demande s'il y a ici des hommes de Guent?

– Moi non plus, je n'aime pas trop la diplomatie, répliqua en riant Perceval. Je préfère dire ce que j'ai en tête plutôt que festoyer, bavarder, boire et m'adonner à la chasse. Non, il n'y a personne de Guent. Je le saurais.

– Puisque vous n'appréciez pas plus que moi la diplomatie, je crains que nous ne vous devions une excuse pour l'hiver que nous vous avons fait passer. Nous vous avons en effet adressé notre meilleur expert en festins, beuveries et chasse. Comment avez-vous trouvé Segward?

– Ah, fit Perceval en éclatant franchement de rire, vous me mettez en difficile position! Je puis vous exprimer ce qu'un prince de Cornouailles veut entendre, je peux aussi dire la vérité et ainsi insulter mon hôte. Allons, Tantris, que préférez-vous?

— En Cornouailles, nous le nommons le Serpent. Son esprit est encore plus sinueux que la trace du reptile. Mais vous ne pouvez m'offenser, seigneur, dit-il en baissant la tête. Je ne suis pas un envoyé ordinaire.

— C'est ce que j'ai cru comprendre.

— Je suis ici par allégeance envers Marc, par désir d'écouter vos bardes et d'apprendre votre musique. Et depuis toujours, ajouta-t-il en rougissant, par soif de vous connaître, seigneur.

— Pourquoi?

— J'ai entendu si souvent raconter vos exploits. Tous les bardes chantent vos louanges, même en Cornouailles. Et si les contes disent vrai, vous connaissez sire Galaad.

— En effet.

— Savez-vous ce qu'il est devenu? Chaque barde nous propose une version différente. Est-il vraiment mort quant il a trouvé le Graal?

— C'est un homme d'une grande complexité, dit Perceval avec un sourire énigmatique. Mais êtes-vous déjà allé en Petite Bretagne, Tantris?»

Tristan était sur le point de déclarer que la Cornouailles n'était pas très éloignée de la Petite Bretagne, deux jours de bateau par vents favorables, mais il préféra tenir sa langue.

«Je ne suis jamais allé nulle part, sire. Si ma naissance l'avait permis, j'eusse été barde. Je préférais passer mes jours à jouer de la harpe et à composer des odes plutôt que guerroyer.

— Ah, c'est pourquoi nous n'avons jamais entendu parler de vous. Pourquoi me parlez-vous de Galaad?

— Parce qu'il est, comme vous, l'un des derniers grands guerriers que chantent les bardes bretons. Vous avez tous deux combattu aux côtés d'Arthur. Vous viviez en son temps, vous saviez ce que les hommes pouvaient accomplir.

— Oui, dit lentement Perceval, l'air grave, nous savons ce qui peut être fait. Marc le sait aussi, sinon vous ne seriez pas là. J'aime ma fille, Tantris, poursuivit-il en se retournant sur sa selle. Plus que mon épouse, plus que mes deux fils, Melléas et Logren, de bons garçons très ordinaires. Mais ma fille est unique et je ne la donnerais pour rien au monde. Si je n'avais pas connu Arthur, si je ne pensais pas que Marc partage avec moi un même rêve, je ne la laisserais jamais quitter Gwynedd. Dites-moi, Tantris, si Segward le Serpent m'a bien rapporté la vérité.

— Marc partage votre rêve.»

Tristan était impressionné par le regard du Gallois. Cet homme avait la trempe de Marc : il valait mieux qu'ils fussent alliés car ç'auraient été des ennemis mortels.

«Alors cette union se fera.»

À la tête de la colonne, ils franchirent la grande porte du château et pénétrèrent dans une vaste cour pavée. Perceval fit faire halte à sa monture et des palefreniers vinrent prendre les rênes.

«Évidemment, sa mère y est hostile.

— Comment cela? s'étonna Tristan.

— Allons, c'est la fille de Pelléas, et Marhalt était son frère, mais j'ai mené cette bataille en votre nom et elle s'apaisera, dit-il en mettant pied à terre.

— La reine... votre épouse est *la sœur* de Marhalt?

— Certainement. Comment pouvez-vous l'ignorer? Sire Segward et moi-même avons longuement débattu de ce problème.»

Mais oui, Segward le savait, bien entendu! Tristan se rappela la cérémonie marquant son départ, le sourire ambigu de Segward. En revanche, Marc ne devait pas être au courant.

«Seigneur Dieu, aie pitié de moi», soupira Tristan.

Déjà les hommes les entouraient et Perceval ne l'entendit pas. C'est alors qu'une voix retentit.

«Je vous défie, immonde fils de Cornouailles! Je vous refuse le droit d'épouser une fille de Galles!»

Toutes les têtes se tournèrent. Du groupe de compagnons rangés derrière le roi, un homme était sorti, vêtu pour le combat avec sa tunique garnie de clous de cuivre et son casque de cuir. Son épée dégainée resplendissait sous le soleil matinal.

«Palomydès! tonna Perceval. Je vous ferai couper la langue pour un tel affront! Gardes!»

Mais Palomydès ne fléchit pas. Son épée était pointée sur la poitrine de Tristan et ses yeux furibonds ne quittaient pas son visage.

«Il est de mon droit, sire, en tant que prétendant d'Iseut, de défier ce bâtard étranger.

— Vous avez été renvoyé chez vous et je vous ai interdit de revenir à Gwynedd, répliqua Perceval d'un ton acide. Et vous n'êtes en rien son prétendant. Elle a été promise au Haut Roi de toute la Bretagne.

— La reine m'a accepté, sire, même si vous n'en savez rien, dit Palomydès qui se moquait bien des gardes venus l'entourer. J'ai le droit de défier cette engeance cornique de basse extraction. Regardez vos hommes, sire, regardez leurs visages. Voyez combien d'entre eux souhaitent la bienvenue à cet étranger.»

Perceval observa rapidement ses hommes. Même Tristan comprenait qu'ils répugnaient à arrêter Palomydès. La plupart paraissaient en réalité prêts à l'affrontement. Blême, Perceval se planta devant Palomydès.

«Par le Dieu du Ciel, je ne supporterai pas cela. Arrêtez-le, bande de lâches, ou je le ferai moi-même!»

Il tira son épée de son fourreau de cérémonie et la foule poussa un cri. Le roi de Gwynedd brandissait son épée contre l'un des siens pour défendre un étranger!

«N'en faites rien, seigneur, s'écria Tristan en descendant de son cheval. Je lui reconnais le droit de me défier. Avec votre permission, je réglerai sur-le-champ ce différend.»

Ramassant sa cape de la main gauche, il saisit son arme. Palomydès ricana de satisfaction. Perceval foudroya du regard Tristan puis Palomydès, mais il n'était de toute évidence plus maître de la situation. Les Gallois poussaient des cris de joie et formèrent un grand cercle, impatients d'assister au début du combat.

«Insensés que vous êtes! s'écria Perceval. Vous avez entre vos mains l'avenir de la Bretagne! Palomydès, si vous le tuez, vous mourrez.

— Je ne le tuerai pas, répondit Palomydès, mais je le désarmerai. Et si je prends son épée, il pourra s'en retourner là d'où il vient.

— Déclencheriez-vous la guerre contre la Cornouailles?

— Pour garder votre fille en Galles, oui, sire, je le ferais!» lança-t-il alors que parmi les soldats éclataient des vivats, rapidement réprimés par le roi.

— Et si je m'empare de votre épée, surenchérit Tristan, c'est vous qui rentrerez au pays.

— Soit.»

Perceval haussa les épaules et recula. Tristan et Palomydès commencèrent à tourner l'un autour de l'autre. Les Gallois lançaient des encouragements et des menaces tandis que les Corniques gardaient le plus grand silence. Partout les hommes pariaient tout ce qu'ils avaient sur eux – pièces, perles, anneaux ou boucles de ceinturon – sur l'un ou l'autre des deux combattants.

D'un geste du poignet, Tristan enroula sa cape autour de son avant-bras. Comme il s'y attendait, Palomydès plongea. Tristan se fendit pour le toucher à la taille mais la lame ne heurta qu'un clou de cuivre. La foule rugit devant ce premier assaut. Tristan s'efforça de ne penser à rien et de laisser son corps le guider.

Rapidement, il se rendit compte que Palomydès se battait non pas pour le désarmer mais pour le blesser à mort. Il ne prenait même pas la peine de manier son arme et se contentait de se jeter sur lui. Tristan parait coup après coup. L'homme était assez lourd et, contrairement à Marhalt, lent dans ses mouvements. Tristan le frappa à plusieurs reprises au bras et à l'épaule et, quand le sang se mit à couler, son adversaire poussa un cri de fureur et s'élança vers lui. Tristan sauta de côté et, d'un coup d'épée, le désarma. Palomydès était tombé sur le pavé, haletant. Dans la foule, les hommes de Cornouailles poussaient des cris d'encouragement.

Tristan se pencha pour ramasser l'épée et, la brandissant en pleine lumière, il découvrit une tache sur la pointe de celle-ci, comme si elle avait été trempée dans de la résine ou badigeonnée. Il se retourna vers Palomydès qui se relevait péniblement. Palomydès, que la reine voulait comme époux pour sa fille. La reine, sœur de Marhalt. L'épée de Marhalt, enduite de poison. Il comprenait maintenant qui était son ennemi.

Le silence se fit et Perceval s'avança.

«Vous m'avez menti en déclarant que vous n'étiez pas un guerrier. Qui êtes-vous?»

Ils se tenaient face à face, au milieu du cercle. Plus loin, Palomydès était à genoux.

«Qui êtes-*vous*?»

Tristan remit l'épée dans son fourreau et ne répondit rien.

«Seigneur…, fit Perceval, livide.

— Au nom de Marc, mon seigneur roi, je vous rends votre rêve, dit Tristan en lui offrant l'épée dont il s'était emparé. Peu importe qui je suis.

— Vous êtes un brave. Soyez le bienvenu dans ma maison. Cependant je…»

La foule poussa un cri et, au même instant, Tristan sentit son dos se déchirer.

«Traître!» «Lâche!» «Couard!» braillaient les soldats. Tristan tituba. Il connaissait la sensation de l'acier, sa brûlure si particulière. L'homme lui avait lancé sa dague dans le dos. Que lui avait donc dit Pernam? Il n'y avait pas de remède: le poison l'aurait tué si lui-même n'avait pas tué Marhalt.

«Par la Mère!» soupira-t-il.

Il s'écroula à terre, non sans avoir dégainé et projeté sa dague dans la gorge de Palomydès.

10

LE MORIBOND

La reine Guinblodwyn contemplait le blessé allongé sur une étroite couchette. La lumière du soleil inondait la petite pièce. Dans un coin de celle-ci, deux serviteurs avaient allumé un feu et un gros pot plein d'eau bouillonnait bruyamment sur le trépied installé au-dessus des flammes. Impassible, la reine se tourna vers les deux jeunes filles présentes à ses côtés.

« Il est de mon droit de m'occuper de lui. Mon droit de reine. Mais vous avez entendu les ordres du roi, dit-elle tandis qu'Iseut et Branwen hochaient la tête. C'est vous qui assumerez cette tâche. Ainsi il me fait honte, de même que ce manant a fait honte au pays de Galles en tuant le prince de Powys. Même ainsi, j'aurais tout fait pour lui. Je l'aurais soigné et guéri. Mais à présent... je vous le laisse, Iseut. Nous verrons ainsi ce que vous avez appris. Branwen, tu me tiendras chaque jour au courant de son état. »

La reine se dirigea vers une petite table où étaient posés deux jarres, un mortier et son pilon, une bouteille d'huile et un sac de toile verte.

« Je suis persuadée que vous vous rappelez comment préparer ce baume. Il vaut mieux qu'il reste couché sur le ventre. Oignez-lui quotidiennement le dos afin de garder douce sa peau. Souvenez-vous, Iseut, d'abord le linge chaud sur la peau, aussi brûlant qu'il puisse le supporter. Ne faites pas la délicate. Ensuite, le baume. Je vais vous donner accès à mon officine pour que vous y preniez toute drogue nécessaire, déclara-t-elle en plongeant la main dans son sac. En voici la clef. Puisse la Déesse vous assister, ajouta-t-elle en riant avant de disparaître.

– Qu'y a-t-il de si amusant? dit Iseut en se tournant vers Branwen.

– Elle ne vous croit pas capable d'y arriver. Elle pense que l'ordre de Perceval favorisera ses intérêts à elle, pas ceux de ce jeune homme. »

Iseut regarda le long corps recouvert d'un drap de lin. De son visage, elle ne voyait qu'une masse de cheveux emmêlés.

«Il lui serait agréable que j'échoue? Dans ce cas, je n'échouerai pas. Père tient tellement à ce qu'il vive.

– S'il meurt, vous... vous n'irez pas en Cornouailles.

– Et l'on me mariera à un prince gallois dont le château n'est qu'à cinq lieues d'ici. Il est mon laissez-passer pour la liberté, dit-elle en désignant le corps inerte. M'aideras-tu à le guérir, Branny? Tu y es plus apte que moi.

– Je vous aiderai. Si c'est possible.

– Crois-tu que nous ne pouvons plus rien pour lui? Je ne le pense pas.

– Je suppose que votre mère nous dissimule quelque chose, un secret que nous sommes incapables de percer, selon elle.

– Cela ne m'étonnerait pas. Ce secret nous aiderait à guérir cet homme? Quoi qu'il en soit, je ferai de mon mieux. J'en sais plus qu'elle ne l'imagine, mais reste auprès de moi, Branny, tandis que j'examine sa blessure. »

Elle s'approcha de la tête du lit et rejeta le drap. Un linge propre avait été placé au milieu du dos de Tristan; plus bas, un sang rouge sombre suintait d'une blessure aux lèvres bien nettes.

«Cela ne m'a pas l'air si grave.

– L'entaille est profonde, dit Branwen. Il faudra que la chaleur et le baume y pénètrent.

– Comment?

– Avec vos doigts, vous écarterez la blessure.

– Il ne sentira rien? dit Iseut en frissonnant.

– Non, il a été drogué. »

Doucement, Iseut posa les mains sur le dos de l'émissaire de Cornouailles. La dureté de sa chair l'étonna: en effet elle ne cédait pas à une pression légère. Elle dut forcer les lèvres de la blessure. Du sang apparut, épais et luisant.

«C'est bien. Nep, Lea, le linge chaud. »

Branwen prit les pincettes des mains de la servante et approcha le linge fumant de la blessure. L'étranger gémit.

«Tu le brûles! s'écria Iseut.

— Non, cette chaleur lui est bénéfique.

— Mais ne va-t-elle pas détruire sa chair?

— Pas vraiment. La blessure doit guérir de l'intérieur. Nous ne pouvons laisser les chairs se refermer tant que la chaleur et le baume n'en auront pas apaisé le cœur. Sinon, elle suppurera. Vous ne vous rappelez pas le vieux Finn, le forgeron, qui avait marché sur un clou?

— Oh oui, c'était répugnant.

— Votre mère a expliqué que c'était pour cela qu'elle n'avait pu le sauver. La chair avait guéri, mais la blessure était encore souillée. La pourriture s'est répandue dans tout son corps.

— Je veux le sauver, dit Iseut en contemplant l'homme inerte, ses cheveux en désordre, ses longs bras musclés, sa main plaquée sur son visage.

— Alors tenez-moi ça pendant que je prépare le baume.»

Branwen se dirigea vers la table et se mit au travail. Iseut tamponnait le sang. L'étranger avait cessé de geindre et ne réagissait même pas à son contact. Elle regarda sa chevelure, épaisse mais bien coupée; son visage était enfoui dans l'oreiller mais elle en percevait pourtant les traits délicats. Sa main soignée s'ornait au petit doigt d'une bague en émail bleu. Son bras...

« Ma dame, faites donc attention à ce linge!

— Qui est-il? dit Iseut rougissante alors qu'elle ôtait la compresse ensanglantée. De haute naissance, assurément. Il est trop bien fait pour être un homme du peuple.

— C'est évident qu'il est bien né puisque c'est l'émissaire du roi Marc. Ce serait une insulte d'envoyer quelqu'un qui ne fût pas son égal.

— Je croyais qu'il n'avait pas de famille. Son père, son fils et son neveu sont tous morts.

— Il s'appelle Tantris et c'est le fils du cousin de Marc, le petit-fils du frère cadet de Constantin. Un descendant de Cador de Cornouailles.

— Je me demande quel âge il a, dit Iseut en glissant les doigts dans les boucles brunes du blessé. Je ne le remercierai jamais assez d'avoir tué Palomydès. Dieu me pardonne de proférer de telles paroles, mais je suis heureuse qu'elle soit morte, cette bête lubrique!

— Bien, dit Branwen en apportant une coupe emplie d'un liquide vert. Ouvrez la blessure que j'y verse ceci... là. Nep, Lea, un autre linge chaud.»

L'étranger gémit à nouveau et se mit à haleter.

«Il est réveillé! s'écria Iseut.

— Prenez la cuillère, lui ordonna Branwen, et quand il ouvrira la bouche, faites-lui boire ça.»

Iseut regarda son patient. Des sillons se creusaient au coin de ses yeux, à la commissure de ses lèvres.

— Je veux lui parler. Je... je veux en savoir plus sur Marc.

— Ce n'est pas le moment. Il commence à sentir la douleur. Il faut qu'il se rendorme. La blessure doit se refermer pour lui permettre de se coucher sur le côté. Demain peut-être.

— Jésus-Christ, gémit l'homme dont le bras se raidit sur le lit.

— Je vous en prie, seigneur, buvez», dit Iseut en lui effleurant la joue.

Il tourna la tête et regarda dans sa direction. Il tenta de lui demander qui elle était et elle en profita pour verser la potion dans sa bouche. Il avala et referma les yeux.

«Un rêve...», soupira-t-il avant de replonger dans le sommeil.

Iseut s'assit à côté de lui jusqu'à ce que sa respiration fût redevenue normale. Elle éprouvait une sorte d'affection pour ce patient, la joie de savoir que ses soins lui avaient été bénéfiques, et elle ne voulait pas s'éloigner de cette nouvelle source de satisfaction.

«Branwen, tu peux aller dîner, vous aussi, Nep et Lea. Je vais rester ici au cas où...

— Seule? s'étonna Branwen.

— Quel mal pourrait-il me causer alors qu'il dort profondément? dit-elle en se levant et en lissant ses jupes.

— Il n'y a pas grand-chose à faire.

— Dans ce cas, je ne ferai rien hormis le veiller. Retirez-vous, lança-t-elle aux serviteurs. Vite!»

Ils sortirent de la pièce mais Branwen était toujours là, comme pétrifiée. Son regard était impénétrable.

«Je vous apporterai votre repas sur un plateau», dit-elle d'une voix blanche avant de se retirer sans la moindre révérence.

Iseut entendit la porte se refermer. Comme elle, Branwen n'avait pas la moindre envie de partir.

Bien après minuit, Iseut se réveilla après avoir brièvement dormi sur un grabat. Elle comprit tout de suite où elle se trouvait: pas dans son lit moelleux, mais à même le sol, dans la chambre du blessé, alors que le tour de veille de Branwen prenait fin. Elles avaient décidé de dormir à tour de rôle. Nep et Lea s'occupaient tour à tour du feu. Nep ronflait dans le coin de la pièce où il somnolait. Deux fois encore, elles avaient soigné leur patient. Chaque fois que le linge chaud lui avait été appliqué, il avait gémi et s'était tordu sur sa couche, mais il ne s'était pas réveillé.

Iseut se frotta les yeux. La pièce n'était éclairée que par la cheminée et par l'unique chandelle disposée près du lit. Elle vit la silhouette de Branwen se dessiner sur la chaise... non, pas sur la chaise! Iseut se releva. Branwen était installée sur le lit.

«Branwen, dit-elle dans un souffle, je suis prête, tu peux aller dormir.»

Branwen se précipita vers elle puis elle détourna la tête, non sans qu'Iseut eût remarqué l'expression de son visage. Une telle tendresse, une telle attente! L'instant d'après, Branwen tendit le drap au-dessus du corps endormi. Elle bâilla et se frotta les yeux.

«Il n'y a eu aucun changement. Il dort toujours. Sa blessure suinte, c'est bon signe.»

Iseut prit place sur la chaise et attendit que Branwen fût allongée sur le grabat. Alors elle défit ses cheveux, les lissa et se rendit en silence auprès du lit. Après avoir constaté par elle-même l'état de la blessure, elle se prépara à la longue attente.

La chandelle se mourait. Iseut regardait le dormeur quand une émotion étrange s'empara d'elle. Un poussin tout juste sorti de son œuf ne devait pas réagir autrement: désorienté, sans retenue, émerveillé par un monde nouveau. Elle ne comprenait pas pourquoi elle se trouvait dans cet état. Sans un bruit, elle tira le drap jusqu'à la taille de l'homme et, après s'être oint les mains, se mit à lui masser le dos. Sa chair fraîche était lisse et souple: voilà à quoi Branwen devait songer! Un instant, elle s'arrêta, paralysée par une douleur intense. La fureur, l'indignation, la haine même s'emparèrent d'elle brièvement, puis la quittèrent. Elle reprit son souffle. Ses mains parcouraient la chair de cet homme, suivaient la forme des os et des muscles, glissaient sur sa peau lisse en une caresse involontaire. Elle sourit. Il était une chose qu'elle pouvait faire et dont Branwen était incapable: chanter.

Tout doucement, elle entonna une berceuse galloise. Les mots en étaient oubliés depuis longtemps mais la mélodie avait toujours le pouvoir de réconforter. Dans tout Galles, chacun la connaissait, qu'il fût guérisseur, nourrice ou encore garçon d'écurie. Iseut fredonnait sans cesser de faire courir ses mains sur le corps endormi. Soudain il bougea. Elle recula. Son visage était plongé dans la pénombre. Il la regardait.

Son bras nu se tendit et ses doigts touchèrent les cheveux de la jeune fille. Sa main souleva une mèche et l'écarta de son visage. Immobile, le souffle court, elle sentit ses doigts glisser sur son cou, son épaule, sa gorge en une caresse si discrète qu'elle la percevait à peine mais dont l'effet sur sa personne lui était inconnu. Tout son corps frissonnait. Elle lui prit la main et la serra dans la sienne avant de la contempler comme si elle allait y lire son destin. Puis elle la porta à ses lèvres et la baisa.

«Seigneur...», chuchota-t-elle.

L'œil sombre se ferma brièvement.

«Mon amour...», dit une voix qu'elle n'avait jamais entendue.

Elle se releva, mal à l'aise. Autour d'elle la pièce dansait. Elle eut vers lui un geste futile de supplique, de dénégation, puis elle s'enfuit.

«Mon doux amour, chuchota-t-il, ne partez pas...»

Dans la pénombre, Branwen s'éveilla. Ses yeux s'emplissaient de larmes silencieuses.

Trois jours durant, Iseut évita la chambre du malade. Pourtant l'image de cette pièce sombre, de ce lit, de cet homme s'imposait à elle à tout moment, même dans ses rêves. C'était pour elle une véritable torture, plus supportable toutefois que les rapports que Branwen lui faisait chaque heure. Seule responsable de l'étranger désormais, elle pourvoyait à tous ses besoins, lui apportait à boire et à manger ou encore des couvertures quand il avait froid. Elle aérait sa chambre, pansait sa blessure, le coiffait, lui lavait le visage. Ce genre d'emploi lui convenait à merveille, remarqua Iseut avec amertume. La douce Branwen s'était soudain épanouie.

Un matin, raconta-t-elle, l'étranger avait refusé la drogue qui éloignait la douleur, conscient que son sommeil serait plus léger et moins fréquent. De plus, il avait une faim de loup.

«Il a une horrible cicatrice au ventre, dit Branwen. Il ne veut pas expliquer comment il l'a eue.

— Et sa blessure? Peut-être étais-tu trop occupée pour examiner son dos?

— Elle évolue bien, dit Branwen dont les lèvres ébauchèrent un sourire, et elle ne suppure pas.

— Dans combien de temps pourra-t-il se lever?

– Vers la fin de la semaine, selon la reine. Trois jours. Mais il faudra encore une semaine pour qu'il remette sa tunique.»

Une semaine et trois jours. Il retrouverait alors ses compagnons, festoierait avec Perceval et lui échapperait complètement.

Ce soir-là, Iseut attendit que Branwen fût descendue avec le plateau vide de son patient. Elle rassembla son courage et entra dans la pièce. L'homme dormait. Lea s'occupait des braises et elle la salua d'un hochement de tête. Iseut s'approcha de la fenêtre donnant sur la mer. La journée avait été fraîche et le vent salé posait sur ses joues une caresse humide. Les derniers rayons du couchant teintaient d'or la mer. Les premières étoiles faisaient leur apparition. Elle voulut fermer le volet.

«Non, dit derrière elle une voix masculine, n'en faites rien.»

Elle se retourna. Il s'était redressé sur son coude pour la regarder. Maintenant qu'elle découvrait son visage, elle ne comprenait que trop bien le trouble de Branwen. De quoi faire rêver toute jeune fille solitaire! Jeunesse, charme, force et virilité se lisaient sur ses traits, dans ses yeux à la sombre clarté. Elle ignorait qu'il existait de tels hommes en Cornouailles et elle n'en avait jamais vu au pays de Galles.

«Je vous demande pardon, seigneur, je ne voulais pas vous réveiller.

– Je ne dormais pas.»

Quelle franchise dans ce regard! Il lui tendit la main, paume vers le haut, et, sans s'en rendre compte, elle y plaça la sienne.

«C'est vous! murmura-t-il avant de poser la main de la jeune fille sur sa joue. Je vous attendais. Où étiez-vous partie?»

Il s'assit et, la prenant doucement par le bras, la fit asseoir à côté de lui. Iseut chercha à détourner les yeux, mais la chaleur lui montait au visage et elle n'y parvenait pas.

«Vous avez chanté pour moi, n'est-ce pas?

– Oui, seigneur, dit-elle à voix basse.

– Vous êtes la réponse à ma prière. Je croyais que vous étiez un ange. Vous avez disparu. J'ai attendu des jours, des semaines, des années. Toute ma vie je vous ai attendue. Qui êtes-vous?»

Elle était incapable de prononcer la moindre parole. Elle frémissait à son contact comme la première fois, mais aujourd'hui il n'était ni faible ni somnolent. Son cœur battit plus vite quand il la saisit par la taille, elle ferma les yeux quand il pencha la tête et l'embrassa. Ses lèvres étaient douces, gourmandes, et elles couraient sur sa bouche tandis qu'une ardeur nouvelle s'éveillait en elle avec une violence inattendue. Elle était dans ses bras, elle s'abandonnait à ses caresses et ne songeait plus à rien hormis la joie sauvage de son prochain baiser. Rougissants, ils se regardaient avec timidité. La lumière avait déserté la chambre, la servante était partie.

«Vous êtes une enchanteresse... je vous aime de toute mon âme mais je ne connais même pas votre nom...»

Elle glissa à terre, accrochée à sa main qu'elle tenait toujours sur son sein. Ses yeux étaient baignés de larmes.

«Mon doux ange, qu'y a-t-il? dit-il en la prenant par le menton. Je vous ai effrayée? Je ne suis pas si terrible, vous verrez, quand vous apprendrez à me connaître. Je suis rarement si impulsif, mais j'avais rêvé de vous, de tout temps, je crois bien. Pourriez-vous quitter votre maîtresse et me suivre en Cornouailles? Oui? Je vous épouserai ce soir si vous le désirez, je le jure par tout ce qui est saint! Dites que vous n'êtes promise à personne. Je suis... une sorte de prince. Je vous offrirai un château. Oh, ma douce, dites que vous n'êtes pas mariée à un autre, car Dieu m'en est témoin, vous étiez faite pour moi!»

Il se pencha pour l'embrasser à nouveau. Elle jeta ses bras autour de son cou et pleura sur son épaule.

La porte s'ouvrit et la lumière se fit dans la pièce.

«Ma dame!»

Une chandelle à la main, Branwen entra, suivie de Nep et de Lea.

«Oh non, non!»

Iseut se releva, essuya ses larmes et s'efforça de se donner une contenance sans oser regarder l'étranger dans les yeux.

«Que veux-tu Branwen?

— Vous ne pouvez pas faire ça, dit-elle en les dévisageant tour à tour, non, vous ne le pouvez pas. Vous allez déshonorer votre famille. Votre mère nous tuera. Je vous en conjure, Iseut, ne l'approchez pas!

— Sors d'ici, ça ne te concerne pas!

— Vraiment, alors que je sers le roi Perceval qui a arrangé cette union? C'est son honneur qui est ici en cause.»

Iseut courba la tête et cacha son visage dans ses mains. Branwen se tourna vers le lit. Le prince de Cornouailles les observait sans comprendre.

«Iseut? dit-il.

— De qui croyez-vous qu'il s'agit? lui lança Branwen. C'est Iseut, la fille du roi Perceval. La promise du roi Marc. Si la reine savait que vous l'avez touchée, elle vous le ferait payer de votre vie, traité ou pas. Et le roi ferait de même.

– Princesse Iseut, dit-il, livide, je vous supplie de me pardonner.

– Non! s'écria-t-elle, le visage baigné de larmes. Je ne le veux pas! Je ne le peux pas!»

Sur ce, elle s'enfuit en courant.

«Voyez ce que vous avez fait, seigneur, reprocha Branwen. Vous avez tout compliqué. Je vous ai recommandé ce matin de ne vous laisser soigner par nulle autre que moi.

– J'ai dû… confondre… Oh, Branwen, fit-il en fermant les yeux, je voudrais être mort. Les douleurs de l'enfer ne sont rien à côté de celles-ci.

– L'enfer, seigneur, a de nombreuses issues.»

Les larmes montèrent aux yeux de Branwen.

11

LA FILLE DE PERCEVAL

Iseut revenait vers lui uniquement parce qu'elle ne pouvait s'en tenir éloignée. Elle le dévorait des yeux, si proche et pourtant si lointain, et il lui adressait en retour un regard chargé de désir. Le moment venait toujours où elle n'en pouvait plus et s'enfuyait en toute hâte. Ensuite, seule avec ses pensées, elle tempêtait contre elle-même, pleurait, priait, et s'arrêtait enfin de peur de perdre l'esprit. La torture de sa présence lui était alors préférable à celle de son absence, et elle s'en revenait vers lui. Ces sautes d'humeur leur étaient devenues familières.

«Avez-vous une harpe? lui demanda-t-il un jour où ils ne parvenaient plus à converser et ne pouvaient que se contempler l'un l'autre. Apportez-la-moi que je chante pour vous.»

Branwen eut l'air surprise mais Iseut n'y vit aucun mal. Nombre de Gallois jouaient de la harpe et interprétaient un air à la fin d'un repas ou les jours saints, pourquoi n'en ferait-on pas autant en Cornouailles? Elle envoya quérir une harpe de barde et s'assit pour l'écouter en espérant que son art serait plus mature qu'il ne l'était lui-même. Quand il eut accordé l'instrument, il se tourna vers elles et inclina la tête d'un air grave.

«Voici pour vous deux, dit-il avec solennité. "La Rose et le Vagabond".»

Elles furent émerveillées à l'instant même où ses doigts effleurèrent les cordes de l'instrument. La musique somptueuse les étonna, les paroles et la voix mélodieuse les ensorcelèrent. Il les mena d'abord aux rires puis aux larmes, enchanté à son tour par ces deux charmants visages tournés vers lui.

Elles posèrent la harpe à côté du lit. Chaque fois qu'Iseut venait le voir, il chantait pour elle, ou elle pour lui, car tant que la musique emplissait l'espace, ils pouvaient se regarder sans contrainte. Le talent du jeune homme augmentait de jour en jour. Iseut s'en réjouissait mais Branwen se faisait pensive.

Tristan n'aimait pas s'adresser directement à Iseut et il bavardait constamment avec Branwen, l'appelant par de petits noms affectueux qui lui faisaient monter le rose aux joues. «Ma jolie Branwen, lui disait-il, ma petite nymphe aux yeux gris, mon bouton de rose…»

Devant de telles flatteries et devant l'émoi de Branwen, Iseut n'avait rien à dire. Pour la première fois, elle la voyait telle qu'un homme pouvait la voir: mince, jolie, le teint pâle, vive et gracieuse, toujours spirituelle. Pour la première fois, elle comprenait qu'elle ne serait pas toujours à son service et qu'elle se trouverait un mari. Iseut fronça les sourcils. Elle s'étonnait de n'y avoir jamais pensé auparavant.

Un jour elle entendit sa mère apprendre sans ménagement au roi que le prince de Cornouailles était pratiquement guéri. Il pouvait retrouver ses compagnons et partir dès qu'il le voudrait.

Iseut se précipita dans la chambre du malade. Elle s'arrêta au seuil de la porte. Devant la fenêtre, en bottes et en chausses, il se débarrassait de sa tunique: Branwen passait sa main sur la cicatrice enflammée qui lui marquait le dos.

«La chair est refermée, mais rien d'étonnant à ce qu'elle soit si tendre: la cicatrice a encore la couleur du sang.

— Je le sais. Cela ne guérira jamais. C'est comme l'autre», ajouta-t-il avant de relever la tête et de découvrir Iseut.

Elle ne l'avait jamais vu debout auparavant. Il était plus grand que Palomydès et sa beauté animale l'émouvait. Même sa cicatrice – reçue au combat, assurément – ajoutait à son allure. Un trait violacé qui naissait sous les côtes droites et lui barrait la poitrine. Comment avait-il survécu à un tel coup?

Gêné, il serra sa tunique contre sa poitrine. Le désir de tendre la main et de le toucher était trop grand.

«Vous dites que cette cicatrice ne disparaîtra pas, c'est bien cela? Pourquoi? demanda-t-elle pour se donner une contenance.

— Elle m'a été causée par une épée empoisonnée, répondit-il lentement, les yeux rivés aux siens.

– Empoisonnée? prononça-t-elle avec difficulté. Alors vous êtes venu au bon endroit. Nous avons ici des baumes capables de combattre n'importe quel poison.

– Je le savais», fit-il d'une voix rauque.

Iseut partit précipitamment et se rendit dans l'officine de la reine où elle chercha sur les étagères le baume spécial de sa mère, l'antidote dont elle était la plus fière. Sa puissance était telle qu'il pouvait contrecarrer n'importe quel effet néfaste. Ses doigts frôlèrent le pot marqué du sceau de la reine. Elle revint dans la chambre en courant et trouva le prince debout devant la fenêtre tandis que Branwen se réchauffait au feu. Iseut s'approcha de lui et lui tendit le baume.

«Essayez ceci, seigneur.

– Chargez-vous-en, dit-il en laissant tomber sa tunique. Je vous en prie.»

Elle plongea ses doigts tremblants dans le pot et effleura la cicatrice qui lui barrait la poitrine. Pendant longtemps, il ne se passa rien, puis elle poussa un cri de surprise.

«Mère de Dieu!»

Sous ses doigts, la chair gonflée, violacée vira au rouge, puis au rose, avant de disparaître complètement. En toute hâte, elle appliqua du baume sur toute la longueur de la blessure et, quelques instants plus tard, il n'y en eut plus la moindre trace, comme si elle n'avait jamais été.

«C'est merveilleux! s'exclama-t-elle. C'est de la magie!

– Vite, essayez-le sur mon dos!»

Là aussi, la cicatrice laissa la place à une chair rose.

«Comment vous sentez-vous, seigneur?

– Comme si j'étais au Ciel, ô mon ange merveilleux! La brûlure a disparu, la douleur... Vous m'avez rendu ma force et ma santé!»

Sans réfléchir, il la prit dans ses bras et la serra contre lui. Branwen se jeta alors à terre, fouilla sous le lit et récupéra le baudrier qui y avait été rangé avec ses bottes quand on l'avait mis sur cette couche pour la première fois. Elle avait maintenant le fourreau à la main.

«Non, Branwen, dit Tristan en s'avançant vers elle.

– Oh, mon Dieu, fit-elle tout en tirant l'épée.

– Que se passe-t-il?» cria Iseut.

Branwen tremblait tant que l'épée vibrait dans sa main.

«Non, je vous en prie, répéta Tristan d'une voix douce.

– J'aurais dû le savoir, oui, j'aurais dû le savoir quand vous avez joué pour nous. Cette ode, ce combat, cette cicatrice, votre grâce, votre allure, votre voix, un millier de choses...

— Branwen, arrêtez.

— Croyiez-vous vraiment que vous alliez vous en tirer ainsi?

— De quoi parles-tu? fit Iseut. Que se passe-t-il?»

Branwen ne quittait pas Tristan des yeux, mais elle abaissa tout de même son épée.

«Vous êtes l'homme le plus tristement célèbre du pays de Galles. Vous êtes Tristan de Lyonesse.»

Pendant un long moment, nul ne parla. Puis Iseut éclata d'un rire nerveux.

«Ne sois pas ridicule, Branny. Tristan est mort, chacun le sait. Le prince Tantris est de sa parenté, rien de plus.

— Non. Regardez cette lame», dit Branwen en lui tendant l'épée.

Iseut fit un pas en avant mais une ombre se profila dans la pièce. Branwen jeta l'épée derrière elle mais il était trop tard. La reine Guinblodwyn se tenait sur le pas de la porte. Ses yeux brillants découvraient la poitrine nue du prince et le baume encore dans les mains d'Iseut, l'épée nue à terre, Branwen. Un froid glacial envahit la pièce.

«Donne-moi cette épée.

— Mais ma dame...

— Donne-moi cette épée!» tonna la reine, les narines palpitantes.

Branwen obéit. La reine s'empara de l'épée dont elle examina la lame. À un tiers de sa longueur en partant de la poignée, manquait un petit morceau de métal; le rebord était tranchant comme le fil d'un rasoir. Guinblodwyn plongea la main dans un repli de sa robe et en sortit un petit carré de soie. Un fragment métallique étincelant y était emballé. Elle le plaça sur l'épée: son contour correspondait à celui du rebord. Lentement, la reine releva la tête. N'en pouvant plus, Branwen partit en courant.

«Vous avez tué mon frère Marhalt, déclara-t-elle en détachant bien chaque mot.

— En combat honorable, oui, répondit Tristan d'un air las.

— Vous me devez une vie, reprit-elle en pointant vers lui la pointe de l'épée.

— Non! cria Iseut en se jetant devant Tristan comme pour le protéger. Il a dit vrai, c'était un duel d'honneur. Et vous ne *pouvez* pas le tuer, il est l'hôte de mon père! Vous n'en avez pas le droit! Vous m'avez demandé de le soigner et je l'ai fait!

— Reculez.

115

– Tuez-moi si vous le voulez! intervint Iseut en éclatant en sanglots. Allez-y. Je ne pourrais vivre sans lui!

– Êtes-vous devenue folle? Vous mourriez pour l'assassin de votre oncle? Qu'avez-vous fait de votre honneur, Iseut, et de votre bon sens? Cet homme a tué, trahi, menti, et il n'y a nul honneur à le défendre. Laissez-le-moi et vous épouserez qui vous voudrez, je m'en moque, mais éloignez-vous!

– Jamais!» hurla Iseut au moment même où Tristan la prenait par la taille pour l'écarter.

La reine se fendit, mais il s'y attendait, et il roula sur le sol avant de se relever et de lui arracher son arme avant même qu'elle pût frapper à nouveau. Elle poussa un cri strident et se jeta sur lui, lui déchirant l'épaule de ses ongles acérés. Il parvint enfin à la maîtriser.

«Ma dame, je vous prie d'accepter mes excuses pour une chose qui, je le dis sincèrement, n'aurait jamais dû arriver.

– Porc! Démon! Je crache sur la semence qui vous a engendré!

– Je n'avais rien contre lui, cela aurait pu tourner autrement. Marhalt en tant qu'homme, je ne le connaissais même pas. C'était un brave et un excellent guerrier. J'ai eu de la chance, rien de plus.

– Vous avez eu le front de venir ici? Sous mon toit? Pour qui nous prenez-vous?

– Je sais qui vous êtes. Vous êtes la sorcière qui a empoisonné l'épée de Marhalt. Vous désiriez ma mort avant même que je lui veuille le moindre mal.

– Quoi? fit Iseut en s'avançant vers eux. Vous avez appliqué du poison sur l'épée de mon oncle Marhalt? Et... sur la dague de Palomydès?

– J'y ai mis plus que du poison, rétorqua la reine, j'y ai également ajouté un charme. J'ai fait tout ce qui était en mon pouvoir pour assurer la réussite de Marhalt et faire respecter le droit de ton père au trône de Bretagne. Que croyais-tu? Que forte d'un tel pouvoir j'allais laisser les autres décider à ma place? Il suffisait à Marhalt de vaincre son adversaire. Il ne pouvait pas perdre, non, dit-elle d'une voix chevrotante alors que les larmes lui venaient aux yeux. Il ne le pouvait pas, je m'en étais assurée.

– Cela ne s'est pas passé ainsi, rectifia Tristan en lui lâchant le bras. L'émotion nous étreignait. Marhalt m'avait prévenu qu'il me tuerait. Comme vous le voyez, il ne s'est pas contenté de m'égratigner. Si vous aviez eu confiance en lui, je serais mort de ma blessure. J'avais déjà ses mains sur ma gorge quand je l'ai frappé. C'est le sort jeté sur cette épée qui m'a protégé quand il est mort.»

Guinblodwyn poussa un cri strident puis elle gémit et proféra des paroles dans une langue que Tristan ne connaissait pas.

«Que dit-elle? Quelle langue parle-t-elle?

– Le cymrique des montagnes, précisa Iseut qui regardait sa mère avec consternation. Je croyais qu'elle l'avait oublié... Elle profère des malédictions. Et elle demande à l'ombre de Marhalt de lui pardonner. Elle en appelle à la vengeance de la Grande Déesse... Que disiez-vous, que le sortilège vous avait préservé?»

Guinblodwyn se tourna vers eux.

«Entends ceci, engeance maléfique de Cornouailles. Puisque je ne puis te tuer, alors je te maudis. Et jamais, jamais tu n'échapperas à la malédiction d'un druide!

– Un druide!»

Iseut regardait sa mère, horrifiée, et se signait frénétiquement.

La voix de la reine retentissait dans la pièce comme s'il s'agissait d'une ample caverne et ses intonations glaçaient Tristan jusqu'aux os.

«Cinq générations tu concevras, et chacun de tes descendants connaîtra une mort prématurée qui n'aura rien d'honorable. Quatre femmes mettront leur confiance en toi et vivront pour voir cette confiance trahie. Trois enfants tu engendreras: une catin, un mendiant et un assassin. À deux reprises tu prêteras devant ton Dieu un serment que tu ne pourras tenir, des mensonges pour lesquels tu devras répondre. Et un jour, ajouta-t-elle en s'approchant de lui, les yeux incandescents, un jour, un homme de ton propre sang me vengera, te tuera quand tu t'y attendras le moins, t'abattra avec ta propre épée, maudite soit-elle! Oui, tu mourras de ce même fer qui a tué mon frère. Et, à l'heure de sa mort, Iseut, toi aussi tu mourras. C'est ce que j'ai promis à la Déesse.»

Elle éclata d'un rire strident et, reculant d'un pas, tira une dague de son sac. Tristan lui saisit le poignet et lui retourna le bras dans le dos. Coincée contre lui, elle lui cracha au visage.

Des bruits de pas résonnèrent dans le couloir.

«Branwen!» ricana la reine.

Par la porte entrèrent toutes sortes de gens, soldats, courtisans et serviteurs. Perceval se tenait devant eux, Branwen à ses côtés.

«Relâchez la reine!»

Tristan arracha la dague ornée de joyaux et libéra la reine, mais Perceval blêmit en découvrant l'arme, et il se tourna vers son épouse.

«Vous m'aviez promis.

– J'ignorais alors, seigneur, fit-elle en se redressant, que vous projetiez d'abriter un traître sous votre propre toit. Cet homme n'est pas le cousin du roi Marc mais son neveu, Tristan de Lyonesse. La canaille qui a tué mon frère Marhalt. Il a avoué.»

Un murmure de protestation parcourut la foule. Les traits de Perceval se durcirent.

«Peu importe qui il est car c'est l'émissaire de Marc. Nous avons le choix : poursuivre cette querelle sanglante et entrer en guerre contre la Cornouailles, ou bien oublier le passé pour créer dans l'avenir une Bretagne unie. Je veux vous rappeler à tous que c'est Galles le premier coupable : si mon oncle Peredur ne s'était pas montré aussi ambitieux à l'égard de mon honneur, le frère de la reine serait vivant à ce jour et nous pourrions fêter ce prince ainsi qu'il le mérite.

– Qu'il le mérite ? glapit la reine. Mais vous êtes fou ! Tuez-le !»

D'un air las, Perceval fit signe à ses gardes.

«Emmenez-la.»

La pièce se vida rapidement une fois la reine partie. Iseut aida Tristan à enfiler sa tunique, puis il se ceignit de son baudrier.

«Seigneur, lui dit le roi, il vaudrait mieux que vous partiez dès ce soir. Allez rejoindre vos hommes. Ils seront en danger même si je renforce la garde. Vous serez en sécurité sur votre bateau. Iseut, Branwen, préparez-vous. Vous prendrez la mer à l'aube. La cérémonie n'aura pas lieu. Je n'imaginais pas les choses ainsi, soupira-t-il après les avoir toutes deux embrassées. Soyez brave, ma fille. Ce n'est pas un adieu. Quand un fils vous naîtra, je me rendrai personnellement en Cornouailles. Jusqu'à ce jour, rappelez-vous l'importance de tout ceci : la Bretagne est entre vos mains. Prions Dieu que s'achève bien ce qui a si mal commencé.»

Tard cette nuit-là, alors que la lune s'enfonçait déjà dans la mer, la reine Guinblodwyn convoqua Branwen dans son officine. La jeune fille n'avait pas dormi. Il y avait trop de choses à faire en trop peu de temps. Elle trouva la reine seule, dans une pièce que n'éclairaient que deux pauvres chandelles. La reine était vêtue de noir et Branwen ne voyait d'elle que son visage froid et ses mains livides.

«Ah, Branwen, merci d'être venue si promptement.

– Ma dame.

– Assieds-toi. Je ne te retiendrai pas longtemps. Le roi désire que tu partes avec la marée de l'aube.

— Oui, ma dame.

— Dis-moi, Branwen, qu'attends-tu de la vie?

— Moi, ma dame? s'étonna Branwen qui regarda la reine dans les yeux, mais ne put rien y lire.

— Je vois ce qui se cache derrière ton masque. Tu es assez intelligente pour être ambitieuse. Une femme de ta trempe ne se contentera pas d'être toute sa vie durant la dame de compagnie de ma fille. Elle me déçoit, c'est toi que j'aurais dû avoir pour enfant.

— Oui, ma dame, fit Branwen incapable de se détacher du regard de cette femme.

— Bien. À quoi aspires-tu? Je connaissais ta mère, Keridwen, dit la reine d'un ton plus léger. À mon arrivée à Gwynedd, elle s'est occupée du potager. Je l'avais amenée avec moi afin qu'elle m'aide. Elle utilisait les simples et guérissait tous ceux qu'elle touchait.»

Branwen ne put dissimuler sa surprise: elle ignorait complètement que sa mère avait servi Guinblodwyn.

«C'est une honte qu'elle ne fût pas mieux née. De sorte qu'avec ton sang abâtardi tu peux à peine espérer épouser un seigneur de Cornouailles. Alors, dis-moi, à quoi aspires-tu? Tu ne l'auras pas, et tu le sais bien. Il aime Iseut et il l'aimera toujours. Que cela ne t'afflige pas, tu perdrais ton temps. Et puis c'est un nigaud, tu mérites quelqu'un de mieux.»

Comme Branwen ne répondait pas, Guinblodwyn se leva et se dirigea vers une étagère sur laquelle elle prit trois petits sachets en tissu teint, fermés par une cordelette de soie.

«Avant ton départ je vais te faire trois dons. Tu dois en user avec discernement. Si tu es aussi sage que je le crois, alors tu vivras l'avenir que tu te seras choisi.»

Elle présenta à la lueur de la chandelle le premier sac, de couleur verte.

«Cette herbe apporte le sommeil. Une pincée dans un liquide, et quiconque le boit dormira du sommeil des enfants, long, profond, sans connaître l'éveil. Trois pincées apportent une mort paisible au bout de cinq heures. Tu dois en garder pour ta vieillesse. Et voici un philtre d'amour, dit-elle en lui présentant le deuxième sachet, de couleur écarlate. C'est un aphrodisiaque si puissant que nul homme sur cette terre ne pourra résister au désir de la chair une heure après l'avoir pris. Aucune femme non plus, ajouta la reine en souriant. Souviens-t'en quand tu rencontreras l'homme que tu désires.

119

– C'est tout? hésita Branwen. Il n'apporte pas l'amour?

– Il s'agit d'un distillat de neuf plantes, rétorqua assez sèchement la reine, pas d'une potion magique. Il ne peut produire la passion à partir du néant, mais il intensifie l'émotion. Cela peut parfois faire naître l'amour, mais c'est une chose à laquelle je te conseille de ne pas accorder trop d'importance. Quant à celui-là, continua la reine en brandissant un petit sac noir, c'est un cadeau très spécial que je te fais. Une décoction de sorbier. Mortelle. Source de douleur. Rapide. Insipide dans le vin ou tout autre breuvage fort. C'est la clef du plus haut pouvoir de ce pays, chuchota-t-elle. Avec elle tu contrôleras tes ennemis. Mais il y a un prix à payer. Tue-le, dit-elle en s'avançant de sorte que la lumière n'éclaira plus que son visage. J'ai besoin de sa mort. Tue-le sur le bateau et nul n'aura le courage d'affronter Marc. Tu reviendras ici sous quinzaine sans qu'on t'ait posé de question. Je te trouverai un prétendant digne de toi, tu as ma parole. Ou tue-le en Cornouailles et laisse les guerriers s'accuser mutuellement. Qu'il en soit fait ainsi où et quand tu le voudras. Je m'en moque, Branwen, tant qu'il meurt. Car sa mort est nécessaire. »

D'une main tremblante, Branwen prit les sachets et les rangea dans son sac.

« Et si je ne le tue pas?

– Alors je t'aurai mal jugée. Ne me trahis pas, Branwen. Tu le regretterais et je te prédis ceci: tant qu'il vivra, tes enfants seront des filles et n'hériteront de rien. De plus cela ne sauvera pas Tristan. Si toi tu ne le tues pas, il subira un jour le sort qu'il mérite. Je l'ai maudit, et il en sera ainsi. »

La reine s'arrêta un instant de parler. Des rides se dessinaient autour de ses yeux.

« C'est avec Iseut que j'aurais dû avoir cette conversation, pas avec toi. Ce sont des présents qu'elle aurait dû recevoir de sa mère à la veille de son départ, de même que je les ai reçus de ma propre mère, Viviane, quand je suis venue ici épouser Perceval. Mais ma fille, pour mon plus grand malheur, est une sotte. Elle n'écouterait pas un mot de ce que je raconte. Voilà pourquoi je te les ai donnés, dit Guinblodwyn en se levant. Nous n'avons pas le même sang, mais tu me ressembles plus qu'elle. De plus tu es loyale. Tu vois, Branwen, ajouta-t-elle avec une ébauche de sourire, je sais qui tu es. »

La jeune fille était paralysée et craignait que sa dernière heure fût venue. Cela fit rire la reine.

«N'aie pas peur. Il a couché avec Keridwen avant de m'épouser. Tu es la seule de ses bâtards qui ne me fasse pas affront. Tu as aidé Iseut à devenir une femme. J'ai une dette envers toi.

— Comment le savez-vous? parvint à articuler Branwen.

— Oh, je l'ai toujours su, même s'il ne m'a rien confié. Mais dis-moi, brave Branwen, quand avoueras-tu à Iseut que tu es la fille de Perceval?

— Jamais!

— Oh si, un jour, tu lui feras cet aveu.»

12

LA TEMPÊTE

Sur le pont du navire, Tristan contemplait l'horizon. À l'ouest, le ciel était sombre. À travers la brume, omniprésente comme une vision de cauchemar, il apercevait la côte. Galles, le dernier endroit où il pût débarquer. Inquiet, il regarda la voilure dont on avait réduit la surface en prévision du vent. À cette allure, ils mettraient un mois pour rejoindre la Cornouailles. De plus, Iseut n'avait pas mangé depuis deux jours. Il fut tenté de hisser la voile et de lancer l'embarcation sur la mer, mais il avait déjà assez d'ennuis avec le capitaine. À cause de lui, ils avaient appareillé alors que le mauvais temps menaçait. Il savait que les marins comme ses propres hommes le tenaient pour responsable.

Il ferma les yeux. Il ne supportait plus de penser à l'avenir, à ce qu'il adviendrait d'ici une semaine. Il frissonna à l'idée de ce qu'Iseut allait endurer en arrivant en Cornouailles : les effusions grossières de Marc, ses plaisanteries sans finesse, sa flatterie de rustre. Il n'était pas possible de lui donner cette jeune fille. Jamais il ne s'y abaisserait, et pourtant il le fallait.

Il rouvrit les yeux pour découvrir Branwen à ses côtés.

«Ah, Branwen, je suis heureux de vous voir.

— Moi aussi, seigneur, dit-elle en refermant mieux son capuchon. Je lui ai donné une potion apaisante, ainsi elle ne souffrira pas pendant son sommeil.

— Soyez-en remerciée. Vous connaissez si bien les drogues ?

— Ma mère était habile, seigneur, et j'ai hérité de son intérêt pour les plantes.

— Comme vous êtes modeste. Ah, si vous aviez un remède contre tous nos maux.

— Vos souffrances verront bientôt leur terme.

— Vraiment?

— Vous regagnerez Lyonesse après le mariage et nous serons à Camelot.

— Tintagel, la corrigea-t-il en souriant. Vous irez à Tintagel. Il ne veut pas de femmes à Camelot.»

La surprise puis le désappointement se lurent sur le visage de la jeune fille.

«Et où se trouve donc Tintagel?

— Plus près de Lyonesse que de Camelot, douce Branwen. Ah, mon Dieu, soupira-t-il, il ne sert à rien de penser à tout ça.»

Ensemble, ils regardaient le rivage lointain que dissimulaient parfois la brume et la pluie. Les vagues ne cessaient d'enfler et de retomber.

«Nous ne progressons pas beaucoup, me semble-t-il, se risqua-t-elle à dire.

— Comment le pourrions-nous avec une voile aussi petite? Seigneur, je me retiens pour ne pas couper ce cordage et déployer la voilure!

— Le capitaine s'y oppose?

— Les conditions sont trop mauvaises, dit-il en désignant le ciel noir. Il s'inquiète pour sa précieuse embarcation. Et pendant ce temps, elle est malade et ne s'alimente pas.

— Si le vaisseau coulait, seigneur, ma dame serait perdue bel et bien, lui fit-elle remarquer. Il vaut peut-être mieux laisser la manœuvre au capitaine.

— Je me conduis comme un insensé, convint-il avec un sourire, et je vous en demande pardon, Branwen. Mais je me sens responsable...

— Je crois savoir pourquoi.»

Il s'écarta pour laisser passer deux marins. Ils lui adressèrent un signe de tête et entreprirent de défaire les gros cordages qui retenaient les voiles.

«Que se passe-t-il? Vous avez changé d'avis?

— Ce sont les ordres du capitaine, seigneur, cria l'un des marins. Il va y avoir un rude coup de vent et nous ne pourrons pas l'éviter. Le capitaine dit qu'on va se rapprocher de la côte et se chercher un port bien à l'abri.

« — Dieu merci ! fit Tristan en se signant avec ferveur. La moitié de ma prière est exaucée.

— Quant à l'autre ? lui demanda Branwen.

— Que nous atteignions l'estuaire de la Severn.

— L'estuaire ? Vous ne faites pas route vers Caerleon ?

— Non. Même si Marc en est le maître, c'est trop proche de Guent pour que nous y soyons en sécurité. Si nous pouvons gagner le rivage de Dumnonia, au sud de l'estuaire, nous demanderons l'asile à un seigneur de ma connaissance. Il a une maison sur un cap, une ancienne villa du temps des Romains. En y arrivant à temps, nous éviterions le mauvais temps. »

Ils regardèrent les hommes hisser la voile. Le navire sembla renaître à la vie, se cabrant comme un jeune cheval et s'élançant sur les flots, non sans vibrer de toutes parts à la rencontre de chaque vague. Tristan ne se sentait pas très bien et Branwen était toute pâle. Le capitaine en personne les salua en riant.

« Vaut mieux descendre, seigneur, ça bouge moins et vous serez plus au sec.

— C'est ce que je vois. À cette allure, combien de temps d'ici à la Severn ?

— Avec un peu de chance, on y sera à la tombée de la nuit. C'est une course contre la tempête. Si elle arrive la première, je me trouve un port et je me moque bien de connaître le nom du pays ! »

Tu t'en moqueras moins quand on t'aura tranché la gorge, songea Tristan, mais il n'en dit rien.

Une heure après la tombée de la nuit, c'est par grand vent et sous une pluie battante qu'ils atteignirent l'estuaire de la Severn. Le bateau ne cessait de tanguer et sa voilure était à moitié déchirée. Quatre hommes s'accrochaient à la barre. Finalement, un petit promontoire rocheux leur apporta sa protection. Ils jetèrent l'ancre. Sur une éminence brillaient les lumières d'une demeure. Tristan commanda à ses hommes de faire mettre à l'eau les chaloupes et d'emmener les femmes. Iseut était toujours profondément endormie. Tristan l'enveloppa dans sa cape et la porta dans ses bras.

Le petit chemin permettant de gagner le sommet de la falaise était glissant et escarpé. Trois sentinelles les contraignirent à s'arrêter. Tristan dévisagea l'une d'elles.

« De par Dieu, Blamores, est-ce vraiment vous ? Est-ce bien Rook Point ?

— *Tristan ?* Tristan de Lyonesse ? Vous êtes vivant ?

– Il faut plus qu'une épée galloise pour me tuer, mais je n'en dirais pas autant d'une froide nuit de Cornouailles!

– Venez avec moi, seigneur, je vais vous héberger ainsi que toute votre escorte. La place ne manque pas depuis que mon seigneur Guvranyl est parti.

– Guvranyl n'est pas ici? Mais où est-il alors? Avec Marc?

– Oui, ils attendent la princesse galloise.

– Je la tiens dans mes bras.»

La maison de Guvranyl était faite de pierre et de bois recouvert de plâtre, long bâtiment tout de plain-pied édifié autour d'une cour ayant jadis fait office de jardin.

Le vieux Junius, le gardien, les accueillit à la porte et leur sourit de tous ses chicots.

«Par le sang du Taureau, si ce n'est pas là le jeune Tristan! Comme vous avez grandi!»

Branwen lui lança un regard amusé et lui-même ne put s'empêcher de rougir.

«Ce n'est pas le moment, Junius, je t'en prie. La dame est malade. Nous allons prendre la chambre de Guv puisqu'il nous l'a laissée. Il nous faut du feu, de l'eau chaude et du bouillon. Le toit ne fuit plus?

– Pas endroits seulement, mais pas dans la chambre du maître. Venez, venez. Vous connaissez le chemin.»

Alors qu'ils suivaient le vieux serviteur dans des couloirs dallés, Tristan expliqua à Branwen que Guvranyl était le maître d'armes de Marc et, avant lui, celui de Méliodas. Dès l'enfance, Tristan avait tout appris de lui en matière d'escrime, d'équitation, de lutte et de tactique de combat.

«Il doit être aussi âgé que ces collines, mais il est toujours agile comme un chat. Il continue d'enseigner aux recrues les plus talentueuses. J'espérais sa présence, je ne l'ai pas revu depuis les funérailles de Constantin. Et de Gérontius... Ah, nous y voici.»

La chambre de Guvranyl était spacieuse, meublée très simplement mais d'une propreté remarquable. Les fissures des murs avaient été obturées, les carreaux de mosaïque du sol remplacés, les étroites fenêtres bouchées en prévision de la tempête. Un grand lit de chêne se dressait à côté d'une armoire en pin; dans un coin, une cuve en métal permettait de se baigner et le pot à excréments était recouvert; dans un autre, un brasero chauffait efficacement la pièce. La décoration cédait le pas à l'utilitaire.

Tristan s'assit sur le lit et y déposa doucement Iseut. Son visage blême paraissait serein, paisible, au milieu de sa chevelure flamboyante. Il avisa une couverture de laine posée au pied de la couche.

«Junius, il nous en faudra d'autres, en fourrure de préférence. Et puis un autre brasero. Ainsi qu'à manger, pour l'amour de Dieu. Branwen, dans combien de temps s'éveillera-t-elle?

– L'effet de la drogue disparaîtra vers minuit, seigneur, mais si elle a chaud et se sent bien, elle peut continuer à dormir. Ne vous inquiétez pas, le sommeil est le meilleur des remèdes.

– Ah, comme j'aimerais disposer d'un baume magique comme celui qu'elle m'a appliqué, dit-il en lui caressant la joue du bout des doigts. Junius, fais préparer un grabat pour Branwen et demande à une servante d'assister la princesse.

– Et vous, seigneur? s'enquit la jeune fille.

– Je ne serai pas loin…

– Essayez de dormir, seigneur, dit-elle en lui posant la main sur le bras. Vous n'avez pas fermé l'œil depuis notre départ. Que pourrez-vous pour elle si vous ne connaissez pas le repos?

– Dans ce cas, viens me prévenir si elle se réveille.»

Dans la nuit, le vent souffla en violentes rafales tandis que la pluie s'abattait avec force contre les volets et les portes. Les yeux rivés sur un plafond qu'il ne voyait pas, Tristan était allongé et il écoutait. La fureur des éléments le galvanisait. Son corps, tendu comme un arc, refusait le sommeil. Il s'était déjà senti ainsi le jour où son père était parti combattre les pillards irlandais malgré l'avis des devins et au soir de sa première bataille, quand il avait espéré voir Perceval et n'avait rencontré que Marhalt. Il savait ce que cette terrible sensation annonçait. Quelque chose allait se passer, qui changerait sa vie à tout jamais.

Vers l'aube, le vent mollit et la pluie tomba plus régulièrement. On frappa doucement à sa porte.

«Elle s'est réveillée, seigneur, et elle boit du bouillon. Elle n'est pas encore prête à vous recevoir et elle vous demande d'attendre l'heure de midi.»

Tristan soupira, remercia le Ciel et se rendormit.

La porte s'ouvrit sur Junius qui, de sa chandelle, alluma la lampe posée au pied du lit. Tristan aperçut des serviteurs qui s'activaient dans le couloir.

«Junius?

– Seigneur?

– Ce n'est pas l'heure d'éclairer, me semble-t-il.

— Croyez-vous ?» dit l'homme avec un sourire qui révéla ses gencives.

Tristan se redressa. Il ne se sentait pas engourdi comme lorsqu'il dormait trop, mais plutôt alerte et frais. La douleur au côté avait disparu. Et il se rendit compte qu'il ne s'était pas senti aussi bien depuis longtemps.

«Dis-moi la vérité, vieux païen, quelle heure est-il ?

— Par le seigneur Mithra, je vous jure, jeune maître, que c'est le crépuscule.

— Pas étonnant que je me sente si bien.»

Il se leva d'un bond tandis que Junius frappait dans ses mains. Aussitôt trois garçons à la peau hâlée entrèrent, porteurs d'une cuve en bronze, de seaux d'eau et de serviettes en abondance.

«Pas maintenant, mon bon Junius, même si cela me tente. Je dois voir la princesse Iseut.

— Oh, je comprends votre sollicitude. Il n'y a pas un homme à Rook Point, esclave ou guerrier, qui n'ait été charmé par la princesse Iseut.

— Elle est donc en état de se promener ?

— Je dirais que oui, fit Junius tout en défaisant la tunique de Tristan. Elle et sa servante aux yeux vifs, qui n'a d'ailleurs rien d'une servante, si vous voulez mon avis, elles ont exploré la maison des cuisines aux écuries. Oui, elles ont parlé à tout le monde et posé des milliers de questions. Surtout à votre sujet, ajouta-t-il en prenant sous son bras la tunique sale. Oh, elles font une belle paire ! Vous avez amené la brune pour vous ?

— Si j'ai amené... Oh, tu parles de Branwen ? Non, bien sûr. Elles ont été élevées ensemble et elle a choisi de venir. Mais Iseut va-t-elle bien ? Pas de fièvres ? Pas de pâleur ?

— C'était le mal de mer, rien de plus. Du sommeil et un bon repas et la voilà requinquée. Ah, la jeunesse ! Bon, assez discuté, allez au bain.

— Je n'en ai pas le temps s'il faut déjà allumer les lampes, je dois chercher à manger...

— On s'en est occupé, jeune maître. Je ne vous ai pas dit qu'elles sont allées aux cuisines ? Dinias leur a montré les réserves et elles vous préparent un festin pour vous remercier de vos bontés. Je vous conduirai à elles... dès que vous serez assez propre.

— Dans ce cas, fit Tristan avec un sourire résigné, je crois que je vais me baigner.»

L'eau chaude lui fut agréable et la tunique apportée par Junius devait être la plus belle de la maison : blanche, bordée de bleu, en douce laine peignée. Junius lui trouva des sandales huilées et une épaisse robe de laine.

«Comme ça, vous avez vraiment l'air d'un prince, mon jeune seigneur, dit Junius qui hochait la tête de satisfaction.

— C'est ton sang romain qui parle», répondit Tristan en souriant.

La pluie avait cessé. Il repoussa les volets pour s'abreuver des riches senteurs du soir. Les étoiles brillaient à profusion. Quelque part chantait un rossignol. Tous ses sens étaient exaltés, comme le soir où il avait affronté Marhalt. Le temps tournait au ralenti et chaque instant était à savourer. Il se demanda si c'était ainsi que Dieu se sentait éternellement, si c'était ce que les textes sacrés appelaient «la plénitude du temps». Pour lui, c'était la bénédiction suprême.

«Quelle nuit! Ce soir, je crois que je pourrais conquérir le monde!

— Visez plutôt le cœur d'une vierge, ricana Junius.

— Dieu m'en préserve! s'écria Tristan avant de se signer. Je jure devant Jésus que je ne la toucherai pas : elle est la fiancée de Marc!

— Je parlais de Branwen, bien entendu», bredouilla Junius avec une certaine gêne.

La chambre de Guvranyl avait subi de telles transformations qu'en y entrant Tristan crut avoir ouvert la mauvaise porte : des fourrures sur le sol, des tapisseries aux murs, des coussins de soie sur le lit, sur les chaises ; des chandeliers luisants en bronze ou en étain, une petite table à côté d'une banquette romaine – Dieu sait où on l'avait trouvée! Il se rappela vaguement de vieux meubles entassés au fond des écuries, ternes, couverts de poussière. L'effet général était surprenant.

«Voilà qui est beaucoup mieux, dit Branwen en le regardant des pieds à la tête. À présent je peux croire que mon seigneur est roi de Lyonesse, ajouta-t-elle en faisant la révérence.

— C'est le sommeil plus que l'eau chaude, je suppose, mais... où avez-vous déniché tout ça? ajouta-t-il en désignant le mobilier. L'avez-vous apporté de Galles? Comment l'avez-vous descendu du bateau?

— Je vous en prie, seigneur, une question à la fois. Oui, nous avons amené des affaires de Galles mais elles ne sont pas encore débarquées. Tout vient d'ici.

— Vous voulez dire de la maison de Guvranyl? C'est impossible, il ne croit qu'aux bains glacés et aux couches rudimentaires. Je le sais, j'ai été sous sa tutelle.

– Et vous ignoriez qu'il avait une femme?»

Une voix douce s'était élevée derrière lui. Iseut se tenait à l'entrée de la chambre, une outre à la main. Tristan en eut le souffle coupé. Elle portait une robe blanche très échancrée, à la taille très haute. À ses épaules, une cape brun-roux rendait lumineux la blancheur de son habit et le feu de sa chevelure.

«Une femme? Pas Guvranyl, non!

– Et pourtant si. Quelqu'un a mené dans l'aile sud un mode de vie moins austère que celui de sire Guvranyl et, selon Junius, il s'agit de son épouse. Ce fut une brève union. Elle est morte en couches il y a un an et il n'est pas venu ici depuis, mais les appartements sont toujours entretenus.»

Il regardait la lueur de la chandelle jouer sur ses traits charmants, son nez délicat, ses joues, ses grands yeux tantôt verts et tantôt gris. La robe mettait en valeur la perfection de son corps, la courbe gracieuse de son cou et de ses épaules. Il avait une telle envie de la toucher que c'en était une souffrance.

«Dame Iseut, fit-il en s'inclinant avant de prendre la main qu'elle lui tendait.

– Non, sire, vous êtes un roi et vous n'avez nul besoin de vous agenouiller devant moi.»

Il se releva et porta sa main à ses lèvres.

«C'est le vin? demanda Branwen en s'emparant de l'outre. Donnez-le-moi, ma dame, je vais le mettre à tiédir.

– Regardez ce que nous avons trouvé, dit Iseut à Tristan. Une couche romaine. Ne voulez-vous pas vous y asseoir?

– La dernière fois que je l'ai vue, les souris y avaient fait leur nid.

– Nous les avons chassées et nous avons remis de la paille. Ce n'est pas si mal, je l'ai moi-même essayée.»

Tristan s'assit. Ce n'était pas idéal, mais Iseut semblait si enchantée qu'il ne fit aucune remarque. Quand il lui proposa de s'asseoir auprès de lui, elle refusa et s'installa sur une chaise, de l'autre côté de la table.

«Vous savez, lui dit-elle, c'est la première fois que je vous vois paré comme un roi. Vous ne ressemblez plus à quelque cousin perdu.

– Coucher nu sur un grabat fut un excellent déguisement, répondit-il, ce qui la fit rougir.

– Si vous êtes réellement roi de Lyonesse, pourquoi êtes-vous venu en Galles? Vous saviez que vous risquiez votre vie.

– Depuis toujours je souhaite rencontrer votre père, répondit-il sans faire allusion aux soupçons que suscitait en lui le roi Marc.

L'occasion m'a été offerte de venir en Galles et je suis venu. Grâce à Segward, tout le monde me croyait mort.

— On vous a malgré tout percé à jour.

— Ma Branwen aux yeux vifs, oui, dit-il en se tournant vers la jeune fille qui faisait tiédir le vin au-dessus du feu. Il est difficile de se passer d'elle.

— C'est ma faute, seigneur, si la reine vous a découvert, fit-elle, et vous n'avez pu parler avec Perceval. Je vous en demande pardon.

— Ce qui est fait est fait. Et puis, je suis reparti en vie et avec ma princesse. J'ai même été guéri du poison de Marhalt. Quant à Perceval, peut-être nous rendra-t-il visite l'année prochaine en Cornouailles. »

Pour voir son petit-fils, aurait-il dû ajouter, mais il s'en abstint. Le silence s'installa, qui ne fut rompu que lorsque les serviteurs apportèrent le repas, un véritable festin composé de soupe de poissons, de volailles rôties, de saucisses frites, de fruits au miel. Tristan s'étonna d'une telle promptitude.

Iseut et Branwen paraissaient satisfaites d'elles-mêmes.

« La plupart des ingrédients étaient à portée de la main. Les poules ont été tuées pendant l'orage quand le toit du poulailler s'est écroulé, les poissons viennent d'être pêchés par des hommes du coin et les saucisses sont le présent d'un voisin.

— Il y en a pour une semaine !

— Quand nous aurons fini, le reste reviendra à Junius et aux serviteurs, dit Branwen. Alors ce sera un festin pour tout le monde.

— Pour vous aussi, Branwen, annonça Tristan en avançant un siège entre Iseut et lui. Nous mangerons tous les trois. »

Iseut ne cessa d'interroger Tristan sur le royaume de Lyonesse et il leur raconta toutes sortes d'anecdotes relatives à son pays natal, à Dinadan et à son oncle Pernam, à la navigation ou aux courses dans la lande. À son tour, Iseut évoqua les soirées passées auprès de la reine : penchée sur le chaudron, elle haïssait l'odeur des plantes et était terrorisée par le visage blême et ovale de sa mère, spectral et beau à la lueur de la lune.

Branwen observait leur jeu, tous ces mots qu'ils employaient pour ne pas baisser la garde, cette danse lente et étrange qu'ils exécutaient autour d'une vérité qu'ils ne voulaient pas reconnaître. Quand le silence se faisait, leurs regards se rencontraient avec une intensité qui les effrayait tous deux. Ils se tournaient alors vers elle, impuissants, et elle leur trouvait un nouveau sujet de conversation. Puis Tristan se retirerait. Iseut dormirait profondément toute la nuit, c'était certain, et elle ferait de même la nuit suivante, mais lui? Déambulerait-il des heures durant à en devenir fou, galoperait-il dans les collines ou, pis encore, s'adonnerait-il à de redoutables jeux d'épée? Elle pensa aux petits sacs de toile. Il y avait plus d'une façon de mettre un terme à leur dilemme, mais cela méritait réflexion car son propre avenir était également en jeu.

Les serviteurs revinrent débarrasser la table. À la demande d'Iseut, Tristan s'allongea sur la couche et elle s'assit à ses pieds, sur un coussin. Branwen leur apporta à chacun un gobelet de vin.

« Ma dame, que ne chantez-vous pour nous?

– Oui, je vous en prie, ajouta Tristan.

– Si vous ne trouvez pas cela présomptueux de ma part, répondit Iseut avec timidité. Je vous chanterai donc l'histoire d'Érec et Énide. »

Il s'abandonna totalement à sa voix douce et sans affectation, la voix même de ses rêves. Il ne pouvait détacher son regard de la jeune fille et se délectait en silence de sa beauté si proche, de sa chevelure dorée répandue sur ses épaules, du doux renflement de sa jeune poitrine qui se gonflait à chaque inspiration. Elle était si jeune, si peu de ce monde. Iseut n'avait pas plus idée de l'effet qu'elle produisait sur lui qu'une hirondelle n'en avait du vent sur ses ailes.

Quand la dernière note se fut éteinte, il leva son verre devant elle et but.

« Votre voix est plus douce que le miel, belle Iseut. Chantez-nous autre chose, je vous en prie, ne vous arrêtez pas.

– C'est votre tour, seigneur, car c'est vous qui avez le talent d'un barde. Nous n'avons pas de harpe, certes, mais vous pourrez certainement nous enchanter sans cela. »

Si proches de lui, ses yeux, tantôt verts et tantôt gris, le faisaient chavirer.

« Je vous obligerai, belle princesse, en vous chantant l'amour tragique de Lancelot pour Guenièvre. »

Tout en chantant, il observait son visage. Elle s'efforçait de ne pas affronter son regard. Seul le tressaillement de ses lèvres trahissait son émotion. Une fois l'ode achevée, elle releva la tête. Elle tremblait. Il ne pouvait pas ne pas s'en être aperçu.

« À vous, à présent. »

Tandis qu'Iseut entamait un nouveau chant, Branwen se leva pour remplir leurs gobelets et observa discrètement Tristan. Respirant à peine, frémissant de tout son être, il regardait Iseut et goûtait chacun de ses mouvements, et cette pauvre fille ne le remarquait même pas? Mais était-ce bien sûr? Branwen inclina la tête. *Tu ne l'auras pas, il aime Iseut.* Lentement, jaillies de ses paupières closes, deux larmes coulèrent sur ses joues. Elle retint son souffle et serra les poings. Elle prit l'un des petits sacs, en défit le cordonnet et versa une pincée de poudre dans chaque verre. Séchant ses larmes, elle vit les grains se dissoudre dans le vin, puis elle rangea le sachet et leur tendit à boire.

«Ma dame. Seigneur.

— Merci, Branwen, dit Tristan en détournant avec peine les yeux d'Iseut. Voulez-vous vous joindre à nous? fit-il en lui tendant son gobelet.

— Merci, seigneur, mais je ne sais pas chanter. Et si vous le permettez, j'aimerais me retirer, je suis en effet très fatiguée.

— Certainement pas, la nuit est encore jeune.

— Accordez-moi une heure ou deux de repos et je serai dispose quand ma dame souhaitera se coucher.

— Dans ce cas...

— Dois-je vous envoyer un serviteur? demanda-t-elle en le regardant droit dans les yeux.

— Non, dit-il avec une ébauche de sourire, nous nous arrangerons seuls.»

La porte se referma sur elle. Tristan leva sa coupe et Iseut fit de même, les deux récipients s'entrechoquèrent. Longuement, ils se dévisagèrent.

«Belle Iseut, longue vie et grand bonheur.

— Tristan de Lyonesse, soupira-t-elle, mon bonheur est entre vos mains. Je crois, dit-elle après avoir vidé sa coupe, que vous devriez me parler de Marc.

— Que voulez-vous savoir?

— À quoi ressemble-t-il?»

Il sourit. Il ne s'attendait pas à une telle question, mais c'était logiquement celle que toute jeune fille se devait de poser.

«Il est plus grand que la plupart des hommes, il a les yeux bruns et ses cheveux grisonnent aux tempes. Il porte une barbe soigneusement taillée et sa dentition est bonne. Il est encore mince pour son âge, fort et vigoureux. Il aime la boisson mais il ne s'y adonne pas. C'est avant tout un soldat. Aucun terme ne pourrait mieux l'expliquer.»

Il s'arrêta de parler. Une étrange sensation l'envahissait. En lui, quelque chose grandissait qui pressait sa gorge, la chair de sa poitrine et de ses reins. Sa vision s'affinait. Il voyait le blond duvet sous l'oreille d'Iseut, le détail de chacun de ses longs cils bruns. Il entendait sa respiration silencieuse, plus rapide à chaque instant. Il percevait toute chose, le parfum dont elle avait oint ses cheveux, l'odeur âcre des braises, la senteur divine de son jeune corps. Quelque chose de magnifique lui arrivait. Chacun de ses sens était en éveil et le désir de la toucher se faisait de plus en plus pressant.

«Seigneur, je crois que je suis malade.»

Il vit sa lèvre couverte de sueur et, tendant la main, la débarrassa de sa cape. Ses mains se posèrent sur la chair brûlante de son bras.

«Il fait très chaud ici, rien de plus.

— Je vous en prie, fit-elle en se mettant à genoux de sorte que leurs visages fussent à la même hauteur, parlez-moi de mon époux. Est-ce un homme doux?»

Tristan ébaucha un sourire. Elle faisait preuve de bravoure et il admirait son effort pour placer Marc entre eux deux. Mais il n'avait pas d'énergie à consacrer à ce jeu. De toutes ses forces, il cherchait à échapper au besoin irrésistible de la serrer dans ses bras. La chaleur était intolérable. D'un mouvement, il rejeta sa tunique.

«Doux? Cela dépend de la personne à qui vous posez la question. Guvranyl dirait que oui, mais Élisane soutiendrait que non.

— Qui est cette Élisane?

— Sa première femme.

— Quoi? s'écria-t-elle en lui serrant la main.

— Je... j'ai toujours cru...

— Et vous lui faites confiance?» dit-elle en attirant la main de Tristan vers sa poitrine.

Il ne pouvait plus respirer. Elle emplissait sa vision. Les flammes le dévoraient.

«C'est fini», murmura-t-il.

La peau rosée de la jeune fille frémit sous ses doigts. Il s'efforça de ne pas gémir, son corps et son esprit demandaient grâce. C'est alors qu'elle posa doucement sur sa joue l'une de ses mains.

«Je ne veux pas l'épouser.

— Alors, n'en faites rien.»

Il l'embrassa avec fougue, libérant en une seconde des sentiments réprimés avec peine depuis plus d'une heure. Il l'allongea sur la couche et ses doigts défirent facilement les lacets de sa robe, révélant sa chair et la fébrilité de son cœur.

Enlacés, comme embrasés, leurs corps ne faisaient plus qu'un, leurs forces, leurs volontés s'anéantissaient à tout jamais l'une dans l'autre.

Dehors le vent se leva brièvement en gémissant.

Le chant liquide du rossignol hantait ses rêves. En pleine euphorie, il écoutait et se demandait, dans le brouillard de son sommeil, si c'était cela, le paradis. Il entendit soupirer et sentit la chaleur d'un corps contre le sien. Ses yeux s'ouvrirent. La pièce était dans la pénombre. Il était couché dans le lit de Guvranyl et cette femme abandonnée dans le creux de son bras était la belle Iseut. Comment cela était-il arrivé? Il se rappelait chaque instant, mais ils lui paraissaient appartenir à une autre existence. Il tourna la tête pour la regarder, osant à peine croire qu'elle fût réelle. Il effleura sa joue et ses cheveux, fit courir ses doigts sur la douce courbe de sa gorge, de ses seins. Sa respiration se fit plus rapide. La main de Tristan caressait les contours de son corps, jouissait du satiné de sa peau et des réactions qu'elle déclenchait.

«Tristan...

– Iseut, mon amour?

– Je voulais vous l'entendre dire.

– Je le dirai mille fois. Je vous aime plus que ma vie et je vous aimerai toujours.

– Vous dites cela avec tant de douceur, dit-elle en le baisant sur les lèvres. Et moi je vous aime au-delà de l'existence, par-delà même la mort. Tristan, qu'adviendra-t-il de nous?»

Il l'attira à lui, sa bouche dans ses cheveux, ses mains avides de son corps.

«Vous serez à tout jamais à mes côtés. Jamais je ne vous laisserai partir.

– Oui, je suis à vous, toujours, toujours. Mais dites-moi cela encore au matin...»

13

LE MARCHÉ

Il faisait sombre quand Branwen se glissa dans la chambre. Elle s'adossa à la porte pour atténuer le bruit du loquet. Elle ne voyait rien. Le silence lui semblait aussi épais, aussi impénétrable que la nuit. Dehors les oiseaux ne chantaient pas.

Peu à peu les objets apparurent telles des ombres aux contours flous. Elle perçut le bruit léger d'une respiration qui provenait du lit. Main tendue pour ne pas se heurter à un obstacle invisible, elle avança pas à pas. Et, tout près de la couche, elle s'arrêta.

Ils étaient dans les bras l'un de l'autre, enlacés, après tant d'heures. Le long corps de Tristan faisait paraître minuscule celui de la jeune fille. Même dans son sommeil, il la tenait avec délicatesse, la main sous sa nuque en guise d'oreiller, le nez enfoui dans sa chevelure. À demi dissimulés sous la couverture, les seins d'Iseut se pressaient contre lui. Les lèvres de Branwen frémirent. Même dans le sommeil, ils ne pouvaient se quitter.

Une boucle de cheveux dorés était tombée sur le front de Tristan. Ses paupières lui rappelaient ces coquillages qu'on trouvait sur la grève. Elle tendit la main et écarta doucement les cheveux. Il gémit faiblement et se serra davantage contre la jeune fille.

Branwen recula jusqu'à disparaître dans l'ombre. Elle abaissa son capuchon sur son visage et les observa.

Il glissa la main sous la couverture, le long du dos d'Iseut.

«Douce Iseut. Douce épousée. Mon bel amour.»

Ses lèvres caressaient son visage et cherchaient sa bouche. Elle ouvrit les yeux.

«Tristan, oh, dites-le encore…

— Soyez ma femme, Iseut. Accompagnez-moi à Lyonesse. Vous êtes mienne à jamais. Il devait en être ainsi. Et je ne puis vivre sans vous.

— Ni moi sans vous.»

Ils se chuchotaient des paroles tendres et riaient doucement tandis que leurs mains se joignaient. Branwen était tapie dans l'ombre et, sans le vouloir, ils partageaient avec elle le doux secret de leur désir.

Elle voulait s'en aller, fermer les yeux, mais c'était au-delà de ses forces. Elle ne pouvait s'empêcher de regarder les doigts agiles courir sur le corps souple de la jeune fille, elle se rappelait comment elle-même avait touché le dos de cet homme gisant sur son grabat, à Gwynedd. Quand il prit la jeune fille dans ses bras et que commença la langoureuse danse de l'amour, son souffle s'accéléra. C'était à sa propre oreille qu'il murmurait, c'était sa gorge que ses lèvres caressaient, ses propres soupirs qu'elle entendait. *Ahhh, Seigneur!* Elle ferma les yeux, mais il était trop tard. Son corps s'était embrasé, mais eux prenaient leur envol vers un délice qu'elle ne pouvait connaître seule.

Le silence était revenu dans la pièce obscure. L'un après l'autre, ses doigts se détendirent. Elle reprit son souffle puis, se redressant, elle s'obligea à regarder une fois encore les amants enlacés dans le grand lit. Le visage de Tristan était empreint d'une sérénité qu'elle n'avait jamais contemplée jusque-là. *Ainsi donc, voyageur, tu as trouvé ce que tu cherches. Tu en connais le risque. Et je dois en faire autant.* Les yeux secs, elle se détourna et sortit de la chambre.

C'était l'aube et il faisait froid. Enveloppée dans sa cape, Branwen attendait devant la porte. Aux cuisines, les esclaves nourrissaient le feu, mais ils étaient les seuls levés dans la maison. Elle entra.

Vêtue de sa robe blanche et de sa cape brune, assise sur le lit, Iseut pleurait. Tristan était resté debout.

«Bonjour, Branwen.

— Bonjour, mon seigneur, ma dame. Je vous demande pardon d'avoir trop dormi. Mais pourquoi ma dame pleure-t-elle?

— À votre avis? dit Tristan en prenant Iseut dans ses bras. À quoi pensez-vous? Inutile de jouer les innocentes avec moi. Vous savez pertinemment que nous avons passé la nuit ensemble.

– Seigneur…, fit-elle en rougissant.

– Vous nous avez laissés seuls pour qu'il en soit ainsi, le nierez-vous?

– Non, seigneur, hésita-t-elle.

– J'en étais sûr. Et maintenant vous allez recourir à toute votre intelligence pour tirer votre maîtresse de ce dilemme.

– Quel est-il, seigneur?

– À votre avis? répéta-t-il en prenant Iseut par les épaules mais sans jamais détourner les yeux de Branwen. Elle est déchirée entre la promesse faite à son père et celle qu'elle m'a faite. Ses lèvres ont juré à Perceval d'épouser Marc, mais son corps m'a juré de m'épouser. Quoi qu'elle fasse, elle dupera quelqu'un qu'elle aime.

– Oh, Branny, gémit Iseut dont les yeux rouges étaient baignés de larmes. Que dois-je faire? Mon père sera si courroucé et je ne puis quitter Tristan. Et puis… la paix entre nos deux royaumes en dépend.

– Vous ne pouvez m'abandonner, dit-il en l'embrassant, vous êtes mienne à présent. Votre père le comprendra.

– Non, il envahira la Cornouailles, il attaquera Lyonesse pour me ramener chez lui. Vous ne le connaissez pas quand ses passions sont exacerbées!»

Avec une ébauche de sourire, Tristan se pencha vers elle pour lui murmurer à l'oreille. Elle rougit, sourit et l'embrassa à la hâte.

«Arrêtez, Tristan, rien qu'un instant, et réfléchissez à cela. Branny, aide-nous, je t'en prie, à décider ce qui est le mieux.

– Je crois que nous devrions commencer par remettre de l'ordre dans cette chambre, allumer le feu, déjeuner puis nous asseoir pour parler.

– Oui, et je dois aussi changer de robe et me coiffer. Tristan, nous ne pouvons réfléchir sur-le-champ, après déjeuner tout sera plus clair.

– Cela ne fera aucune différence. Vous êtes mienne, Iseut.»

Il l'embrassa à nouveau mais Branwen le conduisit vers la porte.

«Regagnez votre chambre et assurez-vous que personne ne vous voie.

– Faut-il rester dans le secret?

– Cela vaut mieux, à présent tout au moins. Vous avez ainsi plus de choix.

– Bien, répondit Tristan en haussant les épaules, mais soyons discrets.»

De retour dans sa propre chambre, Tristan se vêtit lentement, troquant la tunique de laine de Junius contre les habits dans lesquels il était arrivé. Quelqu'un avait fermé les volets et il dut les pousser. C'était une belle matinée, calme et fraîche. Une brume gris rosé planait sur l'estuaire. La joie intense qu'il avait connue toute la nuit embrasait encore son âme et il avait peine à ne pas en sourire. Mais une ombre était tapie à la lisière de son bonheur, une menace sans nom qui le faisait frémir.

Derrière lui, la porte s'ouvrit.

«Bonjour, seigneur.»

Junius s'inclina. Il vit le lit impeccable et tourna vers Tristan un visage dépourvu de la moindre expression.

«Ne t'inquiète pas, Junius, ce fut assez innocent. Merci de m'avoir prêté ces vêtements, nous avons passé une merveilleuse soirée.

— À l'occasion, la compagnie de jeunes dames peut être assez agréable, dit l'homme en prenant les effets que lui tendait Tristan. Dois-je vous apporter votre déjeuner, seigneur? Un des garçons d'écurie a pêché trois beaux poissons dès l'aurore. Ils sont déjà en train de griller.

— Merci, non. Je dois rejoindre la princesse Iseut et Branwen. Fais-moi apporter un bain et un rasoir.

— Mon seigneur s'est déjà rasé hier.

— Eh bien, mon seigneur se rasera à nouveau.

— Les femmes aiment les joues douces, plaisanta Junius. Qu'est-ce que je vous disais, hein? Belle comme une image et elle n'a d'yeux que pour vous. Je parierais que vous n'avez eu aucun mal.»

Tristan rougit, incapable de parler.

«Un conseil, seigneur. Sa maîtresse ne doit rien en savoir. Cela lui créerait des ennuis ultérieurement, à la cour du roi Marc. Il en va toujours ainsi.»

Il parlait de Branwen! Tristan était quelque peu soulagé, mais il sentait tout de même le doigt glacé de la terreur se poser sur lui. *Je jure devant le Christ que je ne la toucherai pas! C'est la promise de Marc.* Il se rappela alors la malédiction de la sorcière. *À deux reprises tu prêteras devant ton Dieu un serment que tu ne pourras tenir, des mensonges pour lesquels tu devras répondre.*

«Oh, mon Dieu! dit-il en tombant à genoux. Qu'ai-je fait?

— Là, là, fit Junius en posant la main sur son épaule. Comment vous blâmer? Un jeune homme plein de vigueur, une jolie suivante qui ne demande… Veillez seulement à ce que cela ne se poursuive pas à la cour de Marc et tout ira bien. Allons, seigneur, ressaisissez-vous.

Je vais vous adresser un serviteur pour votre bain et, après déjeuner, nous expédierons un courrier au roi.

– À Marc? Mais pourquoi?

– Eh bien, pour le prévenir de votre arrivée. Pour lui, vous êtes toujours en Galles. Il faut organiser l'accueil de la jeune princesse, ainsi que le mariage. Vous serez là-bas avant la fin de la semaine. Vous devez envoyer ce messager sans plus tarder.

– Oui, oui, bien sûr, fit Tristan en se relevant. Mais pas encore, Junius. J'ignore encore où... quand nous partirons. Laisse-moi parler encore une fois avec la princesse Iseut. Cela peut bien attendre demain.

– Aujourd'hui serait plus raisonnable. Si le bateau est prêt à appareiller.

– C'est vrai. Je vais l'inspecter et m'entretenir avec le capitaine. Il a souffert dans la tempête et le radoub risque de prendre du temps. Je te dirai quand envoyer le courrier, Junius. Plus tard.

– Fort bien, seigneur.»

Junius s'inclina et Tristan se mit à faire les cent pas dans la chambre.

Branwen ouvrit la porte quand elle entendit Tristan frapper. La chambre où il entra était redevenue celle de Guvranyl, simple, sans ornement aucun à l'exception de la petite table. Les réjouissances de la nuit n'avaient pas laissé de traces, comme s'il ne s'était rien passé.

Debout devant la fenêtre, Iseut portait une robe grise et ses cheveux flamboyaient au soleil. Ainsi qu'une flamme née des cendres, songea Tristan. Elle se tourna vers lui et cessa un instant de respirer, blessée une fois encore par la flèche du désir. En trois pas rapides, elle fut dans ses bras et lui murmura les mots qu'il désirait tant entendre.

«Une heure loin de vous, dit-il, les lèvres contre son oreille, c'est une année d'agonie. Douce Iseut, je ne puis m'éloigner de vous.»

Ils furent interrompus par les serviteurs qui apportaient le déjeuner. Malgré eux, ils se mirent à table aux côtés de Branwen, mais ils mangèrent peu, préférant se tenir la main comme si ce devait être pour la dernière fois.

«Nous sommes prêts à discuter, déclara Iseut en repoussant son assiette.

– Dites-le-lui, Branwen, dites-lui qu'elle ne quitte son père que pour son époux. Elle ne doit pas avoir peur.

— Vraiment, seigneur? Iseut sait quelle sera la réaction de son père.

— Ne peut-on le raisonner? Votre père m'a rendu les honneurs en Galles, s'adressa-t-il à Iseut, mais en Cornouailles, seul Marc est plus haut que moi. Vous seriez noblement mariée. Cela ne lui suffirait pas?

— Tristan, répondit-elle avec difficulté, il rêve d'unir toutes les tribus de Bretagne sous l'égide d'un Haut Roi, de nous rendre notre force, celle dont nous jouissions à l'époque d'Arthur. Il... il sacrifiera tout à son rêve.

— Il a déjà sacrifié sa fille, murmura Branwen.

— Si Marc ne se marie pas, je serai son héritier. N'est-ce pas assez?»

Les deux femmes l'observèrent mais Branwen fut la première à parler.

«Malgré tout vous êtes venu en Galles chercher sa fiancée?

— Je n'ai jamais voulu être le Haut Roi de Bretagne. Jusqu'à ce jour.

— Marc épousera certainement une autre femme. S'il avait tant voulu vous confier le royaume, il n'aurait pas commencé par envoyer Segward. Vous ne pourrez répondre aux ambitions de Perceval à moins d'empêcher les noces de votre oncle. Il faut le tuer, donc. Par la guerre ou discrètement.

— Je n'en ferai rien, s'écria Tristan. Je lui ai juré fidélité et il n'a rien fait pour me nuire. Si j'agissais ainsi, ajouta-t-il à l'adresse d'Iseut, je serais l'infâme renégat que votre mère, la reine, croit que je suis.

— Ne sombrez pas dans le déshonneur, dit Iseut, ne faites pas ça pour moi.

— Dans ce cas, intervint Branwen, il est impossible à Iseut de vous épouser sans irriter son père.

— Dans quelle mesure? Il se rappelle certainement ce qu'est la jeunesse. J'ai même entendu dire qu'il s'est marié par amour sans tenir compte des désirs de sa famille.

— Oui, et regardez où ça l'a mené, constata Branwen.

— Il ne me le pardonnera jamais, reprit Iseut qui s'était mise à trembler. Il demandera justice à Marc. Rien ne le satisfera... hormis votre mort et mon retour. Ma mère le rendra fou et elle ne cessera de le harceler. Elle invoquera la mémoire de Palomydès. Oh, il sera si misérable... il ne me pardonnera jamais...

— Oui, dit Tristan en la prenant par les épaules pour la calmer, mais enverra-t-il son armée vers le sud? Sans vous, il n'existe pas de traité entre les royaumes. Se joindra-t-il à Marc pour me combattre? Branwen, qu'en pensez-vous?

— Quel choix aura-t-il? Il doit faire quelque chose pour restaurer son honneur, même s'il lui faut pour ça oublier son rêve.

— Quant à mon oncle Marc, on ne peut douter de ce qu'il fera. Je suis le seul homme de Cornouailles qu'il a des raisons de redouter et je l'ai littéralement souffleté. Marc a toujours été très sourcilleux dès que son honneur est en jeu. Il ne serait pas lui-même s'il ne me pourchassait pas. Non, il ne peut que rassembler ses forces et reprendre ce qui lui a été promis, déclara-t-il alors qu'Iseut pleurait en silence. En dormant avec Iseut, j'ai trahi Marc. Il m'accusera publiquement de viol et de trahison et il m'attaquera.

— Oh non! s'écria-t-elle. Je ne veux pas être la cause d'un tel malheur!

— Mon doux amour, dit Tristan en lui prenant les mains, vous ne pourrez rien changer, et moi non plus.

— Oh, Tristan, ne pouvez-vous vous entretenir en privé avec lui?

— Il ne comprendra pas mieux que votre père! Marc n'a jamais aimé de femme. Et vous, ma mie, vous n'êtes pas n'importe quelle femme, vous êtes la fille de Perceval. Avec ce mariage se joue l'avenir de la Bretagne. Rien d'autre ne peut servir son but. Vous prendre à lui, c'est défier son autorité et mettre en péril ses projets. Il m'affrontera ouvertement pour laver son honneur, oui, il se doit de le faire.

— Ne pouvez-vous lui résister, dit calmement Branwen, si Perceval ne s'allie pas à lui?

— Lyonesse est un minuscule royaume adossé à la mer. Même si les Corniques étaient seuls à l'attaquer, ce serait déjà trop. Ceux qui m'aiment, comme Guvranyl ou les seigneurs de Dumnonia et de Dorria, risquent eux aussi de se ranger aux côtés de Marc. Je l'ai trahi, affirma-t-il en regardant Iseut droit dans les yeux. Cette nuit, je... je n'ai pas vu les choses ainsi, mais c'est pourtant comme cela que chacun les verra. Et c'est la vérité.

«Lyon's Head, ma forteresse, est inexpugnable. Elle ne peut être prise par la mer et deux hommes suffisent à tenir la chaussée contre une armée. Mais Lyonesse est un petit royaume. Marc n'aura qu'à assiéger mon château, me couper de mes sujets et me pousser à la famine. Mes sujets..., ajouta-t-il d'une voix chevrotante. Il brûlera leurs maisons et pillera leurs champs, et ce sera ma faute, roi poltron enfermé dans sa forteresse. Voilà ce que Marc fera, avec ou sans Perceval.

— S'il vous tue, demanda Branwen, qu'adviendra-t-il d'Iseut?

— Je l'ignore. Il est peu probable que Marc s'intéresse encore à mon... à ma veuve. Il la renverra certainement chez son père. Non, je ne puis permettre cela!

— Comment faire dans ce cas? À moins de sauter tous les deux dans la mer? Il semble, seigneur, poursuivit-elle devant le silence de Tristan, que vous ne puissiez aller à Lyonesse. Ma dame n'y serait pas en sécurité.

— Oh, mon Dieu, s'exclama Iseut, le visage caché dans les mains, mais où aller alors?

— Pas en Galles, ni en Cornouailles, ni à Lyonesse, déclara lentement Branwen en comptant sur ses doigts. Pas à Strathclyde, sur lequel règne un parent de Perceval, et pas non plus à Rheged, que des traités lient à Strathclyde. Lothian, Elmet... l'alliance du nord est inébranlable. Pour eux, c'est la chance de voir Perceval les rejoindre, ce qu'il a toujours refusé. Ils languissent de guerroyer contre la Cornouailles. Pour eux, ce sera une excuse pour séduire Galles et déclencher cette guerre qu'ils ont voulue, des Bretons contre des Bretons!

— Ah, c'est le cauchemar de mon père! sanglota Iseut. J'ai détruit son rêve, tout est ma faute!

— Non, dit Tristan l'air grave, c'est moi qui ai déclenché cette calamité sur nous deux. Parce que je vous aime. Quoi qu'il advienne, vous m'appartenez. Nous quitterons la Bretagne si nous n'y trouvons aucun refuge. Je peux prendre ce navire et faire voile vers la Petite Bretagne, la Gaule ou l'Irlande. Je m'engagerai au service de quelque roi... nous ne vivrons pas comme roi et reine, mais du moins vivrons-nous ensemble!

— Mais où, Tristan? le supplia Iseut, accrochée à sa main. Où aller sans qu'on vous reconnaisse? La Bretagne tout entière nous poursuivra. Vous ne pourrez plus jamais jouer de la harpe, chanter ou parler dans votre sommeil. Et encore moins manier l'épée. Où serons-nous en sécurité?

— Quelque part, n'importe où! Ce doit être possible!

— Le Haut Roi adressera des messages à tous ses alliés, dit Branwen. Vous devrez chercher refuge chez les ennemis de la Bretagne. Les Saxons, les Francs, les Alamans? Qui vous abritera au risque d'entrer en guerre contre la Bretagne?

— Oh non, implora Iseut, je ne puis faire cela à mon père. Se réfugier auprès d'ennemis? Non, Tristan, si vous m'aimez, ne me le demandez pas!

— Que ferons-nous alors ? Nous grimerons-nous pour ressembler à des vagabonds ? Vivrons-nous dans les grottes de Rheged ? Vous ne pouvez pas plus dissimuler votre haute naissance, Iseut, qu'un cygne ne peut se faire passer pour une oie. Et je ne vous imposerai pas une telle vie alors que vous pouvez avoir toute la Bretagne à vos pieds.

— Je ne veux pas de la Bretagne. C'est vous que je veux.

— Oh, Dieu, délivrez-nous ! »

Tristan tomba à genoux et Iseut se laissa glisser dans ses bras.

Branwen les observait. Lentement mais inexorablement, ils se dirigeaient vers le centre de cette toile d'araignée qu'elle avait si soigneusement tissée. Bientôt, très bientôt, ils agiraient selon ses désirs. Leur tendresse et leur dévotion mutuelles causeraient leur perte. Si Tristan aimait vraiment cette fille, il était pris au piège. Sinon, elle-même, Branwen, ne perdrait rien pour ne pas avoir risqué beaucoup. Mais combien de temps leur faudrait-il pour décider quoi faire ?

Le soleil décrivit sa course dans le ciel puis redescendit vers la terre. Tristan ne cessait de marcher dans la chambre et Iseut de pleurer en se tordant les mains. Sans répit, ils étudiaient toutes les possibilités, mais en vain. Pour vivre, ils devaient se séparer, et cette séparation était synonyme de mort. Iseut était allongée sur le lit, épuisée d'avoir versé tant de larmes. Tristan buvait du vin. Branwen avait fait apporter du pain et des fruits mais personne n'y avait touché. Junius vint par deux fois trouver Tristan, et par deux fois il fut éconduit. La troisième fois, il attendit dans le couloir en compagnie du capitaine du bateau, venu signaler à Tristan que son embarcation était prête. La coque et la voilure avaient été réparées et ils pourraient prendre la mer dès l'aube prochaine. Tristan hocha brièvement la tête, regagna la chambre de Guvranyl et referma la porte.

Le soir, les yeux secs, Iseut prit enfin la parole :

« Tristan, une seule solution s'impose à nous, et vous le savez bien.

— Non.

— Mon amour, je dois épouser Marc. Si je ne le fais pas, vous mourrez.

— Je ne vous livrerai pas à lui.

— Nous ne pouvons faire autrement.

— *Nous ?* Que nous restera-t-il si vous épousez mon oncle ?

— Vous vivrez et je vous verrai parfois. Nous pourrons au moins bavarder ensemble.

– Bavarder, ah… C'est à une vie de tourment que vous nous condamnez!

– Oui, mais c'est tout de même la vie. Qui connaît l'avenir? Marc n'est pas éternel. Vous avez dit vous-même que vous ne me souhaitiez ni la mort ni le déshonneur, pourtant toute autre décision nous mènerait à cela.

– Dieu nous pardonne, il doit y avoir une solution.

– Dieu ne nous pardonnera pas un péché que nous avons commis et commettrons encore. »

Il y eut un long silence pendant lequel Branwen se retint même de respirer.

« Je préférerais vous voir Haute Reine de Bretagne plutôt que tombée en disgrâce par ma faute, fit-il d'une voix lasse. Puisqu'il doit en être ainsi…

– Merci, Tristan. »

Alors qu'elle se trouvait à la fenêtre, Branwen se retourna. Ils étaient enlacés, lèvres contre lèvres. Elle enfonça ses ongles dans la bordure de bois. Ils y étaient presque…

« Mon cher amour, dit Tristan, nous avons oublié quelque chose. Vous n'êtes plus vierge. Il saura que je… enfin que quelqu'un vous a prise. Même ivre mort, il s'en apercevra. »

Iseut ferma les yeux et Branwen laissa échapper un long soupir.

« Je ne changerais pas le passé, même si j'en avais le pouvoir, murmura Iseut. Oh, Tristan, je n'en peux plus: choisissons la mort s'il n'y a pas d'autre solution.

– Ah, s'il existait un moyen de l'abuser…

– Il en est peut-être un, dit Branwen, silencieuse depuis si longtemps que ses paroles les firent sursauter.

– Comment cela? Vous avez un plan?

– Le roi ne doit être abusé qu'une seule nuit.

– Une nuit, oui.

– Il faut donc que quelqu'un prenne la place de ma dame. L'espace d'une nuit.

– Prendre ma place? s'étonna Iseut en se tournant vers Tristan. Est-ce possible? Ne saura-t-il pas, au contour du corps, à la voix, que ce n'est pas moi?

– Vos cheveux suffiront, répondit-il.

– Tout le monde ne me regarde pas avec les yeux de l'amour, répliqua-t-elle avec un sourire un peu triste. On pourrait peut-être les dissimuler.

– Je crois, ma dame, que si votre remplaçante avait votre âge, votre galbe, votre taille, et si elle vous connaissait assez bien pour imiter vos façons, cela pourrait se faire. Marc ne vous connaîtra pas assez et la pièce sera sombre. Nous inventerons un moyen de cacher la couleur de vos cheveux.

— Mais où trouver une telle vierge? Qui voudrait se sacrifier pour ma personne?

— Moi, dit Branwen après avoir pris son souffle.

— Toi? Oh, Branny, je ne pourrais l'accepter!»

Tristan se leva. Il prit les mains de Branwen et scruta son visage.

«Êtes-vous sérieuse? Le feriez-vous vraiment? Et pour quelle raison?

— Quelle raison vous donnerais-je que vous croiriez, seigneur? dit-elle en détournant les yeux. Qu'Iseut et moi sommes presque sœurs? Que je ne voie nulle autre solution que la mort? Je ne veux pas que vous mouriez.»

Comme Tristan ne rétorquait rien, elle eut un sourire désabusé et le regarda droit dans les yeux.

«Que voulez-vous m'entendre dire? Que je ne veux pas qu'elle meure parce que mon avenir est lié au sien et que je refuse d'aller en Gaule? C'est vrai. J'aurai une vie meilleure et je ferai un plus beau mariage à la cour de Marc qu'ailleurs. Si la honte s'abat sur elle, elle s'abattra également sur moi. Et si elle est renvoyée chez elle, qu'adviendra-t-il de moi? Alors... me croyez-vous?

— Vous ne mesurez pas les risques. Si vous vous faites prendre, vous le paierez de votre vie, tout comme nous.

— Je le sais.

— Nous vous serons obligés à jamais. Que pourrons-nous vous offrir en retour?

— Quand je trouverai le seigneur que je veux épouser, vous approuverez mon choix et m'aiderez à réaliser mon souhait. Vous deux. Quel qu'il soit.

— Soit, fit Tristan sans la moindre hésitation. Mais c'est peu de chose. N'y a-t-il rien d'autre?

— Non. Sauf que... si j'ai un fils de Marc, Iseut devra l'élever comme le sien. Aucun de vous ne parlera de son ascendance tant que je ne vous aurai pas quittés.

— Mais est-il possible de garder un tel secret? s'écria Iseut affolée. Marc devinera que ce n'est pas le sien. Vous aurez un enfant et moi, pas.

— La grossesse est chose facile à imiter, dit Branwen. Laissez-moi m'en occuper.

– C'est une requête assez honorable. Après tout, il sera d'une manière ou d'une autre l'enfant de Marc, et tant que mon père croit qu'il est le mien, tout ira bien.»

Tristan baisa les doigts de Branwen.

«Je vous suis très reconnaissant, Branwen, vous savez sauvé la vie et l'honneur d'Iseut.

– Oh, Branny, as-tu bien réfléchi? Il est assez âgé pour être ton père. Tu n'imagines pas ce que ce sera.

– Vraiment? Et puis, quelle importance?

– Il peut se montrer laid, cruel!

– Je m'en moque. Il doit seulement me prendre pour vous. Je fais confiance à Tristan pour l'enivrer.

– Rien de plus facile. Mais réfléchissez une dernière fois, Branwen: votre âme sera souillée de manière indélébile. Nous sommes déjà coupables mais vous ne l'êtes pas.

– C'est mon âme, seigneur, et laissez-moi pécher comme je l'entends.»

Tristan prit Iseut dans ses bras.

«Je me damne en vous laissant agir ainsi, mais Iseut mourra si vous ne faites rien. Je dois accepter la damnation.»

Il regarda par l'étroite fenêtre de la chambre de Guvranyl. Était-ce la nuit précédente qu'il avait contemplé un univers riche de promesses et de désirs? Ce soir, l'avenir se présentait à lui, flou, incertain, dangereux. Toute sa vie durant, à chaque instant, c'est à Branwen qu'il devrait la vie d'Iseut.

TROISIÈME PARTIE

14

LES FALAISES DE CORNOUAILLES

Juché sur l'estrade de la grande salle du château de Tintagel, Marc leva sa chope.

«À Iseut de Gwynedd, la plus jolie fille de Bretagne!

— À Iseut! crièrent les hommes en brandissant leur coupe avant de se mettre à boire.

— À la belle Iseut, fille de Perceval! dit Marc en levant sa chope pour la deuxième fois.

— À Iseut! répéta l'assemblée.

— À mon Iseut, qui sera bientôt reine de Cornouailles et Haute Reine de Bretagne!»

Ce fut un véritable tumulte quand les hommes lancèrent des vivats, burent et frappèrent le sol de leurs bottes. Tout au bout de la salle, sans que personne le vît, Tristan versa à terre le contenu de sa coupe et l'un des chiens de Marc s'empressa de lécher le vin répandu.

«Segward! s'écria Marc en attirant à lui son conseiller. Vous êtes un véritable génie! Par Dieu, elle est d'une beauté divine!»

Le reste de ses commentaires se perdit dans les rires gras et les plaisanteries grossières de ses courtisans.

«Calme-toi, Tris, conseilla Dinadan en lui donnant un coup de coude. On dirait que tu vas trancher la gorge du premier venu. Allons, tu as gagné, et Segward a perdu. Tu es vivant, tu t'es couvert d'honneurs. Laisse-le mijoter quelque temps, n'est-ce pas une revanche suffisante?

— Maudit soit-il, je ne voudrais pas gaspiller mon temps à lui accorder la moindre pensée. »

Dinadan l'observait avec une inquiétude évidente. Il voyait bien que l'esprit de Tristan était ailleurs et reconnaissait les symptômes annonciateurs de sombres humeurs. Depuis l'instant où le navire cornique était entré dans le petit port à l'abri des hautes falaises, ramenant avec lui la princesse galloise et l'escorte au grand complet, tout Tintagel n'avait cessé de célébrer le triomphe de Tristan de Lyonesse. Seul l'intéressé n'avait pas participé à la liesse générale.

Dinadan était enfin soulagé. Le messager arrivé trois jours auparavant était porteur de nouvelles inquiétantes : les Gallois avaient découvert la réelle identité de Tristan et l'avaient attaqué, alors qu'il avait tué l'un de leurs princes en combat singulier et avait lui-même été blessé. Dinadan avait remarqué le sourire de satisfaction de Segward, mais le messager avait poursuivi son récit : Tristan avait malgré tout réussi à quitter Gwynedd avec la princesse et la bénédiction de Perceval, mais il avait ensuite fait naufrage. À nouveau le regard de Segward s'était éclairé tandis que Dinadan perdait espoir une seconde fois.

Dinadan avait accompagné son père jusqu'au port sans croire vraiment qu'on pût survivre à de telles épreuves. Quand il avait vu l'état du navire, avec sa voile ravaudée en cinquante endroits et sa coque radoubée à la hâte, il avait compris que l'estafette disait la vérité. Depuis ce matin d'été au Sanctuaire de Pernam, deux ans auparavant, il n'avait jamais été aussi heureux de revoir Tristan.

Pourtant celui-ci ne paraissait pas se réjouir de son retour en Cornouailles. Tout au long du débarquement, de la cérémonie de bienvenue, de la présentation de la princesse à Marc et de la longue montée vers la forteresse, Tristan s'était montré poli, quoique froid et distant, et son visage était blême. La seule personne à qui il avait adressé la parole était la jeune fille un peu effacée qui accompagnait la princesse galloise.

Segward s'était également étonné du comportement de Tristan. Dinadan avait remarqué son regard de fouine et son air inquiet. Quelque chose n'allait pas. Dinadan en conclut que la blessure reçue en Galles pouvait être mortelle et que son ami faisait de son mieux pour la dissimuler à la cour. C'était la seule explication à son humeur maussade et à son désir de solitude.

« Tristan ! Tristan ! Tristan ! »

Les cris retentirent dans la grande salle, les têtes se tournèrent, applaudissements et claquements de bottes résonnèrent au rythme des hourras. Dinadan prit par le bras Tristan qui essayait de s'esquiver.

«Que fais-tu donc? C'est ton triomphe, Tris, profites-en!»

Des mains robustes poussaient Tristan au milieu de la salle, les hommes lui assenaient de grandes claques dans le dos et criaient son nom. Impassible, il se retrouva devant Marc et celui-ci l'enlaça avant de l'embrasser sur la joue.

«Gloire au noble fils de Cornouailles qui a mis à exécution le projet de sire Segward et rendu possible cette noble union! s'exclama Marc, le visage empourpré par le vin. Mon neveu, le brave et honorable Tristan de Lyonesse!»

La salle rugit.

«Ah, Tristan, dit-il en le serrant contre sa poitrine, la Cornouailles se souviendra éternellement de toi!»

Tristan lut sur le visage de son oncle émotion, gratitude et même admiration. Mais ce n'étaient là que les sentiments d'un commandant heureux de sa victoire et reconnaissant envers ceux qui la lui avaient apportée. Il n'y avait nulle trace de tromperie ou d'hésitation dans les manières de Marc, et surtout pas la moindre honte. En l'envoyant à Gwynedd, il ignorait que c'était un piège mortel et que la reine n'était autre que la sœur de Marhalt. Non, il ignorait tout cela.

«Ce mariage sera la plus grande fête que la Cornouailles ait connue depuis des siècles! proclama-t-il en prenant Tristan par l'épaule. C'est le début d'un nouvel âge d'or! Merron, que la nouvelle se répande: nous invitons quiconque vit en Bretagne à y assister. Je fixe la date à un mois d'ici. Prévenez tous les seigneurs de Cornouailles et tous mes compagnons de Dumnonia ou des terres qui ceignent Camelot. Envoyez des messagers au nord, vers Rheged, Strathclyde, Lothian et Elmet. Ainsi qu'aux derniers seigneurs de Logris, dont nous voulons arracher les possessions des mains des Saxons. Que tous viennent en Cornouailles et célèbrent avec nous cette union!»

Les hommes rassemblés poussèrent de nouveaux hourras.

«Qu'en pensez-vous, Segward? dit-il au petit homme. Chacun se doit d'assister à ces effusions.

— Je parlerais plutôt d'épousailles, sire. Avec une telle femme, un mois est une bien longue attente.

— Oui, vous avez raison, mais j'aimerais tout de même mieux me glisser ce soir entre ses cuisses blanches!» déclara-t-il en déclenchant des éclats de rire dans la salle.

151

Tristan était de marbre. Marc le tenait serré contre lui et il ne pouvait s'échapper. Il avait du mal à réprimer ses tremblements.

« Allons, Tristan, j'ai offensé le poète qui sommeille en toi, c'est ça ? Tu voudrais plutôt chanter ses yeux et sa chevelure ? Ha ! Ha ! Je te croyais plus gaillard ! fit-il en reposant sa chope d'un geste malhabile. Mon neveu désapprouve mes propos ! lança-t-il à ses hommes. Il préfère se mettre à sa harpe et célébrer ses louanges que lui présenter son épieu dressé ! Ha ! Tiens, je vais te faire plaisir, Tristan. Quand nous serons au lit le soir de nos noces, tu nous chanteras une ode de ton invention. Qu'est-ce que tu en dis, mon garçon ? Allez, montre-nous ce que tu sais faire. »

Tristan ne bougeait pas. Il voyait tous ces visages avides, cette horde de loups prête à la curée. Mais Marc, enchanté de lui avoir fait un tel honneur, attendait sa réponse. Il s'obligea à prononcer quelques mots.

« J'en serais très honoré, mon oncle.

— C'est ma promise, dit le roi en lui donnant une tape dans le dos, et j'ai le droit d'entrer dans son lit. Mais je jure devant vous tous réunis qu'à l'instar d'Arthur je m'interdirai de toucher à cette vierge avant d'être marié. Je prouverai à tous mes sujets, à toute la Bretagne, que je suis un homme capable de faire taire ses appétits. Elle n'aura rien à craindre de moi tant que nous ne serons pas unis, déclara-t-il avant d'éclater d'un rire sonore. Mais ensuite, ses dessous en verront de belles parce que je ne me priverai pas pour rattraper le temps perdu ! »

Les hommes hurlèrent de rire et félicitèrent leur roi. Le plus discrètement possible, Tristan se dégagea de l'étreinte de Marc, s'engagea dans un escalier en colimaçon et sortit sur les remparts de la tour nord-ouest. Sur un signe de Dinadan, la sentinelle les salua et se retira pour les laisser seuls. Les deux hommes contemplèrent la mer, paisible, des falaises jusqu'à l'horizon. Des mouettes tournoyaient et s'appelaient en poussant des cris plaintifs.

« L'immonde ! s'écria Tristan en abattant son poing sur la pierre. Quel porc infect !

— Il est aussi grossier dans ses paroles que dans ses actes. Il n'a aucune délicatesse, mais tu le savais déjà. Marc n'a en rien changé.

— C'est une bête à l'apparence humaine.

— Je trouve que sa promesse de ne pas la toucher avant le mariage a été fort louable. Ce fut une noble impulsion. Il doit avoir peur d'elle.

— Dinadan, je dois t'avouer quelque chose.

— Je le savais, dit son ami dans un souffle. Je l'ai su dès l'instant où j'ai posé les yeux sur toi. »

Tristan céda un instant à la panique, mais Dinadan le serra contre sa poitrine.

« Le messager nous a raconté ton combat en Galles. Cette blessure que ce rustre t'a infligée, elle est mortelle, n'est-ce pas ? »

Tristan écarquilla les yeux. Les coins de sa bouche se soulevèrent brièvement. Il saisit Dinadan par le bras et l'embrassa sur la joue.

« Oui, mais ce n'est pas ce que tu crois. Tu avais raison quand tu parlais du danger qui me guettait en Galles, dit-il en arpentant les remparts. Plus d'une fois j'ai regretté de ne pas avoir suivi tes sages conseils. L'homme que j'ai affronté était un soupirant d'Iseut. Après que je l'eus désarmé, il m'a lancé sa dague dans le dos. Une dague empoisonnée.

— Quoi ? Tu veux dire… comme l'épée de Marhalt ?

— Exactement. C'était le même poison, concocté par la même main.

— De qui parles-tu ?

— De la reine de Gwynedd, dit Tristan qui s'arrêta de marcher pour regarder son ami droit dans les yeux. La mère d'Iseut, l'épouse de Perceval. La sœur de Marhalt.

— *Quoi ?* »

Tristan lui rapporta brièvement les événements, la façon dont la reine l'avait démasqué, sa fuite loin de Galles.

« Attends, tu vas trop vite, fit Dinadan livide. Tu veux dire qu'elle a *fabriqué* ce poison ? Et que la princesse a découvert l'antidote ? Tu es guéri alors ? »

Tristan écarta sa tunique et montra sa poitrine et son dos intacts à son ami éberlué.

« Mon Dieu ! Plus la moindre cicatrice ! Mais comment est-ce possible ?

— Pernam pourrait peut-être te l'expliquer. Moi, je sais seulement que la reine de Gwynedd détient des pouvoirs très étranges et très anciens.

— Finalement, je suis heureux que tu te sois rendu en Galles malgré mon avis défavorable. Mais puisque tu n'as pas reçu une blessure mortelle, de quoi voulais-tu me parler ? Tu m'as épouvanté.

— Je sais. Pardonne-moi. Tu n'étais pas loin de la vérité. Je souffre effectivement d'une blessure qui risque d'être inguérissable, mais je ne la dois pas à la vilenie. »

Dinadan plissa le front, mais Tristan avait relevé la tête pour regarder au loin, languissant. Dinadan se retourna. Deux silhouettes se profilaient au sommet de la tour sud. L'une d'elles était la princesse. Il reconnut la robe verte qu'elle portait le matin même. Elle avait ôté son voile doré et sa chevelure éclatante retombait sur ses épaules. Sa compagne marchait auprès d'elle et toutes deux contemplaient la mer. Elles s'arrêtèrent longuement puis la princesse posa la main droite sur son cœur et la tendit vers lui en un mouvement gracieux. *À vous pour toujours!* N'était-ce pas ainsi que Diarca l'avait salué quand il s'était éloigné du château de Dorr? Il se retourna et vit Tristan, le bras tendu lui aussi: son visage n'était que souffrance et dévotion.

En un éclair Dinadan comprit tout. Comment n'avait-il pas deviné plus tôt? Il se rappela son propre émerveillement quand Marc avait soulevé le voile de la jeune fille. Pour un homme tel que Tristan, si sensible à la beauté, deux semaines auprès d'elle avaient suffi à le détruire. Il sentit son cœur se serrer. Cette fille était amoureuse de lui, c'était évident. Un bel étranger s'était introduit dans le château de son père et l'avait enlevée, comme dans ses rêves les plus fous.

En silence, Dinadan prit Tristan par l'épaule et l'entraîna au loin.

Avril céda la place à mai. La terre se réchauffa et la vie renaquit, couvrant la lande de fleurs sauvages et peignant les forêts de centaines de nuances de vert. Jour après jour, les seigneurs arrivaient avec leurs trains de chevaliers pour rendre hommage au roi Marc. Partout l'on dressait des tentes. Le jour, les terres entourant Tintagel résonnaient des appels joyeux des guerriers, de leurs exhortations à la chasse, de leurs jeux. La nuit, leurs feux éclairaient la campagne et leurs chants s'élevaient jusqu'au ciel.

Pendant tout ce temps, Tristan ne vit pas beaucoup Marc, trop occupé à accueillir ses hôtes. Nul n'était venu de la fédération du Nord ou de Galles, mais trois seigneurs étaient arrivés de Logris: deux d'entre eux apportaient des nouvelles des dernières escarmouches avec les Saxons et du sac d'Amesbury, le troisième se répandit en doléances à propos de cet ennemi qui grandissait en nombre d'année en année. En revanche, tous les hommes éminents de Summer, de Dumnonia et du cœur de la Cornouailles étaient là. Il convenait de traiter comme il se doit les rois les plus importants. Marc festoyait avec eux et glanait toutes sortes d'informations, mais il cherchait aussi à savoir ce qu'ils pensaient de son union avec une princesse galloise. Pour ce faire, il gardait toujours Segward auprès de lui.

154

Comme le conseiller était fort occupé, Tristan passait de plus en plus de temps auprès de Branwen et d'Iseut. Dinadan le retrouvait, dans le jardin ou sous la tonnelle, en train de chanter et de jouer de la harpe ou encore contemplant en silence le visage de son aimée.

« Allez, viens, lui dit Dinadan, elles ont toutes sortes de choses à faire. Elles sont à leurs travaux d'aiguille et toi tu les perturbes, même si elles ne l'avoueront jamais. »

Souvent Dinadan réussissait à l'entraîner loin de Tintagel sous les prétextes les plus divers : chasser, guetter la venue d'éventuels pillards irlandais ou accueillir les hôtes du roi. Même ainsi, il ne pouvait passer tout son temps avec Tristan : sire Bruenor, son père, était en effet arrivé de Dorria avec tous ses chevaliers. Mais à la moindre occasion, Dinadan emmenait Tristan galoper sur la lande.

Un jour, il trouva son ami assis au pied de l'escalier menant aux appartements des femmes.

« Tu ne devineras jamais qui se rend à Lyonesse, lui dit-il. J'ai entendu Merron donner des ordres aux chambellans : ton oncle Pernam sera ici et il amène avec lui Esmerée.

— Pernam, je peux comprendre, mais pourquoi Esmerée ? Y aurait-il un problème ?

— Segward a dû l'envoyer chercher.

— Il ne ferait jamais ça !

— Elle ne serait jamais venue sans y être priée et il ne l'aurait jamais introduite à la cour sans avoir une bonne raison. Soit c'est une épreuve pour toi, pour elle ou pour vous deux... soit il a découvert la vérité et cherche à la mettre mal à l'aise.

— Comment cela ?

— Ah, j'aimerais que tu te voies quand tu regardes Iseut. Si moi je lis aussi facilement dans ton cœur, que fera Esme, qui te connaît encore plus, euh, intimement ?

— Tu veux dire que Segward espère éveiller en elle la jalousie et qu'il ne l'a fait inviter que pour lui infliger ce châtiment ?

— Exactement.

— L'imbécile. Elle ne sera pas jalouse. Segward comprend mal notre amitié.

— C'est plus qu'une amie et tu le sais, fit-il en baissant la voix. Elle a dormi avec toi un an durant et elle t'a donné un enfant. Comment ne serait-elle pas jalouse ?

— Si elle devait épouser un homme capable de faire chanter son cœur, je serais le plus heureux habitant de la Cornouailles. Jamais je ne le jalouserai. Je serais heureux pour elle, et elle éprouverait le même sentiment à mon égard.

— Mais ce n'est pas toi qui te maries. Oh, pardonne-moi, fit Dinadan en voyant l'angoisse dans les yeux de Tristan. Mais tu dois te montrer plus prudent. Segward a toujours eu des soupçons et je pense qu'il a fait venir Esmerée pour avoir enfin une certitude.

— Cet homme ne vit que dans la suspicion, mais ne t'inquiète pas pour Esme, elle n'est pas sotte et elle me protégera.

— Prie le Ciel qu'il en soit ainsi car ce château est une chausse-trape. Une fois dedans, on ne peut plus en sortir. »

Iseut était assise sur un tabouret de velours tandis que Branwen s'occupait à sa coiffure. Elle regardait le ciel vespéral, étendue violette ponctuée d'étoiles qui s'éveillaient dans le sillage du soleil couchant.

« Dis-moi, Branwen, crois-tu que le soleil voyage dans le ciel, insouciant des ténèbres, ainsi que l'affirmaient les Romains ? Ou penses-tu avec les Anciens qu'il affronte la mort chaque nuit à l'Occident pour renaître chaque matin à l'Orient ?

— Je sais tout simplement qu'il se couche chaque soir et se lève chaque matin, et peu m'importe comment, répliqua Branwen avec une certaine sécheresse. Pourquoi poser cette question ?

— S'il meurt chaque soir dans la mer, un nouveau commencement est toujours possible. Cela me donnerait de l'espoir. Pourtant, toute ma vie, je l'ai vu s'enfoncer dans les flots, et nulle vapeur n'en a jamais jailli. Je crains bien que les Romains n'aient raison, après tout.

— Quel intérêt, franchement ? Vous vous ennuyez, rien de plus. J'aurai fini dans un instant et nous descendrons dans la grande salle. Vous devriez manger davantage, vous avez perdu beaucoup de chair depuis notre arrivée.

— Combien de jours me reste-t-il ? questionna Iseut d'une voix mal assurée.

— Cinq.

— Oh, Seigneur, pourquoi ai-je accepté ? Tristan voulait m'emmener n'importe où dans le monde.

— C'est le seul endroit où vous vivrez en paix. Ne recommençons pas à parler de ça.

— Oh, Branny, fit-elle en lui prenant les mains, je te demande pardon. Je suis égoïste, j'avais oublié ta promesse.

— On croirait que je vais à la mort...

« – Non, mais… s'il n'y a pas d'amour entre vous…

– Peu importe, ce sera bientôt terminé. »

Iseut porta son regard sur la petite antichambre qui contenait les coffres à vêtements, le grand bronze poli lui permettant de se mirer à la lueur des lampes, la table avec son coffret à bijoux et son peigne, la chaise dorée posée dans un coin. Un épais rideau de soie la séparait de sa chambre, luxueusement meublée de peaux de bêtes jetées sur le sol de pierre, de lampes dressées sur des trépieds de bronze et de deux braseros emplis de braises. Deux larges fenêtres ouvraient sur la mer. Au mur, une tapisserie évoquait la mort d'Uther Pendragon ; l'immense lit était recouvert de fourrures et de couvertures. Igraine, racontait-on, femme d'Uther et mère d'Arthur, avait longtemps vécu dans cette pièce. Arthur y avait été engendré et Gorlois de Cornouailles, trahi. Elle frissonna. Cette chambre emplie de spectres la terrifiait. Elle préférait de loin celle de Branwen, plus sommaire : souvent, la nuit, elle venait se réfugier dans le lit de sa suivante et s'endormait au rythme paisible de sa respiration.

Que penserait son père d'une telle couardise ?

« Je suis prête à descendre », dit-elle enfin.

Elles se rendirent donc dans la salle d'armes de sire Merron et de sire Guvranyl. Chacun se leva à leur apparition, s'inclina à leur passage et ne se rassit que quand Iseut eut fait une révérence devant le roi Marc.

Iseut s'efforçait de tout entendre et de parler le moins possible. Les torches fumantes, l'odeur des hommes, du vin et du cuir la prenaient à la gorge et lui coupaient l'appétit. Il lui semblait que c'était hier qu'elle mangeait de la soupe de poissons dans la maison de Guvranyl : Tristan était jeune, beau et sentait bon, alors que tous ces guerriers étaient laids, grossiers et malodorants. Sa main trembla quand elle se referma sur sa coupe. Marc s'en aperçut, sourit et glissa la main sous la table pour lui caresser la cuisse.

« Encore quelques jours, ma princesse, prenez patience. »

Elle faillit s'étrangler en buvant. Une sonnerie de cor retentit et la porte s'ouvrit sur un messager.

« Sire le roi, votre frère, le prince Pernam, arrive à l'instant de Lyonesse accompagné de deux serviteurs et de l'épouse de sire Segward.

– Ah, ils ont fait bonne route, je ne les attendais pas avant demain. Faites-les entrer d'urgence, qu'ils soupent avec nous. »

Une fois l'homme reparti, Marc se tourna vers Iseut.

« Je présume que vous n'avez pas beaucoup entendu parler de

Pernam en Galles. Vous comprendrez pourquoi en le voyant. Il n'a rien d'un guerrier. Je suis même étonné qu'il soit là. Il ne s'est jamais empressé de me rendre les honneurs. Peut-être se contente-t-il d'escorter la femme de Segward.

– Mais pourquoi, seigneur, sire Segward n'amène-t-il pas son épouse à la cour?

– Il ne supporte pas que d'autres posent les yeux sur elle, s'amusa Marc. Il craint qu'on la lui prenne. Une vraie beauté, même si elle a dépassé les vingt-cinq ans. Il préfère la cacher à Lyonesse.

– Lyonesse? Votre neveu, Tristan, la protégerait-il donc?

– Oui, fit Marc avec un sourire narquois, mais ce n'est pas le genre de protection auquel songe Segward.

– Votre neveu la connaît? s'étonna Iseut en entendant rire Marc.

– Oui, et la rumeur prétend qu'il la connaît même très bien.»

Iseut se tourna vers Tristan alors même que les gardes annonçaient l'entrée des hôtes et que Marc se levait pour les accueillir. Pernam était vêtu d'une robe grise et d'une cape noire nouée autour du cou mais dont le capuchon était rejeté en arrière. Il ne portait ni dague ni épée, mais à son cou pendait le symbole de la Bonne Déesse, la Mère des hommes. Pourtant nul n'osa se moquer, même pas Segward. Le guérisseur dégageait une réelle autorité qui rendait inutile le port d'une arme. Ses cheveux coupés court, son visage anguleux et ses yeux perçants laissaient une impression indélébile. Ce n'était pas un homme que l'on oubliait facilement.

La femme qui marchait à son bras accaparait toute l'attention d'Iseut: l'épouse de Segward avait les yeux baissés et son capuchon lui dissimulait le visage.

Pernam adressa un regard rapide à Tristan avant de se tourner vers Segward, Marc et Iseut. Sa bouche esquissa un sourire et Iseut lui sourit à son tour.

«Sire le roi, dit-il en s'inclinant, vous m'honorez en me recevant ici.

– Pernam, répondit Marc un peu gêné, c'est vous qui me faites honneur en venant à Tintagel. Cela fait si longtemps. Vous êtes toujours... le même.»

Iseut était persuadée que Pernam avait envie de rire, mais son visage était grave.

«Et vous, Marc, vous avez belle allure. J'ai été peiné d'apprendre la fin de Gérontius, c'était un homme bon. J'ai demandé à la Grande Déesse de protéger son esprit.

– Nous sommes chrétiens depuis trois générations, mon frère. Il est au paradis du Christ s'il doit être quelque part. Oubliez vos mœurs païennes quand vous êtes près de moi.

– Permettez-moi de vous présenter dame Esmerée», et il s'inclina à nouveau.

La femme rejeta son capuchon. Iseut en eut le souffle coupé. Comment une telle beauté pouvait-elle être l'épouse de Segward? Elle était merveilleuse avec ses beaux cheveux bruns et sa peau si délicate, ses yeux magnifiques qui affrontaient ceux du roi avec le plus grand calme, ses doigts gracieux qu'il baisait sans qu'elle parût en souffrir. Sa beauté était encore plus étonnante que son aisance.

«Sire le roi.

– Dame Esmerée, quel plaisir de vous revoir à la cour.

– Je suis enchantée d'être ici, seigneur. Je vous félicite de vos noces prochaines. Nul ne les attendait aussi tôt.»

Marc était confus et Iseut réprimait un sourire: cette femme adorable parlait ouvertement au roi.

«Ma chère, l'interrompit Segward d'une voix glaciale, votre voyage a dû vous épuiser. Comme je suis heureux de vous voir arriver si tôt dans la soirée: cela nous donnera le temps de converser.»

Iseut la vit trembler puis se ressaisir. Craignait-elle son propre mari? Iseut porta un regard neuf sur le conseiller.

Esmerée fit une brève révérence, mais la main de Pernam l'arrêta.

«Je n'attends que cela, seigneur, et c'est pour cette raison que je me suis hâtée.»

Marc s'éclaircit la gorge.

«Euh… vous vous rappelez mon neveu, Tristan, je présume?»

Iseut vit Segward rougir puis pâlir, Esmerée relever la tête, Tristan danser d'un pied sur l'autre.

«Certainement, répondit Esmerée en faisant la révérence à Tristan. Mon suzerain, Tristan de Lyonesse. Quel plaisir de vous revoir, seigneur.

– Tout le plaisir est pour moi, dame Esmerée.»

Le ton de sa voix était à peine cordial mais il glaça le cœur d'Iseut. Segward paraissait également blessé.

«Mon seigneur a l'air… épuisé, reprit Esmerée. Souffrez-vous d'anciennes blessures ou votre voyage en Galles fut-il dangereux?

– Je me remets effectivement de vieilles blessures.»

Segward avait ouvert la bouche pour parler mais Pernam fut le plus rapide.

– Je m'occuperai de lui plus tard, ma dame, si vous le permettez. Il est encore jeune et ce qui le fait souffrir passera avec le temps.

– Cela suffit, grommela Marc, incapable de comprendre de quoi l'on parlait. Permettez-moi de vous présenter ma promise, la princesse Iseut, fille de Perceval de Gwynedd. »

Iseut se leva quand Marc lui prit la main et Esmerée s'inclina devant elle.

« Princesse Iseut.

– Dame Esmerée. Prince Pernam, je suis honorée de faire votre connaissance. »

Elle tendit la main à Pernam mais Esmerée s'en empara et la serra entre les siennes propres avec une chaleur et une fermeté qui la surprirent.

« Comme vous êtes belle ! Et si jeune ! Votre terre natale doit cruellement vous manquer. Qu'avez-vous vu de la Cornouailles depuis que vous êtes parmi nous ? Uniquement les environs de Tintagel ?

– Pas même cela, ma dame, fit Iseut en rougissant. Rien que l'intérieur du château et la mer.

– Oh, ma chère, n'hésitez pas à faire appel à moi, je vous apporterai mon aide dans les jours qui viennent. J'étais déjà mariée à votre âge, dit-elle en lâchant la main d'Iseut. Je m'en souviens fort bien.

– Oh oui, je vous en prie, répliqua Iseut avec plus de véhémence qu'elle ne l'aurait voulu. Mais, seigneur, dit-elle à Marc, ne pourrions-nous proposer à nos hôtes de prendre place parmi nous ? Ils ont fait un si long voyage et nous les gardons debout. »

Marc frappa dans ses mains pour appeler des serviteurs. Bientôt la grande salle retentit à nouveau de la clameur des voix. Iseut sentit un regard se diriger sur elle. C'était celui de Tristan qui, sourire aux lèvres, avait posé la main sur son cœur.

C'est par une fin d'après-midi, alors que la lumière du soleil faisait scintiller la mer de saphir, que Pernam emprunta le chemin escarpé taillé au flanc du promontoire faisant face à Tintagel. Il marchait d'un pas lent et scrutait la grève. Près des rochers, il se pencha et ramassa une pierre plate qu'il lança et qui ricocha à la surface de l'eau. Puis il s'assit.

Tristan ramassa à son tour un galet et le fit rebondir à trois reprises sur les vagues, effrayant au passage une mouette qui s'envola en criant.

« Que voulez-vous ? Je suppose que vous ne me pardonnerez jamais pour Esmerée, ajouta-t-il comme son oncle ne lui répondait pas.

– Il n'y a rien à pardonner. Tu lui as donné ce qu'elle recherchait. Tu l'as protégée de ton mieux. Ce qu'il lui fait, tu ne peux l'empêcher... Tu crois que j'étais furieux à cause de sa fille?

– Oui, fit Tristan en rougissant, mais je ne suis même pas sûr qu'elle soit de moi.

– Elle l'est très certainement.

– Vraiment? dit-il en se retournant brusquement. Comment le savez-vous?

– Elle m'a appris... Tu devrais me rendre visite la prochaine fois que tu viendras à Lyonesse. J'aurai l'enfant avec moi, que tu le veuilles ou non.

– Comment s'appelle-t-elle?

– Aimée.

– Un nom étrange, commenta-t-il en ramassant une autre pierre.

– C'est franc, comme Esmerée.

– Esmerée est bretonne.

– Ah oui? releva Pernam avec une ébauche de sourire. Dans ce cas son père n'a pas été tué à Autun en luttant aux côtés de Childebert. Et elle n'a pas été orpheline à trois ans, élevée par son frère, promise à un couvent à douze ans pour ôter un poids à sa famille. Ni même arrachée à ce destin par Segward alors même qu'elle se rendait chez les religieuses.

– Mon Dieu, douze ans...

– Les deux premières années, elle était l'esclave censée préparer son bain.

– Le monstre!

– Et puis il l'a forcée quand elle a eu quatorze ans. Il pense lui avoir fait un honneur insigne en la prenant pour épouse. Ici, en Bretagne, nul ne peut prouver que son père a servi un roi franc mort depuis longtemps. Elle est redevable à tout jamais de la position que Segward lui a offerte.

– Le démon!

– Elle n'a jamais rien eu à elle, acheva doucement Pernam, hormis ses enfants. Et seule Aimée fut conçue dans l'amour. C'est un superbe présent, Tristan. Non, je ne retiens pas cet enfant.»

Tristan s'assit sur un rocher, à côté de la botte de Pernam, et s'essuya les yeux du revers de la main.

«Je ne savais pas... Je vous prie d'excuser ma grossièreté. Depuis quatre jours je vous évite.

– Oui...

– Je croyais que vous aviez envoyé Esme à Iseut pour m'écarter.

– Non, c'est son idée à elle. Ne fais pas cette tête, tu ne réussirais qu'à tirer des larmes à cette pauvre enfant. Elle a besoin d'elle, Tristan. Esme peut lui procurer une force que tu n'as pas.

– Mais j'ai besoin de la voir! J'ai tant de choses à lui dire et il reste si peu de temps!

– C'est vrai, demain elle épouse Marc.

– Oh Seigneur!»

Tristan se pencha en avant pour se cacher le visage. Pernam posa la main sur son épaule.

«Comment est-ce arrivé?

– Un seul regard, et j'ai su. Oui, j'ai su, au plus profond de mon âme. Ah, Pernam, je donnerais n'importe quoi pour qu'elle fût mienne, j'abandonnerais ma couronne, mon nom. Et s'il n'y a pas d'espoir de la reprendre, je mourrai demain.

– C'est ainsi que tu vois les choses? fit Pernam, les yeux pleins de tristesse. Tout ne serait que désastre? Ah, Tristan, soupira-t-il les yeux tournés vers l'horizon, tu n'es qu'un homme. Comment sais-tu ce que les dieux te réservent? Tu distingues la tourmente autour de toi mais ce n'est qu'une question de perspective. Avec du recul, tu saisiras mieux les fluctuations de la pensée divine. Tu ne verras pas seulement l'orage mais aussi ces territoires paisibles où règne la paix, où la sagesse prend racine et se développe. Tout ceci t'entoure, mais tu ne le perçois pas. Avec de la patience, tu y parviendras. De la patience et du temps.

– Est-ce censé me réconforter?

– Tu as toujours été une âme impétueuse et inquiète, dit Pernam dont les doigts serrèrent plus fort son épaule. Tu as toujours quêté ce que tu ne peux atteindre. C'est ce qui fait de toi un guerrier aussi audacieux, c'est ce qui rend ta musique si poignante, si profonde. Ne vois-tu pas dans ce "désastre" la main des dieux? Tu désires ardemment posséder cette femme, mais qu'est-ce que cela t'apportera? La satisfaction de tes désirs? Non, Tristan, ce répit dans ta quête ne serait que momentané. Si elle était à toi, tu chercherais au-delà d'elle.

– Jamais! Comment pouvez-vous penser ainsi? Vous ne la connaissez même pas, elle est ardente, changeante, elle vit! Et elle m'appartient. Notre union est parfaite, celle de Marc est mauvaise.

– Les dieux la lui ont néanmoins donnée. Ils ont leurs raisons.

– Lesquelles? Suis-je donc maudit?

– Je voulais seulement te démontrer que nous ne saisissons pas les desseins divins. Nous ne pouvons que prendre ce qui nous est offert et en tirer le meilleur parti. La lutte et l'acceptation, voilà ce qui t'a fait ce que tu es. Succombe soit à l'amour soit au désespoir, et c'est la mort !

— C'est ridicule, dit Tristan en se relevant, succomber à l'amour est la joie la plus pure que j'aie jamais connue. Pernam, dites-moi pourquoi vous avez fait tout ce voyage pour venir me voir.

— Tu as en face de toi un mur trop haut pour que tu puisses l'escalader, trop solide pour que tu puisses le renverser. Il n'y a qu'une seule solution. Cède et va-t'en loin d'ici.

— Vous ne comprenez rien si vous pensez que je peux partir.

— Allons, Tristan, réfléchis. Que peux-tu faire pour empêcher ce qui va se passer ? En étant sage, tu ne lui compliqueras pas les choses. Rentre à Lyonesse. Va à Dorria avec Dinadan. Lève ton épée contre les Saxons. Laisse cette jeune fille affronter son destin, ce sera pour elle la seule façon de vivre. »

Le jeune homme se tourna vers la forteresse, visible entre les falaises les plus proches. Tintagel se dressait sur un tertre à un jet de pierre de la côte sauvage. Une étroite chaussée reliait le château à la terre. Comme Lyon's Head, l'endroit était facile à défendre. Il y avait passé tant de temps quand son père y vivait, puis quand Marc avait pris en charge son éducation. Malgré tout il frissonnait chaque fois qu'il en franchissait la haute porte. Il n'y voyait qu'une prison. Il ne pouvait oublier la pauvre Élisane : après son mariage avec Marc, elle n'avait jamais plus posé le pied dehors. Pas étonnant qu'elle fût morte folle. Il était impossible de prendre cette forteresse, il était tout aussi impossible de s'en échapper.

« Je ne puis la laisser s'étioler comme Élisane. C'est cruel. C'est impossible.

— C'est ce que tu penses, mais il le faudra pourtant. Et le plus tôt sera le mieux. Tristan, dit Pernam en regardant son neveu dans les yeux, tu es un roi, et pour les rois choisir n'est jamais facile.

— Que ne donnerais-je pour votre sérénité, soupira Tristan. Ne désirez-vous jamais ce que vous ne pouvez avoir, au point de ne plus songer à rien d'autre ?

— Cela m'arrive…

— Oui ? Et ne vous réveillez-vous jamais en proie à une fièvre que seul l'amour peut guérir ?

— Souvent.

— Dire que Marc vous croit faible… Bien, si je puis m'y résoudre, je suivrai votre conseil. Quand tout sera fini, si j'y parviens, je partirai avec Dinadan et ne reviendrai jamais.

163

— N'attends pas, le pressa Pernam. Pars sur-le-champ. Je trouverai une explication à ton absence.

— Vous oubliez ce qu'a demandé le Haut Roi. Je dois chanter au souper une ode joyeuse pour les accompagner au lit. Non, je ne puis l'abandonner avant. Je dois rester jusqu'à... jusqu'au bout. Au matin, je m'en irai. Voilà tout ce que je peux vous promettre, Pernam, ne m'en demandez pas plus.

— Je ne puis exiger de toi ce que tu ne peux donner, dit son oncle en s'inclinant. Mais j'ai ta promesse. Merci, Tristan. Avec le temps, et peut-être plus tôt que tu ne crois, tu comprendras.»

Il leva la main en signe de bénédiction.

«Puisse la Déesse veiller sur toi et guider tes pas.»

15

LA PROMESSE

À midi, le roi Marc épousa Iseut de Gwynedd devant toute la noblesse réunie. L'évêque de Dorria prononça les mots qui les liaient à tout jamais aux yeux de Dieu. Marc plaça sur la tête de sa femme la couronne d'argent enchâssée d'améthystes que la reine Guenièvre avait jadis portée, et Igraine de Cornouailles avant elle. Ensuite, jusqu'à la fin de l'après-midi, ce ne furent que festins et jeux pour le plus grand plaisir des invités. À la tombée du jour, fatigué de tant d'activités, chacun se retrouva dans l'immense salle de Tintagel pour le festin des noces.

Raide dans sa robe de brocart, Iseut s'assit à côté de Marc. Plus d'un hôte fit remarquer à son voisin que la jeune reine n'avait pas souri de la journée, même à son époux. Regardez Marc, chuchotaient d'autres, à demi ivre avant même le début du festin. Quelle vierge ne redouterait pas d'entrer dans le lit d'un tel homme ? Et Tristan, disaient certains à voix basse. Il avait l'air de souffrir et n'avait bu que de l'eau tout en prenant soin de se tenir le plus possible à l'écart de son oncle le roi. Ah, leur répondait-on, il a toujours été bizarre, jouant de la harpe quand il ne tuait pas des païens. Ce qu'il lui fallait, concluait-on dans les rires, c'était une femme bien à lui !

Ainsi ils burent, mangèrent et burent encore à la prospérité du roi et de la reine. Deux garçons venus de Logris se défièrent à la flûte. Les invités chantaient et dansaient, paroles et gestes devenant de plus en plus égrillards au fur et à mesure que le temps passait. Empourpré par le vin, Marc commençait à embrasser les doigts de son épouse, sa joue, son cou. Elle accepta ses avances tant que cela n'alla pas plus loin, mais c'en fut trop quand il passa la main sous la table pour lui caresser les cuisses.

«Sire le roi, dit-elle avec fermeté, n'est-il pas temps de faire venir le barde?

– Quel barde? Oh, Tristan, j'avais oublié.»

Une grande harpe fut apportée et Tristan s'avança au milieu de l'assemblée, livide et solennel. Il s'inclina devant Marc.

«Sire, mon oncle. Et vous, reine Iseut. Seigneurs et gentes dames. À l'occasion des noces de mon oncle, j'ai composé un chant en l'honneur de ses ancêtres et de ses descendants. Voici donc "La Gloire de Cornouailles".»

Tristan s'installa sur un tabouret, appuya la harpe contre son épaule et, fermant les yeux, laissa ses doigts caresser les cordes. Les notes s'envolèrent dans la salle, envoûtantes au point que les conversations moururent et que les têtes se tournèrent vers lui.

Tristan se mit à chanter. Il reprit les histoires préférées de tous, celles consacrées aux héros fameux de Cornouailles et aux souverains qui l'avaient dirigée. Mais, dans chaque cas, le héros connaissait la défaite quand il perdait l'amour de son épouse. Ainsi le grand Gorlois avait mis la Cornouailles à la première place de tous les royaumes, à l'époque d'Ambrosius, mais sa femme avait aimé Uther Pendragon, et Gorlois avait échoué. Il chanta l'âge d'or, Arthur et Guenièvre, Lancelot, Gauvain et la justice de la Table Ronde. Quoi que l'on pensât de Lancelot, nul ne pouvait nier que Guenièvre aimait depuis longtemps le roi Arthur. Elle s'était tenue derrière lui, et son pouvoir avait duré vingt-six ans tandis que la paix régnait sur ses terres.

La voix mélodieuse de Tristan envoûtait ses auditeurs. Grâce à lui, ils virent les grands champs de bataille d'antan et découvrirent les visages de ceux qu'ils n'avaient pas eu la chance de connaître: Vortigern, Ambrosius, Gorlois, Uther, Arthur, Lancelot, Gauvain, Mordred, Perceval et Galaad. Ils virent de même les femmes qui étaient restées auprès d'eux et celles qui les avaient abandonnés ou qu'eux-mêmes avaient délaissées, et chaque roi avait affronté son propre destin. La plupart des hôtes savaient personnellement ce que leur valait le soutien d'une femme aimante, et les autres les enviaient. Tous furent touchés lorsque la musique évoqua la promesse d'un avenir radieux pour la Cornouailles, pour toute la

Bretagne, à la condition que Marc gagnât l'affection d'Iseut ainsi qu'Arthur avait gagné celle de Guenièvre.

Une nouvelle ère commençait. Marc prendrait-il sa place parmi les grands rois de Bretagne? Cela dépendrait de l'amour et du respect que lui porterait sa jeune épouse galloise. Car la clef de toute gloire était l'amour éternel.

Quand les dernières notes se furent éteintes, tous les regards se tournèrent vers la table du Haut Roi. Esmerée et Branwen avaient sorti leurs mouchoirs, les yeux d'Iseut étaient baignés de larmes. Marc lui-même avait l'air grave. Il se leva et s'inclina très bas devant Tristan.

«Merci, mon neveu, pour cette ode émouvante. Elle est d'excellent conseil, et je le suivrai.»

Cris de joie et vivats fusèrent dans la grande salle. On applaudissait le nom de Tristan, on le portait sur les épaules. Marc pria Iseut de lui pardonner ses gestes grossiers et lui demanda de sortir avec ses suivantes: il la rejoindrait à minuit. Elle fit la révérence et quitta la salle. Tristan fut alors conduit à la table du roi et salué à trois reprises, puis on lui réclama une autre chanson. Il leur en servit une quelque peu osée, l'histoire de la fille d'un pêcheur et d'un chevalier errant, et tous se joignirent à lui. La salle fut bientôt pleine de rires et de chants, de danses, de plaisanteries graveleuses et de paris sur la date de la naissance de l'héritier.

Tristan prétexta la fatigue et demanda à Marc la permission de se retirer. Segward le suivit du regard jusqu'à la porte mais, quand il vit Dinadan le prendre par l'épaule et s'en aller en sa compagnie, le conseiller haussa les épaules et replongea le nez dans sa coupe de vin.

Dans la pénombre de la cour, Dinadan s'arrêta soudain.

«Je vais me coucher. J'en ai assez de boire. Tu viens, Tris? Il faudra se lever tôt si nous voulons être partis à l'aube.

— Oui, mais je vais d'abord faire un tour sur les remparts, l'air de la nuit me fera du bien. Ne m'attends pas.

— Quelle ode! Un trait de génie de faire croire à Marc que la réalisation de son rêve le plus cher passe par l'affection qu'il portera à Iseut. Je te salue, Tristan.

— Je n'ai pas trouvé mieux à lui offrir, mais tu sais, Din, ce n'est pas qu'un conte, c'est assez vrai.

— Je n'en doute pas. Si Marc pouvait être ce genre d'homme...»

Une fois Dinadan parti, Tristan emprunta discrètement l'escalier menant aux appartements des femmes. Les gardes étaient rares.

Marc avait permis à la plupart de se joindre à la fête. Il y en avait toutefois un devant la porte d'Iseut, debout sous une lampe à l'éclat vacillant. Il attendit. Le temps passa dans le silence le plus total. Puis le garde s'assoupit.

Sans hésiter, Tristan frappa doucement à la porte, qui s'ouvrit aussitôt sur une pièce obscure. Une main le saisit par la manche et le tira à l'intérieur.

«Votre nom? lui souffla à l'oreille la voix de Branwen.

– C'est moi, Tristan.»

Un soupir de soulagement. Au fond de la pièce, un rai de lumière apparut, puis un rideau s'écarta sur Iseut. Tristan entrevit le grand lit recouvert de fourrures et le vin mis à tiédir à l'attention de Marc.

Il prit Iseut dans ses bras et l'embrassa. Cela lui semblait la chose la plus naturelle au monde. Le corps frêle de la jeune fille tremblait doucement et il la serra contre lui pour l'apaiser.

«Iseut. Mon doux amour. Soyez forte. Soyez patiente. Je ne vous quitterai pas.

– Venez ici, dit Branwen en les entraînant dans sa propre chambre. Vite, le garde risque de se réveiller et il ne doit pas vous entendre.»

La flamme d'une unique chandelle éclairait et réchauffait l'espace de la petite chambre à coucher.

«Vous avez apporté votre épée, remarqua Branwen.

– Oui. Si nous sommes découverts, au moins pourrons-nous choisir notre mort.

– Je vous en prie, murmura Iseut, ne parlez pas de ça. Je réponds de moi.

– Ne soyez pas ridicule. Si quelqu'un doit être blâmé...

– C'est à moi de coucher avec lui, c'est moi qui ai prêté le serment du mariage.

– Si vous y êtes fidèle, Tristan mourra, déclara Branwen.

– Et vous aussi, mon ange, dit-il en la serrant plus fort. Nous avons parlé de ceci un millier de fois. Branwen, êtes-vous prête?

– Oui.

– Je rends honneur à votre courage. Expliquez-moi quelles mesures vous avez décidées.»

Branwen prit Iseut par la main et l'arracha doucement à Tristan jusqu'à ce qu'elles fussent côte à côte. Elles portaient la même chemise de nuit de soie beige, délicatement brodée de fils bleus et verts. Leur coiffure était identique, avec leurs tresses relevées sur la tête. L'effet était hallucinant. À la lueur de la chandelle, il parvenait à peine à les distinguer. Il réprima difficilement un cri de surprise.

Les deux femmes affichaient le même sourire.

«Nous avons pratiquement la même taille et la même stature, expliqua Branwen. Et nos traits sont semblables, seuls diffèrent nos cheveux et notre teint. On nous l'a toujours dit. J'ai donc tressé nos cheveux et j'ai caché mes taches de son sous une crème blanchissante. Nous porterons la même coiffe et Iseut expliquera à Marc, ou plutôt c'est moi qui le ferai, que telle est la coutume en Galles. Aucune femme ne dort sans cela pour ne pas voir sa chevelure en désordre à son réveil.

— C'est vraiment magique, dit Tristan en s'avançant vers elle. Dans cette lumière, vos yeux ont la même couleur verte que les siens.

— Cela suffit-il, seigneur? Croyez-vous que Marc pourra nous distinguer?

— Certainement pas vu son état. Vous ne devrez jamais vous trouver ensemble, naturellement.

— Évidemment. Iseut sera là quand il entrera puis elle soufflera les lampes et inventera une excuse pour sortir un instant. Alors j'entrerai.

— Et au matin?

— Je partirai avant l'aube et l'aiderai à se vêtir, dit-elle d'une voix ferme. Elle doit être habillée pour la journée quand il la verra: il saura alors que la nuit est terminée et ne cherchera plus à lui faire des avances.»

Iseut frémit et Tristan prit les deux jeunes femmes par l'épaule.

«Nous sommes tous trois impliqués, nous devons nous donner de la force.

— Si Branny peut coucher avec lui, je pourrai... je pourrai supporter ses baisers.»

Tristan posa ses lèvres sur son front, puis sur celui de Branwen.

«Nous faisons cela l'un pour l'autre, pour que chacun de nous ait un avenir.»

Branwen lui lança un regard passionné, mais il s'était tourné vers Iseut de sorte qu'il ne le vit pas.

On frappa doucement à la porte.

«Dame Branwen, dit le garde, priez la reine de se préparer. Le roi arrive.

— Vite, souffla la suivante, dans la chambre royale. Tristan, refermez cette porte et ne bougez pas.»

Tristan attendit ce qui lui parut être des heures devant la fenêtre de la chambre de Branwen, à contempler la mer. Comme elle paraissait insondable, toute vêtue de sombre, et pourtant, sa surface scintillerait bientôt aux premiers rayons de l'aube. On parlait toujours de la mer comme d'une femme, pourquoi? Les femmes étaient donc si changeantes? Dire qu'il était là, à tout risquer – son nom, son honneur, son avenir même – pour une jeune fille de seize ans qu'il ne connaissait pas deux mois plus tôt. Malgré cela, rien que de penser aux bras de Marc l'étreignant suffisait...

La porte s'ouvrit et Branwen entra.

«Tout va bien. Le garde ne se doute de rien. Les lampes ont toutes été remplies.

– Vous avez bien fait, belle Branwen, de voler l'huile.

– J'aime quand vous m'appelez ainsi...»

Il tendit le bras vers elle et elle hésita un instant avant d'accepter son contact.

«Vous avez plus de courage que bien des hommes de ma connaissance. C'est ce que je préfère en vous.

– Ce n'est qu'une union charnelle, seigneur, dit-elle en le prenant par la taille. Ce n'est pas une bataille.

– Il y a union et union. Si vous l'aviez vu se démener sur le champ de bataille, vous comprendriez ce que Marc entend par faire l'amour. Non, pardonnez-moi, douce Branwen, je ne voulais pas parler si crûment. J'ai vu Marc combattre, je ne sais rien de ses pratiques intimes.

– D'autres y ont survécu, je ferai de même.

– J'aime votre esprit. Vous survivrez et vous nous sauverez tous. Mais dites-moi, fit-il en lui relevant le menton, qu'attendez-vous de moi, en échange de nos vies? Un beau mariage? Un royaume bien à vous? Je connais plus d'un prince qui pourrait vous offrir l'un et l'autre.

– Un jour, seigneur, répondit-elle en rougissant. Quand... quand j'y serai prête.

– Que pensez-vous de Dinadan? demanda-t-il en la serrant plus fort. Est-il assez beau? Il est l'héritier de Dorria, il n'a pas de fiancée et il est bon. D'humeur égale et modéré dans ses habitudes.

– Je vous en prie, ne me vendez pas un cheval tant que je ne suis pas au marché, s'amusa-t-elle. Pour l'heure, je suis très bien ainsi.

– Et si vous attendiez un enfant?

– Au bout d'une nuit? C'est peu probable.

– Répondez-moi.

– Que voulez-vous savoir? Dans un tel dilemme, que choisirais-je, un mariage précipité ou un enfant bâtard? Je ne puis vous le dire car je n'en sais rien moi-même. Mais nous n'avons pas besoin d'y songer ce soir, ajouta-t-elle en baissant les yeux.

– Je crois pour ma part que vous y pensez déjà depuis long-temps. Vous avez envisagé le moindre détail. Dites-moi tout.»

Branwen se retourna brusquement quand des voix de soldats résonnèrent dans l'escalier.

«Il arrive!»

Tristan était déjà à la porte de l'antichambre quand Branwen le saisit par le bras.

«Non, seigneur, restez ici. Gardez la porte close, ils ne doivent rien deviner. Ne vous inquiétez pas, lui dit-elle alors qu'elle enfilait une robe noire sur sa chemise de nuit, Iseut sait quoi faire. Nous ne parlons que de ça depuis un mois. Fermez la porte et attendez-moi.»

Tristan avait l'oreille collée à l'huis et respirait à peine. Il entendit les hommes de Marc l'accompagner en chantant jusqu'à la chambre de la reine avant de redescendre en riant bruyamment. Il crut percevoir la musique douce mais inintelligible de la voix d'Iseut. Malgré lui, il entrebâilla la porte au moment précis où Iseut entrait dans l'antichambre, toute tremblante.

«J'ai soufflé les lampes, dit-elle en prenant Branwen par la main, mais les braseros sont encore allumés. Il est couché et ivre, mais pas près de s'endormir. Il ne voulait pas me laisser partir. Branny, tu dois te hâter!

– Il est trop tard pour flancher, répondit la suivante. Mon bonnet est-il bien ajusté? Bien, laissez-moi passer.

– Branny, je ne peux pas!

– Ne vous inquiétez pas, mon destin est entre mes mains et je préfère ça.»

Elle serra la main d'Iseut et se dégagea prestement pour écarter le rideau. Tristan pénétra dans l'antichambre et Iseut s'effondra contre lui. Il la tint enlacée, lèvres pressées contre ses cheveux. Ensemble, osant à peine respirer, ils écoutèrent le rire de l'homme, les reparties à voix basse de la jeune fille, le craquement du vieux lit et enfin, sans nul doute possible, les bruits d'un couple qui fait l'amour. Iseut se retira sans un regard pour Tristan et se réfugia dans la chambre de Branwen.

Il la trouva en train de saisir l'outre à pleine main, de se servir un gobelet de vin et de l'engloutir d'une seule traite.

«Oh, Tristan, j'ai honte de laisser une telle chose s'accomplir dans mon intérêt. Je sais que c'est un péché.

– Vous ne l'avez pas contrainte, rectifia-t-il en lui retirant le gobelet. Elle fait ça de son plein gré, pour des raisons qui lui sont propres. Et certainement pas pour vous.

– Que voulez-vous dire? s'étonna Iseut. Si ce n'est pour moi, pour qui est-ce donc?

– Pour elle-même. Pour être la mère du prochain Haut Roi.

– Je ne l'envie pas, fit-elle avec mépris.

– En êtes-vous sûre? Vous êtes la fille de Perceval, pouvez-vous ainsi être dépourvue d'ambition?

– Et vous, le fils de Méliodas et le petit-fils de Constantin, le pouvez-vous?»

Il rit. Il était son instrument et elle jouait de lui comme un barde de sa harpe.

«Nous sommes de la même étoffe, vous et moi, et le pouvoir nous apporte peu de joie. C'est ensemble que nous en éprouvons.

– Tristan, dit-elle quand il s'avança vers elle, ne me touchez pas. Vous savez que je vous aime de tout mon cœur et je vous aimerai toujours, mais aujourd'hui, j'ai... j'ai juré devant Dieu, et ce serait péché mortel.

– Je ne l'ai pas oublié. Je ne suis là que pour vous réconforter. Par le sang du Christ, Iseut, je jure que je ne dormirai plus jamais avec vous. Ce serait la damnation pour nous deux.

– Si nous ne sommes déjà maudits. Mais à qui puis-je me confesser? Pas à l'évêque, qui est l'ami de mon mari.

– Ne l'appelez pas ainsi.

– Mon mari, oui, c'est mon mari! répéta-t-elle d'une voix forte. Nous ne pouvons le nier. Et tandis que nous parlons, il couche avec ma suivante et non pas avec moi. Je le rends adultère même s'il l'ignore.

– Il n'est pas innocent, croyez-moi. Ce qu'il fait à cette heure, il l'a déjà fait des centaines de fois. Vous pensez qu'il a été fidèle à Élisane? Pas un seul jour de leur union. Il ne le sera pas davantage avec vous. Il prend son plaisir où il le trouve, et il l'a toujours fait.

– C'est l'homme que mon père m'a choisi? murmura-t-elle les larmes aux yeux. Ce n'est pas juste...

– Oui, mon aimée, mais vous en savez la raison aussi bien que moi. Qu'il dépose sa semence où bon lui semble, vous seule pouvez porter l'héritier du Haut Roi. L'héritier doit être le sien, insista-t-il en la prenant par les épaules, et celui de personne d'autre. Tout le monde se moque de savoir qui couche avec Marc, mais c'est la Cornouailles, non, la Bretagne qui couche avec vous!

– Alors partez, Tristan, dit-elle en le regardant droit dans les yeux. Quand vous me touchez, mon corps est en feu!»

Il se retira, le souffle court, et posa la main sur la poignée de son épée.

«Ma dame, je m'en vais.

– Vous vous en allez? Je ne voulais pas dire… Où allez-vous?

– Loin d'ici. À Dorria. À Lyonesse.»

Elle poussa un cri avant de plaquer sa main sur sa bouche.

«Si loin de moi? Mais pourquoi?

– Rester vous mettrait en péril, vous le savez. Oui, je dois partir.

– Quand? Dites-le-moi.

– Avant l'aube.

– *Cette nuit?* Oh, mon amour, ne partez pas, implora-t-elle en lui pressant la main. Pas si tôt! Que ferai-je demain soir quand… quand…»

Elle tomba à genoux et amena la main de Tristan à ses lèvres. Il referma ses doigts sur les siens.

«Iseut, mon Iscut, prenez courage. Je reviendrai. Dieu sait que je ne pourrai rester loin de vous. Mais nous devons être prudents. Segward nourrit des soupçons à mon égard et je ne puis trouver nulle excuse pour séjourner ici plus longtemps.

– Comment le savez-vous?

– Dinadan en est persuadé.

– Eh bien, j'ai de meilleures informations, dit-elle en se relevant. Dame Esmerée m'a confié que ses soupçons se portent sur quelqu'un d'autre.

– Que voulez-vous dire?»

Tristan s'assit sur le tabouret tandis qu'Iseut marchait nerveusement dans la chambre, les yeux brillants, des mèches folles s'échappant de son bonnet.

«Segward pense que vous vous consumez pour Branwen. C'est une rumeur que sire Guvranyl a répandue en toute innocence. Il la tient du messager que nous avons envoyé avant de quitter l'estuaire: lui-même la tient du vieux Junius, sans aucun doute. Il croit, non, tout le monde croit que vous vous mourez d'amour pour la suivante de la reine. Dame Esmerée m'a assuré que nous ne devons en rien infirmer cette rumeur. Vous pourrez séjourner ici tant que vous le voudrez et chacun mettra cela sur le compte de votre amour pour Branwen. Tristan, vous resterez, n'est-ce pas? Vous avez dit que vous vouliez mon bonheur.

– Oui, mais je ne vous mettrai pas en danger pour autant.

Segward ne croira pas longtemps un tel mensonge. Je ne puis dissimuler mes sentiments, c'est trop cousu de fil blanc.

– Demain soir j'aurai besoin d'un océan de bien-être!»

Tristan ferma les yeux pour chasser cette pensée.

«Mais, Iseut... je ne puis être ici demain.

– Pourquoi?

– Si je me trouve près de lui quand il vous touchera, dit-il avec calme, je le tuerai.»

Elle ne répliqua pas et s'assit par terre, à ses pieds. Tristan jeta un rapide coup d'œil par la fenêtre pour observer la position des étoiles. Il avait encore des heures devant lui. Elle tremblait comme feuille au vent. Il ne pouvait la quitter, mais il ne trouvait rien à lui dire. De toutes ses forces, il voulait ignorer sa proximité. L'étoffe de soie caressait sa jambe, mais l'orage qui grondait en lui mettait ses nerfs à rude épreuve.

Grave, différente, la voix d'Iseut l'interrompit dans ses pensées.

«Dame Esmerée sait beaucoup de choses sur votre compte.

– Nous sommes de vieux amis.

– Des amis?

– Nous nous sommes rencontrés par le truchement de mon oncle Pernam alors que je me remettais des blessures infligées par Marhalt.

– C'est donc une amie du prince Pernam?

– Oui. La mienne également.»

Il ne pouvait s'empêcher de sourire devant sa jalousie. Comme elle avait été prompte à comprendre! Il était certain qu'Esme ne lui avait rien confié et qu'Iseut avait tout deviné à une inflexion de la voix, un mouvement de tête, un rire trop appuyé. Les femmes devaient partager un langage mystérieux et certains secrets ne pouvaient leur échapper.

«Esmerée sait la vérité à notre propos. Elle l'a sue tout de suite, dès qu'elle est entrée dans la grande salle. Elle vous connaît très bien, Tristan. Sa détresse devant notre épreuve était évidente. Et ce n'est pas pour moi qu'elle...

– En partie, si. Son cœur peut accueillir toute la misère du monde.

– C'est la plus belle femme que j'aie jamais vue.

– Elle est très belle, en effet, mais j'en connais une qui l'est encore plus.

– Elle vous a appelé "Orphée", de quoi donc l'avez-vous sauvée?»

Tristan regarda son visage tourné vers lui. Son regard était le messager de son cœur, malgré ses incertitudes et ses craintes, elle ne désirait que son amour. Il serra les poings pour ne pas caresser sa chevelure, la courbe de sa joue. Bientôt c'en serait fini de sa résolution, il fallait qu'il se libère d'elle au plus vite.

«Que désirez-vous savoir, Iseut? Demandez-le-moi et je vous dirai la vérité.

– Est-ce… est-ce que vous l'aimiez quand vous dormiez avec elle?»

Iseut se tenait à côté de lui, une main posée sur son bras. Son doux parfum l'enivrait. Malgré lui ses bras saisirent sa taille et ses mains glissèrent sur son dos. Le désir lui martelait les tempes.

«Si je l'aimais? Je le croyais alors. Mais… ce n'était rien à côté de ce que j'éprouve à présent.

– En êtes-vous certain? Ne l'avez-vous jamais aimée autant que moi? Répondez-moi, Tristan, je veux savoir si c'est un sentiment qui un jour s'étiolera et m'abandonnera ou si je le connaîtrai à tout jamais.»

Il faillit rire en entendant ses propres pensées énoncées avec tant de précision.

«Jamais. Par Dieu, ce ne fut jamais ainsi.»

Dans ses bras, elle était comme une flamme vive. Elle vibrait de désir, ses cheveux échappaient à leurs rubans, son regard incandescent s'accrochait au sien.

«Jamais ainsi…», répéta-t-il avant de trouver ses lèvres.

Elle répondait à ses caresses, respirait avec lui, se mouvait avec lui, faisant déjà un avec son désir muet.

À leurs côtés la chandelle vacilla un instant sous le vent nocturne, puis elle mourut.

Il s'éveilla dans l'obscurité. Un instant, il ne sut où il se trouvait. Puis il sentit la peau soyeuse de la jeune fille contre son corps, ses cheveux contre son bras, la douce chaleur de sa chair embaumée des senteurs de l'amour. Une paix profonde s'empara de lui, un bien-être infini, le sentiment d'être dans un domaine auquel ils appartenaient tous deux.

«Iseut…», murmura-t-il.

Le son de sa voix le réveilla et tout lui revint en mémoire. Il se figea. Dans ses bras, elle bougeait doucement.

«Tristan…»

À deux reprises tu prêteras devant ton Dieu un serment que tu ne pourras tenir, des mensonges pour lesquels tu devras répondre. Par deux fois il avait juré – *juré!* – de ne pas la toucher. Au nom du Ciel, que leur restait-il à présent?

«Dieu me vienne en aide, murmura-t-il à son oreille, Dieu nous pardonne.»

Elle s'immobilisa. Autour d'eux le silence était pratiquement absolu. On n'entendait que le doux soupir des vagues contre la pierre de la forteresse.

«Je m'en moque, dit-elle enfin. L'enfer même me serait plaisant si nous y allions ensemble.

— Iseut...

— L'enfer sur cette terre, c'est vivre sans vous, Tristan. Nous ne sommes plus qu'un, maintenant et à tout jamais. Si Dieu nous condamne, alors j'accueille sa condamnation.

— Iseut, mon bel ange...

— C'est *vous* mon époux, Tristan, pas Marc.

— Oh, Seigneur, dit-il en l'attirant contre lui, comme j'aimerais qu'il en fût ainsi!

— Vous l'êtes pourtant. Les mots que j'ai prononcés devant Marc ne font pas de lui mon mari. Les paroles ne sont rien et c'est à nos actes que nous sommes jugés. Cela fait de lui le mari de Branwen et de vous, le mien.

— Je suis vôtre à tout jamais, douce Iseut, mais vous êtes toujours l'épouse de Marc: nous n'avons pas le pouvoir de défaire cela, quelle que soit la force de notre amour.

— Écoutez-moi. Il n'y a pas mariage sans consommation et il en a *toujours* été ainsi. Tant que vous et moi serons fidèles l'un à l'autre, nous serons plus étroitement unis que je ne le serai jamais à Marc, et peu m'importent les mots que l'évêque a prononcés sur nos têtes. Oh, Tristan, promettez-moi, et je vous promettrai, que jamais, je dis bien jamais, nous ne dormirons avec quelqu'un d'autre. Ainsi nous serons fidèles à notre amour toute notre vie.»

Il souffrait de la voir lutter ainsi. Il ne pouvait supporter l'idée de lui révéler que ce n'était qu'un rêve bâti sur des cendres, que dans la splendeur d'une extase il l'avait amenée à la perdition.

«Coucher avec Marc serait un adultère, reprit-elle alors qu'elle s'était mise à trembler.

— Mais est-il possible de l'éviter?

— Si Branny est aussi ambitieuse que vous le croyez, si elle continue de prendre ma place... oui, il doit être possible de l'éviter.

— Douce Iseut...

— Et vous, Tristan, pourquoi hésitez-vous à me faire cette promesse?

— Je ne voudrais pas faire une promesse que je ne pourrais tenir.»

Elle ondula contre lui, les lèvres brûlantes, l'arrachant à son désespoir pour le mener au cœur de son désir.

«Puisque je dois être damnée aujourd'hui ou plus tard, je préfère que ce soit aujourd'hui. Allons, Tristan, faites-moi cette promesse si vous m'aimez.»

Il lui baisa la main.

«Je jure par tout ce que je tiens pour sacré que je ne dormirai avec nulle autre femme. Vous avez mon cœur, Iseut, et au jour de la damnation, nous franchirons main dans la main les portes de l'enfer.»

Il ôta la bague en émail qu'il portait au doigt et la glissa au sien.

«Voici un gage d'amour. Rappelez-vous, quand vous regarderez l'aigle gravée sur ces armoiries, que vous êtes reine de Lyonesse et mon épouse.»

Il l'embrassa à nouveau, repoussant les ombres, ravi par la chaleur de son amante et le désir qui renaissait en elle.

«Peut-être est-ce possible, après tout. Dieu, dans Son infinie sagesse, a donné de l'ambition à Branwen. Espérons qu'Il lui en a donné suffisamment.»

Les étoiles avaient pâli, leur éclat nocturne s'était éteint avant que Tristan ne sortît du lit de Branwen pour descendre l'escalier en silence et rejoindre Dinadan auprès des chevaux. Mal réveillé, le garde le vit s'en aller.

16

L'HÉRITIER

Le vieux Talorc, roi d'Elmet, était en selle : de la crête d'une colline, il dominait la vallée où faisait rage une bataille à l'issue incertaine. En formation assez disparate, les Bretons affrontaient une horde de barbares. La plaine était gorgée de sang, couverte de boue et de cadavres. Le fracas des armes parvenait au roi et à son escorte, assourdi toutefois par les cris des corbeaux qui planaient au-dessus des combattants.

Frêle et barbu, le nez rougi par le froid bien qu'on fût en avril, le roi leva la main pour appeler son capitaine.

« Pylas, ma vue me trahit. Que se passe-t-il donc, par Mithra ?

— Votre noble fils, le prince Drustan, dirige le centre, qui résiste bien. Uwaine de Rheged occupe le flanc droit, toujours intact quoique vacillant. Ils ont reçu de rudes coups.

— Et ces maudits Corniques, les renforts envoyés par Marc ?

— Bruenor de Dorria est à la tête du flanc gauche, sire, et il se comporte bien en dépit du nombre. Je n'ai jamais vu autant d'Angles : il y a là au moins dix tribus !

— Bah, dit le roi en se drapant dans sa cape, ils s'unissent quand ça les arrange. Je connais les chefs de leur fédération. Croyez-vous que nous n'avons pas d'espions ? Mais ils n'avaient jamais osé se frotter à nous avant de traiter avec cet immonde Saxon, Badulf. »

Il cracha pour signifier son mépris. Son regard se porta sur la rivière et sur la dizaine d'embarcations à haute proue et à coque plate amenées à sec sur la grève. Leurs voiles étaient frappées de l'emblème de Badulf, un dragon marin de couleur blanche.

«La puissance des mers, murmura le vieux roi. Une fois que ces satanés Angles auront la puissance des mers…

— Sire, s'excusa le capitaine, les hommes rapportent que Tristan de Lyonesse pense que les Saxons pourraient…

— Ah, Tristan! ricana Talorc. Excellente idée, dites-nous ce que pense Tristan. Par le Taureau, Pylas, comment Marc a-t-il eu le front de l'envoyer ici? Sa place est dans un monastère, à chanter des cantiques, pas sur un champ de bataille!

— Sire, sa réputation de guerrier est sans égale…

— En Cornouailles, peut-être. S'il était aussi bon qu'on le prétend, c'est *lui* qui mènerait les troupes de Marc. C'est son neveu, l'héritier du Haut Royaume. Mais non, Marc envoie un sycophante qui n'est même pas de sa parenté. Par le sang du Taureau, j'ai eu honte de le recevoir, mais j'avais besoin des hommes qu'il amenait avec lui.»

Le roi tremblait et le capitaine fit signe à une ordonnance, qui apporta une outre de vin tiède.

Pendant que Talorc buvait, Pylas observait le champ de bataille.

«Là, sire, regardez! De la fumée!

— Où?

— Sur la rivière. Les embarcations des Saxons dérivent et elles sont en feu!

— En feu? Mais comment? Qui les a embrasées?

— C'était le plan de sire Tristan, dit en souriant le capitaine, c'est du moins ce que l'on raconte. Arriver derrière les Saxons et brûler leurs navires pour qu'ils ne puissent se replier. Regardez. Dès que leur garde arrière aura repéré la fumée, les Saxons abandonneront les Angles.»

Il avait à peine achevé sa phrase qu'une clameur se faisait entendre. Des hommes couraient vers la rivière. Immédiatement, le flanc gauche des Bretons s'avança pour coincer les barbares entre le centre de la ligne bretonne et l'eau.

«Ainsi donc, dit doucement Talorc, Bruenor connaissait ce plan.

— Oui, sire, apparemment.

— Combien d'embarcations sont en feu? Sont-elles toutes détruites?

— Toutes sauf une, sire, et il semble qu'elle descende la rivière.»

Le chant de gloire d'Elmet retentit alors que les flancs des Bretons se refermaient sur les Angles telles les mâchoires inexorables d'un prédateur. Talorc sourit.

«Par ici, Din, vite!»

Tristan coinça sa dague entre ses dents et abandonna son coracle improvisé pour sauter dans l'eau. De l'épaule, il poussa le navire saxon.

«Tris, mais qu'est-ce que tu fais? lui demanda Dinadan, qui se rapprochait, une torche à la main.

— Non, pas celle-ci, on va s'en emparer! Aide-moi à l'éloigner de la grève pendant qu'on ne nous voit pas.»

Dinadan éteignit la torche et se glissa dans l'eau. À eux deux, ils dégagèrent la proue de la vase. Une fois libre, l'embarcation glissa doucement sur les flots. Tristan se hissa à bord.

«Appelle les hommes, six suffiront à la manœuvrer, peut-être moins. Vite! D'une minute à l'autre ils verront la fumée et ils seront sur nous. Va chercher Brach, Harran, Borsic…

— Mais *pourquoi*?

— On va s'en emparer, on va la faire voguer, c'est notre récompense!

— Tu as perdu l'esprit!»

Mais il était trop tard pour discuter. Tristan sortait les avirons. Une jeune vigie saxonne avait aperçu la fumée. Incrédule, l'homme vit la flotte brûler et le dernier navire entraîné par le courant. Il jeta sa hache à terre et se mit à courir. Tristan le regarda plonger dans l'eau et nager à toute allure. Les guerriers de Dinadan ne seraient pas là avant plusieurs minutes et, seul, il ne pouvait ramer. Le blond Saxon n'était plus qu'à une longueur d'aviron. Tristan tira son épée et prit place sur la partie la plus large du pont. C'était une mort inutile et il ne désirait pas la voir inscrite à son actif, mais il connaissait les Saxons: la passion les poussait à se battre et ils ne réfléchissaient pas. Rien n'empêcherait ce garçon de monter à bord.

Il entendit ses halètements, vit ses mains s'accrocher au plat-bord, lancer une jambe puis l'autre. Le garçon roula sur le plancher. Tristan s'avança et posa la pointe de son épée sur sa poitrine nue. Ils se regardèrent longuement. Ce Saxon imberbe n'avait même pas quinze ans, mais la fureur déformait son visage. Il s'empara de sa dague puis la laissa tomber. Des larmes mouillaient ses yeux bleus.

Il était cruel de le faire attendre. Une telle bravoure méritait une mort heureuse.

«Rejoins tes dieux, Saxon», dit Tristan en lui enfonçant sa lame entre les côtes.

Le garçon s'effondra et Tristan tint un instant son corps entre ses mains. Sa voix se fit murmure.

«Puissent-ils éloigner le mal de ton âme.»

Des hurlements et des jurons lui firent relever la tête. Soixante Saxons s'élançaient vers lui en brandissant de courtes épées ainsi que des haches à deux lames. Sous lui, l'embarcation commençait à prendre de la vitesse. Il arracha son épée du corps du jeune homme et le poussa par-dessus bord avant de se signer à la hâte. D'un rapide coup d'œil, il constata que la plupart de ses hommes avaient rejoint les forces corniques placées sous la direction de Bruenor. Dinadan et quatre autres compagnons ramaient ferme pour le rejoindre. Les Saxons se jetèrent à l'eau et trois d'entre eux arrivèrent au bateau avant les Bretons. Tristan tua le premier au moment où il sortait de l'eau. Le deuxième se hissa à bord et voulut lever sa hache, mais l'épée de Tristan lui déchira le ventre au point que ses entrailles se répandirent sur le pont. Musclé mais transi de froid, le troisième Saxon bondit sur Tristan, mais celui-ci fut plus prompt et lui planta sa dague dans la poitrine. Il poussa un hurlement et saisit Tristan à la gorge, mais il ne put l'empêcher de ramasser son épée et de la faire tournoyer. La lame s'abattit sur la nuque de l'homme. Tristan s'immobilisa un instant, maudit sa victime et, empoignant la tête par les cheveux, la lança dans la rivière.

«Tristan, derrière toi!» lui cria Dinadan qui enjambait le plat-bord.

Dix autres Saxons grimpaient sur le navire. Tristan leur fit face, aidé de ses compagnons, et, peu à peu, tandis que le bateau répondait au courant et prenait de la vitesse, ils se débarrassèrent de leurs assaillants.

Tristan trancha les amarres.

«Hisse la voile, dit-il à Dinadan, je vais manœuvrer.»

L'embarcation était docile et réagissait au moindre souffle de vent. La main posée sur la barre, Tristan s'étonna de sa vitesse et de sa stabilité. Au cours de toutes ces années passées à naviguer près des côtes de Lyonesse, il n'avait jamais connu de vaisseau si maniable. La rive semblait défiler à toute allure avec ses bosquets qui s'éveillaient au printemps. Le fracas de la bataille cédait la place au silence.

Tristan désigna les cadavres des Saxons couchés près de l'étrave.

«Prenons-leur leurs vêtements et balançons-les par-dessus bord rejoindre leur dieu des eaux. Je les aurais tués rien que pour une ou deux tuniques, je meurs de froid.

— Ils sont trempés, Tris, remarqua Dinadan.

— Je m'en moque, ce n'est que de l'eau. Mes habits regorgent de sang.»

Sur ce, il se débarrassa de sa tunique et de ses chausses, préférant rester nu et sentir la morsure du vent sur sa chair que garder une minute de plus ces hardes souillées par du sang saxon. Il frissonna. Un instant, quand les mains de l'homme s'étaient refermées sur sa gorge et que le souffle lui avait manqué, il avait paniqué. Le souvenir de Marhalt s'était imposé à lui.

Dinadan revint avec un ballot de vêtements sous le bras.

«Tiens, tête de mule, prends ce qu'il te faut. Seigneur, tu n'as plus que la peau sur les os! Qu'est-ce qui ne va pas?

— Tu le sais très bien, répondit le jeune homme d'un air triste avant de se saisir d'une tunique. Vous feriez bien de vous changer, vous aussi, ajouta-t-il à l'adresse des rameurs. Dans une heure, nous atteindrons l'embouchure de la rivière et je ne veux pas qu'on nous prenne pour des Bretons.

— Pourquoi? Toutes ces terres appartiennent à Elmet. Talorc est un allié.

— Dans ce cas d'où sortent ces hommes qui ont débarqué? Cette embarcation est faite pour les fleuves et les rivières, elle n'est pas adaptée au grand large. Les côtes saxonnes sont loin d'ici, c'est pourquoi je me demande d'où elle vient.

— Tu veux dire qu'ils auraient une base ici? En terre angle?

— Oui, et si tout ce coin dépend d'Elmet, c'est que quelqu'un trahit le vieux Talorc et traite avec les Saxons. Je veux savoir qui!

— Qu'est-ce qu'on cherche alors? demandèrent les hommes. Des chaloupes?

— Oui. Ou un camp saxon. Ou encore une flottille d'embarcations comme celle-ci. Un endroit où les habitants lèvent la main pour nous saluer.

— Écoute, fit Dinadan, nous n'avons qu'un bateau et nous ne pouvons échapper à un navire saxon bien équipé s'il nous donne la chasse.»

Tristan regarda la voile brunâtre frappée de l'emblème du dragon de mer.

«Ne t'inquiète pas, Din, j'ai une heure pour apprendre à piloter.»

Les hommes se pressaient dans la salle des banquets, cherchaient à s'asseoir sur les bancs ou s'écrasaient le long des murs. Badulf était mort et chacun voulait voir de ses yeux le prince cornique qui, en un après-midi, avait débarrassé Elmet des Saxons. Partout couraient des serviteurs. La viande et le vin furent déposés sur les tables ou distribués entre les guerriers restés debout. Le roi voulait que personne n'eût faim ou soif en cette soirée de célébration.

Sur l'estrade, à côté du roi Talorc, du prince Drustan, de sire Uwaine et de sire Bruenor, étaient assis les responsables de l'embuscade. Tristan avait pris place à la droite du roi; à côté de lui, Dinadan et les quatre compagnons qui avaient manœuvré l'embarcation saxonne.

Vêtu d'une superbe robe écarlate bordée de fourrure, le roi Talorc leva sa coupe en l'honneur de ses hôtes corniques. Non seulement leurs forces combinées avaient permis de remporter la victoire sur les Angles, ennemis de toujours d'Elmet, mais ils avaient également chassé les Saxons honnis. Le vieux loup avait été arraché à sa cachette et tué grâce à la ruse conçue par sire Tristan. En s'emparant d'un bateau et en se travestissant en Saxons, ses compagnons et lui-même avaient découvert leur repaire marin et attiré sept de leurs redoutables chaloupes en amont, où l'armée bretonne, toujours sur le terrain, les avaient détruites de leurs flèches embrasées. Badulf était mort et son fils avec lui. Les villageois bretons s'étaient soulevés et ils avaient incendié la base saxonne. Les survivants avaient repris la mer dans des navires de fortune.

Dinadan adressa un clin d'œil à Tristan. Pour Talorc, cette victoire était prévisible, mais elle aurait pu leur échapper si les chaloupes saxonnes avaient rattrapé Tristan et ses amis. Il brandit sa coupe et but.

«Grâce à Tristan de Lyonesse, déclara pour finir Talorc, Elmet était débarrassé du fléau saxon pour la première fois en dix longues années.»

Tous les guerriers présents dans la salle se levèrent, firent claquer leurs bottes sur le sol et applaudirent à tout rompre. Tristan s'inclina et, quand ils le laissèrent enfin parler, il les remercia avec l'accent d'Elmet et se déclara honoré d'avoir pu rendre service à leur roi. Si jamais ils découvraient un terrier abritant d'autres renards du même acabit, il se ferait un plaisir de leur prêter main forte. Les hommes rirent et applaudirent à nouveau. Pour avoir si bien repris leurs expressions et leurs intonations, s'émerveillaient-ils, il devait avoir l'oreille d'un barde.

Talorc ôta le bracelet d'or orné de pierres précieuses qu'il portait au bras et le glissa à celui de Tristan.

«Vous nous faites honneur, seigneur Tristan, dit-il d'un air grave. Acceptez cette marque de respect de ma part. De toute ma vie, je n'ai rencontré qu'un seul homme aussi brave que vous, et c'était

Galaad de Lanascol, né en Armorique mais breton au plus profond de son cœur. Vous appartenez au temps béni d'Arthur, une ère de noblesse et de bravoure qui ne survit plus que dans les récits des bardes.»

Tristan s'inclina.

«Sire, il est une expression à Lyonesse : on raconte que je suis né entre les étoiles. Je ne vis pas dans ce monde, je ne lui appartiens pas. On prétend que je dépends d'un autre univers. Que je suis un voyageur.

– Puisse Mithra guider vos pas, dit le roi. C'est un rude destin que le vôtre.»

Une trompette sonna et les portes de la salle s'ouvrirent sur un messager. Sa cape s'ornait de l'emblème royal, signe qu'il appartenait au roi Marc. L'homme s'avança jusqu'à l'estrade et s'agenouilla devant Talorc.

«Seigneur Talorc, roi d'Elmet, je vous apporte les salutations de Marc de Camelot. Il y a huit semaines, à Tintagel, la Haute Reine Iseut a donné un fils à son époux, et l'enfant se porte bien. L'union de Galles et de la Cornouailles est désormais parachevée. C'est pourquoi le roi Perceval de Gwynedd envisage de se rendre à Camelot et en Cornouailles pour le solstice d'été. Nous vous invitons à célébrer l'union de la Bretagne en apportant le soutien de votre royaume à la cause supérieure de celle-ci et en allumant un feu de joie en l'honneur de l'héritier royal.

– Elmet remercie Marc de lui apporter de telles nouvelles, dit Talorc dont le visage ne reflétait pas la moindre expression. C'est avec plaisir que nous allumerons ce feu. Un prince en bonne santé, voilà un heureux présage pour un royaume. Quant à nous rendre à Camelot en été pour rejoindre l'alliance du roi, nous en parlerons à notre conseil avant de vous faire part de notre réponse. À présent prenez place et buvez avec nous. Apportez-nous des détails. Comment s'appelle cet enfant, Constantin?

– Non, sire. Le Haut Roi lui a donné le nom de son neveu, qui lui a valu son trône et son épouse. Tristan le jeune, c'est ainsi qu'on le nomme.»

Dinadan se tourna vers Tristan dont le visage était encore plus blême qu'à l'ordinaire.

«Qu'y a-t-il? fit Talorc.

– Qui a choisi ce nom? demanda Tristan d'une voix tremblante. La reine? Sire Segward? Marc lui-même?»

Le messager était gêné.

«Quelle importance? reprit Talorc. Votre oncle a accordé son consentement et il vous rend honneur. Je lève ma coupe en votre nom. Longue vie à Tristan de Lyonesse!»

La salle résonna de hourras. On offrit un siège au messager et chacun le pressa de questions.

«Étiez-vous à Tintagel? voulut savoir Dinadan. Comment se porte la reine?

— Oui, seigneur. J'étais là pour la naissance, avec toute la cour de Marc. Un beau garçon, Dieu soit loué, l'image même du Haut Roi. Quand sire Marc partit pour Camelot, la reine était suffisamment remise pour dîner avec nous. Elle était plus belle que jamais, si je puis me permettre.»

Les hommes sourirent et Talorc acquiesça.

«Oui, j'ai entendu parler de sa beauté. Marc a bien de la chance.»

Tristan se tint un instant le front. Après avoir terminé son vin, le messager donna d'autres nouvelles.

«Le prince de Cornouailles ne sera pas seul longtemps, déclara-t-il en adressant un clin d'œil amusé à Tristan. Dame Branwen est grosse et doit bientôt mettre au monde son enfant, mais peut-être est-ce déjà arrivé: je suis en effet parti depuis plus d'une quinzaine.

— Branwen, avez-vous dit? fit Tristan quand il eut remarqué que tous les regards se portaient sur lui. Est-ce un fils ou une fille?

— Je ne puis vous le préciser pour l'instant mais, quand j'ai quitté Tintagel, elle ne cessait de maudire le jour où elle avait couché avec un homme.»

Tous éclatèrent de rire, à l'exception de Tristan qui paraissait mort d'angoisse.

«Dinadan, allons-nous-en.

— Tu ne peux pas partir, ce serait insulter Talorc. C'est en ton honneur que se donne cette réception. Tu déclencherais la guerre en humiliant ainsi le roi.»

Tristan et Dinadan ne purent se retirer que bien plus tard. Pour avoir bu quantité de vin pur, ils marchaient dans les couloirs en se tenant par le bras et suivaient le page jusqu'aux chambres que le roi Talorc avait fait préparer à leur attention. En comparaison de Tintagel, la forteresse royale était assez primitive avec ses sols de terre battue et ses murs en pisé. En revanche, la chambre à coucher était décorée de tapisseries et le sol jonché de paille. Très sobre, le lit était couvert de fourrures et de coussins. Une outre tiédissait près du brasero. Tristan prit un des gobelets d'argent posés sur la table, le remplit de vin et le vida d'un trait.

«Au nom du Ciel, mais qu'est-ce qui te prend ce soir? gronda Dinadan dès que le page eut refermé la lourde porte. Tu bois autant que Segward.

— Je... je ne savais pas, balbutia Tristan qui titubait un peu. Elle ne m'a pas fait prévenir. J'ignorais qu'elle avait un enfant! Ah, depuis combien de temps suis-je parti? Six mois à Dorria et à Lyonesse avant de venir à Elmet... largement le temps de m'envoyer un mot. Pourquoi diable ne m'a-t-elle rien dit? fit-il en serrant si fort son gobelet que ses doigts blanchirent. Mais peut-être n'est-il pas de moi...

— Allons, Tris, bien sûr que cet enfant est de toi. Chacun le sait en Cornouailles, mais elle est fière et peut-être n'a-t-elle pas voulu te forcer la main.

— Me forcer la main? Mais qu'aurais-je pu faire? Rien.

— Pourquoi te prévenir? Elle savait, sans aucun doute, que tu l'apprendrais de toute façon.

— Je me demande, fit Tristan qui contemplait son vin d'un air misérable, oui, je me demande si elle a pu m'être fidèle.

— Bien entendu, elle est amoureuse de toi depuis que tu l'as amenée en Cornouailles.

— Oui, mais l'est-elle encore? Oh, Dinadan, il m'arrive de me réveiller en sueur et de l'imaginer avec Marc...

— Avec *Marc*? Mais pourquoi?

— Et si ce n'était pas *mon* fils?

— Ton fils? Cet enfant est...

— N'as-tu pas entendu? Le prince de Cornouailles porte mon nom.

— ... encore à naître.»

Le silence se fit. Tristan reposa le gobelet avec beaucoup de soin. Dinadan écarquilla les yeux et son souffle se fit sifflant.

«Nous ne parlons pas de Branwen?»

Tristan fit non de la tête.

— Dans ce cas, est-ce que nous... est-ce que nous parlons de la Haute Reine de Bretagne, l'épouse de Marc?»

Tristan se contenta d'un hochement de tête.

«Es-tu en train de me dire que le prince de Cornouailles pourrait être *ton* fils et pas celui de Marc?

— C'est possible, fit son compagnon en haussant les épaules. C'est même probable.»

Dinadan était incapable de prononcer un mot. Il empoigna la colonne du lit pour conserver son équilibre et s'assit lourdement. Immobile, droit comme une lance, Tristan attendait la suite.

« Tu as couché avec Iseut ? C'est ce que tu es en train de me dire ? Seigneur Jésus, tu es un homme mort, Tristan ! Je n'aurais jamais cru ça de toi. Cocufier Marc ! Je sais que tu t'es entiché d'elle, dit-il en détournant la tête, et chacun peut comprendre pourquoi, mais trahir Marc pour elle ! J'espère que tu te rends compte que tu as mis ta vie en péril. Et pour quelle raison ? Il n'est pas un secret qui ne se découvre. Marc – ou Segward – le saura un jour ou l'autre.

– Ce n'est pas qu'une passade. »

Dinadan s'étonna de la réponse de Tristan. Le visage de son ami n'avait plus rien d'un masque, c'était à présent une fenêtre ouverte sur son cœur. Des larmes vinrent aux yeux de Dinadan.

« Non, Tristan, elle ne peut être ton grand amour, l'âme sœur que tu cherches depuis toujours. C'est impossible. Elle est l'épouse de ton oncle, ton souverain, et coucher avec elle, c'est trahir le roi ! Depuis combien de temps cela dure-t-il ? Tu veux me tenir à l'écart ? Tu ne me fais plus confiance ? insista-t-il en se versant un plein gobelet de vin. Tu as changé, Tristan. Sur ma vie, je ne soufflerai mot de tout ceci à personne. Tu as ma parole. Mais enfonce-toi bien dans le crâne qu'Iseut est la femme de Marc et par conséquent la Haute Reine de Bretagne. Elle n'est pas et elle ne pourra jamais être ton amante ! »

Tristan rougit et saisit Dinadan par le bras.

« Merci. Tu es bon et j'ai besoin de toi. Mais comment puis-je t'expliquer ? Si tu n'as jamais éprouvé la sensation de mourir en tant qu'individu puis de renaître dans un halo sous la forme d'un être total, qui n'a plus besoin de rien... si tu n'as jamais été entièrement dominé par une femme qui t'aime, je ne puis te donner aucune excuse que tu comprendrais.

– C'est la justification de ta trahison ? Puisse Dieu te pardonner.

– C'était inévitable. J'ai fait de mon mieux pour l'éviter, pour demeurer à l'écart, mais c'était au-delà de mes forces. Certaines choses doivent être, c'est tout.

– Mais si c'est ce que tu croyais, pourquoi diable l'as-tu amenée en Cornouailles ? Et pourquoi es-tu resté quand Marc l'a épousée ?

– Avais-je le choix ? s'écria Tristan.

– Bon, dit son ami en le prenant par les épaules. Tu as au moins compris ça. Tu n'avais pas le choix à moins de vouloir passer ta vie en exil. Mais je t'en prie, explique-moi, comment l'enfant d'Iseut pourrait être le tien ? Tu as passé peu de temps avec elle, elle était accompagnée à tout moment d'Esmeréc ou de Branwen. Comment as-tu fait pour forcer leur barrage ?

— Là encore, mon ami, tu as tort. Branwen fait partie de notre plan.»

Dinadan écouta la confession de Tristan, en proie à un engourdissement toujours plus grand. Il était de moins en moins capable de réfléchir correctement, de comprendre ce qu'il entendait.

«Tu ne peux pas être certain que ce garçon est de toi, protesta-t-il enfin. Nous sommes partis depuis plusieurs mois. Ta douce Iseut a dû coucher avec Marc une centaine de fois depuis.

— Elle a juré qu'il n'en serait rien. Mais j'ignore si... s'il lui a été possible d'être fidèle à son vœu. C'est pourquoi je dois retourner là-bas, pour voir si c'est mon enfant ou celui de Marc.

— Elle a juré qu'il n'en serait rien, dis-tu? Qu'est-ce que cela signifie? Comment aurait-elle pu l'éviter?

— Si Branwen a accepté de prendre sa place.

— Seigneur! Tu veux dire... de manière *permanente*?»

Tristan fit signe que oui.

«Comment as-tu pu? Deux jeunes filles innocentes, tu les as souillées toutes les deux!

— Et si aucune d'elles n'a jamais dormi avec un autre homme que celui qui lui a pris sa virginité? N'est-ce pas de la fidélité?

— Mais tu es entré dans le lit de Branwen, toute la Cornouailles le sait!

— Oui, concéda Tristan, mais je n'ai pas couché avec elle.»

Dinadan mit quelques secondes avant de comprendre.

«Dieu... Marc est le père de l'enfant de Branwen?

— Il doit en être ainsi.»

Dinadan n'éprouva soudain plus aucune lassitude et il se mit à arpenter fébrilement la chambre.

«Et si c'est un garçon? Ta vie est entre les mains de Branwen, ainsi que celle d'Iseut, si elle décide de dire la vérité à Marc.

— C'est pourquoi je veux revenir en Cornouailles.

— Bien. Nous partirons aux premières lueurs. Talorc t'y autorisera. Mon père achèvera l'opération de nettoyage avec les hommes qui lui restent. Mais non, reprit-il après un instant de réflexion, c'est impossible. Comment Marc peut-il ne pas être au courant?

— Il est rarement là, dit Tristan qui ébaucha un sourire. Et il est facile de le berner.

— Pas Segward.

— Comme toute la Cornouailles, il pense que j'ai passé mon temps dans le lit de Branwen. Je suis en sécurité tant qu'elle me sert de bouclier.

« — Pourquoi cours-tu de tels risques ? Tu es chrétien, comment justifies-tu ces actes ?

— Je n'y arrive pas, dit-il avec un haussement d'épaules. Parfois… j'ai envie de mourir et je vais au-devant de la mort, en espérant qu'elle me prenne.

— C'est ce que tu as fait aujourd'hui avec le bateau saxon et tu as bien failli réussir.

— Oui, et ce fut égoïste de risquer vos vies à vous tous. Quand je suis loin d'elle, dit-il en allant chercher l'outre, voilà ce à quoi je pense : mort, péché, misère, damnation.

— C'est pourquoi tu bois. »

Tristan avala un gobelet entier.

« Quand je suis avec elle, Din, j'ai l'impression qu'un solide cocon nous entoure, qu'il nous met à l'abri dans un monde et une époque qui ne sont qu'à nous. Quand nous sommes ensemble, rien d'autre n'a d'importance et, pour moi, c'est ce qui ressemble le plus au Ciel.

— Tristan, ce n'est plus de la témérité mais du suicide. Il doit y avoir une issue.

— Autre que la mort ? »

Quelqu'un gratta à la porte. Dinadan le secoua gentiment.

« Ce qui arrive, c'est encore mieux que le vin pour faire oublier, ne fût-ce qu'un instant. Le prince Drustan a dit qu'il nous enverrait un cadeau. Surveille tes manières et sois poli. »

Un serviteur se tenait à la porte en compagnie de deux très jeunes filles, une brune et une blonde.

« Sire Tristan, sire Dinadan, mon maître, le prince Drustan, vous envoie ces deux pucelles. Ce sont des villageoises mais on leur a donné un bain.

— Je t'en prie, s'empressa de répondre Tristan, remercie pour nous le prince Drustan, mais nous n'avons… »

Dinadan lui envoya un coup de coude dans les côtes au moment où l'une des filles le regardait, l'air apeuré.

« Seigneur, reprit le serviteur un peu nerveux, c'est un honneur pour ces filles de vous servir. Elles ont été soigneusement choisies. Si vous les rejetez, ce sera la honte pour elles et elles ne trouveront jamais de maris. »

Il saisit la blonde par le poignet, la poussa vers Tristan. Elle se tenait tête baissée, frissonnante. Tristan la prit par le menton et lui releva la tête. De grands yeux noirs le regardaient dans un visage déjà marqué par la souffrance. Doucement, Tristan referma sa robe autour d'elle et l'attira à lui. Dinadan poussa un soupir de soulage-ment et saisit l'autre fille par la main. Le serviteur s'inclina.

« Quand vous en aurez assez d'elles, seigneurs, renvoyez-les. Elles savent où aller. »

« Comment t'appelles-tu ? demanda Tristan à la petite blonde.

— Farra, seigneur », murmura-t-elle.

Il lui donna du vin.

« Et moi, je m'appelle Tristan.

— Je le sais, seigneur », fit-elle avec un sourire timide.

De l'autre côté du lit, Dinadan prenait la brune dans ses bras. Tristan jeta des coussins sur le lit, les recouvrit d'une peau de loup et s'assit. Il fit signe à la fillette de s'approcher. Elle vint à lui, après un moment d'hésitation, et il la fit asseoir sur ses genoux. Sous sa robe de laine, son corps frêle ne pesait pratiquement rien. Elle ne devait pas avoir plus de treize ans. Comme elle tremblait beaucoup, il la serra contre lui et lui parla à l'oreille.

« Farra, que dois-je faire pour satisfaire celui qui t'envoie ? Ne sois pas timide, dis-moi quelles instructions tu as reçues.

— Je dois coucher avec vous, seigneur, fit-elle rougissante.

— Ont-ils besoin d'une preuve ?

— Je ne vois pas de quoi vous parlez. »

Il sourit et posa un doigt sur ses lèvres.

« Bien sûr. Pardonne-moi, douce enfant, mais je ne puis coucher avec toi.

— Quoi ?

— Chut... »

Il lui montra le lit où Dinadan s'affairait parmi les couvertures avec la petite brune.

« Mais il le faut, seigneur. Je... je n'ai pas peur.

— Je le sais. Tu es une brave fille, Farra, mais là n'est pas la raison, dit-il en caressant sa joue. J'espérais trouver une sorte de compromis. Je ne veux pas te faire honte. »

Des larmes vinrent aux yeux de la fillette et sa lèvre inférieure trembla. Elle tira sur sa robe jusqu'à ce qu'elle glisse à terre et se serra nue contre lui. Ses bras frêles entourèrent le cou de Tristan.

« Pourquoi vous ne voulez pas de moi, seigneur ? Je ne suis pas à votre goût ? C'est le prince Drustan qui m'a choisie.

— Le prince Drustan s'y connaît en femmes. Tu es charmante et bien faite pour ton âge. »

Il passa la main dans ses cheveux et les rabattit sur ses épaules pour les faire tomber devant ses petits seins.

« Tu ne crois pas que je te désire ? Plus que tu ne le crois, mais je suis tenu par un serment.

— Un serment ?

— J'ai promis à une femme que j'aime de toute mon âme que je lui serais fidèle. Tant que nous vivrons, nous n'aimerons personne d'autre.

— Oh ! dit Farra, les yeux brillants. Comme c'est noble ! Elle est de haute naissance ? Elle est jolie ?

— Oui, de très haute naissance et très jolie. Mais c'est un secret, Farra, sauras-tu le garder ? Son... père n'est pas favorable à ma demande.

— Comment ça ? On dit que vous êtes le plus beau chevalier de tout le pays.

— Je croyais qu'il penserait la même chose. Farra, tu me promets de garder ce secret ?

— Je le promets, seigneur.

— Alors, remets ta robe, petite souris, et ne me tente plus.

— Mais, seigneur, je vais revenir chez moi couverte de honte.

— Ne t'inquiète pas, nous allons trouver le moyen de faire plaisir à ton père. »

La fillette revêtit sa robe. Tristan regarda le lit : Dinadan et la petite brune étaient complètement absorbés par leurs caresses. Il ôta le bracelet d'or que lui avait offert Talorc et le glissa au bras de Farra. Les pierres scintillaient à la lueur des lampes. La fillette était stupéfaite, de sa vie elle n'avait vu pareille merveille.

« Il est à toi, dit Tristan amusé par l'expression de son visage. Tu le mérites bien pour le service que tu m'as rendu cette nuit.

— Mais, seigneur, je n'ai rien fait !

— Chut. Ce n'est pas vrai. Tu as fait tout ce que je demandais. Quel seigneur pourrait exiger davantage ? Rentre chez toi et montre ce bijou à ton père, il comprendra d'où il vient. La moitié d'Elmet a vu le roi Talorc me le remettre. Ton père n'aura pas besoin d'une autre preuve. »

Il sourit devant son incrédulité.

« Qui croirait que je puisse offrir un tel objet sans avoir connu un grand plaisir ? Ne dis rien et laisse-les tirer leurs propres conclusions.

— Seigneur, vous êtes un noble prince. Oh, murmura-t-elle en se blottissant contre lui, comme je vais faire de beaux rêves !

— Oui, moi aussi je ferai de beaux rêves. »

17

TINTAGEL

Il leur fut facile de traverser le pays. Certes, ils galopèrent souvent en terre saxonne, mais ils ne rencontrèrent personne qui les défiât. Une fois passée la Danse des Géants, ils trouvèrent deux éclaireurs de Marc qui leur donnèrent des nouvelles : le roi était encore à Camelot et songeait y rester jusqu'à l'arrivée de Perceval pour le solstice d'été. Bien à l'est de Camelot, ils prirent vers le sud et, à la mi-mai, atteignirent le domaine de Tintagel, avec sa forteresse sombre dressée au bord d'une mer étincelante.

Les gardes reconnurent Tristan, le saluèrent et le félicitèrent. Guvranyl en personne les accueillit dans la cour.

« Tristan ! Dinadan ! Mes éclaireurs m'ont appris que vous étiez en route. J'ai su que vous avez rendu service au vieux Talorc en le débarrassant d'un coup de tous ses ennemis. Ah, mon garçon, viens et raconte-moi tout. »

Tristan salua son vieux maître d'armes avant de l'embrasser.

« Une affaire plutôt risquée, Guv. J'aurais dû laisser les Saxons prendre Elmet, ce pays est aussi glacial qu'un giron de sorcière ! Dieu merci, je suis de retour en Cornouailles, où la terre est verte et le vent clément.

— Heureusement que tu arrives au printemps, l'hiver a été très rude.

— Tout ne va pas aussi bien, alors, dit Tristan non sans inquiétude. Quelqu'un est tombé malade ?

— Ne t'en fais pas, la reine et toutes ses dames sont en bonne santé. Quelques hommes ont eu des fièvres. Trop de vin et de bonne chère, si tu veux mon avis, et pas assez d'exercice. Segward est resté alité six semaines durant et son épouse a dû venir du nord pour prendre soin de lui. Aucune résistance, cet homme. Mais il s'est remis. Tu le sais aussi bien que moi puisque tu l'as vu à Camelot.

— Euh, nous ne nous y sommes pas arrêtés, fit Tristan tout en ajustant son baudrier. Nous pensions que Marc s'y trouverait avec sa femme et son héritier et l'on ne nous a pas dit autre chose jusqu'à notre entrée en Cornouailles.

— Tu n'as jamais été un menteur, Tris, rit Guvranyl, Dieu merci. N'essaie pas de m'abuser, je sais pertinemment pourquoi tu es revenu.

— Vraiment? s'inquiéta Tristan.

— Oui, mais il ne tient pas à moi de t'apprendre ce que tu désires savoir. Va te raser et te baigner et j'enverrai prévenir la reine. Elle te racontera tout.»

Tristan se figea. Guvranyl rentra dans le château alors que Dinadan le prenait par le bras.

«N'aie pas d'inquiétude, il parle de Branwen.

Ma conscience est plus vive que mon esprit, soupira Tristan. Il doit penser en effet que je suis venu pour l'enfant de Branwen.

— Pourquoi, ce n'est pas le cas?»

Dans la grande salle, en compagnie de Dinadan et de Guvranyl, Tristan attendait nerveusement la venue de la reine. De longs rais de lumière passaient par les hautes fenêtres dépourvues de volets et dessinaient des rectangles parfaits sur la mosaïque craquelée du sol. Une petite araignée profitait du soleil au milieu de sa toile. Dehors, les cris des oiseaux de mer crevaient le silence comme les vagissements d'un nouveau-né.

Enfin ils entendirent des pas. Les sentinelles se redressèrent et se plaquèrent au mur quand la reine passa devant elles. Elle portait une robe vert clair brodée d'or. Ses cheveux étaient tirés en arrière et une résille d'or enserrait son chignon. Ses oreilles, sa gorge et ses poignets s'ornaient de bijoux et elle avait ceint son front d'un fin bandeau d'or battu. Grande et raide, elle marchait à pas comptés. Trois de ses femmes l'accompagnaient et toutes avaient les cheveux défaits des suivantes. Elles n'avaient qu'un an ou deux de moins que la reine mais, à côté d'elle, on eût dit des enfants.

Elle s'arrêta devant Tristan et Dinadan et ne manifesta pas la moindre émotion quand ils s'inclinèrent respectueusement. Derrière elle, les jeunes filles regardaient les deux chevaliers et souriaient timidement.

«Ma reine, dit Guvranyl, Tristan de Lyonesse et Dinadan de Dorria reviennent de leur séjour à Elmet, où ils ont mis fin à la rébellion qui agitait les Angles.

— Ainsi que les Saxons, si j'ai bien compris. Seigneurs, je vous félicite de vos exploits.»

Sa voix était posée, sans chaleur aucune.

Tristan était incapable de formuler les mots qu'il aurait pourtant dû prononcer. Cette reine froide qui le dévisageait avec les yeux d'une étrangère, pouvait-ce être son Iseut si passionnée? Que lui était-il arrivé en un an pour que toute son ardeur eût ainsi disparu?

Dinadan s'avança après un instant d'hésitation.

«Ma reine, c'est nous qui sommes venus *vous* féliciter de la naissance de votre fils, l'héritier de ce royaume.

— Merci, seigneur.

— J'ignorais…, murmura Tristan avant de se taire.

— Le roi est un homme superstitieux, dit-elle en croisant enfin son regard. Il voulait n'en parler à personne avant la naissance du prince et qu'il fût déclaré en parfaite santé.

— Bien sûr, fit Dinadan, c'est une pratique fort commune. Et… l'enfant va-t-il bien? Pouvons-nous le voir?»

Un éclair passa dans les yeux d'Iseut et Tristan en eut le cœur serré, mais la reine se montra une fois de plus assez distante.

«Je vous le présenterai volontiers. Mais il y a à la pouponnière un autre enfant que le mien, sire Tristan.»

Dinadan donna un coup de coude à son compagnon.

«Euh, je vous demande pardon, ma dame… Comment se porte Branwen? A-t-elle eu une fille ou un fils?»

Guvranyl sourit. Les traits d'Iseut s'adoucirent. Tristan comprit qu'il avait enfin dit ce qu'on attendait de lui.

«Elle a eu une fille, seigneur. Il y a trois semaines. Quand vous aurez vu l'enfant, je vous emmènerai voir la mère.

— Merci, ma dame, mais je constate qu'elle ne vous accompagne pas. Serait-elle souffrante?

— Elle ne se sent pas comme elle le devrait, dit Iseut avec un bref sourire, et elle garde beaucoup la chambre. La sage-femme prétend qu'il n'y a rien d'anormal. J'ai pensé qu'une visite de votre part la réconforterait.

— J'en serais enchanté, mais d'abord… je voudrais me rendre à la pouponnière.»

Guvranyl sourit et manifesta son approbation d'un hochement de tête. Iseut se tourna vers lui.

«Je vais les y conduire moi-même, sire Guvranyl, si vous n'avez pas besoin d'eux.

– Non, faites, ma dame, je vous en prie. Ils sont venus pour ça.»

Iseut les précéda dans les couloirs. Tristan et Dinadan se tenaient à distance respectable, eux-mêmes suivis des trois jeunes filles. À la porte de la pouponnière, la reine congédia ses dames, qui firent la révérence mais sourirent et rougirent devant les deux chevaliers, puis elles s'égaillèrent en riant.

«Petites sottes!» dit Iseut avant de pousser la porte.

La pouponnière donnait sur un jardin clos, où des pommiers poussaient sur une pelouse bien entretenue et où des rosiers grimpaient le long des murs. Un flot de souvenirs submergea Tristan. Enfant, il avait vécu ici, il avait joué avec Gérontius sur cette même pelouse. Il y avait couché chaque fois que son père venait de Lyonesse. Jusqu'à ce jour, il s'était demandé pourquoi Méliodas ne le laissait pas à Lyon's Head. Après la mort de son épouse bien-aimée, peut-être refusait-il de se séparer de son enfant, preuve vivante de l'amour qu'elle lui portait. Sur les murs, les mêmes tapisseries représentaient des navires de haute mer. Dans un coin, un coffre renfermait des chevaux et des cavaliers en bois. Quelles batailles Gérontius et lui-même avaient menées! Il se rappela aussi Gurna à la poitrine généreuse : elle avait veillé sur eux, pansé leurs blessures et écouté leurs doléances, elle les avait nourris, vêtus, bercés. Et Gérontius qui, dans le petit lit qu'ils partageaient, lui avait confié son terrible secret : il aurait tant aimé que sa vraie mère fût Gurna et non pas la triste et distante Élisane.

Une autre Gurna était là, qui déposait un petit fardeau emmailloté dans les bras de sa belle Iseut. Tristan s'émerveilla de son changement d'attitude dès qu'elle tint son enfant. Sa froideur disparut, une joie paisible éclaira ses traits tandis qu'une main minuscule serrait son doigt. Elle resplendissait de bonheur.

«Ainsi donc, fit Dinadan, voici votre fils, Tristan. Quel beau bébé. Tris, viens le voir.»

Tristan regarda ses joues roses et rebondies, son duvet de cheveux bruns, sa bouche ouverte. Le bébé n'avait d'yeux que pour sa mère. Tristan se rembrunit. Non, quelque chose n'allait pas. Il n'éprouvait aucune tendresse pour cet enfant, il ne se reconnaissait pas en lui. Peut-être était-ce le fils de Marc après tout? La mère et l'enfant semblaient parler un langage commun dont il ignorait tout.

« Venez, dit doucement Iseut, il a faim. »

Elle sortit dans le jardin ensoleillé et leur fit signe de la suivre.

« Attends-moi ici, Brenna, recommanda-t-elle à la nourrice. Ensuite ils voudront voir Keridwen. »

Iseut prit place sur un banc, à l'ombre d'un pommier, ouvrit son corsage et porta l'enfant à son sein. Elle releva la tête et vit que Tristan l'observait.

« Venez, asseyez-vous à mes côtés. »

Il obéit, non sans gêne, et découvrit, par-dessus l'épaule d'Iseut, la courbe délicate de sa poitrine, la joue ronde du bébé, ses paupières closes de plaisir, les gouttes de lait à la commissure de ses lèvres, son petit poing dressé. Il ne put s'empêcher de soupirer à fendre l'âme.

« Comme je l'envie !

— Il tient de son père, dit Iseut en souriant.

— Il ressemble à Marc.

— Non, non, fit-elle dans un souffle, il vous ressemble. »

Tristan pencha la tête. Il était incapable de maîtriser ses tremblements. Elle s'appuya contre son épaule et il la prit par la taille. Seul Dinadan était assez près pour les voir.

Tristan remarqua que son fils le regardait, l'air béat, le téton de sa mère aux lèvres. La petite main s'agita. Tristan tendit son doigt et l'enfant le saisit pour le porter à sa bouche.

« Comme il est fort ! dit Tristan en riant.

— Il ressemble à son père.

— Iseut... je suis désolé de n'avoir pu être présent. J'ignorais que...

— C'est aussi bien.

— Est-ce que cela fut difficile ? La naissance ? »

Elle demeura un instant silencieuse et tapota son bébé dans le dos.

« C'est la chose la plus éprouvante que j'aie connue. Ce fut très long. Je suis heureuse que vous n'ayez pas été là, vous nous auriez abandonnés.

— C'est plus que probable, dit-il en caressant le petit crâne et ses quelques cheveux. »

Iseut souleva doucement l'enfant, le cala dans ses bras et lui offrit son autre sein. Il l'accepta volontiers et téta goulûment, les yeux mi-clos.

« Grande Mère ! s'exclama Tristan. Quelle joie !

— Oui, il m'apporte une joie inimaginable, et chaque jour est nouveau.

– Quel âge a-t-il ?

– Trois mois.

– Je suis sûr qu'en tant que reine vous avez droit à une nourrice pour l'allaiter.

– Pour quoi faire ? Je ne voyage pas et personne ne me rend visite. Et puis, j'ai toujours voulu le tenir dans mes bras. Quand je le regarde, c'est votre visage que je vois. Je ne renoncerais à cela pour rien au monde, dit-elle d'une voix moins assurée. Vous seul… vous seul m'avez donné autant de plaisir. »

Tristan détourna les yeux, le cœur embrasé. Pourtant sa jubilation était mitigée. Il y avait là un nourrisson sans défense qui avait encore plus que lui besoin d'Iseut. Qui aurait imaginé que l'amour pût avoir de telles conséquences ?

« Qui lui a donné mon nom, c'est vous ?

– Non, c'est l'idée de Marc. Je n'aurais pas osé. Mais cela m'a beaucoup touchée, et il s'en est rendu compte. Il aime me faire plaisir, ajouta-t-elle au bout d'un instant, ce n'est pas un méchant homme.

– Non, je ne l'ai jamais pensé.

– Il y a une autre raison pour laquelle j'ai refusé une nourrice. Tant que j'allaiterai mon enfant, Marc gardera ses distances. Les bébés ne l'intéressent pas. Il a dû se contraindre pour venir assister à la délivrance, uniquement parce que l'enfant devait être reconnu dès sa naissance. J'ai cru qu'il allait avoir la nausée, fit-elle en riant. Il ne reviendra à Tintagel que lorsque l'enfant sera sevré. Vous aviez raison, il veut une poulinière, pas une compagne.

– Il sera de retour pour la visite de votre père, n'est-ce pas ?

– Mon père ? s'étonna-t-elle. Mon père va venir ?

– C'est ce que le messager nous a dit à Elmet. Au solstice. Une grande fête doit être donnée en l'honneur du jeune Tristan, avec l'espoir d'attirer davantage de rois au sein de l'alliance. Vous l'ignoriez ?

– Oui. »

Son regard se perdit dans le lointain. Son visage ne reflétait plus la moindre tendresse.

« Il ne m'a pas prévenue. Cela lui ressemble bien. Pour Marc, Perceval n'est plus mon père, mais l'allié du Haut Roi. Peu importe, dit-elle en se radoucissant et en se consacrant à nouveau à son enfant. Fête ou pas, je le nourrirai et Marc ne m'approchera pas.

– Est-ce… aussi grave ?

– Vous ne comprenez pas. Vous ne le pouvez pas, vous n'êtes pas une femme. Je vis un mensonge. Cela m'a transformée. De toute façon, dit-elle en éloignant de son sein le bébé endormi, je dois le nourrir tant que Branwen n'est pas remise.

— Est-elle vraiment malade?

— J'ignore ce qui ne va pas. Peut-être le découvrirez-vous. Elle n'est pas clouée au lit mais elle quitte à peine sa chambre. Une nourrice s'occupe de Keridwen, la pauvre enfant.

— Iseut, Keridwen est... la fille de Marc?

— Bien entendu, répliqua-t-elle.

— Branwen était-elle heureuse de la porter?»

Iseut le regarda avec un certain étonnement.

«Cela lui convenait. Cet hiver, Esmerée est venue quand Segward a eu les fièvres. Elle nous a beaucoup aidées en nous expliquant ce qu'il convenait de faire. Elle avait amené ses enfants avec elle.

— Tous?

— Trois petites filles, très belles et très bien élevées. La plus jeune est la plus délicieuse enfant que je connaisse. Elle n'a pas quatre ans et elle chante déjà comme un rossignol. La petite Aimée.

— Je... je suis heureux pour vous qu'Esmerée ait pu venir.

— Oui. Branny allait bien jusqu'à la naissance. J'étais avec elle la plupart du temps. J'ignore ce qui a bien pu se passer. Quand tout fut terminé, elle s'est refermée. Elle ne voulait même pas prendre son bébé dans ses bras. Je passe plus de temps qu'elle avec Keridwen. Voyez ce que vous pouvez faire, Tristan. Si Branny n'est pas redevenue normale le jour où Keridwen sera sevrée...»

Elle se mit à trembler et Tristan lui prit la main.

«Vous avez donc... vous avez tenu votre promesse?

— Doutiez-vous de moi? s'étonna-t-elle.

— J'ai craint que Marc vous prenne par surprise et vous force...

— Marc ne m'a *jamais* prise par surprise. Je suis devenue experte en fourberie. Je suis une excellente menteuse.

— Je sais que ce doit être difficile, dit-il en pressant les doigts d'Iseut sur ses lèvres. Je vous bénis de toute mon âme.

— Et vous? s'inquiéta-t-elle en retirant sa main. Avez-vous été fidèle à votre promesse? Branny m'a affirmé que c'était impossible pour un homme, que chaque fois qu'il survit à une bataille, des jeunes filles lui sont offertes en guise de remerciement. Est-ce exact?

— Oui, mon cher amour, mais je n'en ai pris aucune. Je ne voulais pas d'elles, je ne désirais que vous.

— Oh, Tristan...»

Dinadan toussota en guise d'avertissement. Tristan leva les yeux et, par la porte ouverte, vit Brenna marcher dans la pièce, un enfant dans les bras. Iseut tendit son bébé à Tristan et referma son corsage.

«Ne craignez rien, fit-elle en riant, il ne se cassera pas. Tenez-le bien. Vous ne risquez pas de le réveiller, après son repas il dort tout son soûl.»

Tristan s'émerveilla devant ce petit être qui témoignait de leur dernière nuit d'amour dans la tour de Tintagel. Il ne pouvait y croire, et pourtant c'était ainsi. Pour la première fois depuis un an, il eut envie de chanter.

Conscient qu'un regard se portait sur lui, il releva la tête. Iseut lui souriait mais ses yeux étaient baignés de larmes.

Tue-le... Tue-le... Tant qu'il sera en vie, tes enfants seront des filles, et elles n'hériteront de rien... Il doit mourir.

Branwen gémit et sa tête s'agita sur l'oreiller. Des gouttes de sueur coulaient sur son front. Ses cheveux collaient à ses joues. Lentement elle émergeait des profondeurs du sommeil, fuyant la sorcière dont les yeux incandescents et la voix rauque hantaient ses rêves. Toujours, toujours la même voix qui l'appelait dans la brume, le même refrain qui sonnait à ses oreilles: *Tue-le... Tue-le... Il doit mourir.*

Quelqu'un lui prit la main. Elle leva les paupières. Tristan était assis à côté d'elle et ses beaux yeux bruns scrutaient son visage. Elle se demanda un instant si elle ne rêvait pas.

«Tristan?»

Il porta à ses lèvres les doigts de la jeune fille et les baisa. La chaleur qui émanait de lui semblait effacer les dernières traces du cauchemar. Il écarta les mèches plaquées sur son visage.

«Ma jolie Branwen, je n'aurais jamais cru vous voir si souffrante.»

Elle s'assit avec difficulté et il dut l'aider en plaçant ses mains sous ses aisselles. Elle le regarda et se rappela toutes les fois où elle l'avait imaginé, seul dans sa chambre, à n'attendre qu'elle. Il était là, plus beau que dans ses rêves, plus fort, plus passionné. Elle ne pouvait le quitter des yeux. Lentement, ses joues pourtant si pâles rosirent. Elle parvint à lui sourire, et le sourire qu'il lui rendit lui fit chavirer le cœur.

«Voilà qui est mieux. Je retrouve votre esprit combatif. Vous avez connu des moments difficiles, n'est-ce pas, petite Branwen?»

Quel bonheur d'entendre à nouveau cette voix, si vibrante, si mélodieuse! La voix d'un millier de rêves...

«Oui.

199

– On m'a dit que vous ne dormez pas bien.

– Je fais des cauchemars.

– Les femmes en ont souvent après avoir donné le jour, cela passera. »

Elle parvint à sourire.

« Comment en savez-vous autant sur la grossesse, seigneur?

– Une de mes relations connaît bien ces choses.

– Vous voulez parler d'Esmerée? Tristan, je suis votre amie. Je garderai vos secrets.

– Je crains que ce n'en soit plus un.

– Si, dit-elle en lui pressant la main à son tour. Même Iseut ignore tout d'Aimée.

– Comment l'avez-vous su alors? C'est elle qui vous l'a dit?

– Non, mais je sais observer. Une femme découvre toujours le nom de l'objet adoré d'une de ses sœurs.

– C'était il y a plusieurs années. Nous sommes amis à présent, de bons amis. Rien de plus. Posez la question à Esmerée. »

Branwen le regardait jouer avec la laine de sa couverture. Elle ne se rappelait que trop bien le visage d'Esmerée quand elle parlait de Tristan et les intonations de sa voix. Était-il possible qu'il ignorât tout de son pouvoir sur les femmes? Celles qui l'aimaient n'affichaient pas la moindre réserve, elle ne le savait que trop bien. Elle ferma les yeux pour lui dissimuler ses sentiments. Même si elle était à lui, il ne l'aimerait jamais. Elle n'aurait pu inventer plus triste histoire.

« Branwen, vous palissez. Quelles sombres pensées vous agitent?

– Des secrets, seigneur.

– Vous en avez plus que de raison. »

Elle rejeta les couvertures et prit sa robe de laine qu'il l'aida à passer.

« Ils sont bien gardés, seigneur, dit-elle en s'approchant de la fenêtre. Tout va bien. La Cornouailles tout entière pense que j'ai porté votre enfant et Iseut, celui de Marc.

– J'ai vu votre fille, dit-il en la rejoignant. Elle est adorable. Elle vous ressemble.

– N'essayez pas d'être gentil, je vous en prie, protesta-t-elle les larmes aux yeux. Elle est laide et décharnée et je ne peux rien contre cela. Je n'ai pas en moi une once d'amour maternel. Je voudrais qu'elle meure, ce serait bien mieux pour elle.

– Ne parlez pas ainsi. »

Il la prit dans ses bras et caressa ses cheveux en désordre. Le visage pressé contre sa poitrine, elle pleurait sans pouvoir s'arrêter et songeait non pas à l'enfant chétif couché dans la pouponnière, mais à l'homme qui la tenait ainsi, cet homme si courageux, si audacieux, dont la force et la beauté étaient tout ce qu'elle désirait, mais dont le cœur lui serait pour toujours fermé.

Tristan l'écarta doucement avant de la bercer comme un enfant sans défense.

«Petite Branwen, je m'en occuperai. Je vous ai trop demandé. Vous avez donné un enfant à un homme que vous n'aimez pas. Voulez-vous que je l'emmène pour que quelqu'un d'autre prenne soin d'elle? Personne n'y trouvera à redire. Mon oncle Pernam dirige un hospice. Il aimera cette petite si vous-même ne le pouvez. Et puis, il est le frère de Marc.

— Non, murmura-t-elle, ce ne sera pas utile. Iseut aime cet enfant, elle est assez maternelle pour lui donner autant d'amour qu'au sien propre. Sans Keri, ajouta-t-elle en le regardant droit dans les yeux, quelle excuse trouveriez-vous pour vous rendre à la pouponnière de Tintagel? Vous ne verriez jamais votre fils.»

La lumière qui éclairait le visage de Tristan était pareille à une dague qui lui plongeait dans le cœur, mais elle sourit tout de même.

«C'est un beau garçon que le jeune Tristan. Fort, vigoureux. Tout ce qu'un prince doit être. Je vous félicite.

— Merci, Branwen.

— Et vous avez tort, vous savez, à propos de Marc, dit-elle en se dégageant. Je l'aime bien. Ce n'est qu'un gros garçon égoïste. Et il m'aime. Il se croit amoureux d'Iseut, il est charmé par sa beauté et ses manières, mais c'est à moi qu'il se confie, quand nous sommes seuls dans le noir. C'est moi qu'il aime vraiment.

— Je n'en doute pas, mais n'est-ce pas trop vous demander? Tant de dévouement et si peu de reconnaissance?

— J'en aurai assez lorsque je lui donnerai un fils.»

Elle comprit que ses paroles avaient fait mouche et vit, dans les yeux de Tristan, une flamme d'indignation à la pensée que son propre fils, le prince de Cornouailles, pourrait être mis à l'écart et considéré comme un bâtard. Mais tout de suite, il se reprit, oublia son ressentiment et acquiesça.

«S'il doit en être ainsi, je m'inclinerai.»

La porte s'ouvrit et Guvranyl apparut sur le seuil, suivi de Dinadan.

«Sire Guvranyl!»

Elle serra sa robe contre elle et fit la révérence. Tristan se leva du lit défait. Guvranyl lui adressa un clin d'œil et Dinadan le regarda avec stupéfaction.

«Il se passe quelque chose? s'inquiéta Tristan.

– Non, l'assura Guvranyl, mais il est l'heure de souper et personne ne te trouvait. Nous avons posé la question à la reine et elle nous a envoyés ici. J'ai fait un pari avec Dinadan, que je t'y découvrirais alors que celui-ci pensait le contraire. Vous me devez une pièce d'argent, mon jeune seigneur, dit-il, narquois, à Dinadan.»

Il tira une pièce de sa bourse.

«Il semble que je me suis trompé sur bien des choses.

– Allons, Din, soupira Tristan, descendons. Je t'expliquerai tout.»

«Dame Branwen souhaite vous voir, seigneur», lui murmura le page.

Tristan hocha la tête. Guvranyl et Dinadan somnolaient, avachis près du feu sur des chaises capitonnées, une outre de vin posée sur le sol. La reine et ses femmes s'étaient retirées après le repas, plusieurs heures auparavant, mais Tristan s'était révélé incapable de boire avec ses compagnons et d'apprécier leurs discussions viriles. Comme lui, Iseut était entre ces murs et elle écoutait le vent de la mer, elle regardait les étoiles et attendait le moment de leurs retrouvailles.

Il se leva.

«Sire Guvranyl.

– Bonne nuit, Tristan, dit Guvranyl en agitant une vague main.

– Dinadan.»

Son ami se contenta d'un grognement.

Il laissa le page le conduire bien qu'il connût le chemin. En haut de l'escalier, Kellis, le garde, barrait la porte.

«Qui va là, au nom du roi?

– Tristan de Lyonesse. Bonsoir, Kellis.

– Seigneur Tristan. Entrez, je vous en prie. La reine vous a envoyé chercher il y a une demi-heure.»

Tristan pénétra dans l'antichambre. Branwen se tenait près de la fenêtre. La porte de sa chambre était ouverte et le rideau donnant sur la chambre de la reine était tendu. Kellis remarqua ces détails avant de se retirer, un sourire aux lèvres.

«Le veinard, murmura-t-il. Un talent d'argent qu'il n'en sort pas avant l'aube.»

Tristan attendit que la porte se fût refermée.

«Vous semblez aller mieux, Branwen, les couleurs vous sont revenues.

– Votre visite m'a fait du bien. Mais entrez, Tristan, dit-elle en désignant le rideau. Elle vous attend. »

Tristan hésita. Il espérait depuis longtemps cet instant, même si une partie de lui-même préférait être ailleurs, n'importe où, à tuer des Saxons à Rheged ou à Elmet, quelque part où des flots de sang recouvriraient la tache de son péché. Il prit son souffle et écarta le rideau.

Des chandelles et des lampes montées sur des trépieds éclairaient la pièce. Vêtue de sa robe verte, Iseut se tenait au pied du grand lit, aussi calme que lorsqu'il l'avait vue le matin. Le lit était jonché de fourrures et de coussins, d'étoffes de velours et de soieries aux couleurs chatoyantes. La couleur, la lumière et la chaleur l'engloutirent. Il avait l'impression d'entrer dans un brasier.

« Iseut. »

Elle ne bougea pas mais elle le suivit du regard sans manifester la moindre émotion. Il marcha jusqu'à elle et la prit par la taille. Elle resta impassible, on eût dit une statue. Elle portait au front le bandeau symbole de son rang, un cadeau de Marc. Il le lui enleva et le jeta à terre, où il roula sous un meuble. Les lèvres de la jeune femme esquissèrent un sourire. Il ôta ensuite la résille d'or de ses cheveux et défit une à une ses tresses. Elle ferma les yeux quand ses lèvres effleurèrent sa joue et que ses mains se posèrent sur son corsage. Elle se tenait contre lui, à la limite de ses forces, mais elle se refusait toujours à le toucher.

« Votre tempérament n'est pas de glace, pourquoi me faire ainsi souffrir ? » lui murmura-t-il à l'oreille.

Elle frissonna mais son regard évitait toujours celui de Tristan.

« Discipline, maîtrise de soi. Cela fait partie de ma duplicité. C'est ce qui me permet de vivre. Je m'y adonne chaque jour. »

Il l'embrassa violemment et la plaqua contre lui. Elle savait qu'il détestait qu'on lui rappelât la présence de Marc, ses droits, le mensonge qu'ils vivaient tous trois pour abuser le roi, mais elle aussi exécrait cette trahison qui faisait partie de sa vie alors que, pour y mettre un terme, Tristan n'avait qu'à l'emmener loin de Tintagel. Elle était capable de contrôler sa voix et son expression, mais pas les réactions de son corps au contact de Tristan. La chaleur lui monta au visage et le rythme de son cœur s'accéléra quand elle sentit ses doigts courir sur sa robe. Comme toute femme dont la colère est le fruit d'une blessure, elle se montrait sans défense devant tant de souffrance.

Il tomba à genoux devant elle et posa sa main sur sa joue.

«Pardon, Iseut, c'est ma faute si vous vivez ce mensonge. Si j'avais pu vous résister cette nuit-là, dans la maison de Guvranyl, si j'avais rempli mon devoir envers votre père et Marc, vous n'auriez nul besoin de mentir.»

Elle s'assit sur le lit et posa sa tête sur ses genoux.

«Vous ne m'avez jamais contrainte, mon amour. Aucun pouvoir sur terre n'aurait pu nous tenir éloignés l'un de l'autre. Si vous aviez fait votre devoir, je n'aurais jamais connu les joies de l'amour. Ni les plaisirs du corps.»

Il releva la tête devant tant de douceur et vit ses joues s'empourprer.

«Branny ne connaît rien de ces plaisirs, je le lui ai demandé. Le lit de Marc n'apporte que l'épuisement, pas la joie. Vous m'avez sauvée dans la demeure de Guvranyl. Ne le regrettez pas, car moi je ne regrette rien.»

Son regard parcourut la chambre et un sourire se dessina sur ses lèvres.

«Je méprise cet endroit depuis la seconde même où j'y ai pénétré. Il n'a connu que naissances, trépas et amours sans retour. Il est plein de fantômes. Quand je m'y trouve seule, j'allume toutes les lampes pour les chasser.»

Elle sourit à Tristan et délaça son corsage.

«Tristan, aidez-moi à les chasser de mon cœur...»

À l'aube, avant de sombrer dans un sommeil délicieux, elle se dit que Tristan avait fait tout ce qu'elle avait exigé de lui. Au cours de ces heures passées dans l'obscurité, elle n'avait pas une seule fois pensé à Marc, à Branwen ou à son avenir. Seuls l'intéressaient ses lèvres sur sa chair, ses mains sur sa peau, le contact de leurs corps nus, jusqu'à ce que ne comptât plus pour elle que la formidable jouissance qui l'envahissait. Elle se dit aussi que, lorsqu'ils se réveilleraient, une fois encore il lui ferait tout oublier.

18

LE JEU AVEC LE FEU

Tristan se laissait bercer par le bruit des vagues. Le ciel resplendissait de lumière. Quand il fermait les yeux, il voyait Iseut alanguie parmi les coussins et les fourrures. La maternité lui avait fait perdre toute trace de ses formes juvéniles et ses courbes pleines révélaient toute sa féminité. Son pouvoir s'était également développé: un sourire de sa part et il s'abandonnait.

«Tristan, tu ne crois pas qu'il est temps de partir?»

Assis sur un rocher après avoir longuement nagé, Dinadan laissait le soleil sécher sa peau.

«Nous sommes ici depuis une semaine, cela suffit.

— Quelqu'un attend ton retour, c'est ça? demanda Tristan en ouvrant un œil.

— En fait...»

Tristan se redressa et rejeta en arrière ses cheveux mouillés.

«Il y a *quelqu'un*, n'est-ce pas? Ce ne serait pas... comment s'appelle-t-elle? Diarca?

— Oui, dit son ami en rougissant. Comment te souviens-tu d'elle?

— Elle a été ta première fille. Tu refusais de m'en parler.

— Tu n'avais aucun droit de savoir.

— J'étais curieux, rien de plus. Il y a peu de chose que tu aies faites avant moi.

— Tu as bien récupéré le temps perdu.

— Comme tu te défends! Ce doit être sérieux.

— Assez, oui. Avant notre départ pour Elmet, mon père a entamé des négociations. Je ne pense pas que cela pose problème. Elle est… très éprise de moi depuis longtemps.

— Tous ces mois passés ensemble à combattre, à partager la même tente, le même feu, le même repas, tu ne m'as jamais rien dit. Je n'aurais pu imaginer.

— Toi aussi, tu es souvent sur la défensive. Tu te refermes comme une huître et l'on n'obtient plus rien de toi. Depuis le mariage de Marc, il y a déjà un an, tu te montres farouche, capricieux. Et tu bois beaucoup.

— Pourquoi me dire ça aujourd'hui? fit Tristan un peu mal à l'aise.

— En premier lieu parce que tu peux m'entendre, répliqua Dinadan qui enfila sa tunique. Quoi qu'elle ait fait, Iseut t'a arraché à ton enfer personnel. Tu n'as jamais eu plus belle allure, ajouta-t-il en contemplant le corps nu et hâlé de son ami. C'en est fini des yeux caves et de la poitrine creuse!

— Je revis. J'étais mort et voilà que je suis vivant.

— Oui, tu es bien différent du tueur de Saxons que je côtoyais la semaine dernière. Et tu t'es remis à chanter. Le guerrier s'est assoupi, le barde est de retour.

— Alors qu'il dorme à tout jamais, dit Tristan en souriant. Sa folie me tuera un de ces jours.»

Dinadan rit et lui lança sa tunique.

«Je ne réveillerai pas le guerrier, je te le promets, mais il est temps que l'amant s'en aille.

— Je suppose qu'il est égoïste de ma part de te garder auprès de moi quand dame Diarca pourrait réchauffer ton lit.

— Il n'y a pas que ça. Il est temps que tu laisses seule Iseut. Crois-tu pouvoir toujours lui rendre visite? Il peut paraître étrange que nous soyons restés plus de trois jours. Mon père doit se trouver à Camelot et Marc a appris que nous avons quitté Elmet plus tôt que prévu. S'il n'a pas deviné notre destination, Segward s'en est chargé à sa place. Rentre à Lyonesse: en demeurant ici, tu joues avec le feu.

— Qu'ils viennent! Je suis prêt à affronter tous ceux qui oseront me défier.

— Pauvre naïf, Marc ne te défiera pas: il te fera assassiner, oui. Et puis tu sais pertinemment qu'il en a le droit.»

Toute joie se retira du visage de Tristan.

206

«Je ne suis pas un homme mauvais, Dinadan. Je saurais à la lourdeur de mon esprit si c'était un péché mortel, mais mon esprit a pris son essor.

— Tu le savais très bien quand nous étions à Elmet.

— J'étais dans les ténèbres. Loin de la lumière qui me donne la vie. Elle est ma lumière, mon printemps, ma nuit étoilée, mon aube radieuse. Oh, Din! s'exclama Tristan en serrant les poings. Me renverrais-tu déjà dans cet enfer glacé? Plongerais-tu ce couteau dans mon cœur? Ne sois pas si pressé, mon pauvre Dinadan, dit-il en s'efforçant de sourire. Tu as oublié ce que c'est qu'être avec une femme. C'est de l'ambroisie, un lit de nuages, un enchantement et un délice! J'ai perdu le pouvoir de tout lui refuser. Tu devras m'en arracher si tu veux que je parte.

— C'est la différence entre ton amour et le mien, dit son ami avec gravité. Je suis encore mon propre maître avec Diarca. Elle ne m'ensorcelle pas. Nous sommes les mêmes, ensemble ou séparés. C'est un amour facile, sécurisant, le genre de relation qui perdure.

— Qu'est-ce que cela signifie? se cabra Tristan. Ce n'est pas le cas du nôtre?

— Tristan, tu es possédé. Elle s'est emparée de ton esprit.

— Et moi du sien.

— Je n'en doute pas, fit-il avec tristesse. Ah, j'aimerais tant voir un peu de modération en toi. Ou en elle. Je redoute la fin de cette histoire.

— La fin? plaisanta Tristan. Je mourrai avant que cela ne s'achève!»

Dinadan quitta brusquement la grève.

«Oui.»

Marc arrêta son cheval sur le chemin montant à la falaise.

«Ho!» lança le capitaine en levant un bras.

Les cavaliers se hâtèrent de le rejoindre. Mal à l'aise sur sa selle, Segward éperonna sa monture pour prendre place à côté du roi. Devant eux se dressaient les tours de Tintagel tel un géant sombre jaillissant de la mer.

«Krinas, dit le roi à son capitaine, vous avez donné les ordres aux éclaireurs?

— Oui, sire. Personne n'a signalé votre arrivée.»

Marc observa le château. Le soleil amorçait sa descente et la paroi de la falaise était déjà dans l'ombre, mais il ne décelait nul mouvement. Ni feux, ni étendards, ni remue-ménage aux portes, rien qui indiquât que quelqu'un fût au courant.

«C'est parfait, Segward, dit-il très raide en évitant soigneusement les petits yeux perçants de son compagnon. Vous avez ce que vous voulez. Ce sera la surprise. Dieu seul sait ce que vous comptez découvrir.

— Sire, dit Segward en se pourléchant. J'espère trouver la preuve d'une trahison. Il n'y a pas d'autre explication à leur refus de faire halte à Camelot. Votre neveu s'intéresse à la reine.

— Quelle idiotie! Je vous préviens, Segward, vous avez les yeux plus gros que le ventre. Vos difficultés avec votre épouse vous auront fait perdre l'esprit.

— Je serai heureux de subir votre courroux si je me trompe, seigneur.

— Certainement.»

Marc se tourna vers lui et vit son regard enfiévré. Il se radoucit.

«Vous m'avez bien servi, Segward, et je vous autorise ceci, mais ce sera tout. Que dirai-je à Guvranyl quand nous reviendrons sans l'avoir prévenu? Il quittera mon service pour celui de Tristan. De toute façon, ce serait plus logique: au fond de son cœur, il est toujours l'homme de Méliodas.

— Il restera, vous dis-je.

— Bon, peu importe, grogna Marc. La route est difficile d'ici au château, placez-vous derrière pour ne pas vous faire écraser.»

Sur ce, Marc lança son cheval au galop. Le capitaine baissa le bras et ses hommes bondirent dans le sillage du roi.

Les sentinelles postées sur la chaussée virent avec stupéfaction des cavaliers traverser la lande à toute allure. L'un d'eux mit son cor à ses lèvres pour sonner l'alarme, mais son camarade l'en empêcha.

«Regarde, c'est le roi!

— Maudits soient ses éclaireurs! Encore ivres certainement! Le roi est en Cornouailles et personne n'est au courant.»

Marc franchit les portes du château et mit pied à terre alors que Guvranyl débouchait dans la cour, tout essoufflé.

«Sire Marc!

— Calmez-vous, Guvranyl! Nul ne songe à vous blâmer. C'est à dessein que nous arrivons à l'improviste. Dites-moi, mon neveu est-il là?

— Oui, seigneur, ainsi que sire Dinadan de Dorria.

— Et où pourrais-je le trouver?

— Tristan?»

Guvranyl semblait paniqué et regardait un peu partout comme s'il s'attendait à voir les deux chevaliers surgir de la muraille.

«Ou Dinadan?

— Tristan, naturellement. Où est-il?

— Eh bien, sire, il est avec la reine.

— Où?

— Je... je ne sais pas au juste. Ils étaient... Il y a peu, ils sont revenus d'une promenade sur la grève. Dois-je envoyer...

— Non, dit sèchement Marc en le bousculant, je le trouverai moi-même. »

L'air sombre, suivi de près par Guvranyl, il parcourut tout le château en ouvrant chaque porte, en écartant chaque tenture. Il parvint enfin à la pouponnière. Il passa devant Brenna avant même qu'elle pût mettre un genou en terre et s'arrêta à la porte du jardin.

Assise sous le pommier, Iseut riait en tapant dans ses mains. Sur la pelouse, Tristan jouait avec un bébé tout nu, le soulevait au-dessus de sa tête en disant «Vole, petit aiglon, vole!» et imitait le cri de l'oiseau. Le bébé agitait les bras et émettait de petits gloussements de plaisir.

«Voilà un brave petit aiglon!

— Tristan.

— Marc!» s'écria Iseut.

Tristan se retourna.

«Messire le roi.

— Quel est donc cet enfant que tu brandis si hardiment?»

Tristan s'inclina avant de tendre le bébé à Marc.

«C'est le prince de Cornouailles, mon oncle, le plus beau nourrisson de tout le royaume. Je vous félicite sincèrement, il vous ressemble trait pour trait.»

Marc ne prit pas le bébé dans ses bras et ne lui adressa même pas un regard. Iseut se précipita vers son époux. À sa vue, il se radoucit, la saisit par la taille et l'embrassa:

«Petite beauté, vous l'allaitez encore, n'est-ce pas? Quel dommage. Mais vous avez l'air en pleine santé.

— Merci, seigneur. Je suis désolée que vous me trouviez en ce lieu, si peu prête à vous recevoir.»

Elle tira nerveusement sur sa robe tachée par endroits de sel, souvenir de ses jeux sur la grève en compagnie de Tristan.

«J'aurais dû être préparée à vous accueillir, mais je crains que... sire Guvranyl ne m'ait rien dit.

— Il ne le pouvait pas, je ne l'avais pas prévenu.»

Il se tourna vers Tristan, qui rendit le bébé à Brenna.

«Je suis venu voir ce que tu faisais ici, Tristan, et pourquoi tu rendais visite à ma reine après m'avoir évité à Camelot.

– Je désirais voir votre fils, seigneur, c'est la raison de ma présence ici. Bien que votre charmante reine mérite qu'on lui rende hommage en toute saison, ajouta-t-il en s'inclinant devant Iseut.

– Lui rendre hommage, c'est cela? Tous mes autres commandants ont suivi mes ordres et m'ont adressé leurs rapports avant même de me demander la permission de rentrer chez eux.

– C'est vrai, seigneur, mais sire Bruenor était chargé du commandement à Elmet. Il nous a donné congé. Vous êtes mon oncle et ce jeune homme est mon cousin, et comme vous êtes clément, j'ai pensé que vous me pardonneriez.

– Tu ne songes tout de même pas que je croirais que tu as fait tout ce chemin à vive allure et risqué de m'insulter pour voir un nourrisson braillard. Tu n'es pas un sot et tu sais fort bien qu'il est le seul à se dresser entre toi et la couronne.

– Mais Marc, il aime cet enfant! s'exclama Iseut. Il ne peut pas vouloir lui nuire!»

Les deux hommes ignorèrent sa remarque. Les traits de Tristan se durcirent, il parla pourtant d'une voix douce.

«Je n'ai nul dessein sur votre couronne, mon oncle, et vous devez le savoir. Si c'était le cas, je ne serais jamais allé en Galles.»

Incapable de répondre, Marc fit la grimace. Où était donc passé Segward? Quand ce balourd apprendrait-il à monter à cheval? Tout ce que Tristan lui avait dit était vrai: sans lui, il n'aurait pas eu d'épouse, de fils, de dynastie. Il le savait parfaitement, mais il détestait se l'entendre dire.

Iseut le prit par le bras et lui parla à l'oreille.

«Seigneur, soyez bon avec votre neveu, je vous en prie. Il nous a fait à tous deux beaucoup d'honneur en prêtant une telle attention à notre fils. Et il se montre si gentil avec la pauvre Branwen...

– Tristan, n'y vois nulle insulte, dit Marc avec plus de légèreté en entendant prononcer le nom de Branwen. Dieu sait que je te dois beaucoup. Et si tu trouves *vraiment* cet enfant irrésistible, pourquoi ne pas jouer avec, euh, la fille de Branwen?

– Elle dort», répondit calmement Tristan.

Marc regarda son neveu puis sa femme. Leurs visages se tournaient vers lui, celui d'Iseut plein d'innocence, suppliant, celui de Tristan pareil à un masque. Il haussa les épaules.

«Bon. Ce soir, au souper, régale-nous d'une de tes ballades pour montrer qu'il n'y a nul ressentiment entre nous.

– J'en serais honoré, sire.»

Marc haussa à nouveau les épaules et s'en alla.

Quand la porte du jardin se fut refermée sur Marc et que Brenna fut hors de portée de voix, Iseut adressa un regard inquiet à Tristan.

«Il sait tout! Qui le lui a appris? Qui a pu avoir des soupçons?

— Chut, ma douce, chut, dit-il en la prenant par les épaules. Il ne sait rien. Il ne le peut. Il ne connaît pas la subtilité et ne peut dissimuler sa colère, mais vous voyez bien qu'elle a disparu. Calmez-vous.

— Quelqu'un lui aura parlé. Oh, Tristan, qu'allons-nous faire?

— Le Serpent a fait son œuvre, nul doute là-dessus. Oh, ma mie, comme vous tremblez!»

Il l'entoura de ses bras et la serra contre lui.

«Tristan, j'ai si peur! Jusqu'à présent il ne subodorait rien.

— Désormais, il se posera toujours des questions. Une fois plantée, la graine du doute prend racine et germe dans n'importe quel sol. Chez un homme de quarante ans doté d'une épouse qui n'en a que dix-sept, elle ne peut que fleurir.»

Elle posa la tête contre son épaule et ferma les yeux. Il pressa ses lèvres sur ses cheveux. Mais du coin de l'œil, il entrevit quelqu'un, un homme tapi dans l'ombre de la pouponnière, à demi caché par la porte du jardin. Tristan ne bougea pas. Le personnage s'avança jusqu'à ce que son visage fût en pleine lumière. Les yeux de Segward rencontrèrent ceux de Tristan. Sa bouche esquissa un sourire, puis il s'inclina très respectueusement et disparut.

Marc projeta contre le mur un flacon qui se brisa en mille morceaux. La sentinelle passa le nez par la porte.

«Sors d'ici! Va-t'en!»

L'homme s'enfuit. Marc s'effondra sur un siège. Son visage était celui d'un vieillard.

«Comment savoir si c'est vrai? Vous l'accusez, mais vous avez de la rancune contre lui. Je ne serai pas l'outil de votre vengeance.

— Je vous le répète, je les ai vus de mes propres yeux.

— Prouvez-le-moi. Si c'est vrai, je dis bien *si* c'est vrai, alors je le punirai.

— Comment?

— L'exil. Je le renverrai à Lyonesse et le contraindrai à y demeurer.

— La trahison se paie de mort, dit doucement Segward.

— Arthur a-t-il tué Lancelot? fit Marc avec mépris. Il ira à Lyonesse et ne la verra plus jamais, cela devrait suffire.»

Les petits yeux de Segward se fermèrent à demi dans son visage bouffi et il émit une sorte de ricanement.

«Vous n'êtes même pas certain que l'enfant qu'elle a porté est le vôtre.»

Marc était abattu. Après un long silence, il se leva péniblement et marcha jusqu'à la fenêtre. Jusqu'à perte de vue, le littoral déchiqueté de la Cornouailles défiait la mer. Cette terre et ses rois avaient résisté à l'épreuve du temps. Née de géants, bénie par les dieux, gardée par la bravoure de ses guerriers et la sagesse de ses souverains, elle devait avant tout être préservée. Seule importait la Cornouailles. Mais il lui fallait des certitudes. Agir précipitamment risquait de détruire ce qu'il désirait sauver. Ses doigts se crispèrent sur la poignée de son épée.

«Prouvez-le-moi, dit-il lentement, et je le tuerai. Mais je veux une preuve.»

Segward émit un long soupir.

«Bien, sire. J'ai un plan.»

19

LA TONNELLE

«Cela ne me plaît pas, grommela Dinadan, occupé à ranger sa sacoche. Une sortie dans le bois de Morois? S'il veut chasser, pourquoi la reine est-elle présente? Et s'il veut organiser un déjeuner sur l'herbe, pourquoi tant d'hommes? Cela ne ressemble pas à Marc, il prépare quelque chose.

— Tu as tout le temps des soupçons, répondit Tristan qui vérifiait la sangle de son étalon. Il a peut-être seulement envie d'échapper un moment au château. Et à Segward. Bon, si son conseiller l'accompagnait, je me rangerais à ton avis: chacun sait que l'équitation n'est pas son fort. Mais il reste sur place, alors calme-toi, Din. Marc n'est rien sans lui. Et puis, c'est une journée idéale pour jouir de la nature, l'herbe drue des prairies sous nos pieds, le feuillage verdoyant... Il se peut que Marc en personne soit ému par la richesse de la vie.

— Je croirai ça quand il prendra une harpe et se mettra à chanter. Non, Tristan, il se trame quelque chose.

— Eh bien, mon ami, qu'il en soit ainsi. Iseut viendra et c'est tout ce qui m'importe!»

Branwen posa la dernière épingle dans les cheveux d'Iseut et plaça la résille d'or sur ses tresses. Elle jeta un coup d'œil au lit de la reine. Une seule tête avait laissé son empreinte sur l'oreiller.

«Tristan vous évite depuis quelque temps, murmura-t-elle, c'est plus sage de sa part.

— Marc l'a fait surveiller, expliqua Iseut. Dès qu'il s'éloigne de Dinadan, il est suivi.

— Vous ne le voyez que dans la pouponnière dans ce cas-là?

— Je le vois partout. Rien n'empêche nos retrouvailles. Je crois qu'ils essaient de nous surprendre. Mais le mieux est dans la pouponnière, effectivement, dit-elle en perdant son sourire. Il tient Keridwen tandis que j'allaite le petit Tristan. Allons, Branny, ne fais pas cette tête. Il l'aime vraiment et elle grandit de jour en jour.»

Branwen la regarda un instant en silence.

«Attendez ici», dit-elle avant de disparaître derrière le rideau.

À son retour, elle tenait à la main un petit flacon d'argent.

«Écoutez-moi, Iseut, et faites ce que je vous dis. Vos soupçons ne sont pas infondés. Segward essaie effectivement de vous prendre en défaut. Et cette sortie qui ne ressemble en rien à Marc n'est peut-être qu'un piège.

— Comment?

— Je ne sais au juste, mais j'ai des doutes. Bien, écoutez-moi, répéta-t-elle. Si l'on vous laisse seule avec Tristan, buvez une gorgée de cette potion. Pas plus. Par égard pour votre fils.

— Qu'y a-t-il dedans?

— Une plante qui assurera votre sécurité. Vous serez protégée et nul mal ne vous sera fait ni à Tristan.

— Je t'obéirai, Branny, dit-elle en prenant le flacon. Merci. Et je me tiendrai sur mes gardes.

— Non, soyez vous-même, Marc ne doit remarquer aucune différence dans votre comportement. Avec cette drogue, vous n'avez rien à craindre de lui, soyez donc enjouée. Il ne doit s'apercevoir de rien. Quoi qu'il ait prévu, sire Segward a tout organisé. N'ayez pas peur de Marc. Et n'en dites rien à Tristan.

— Pourquoi?

— Ses manières à l'égard de Marc doivent rester les mêmes. Et puis… il n'est pas aussi habile que vous dans l'art de la dissimulation.

— Je n'aime pas lui cacher quelque chose, dit-elle assez vivement.

— Oh, vous avez appris à garder tant de secrets, par égard pour lui, vous pouvez bien en garder un de plus.»

Marc et ses compagnons traversèrent la lande en fleur avant d'atteindre les collines menant au sombre bois de Morois. Alors qu'ils chevauchaient côte à côte, Marc expliqua à son épouse que la lisière de la forêt constituait le meilleur terrain de chasse de toute la Cornouailles; en revanche, il convenait d'en éviter les profondeurs. De tout temps, les villageois avaient tenu ce lieu pour sacré: c'était la demeure des dieux et des âmes des défunts.

«Il n'y vit donc personne? s'étonna Iseut. En Galles, les régions sauvages sont pleines de saints hommes.

— On parle bien d'un ermite, concéda Marc, mais nul ne l'a jamais vu. Un fantôme, comme les autres.»

Quand ils eurent atteint la lisière, le chemin se rétrécit et c'est les uns derrière les autres, en silence, qu'ils pénétrèrent dans les bois où la fraîcheur s'abattit sur eux comme une cape. Des rais de lumière perçaient parfois la canopée pour dessiner sur le sol une mosaïque tachetée. De toutes parts s'élevaient les voix de milliers d'oiseaux, accompagnées du bruissement furtif de petits animaux cherchant refuge. Tristan entama une ode en l'honneur du Créateur magnifique qui, d'un simple geste de la main, avait fait jaillir l'abondance de la terre riche et brune, des prairies resplendissantes, de la mer étincelante et du sein des femmes. Sa voix limpide s'élevait vers le ciel et enveloppait la forêt tout entière dans sa joie.

Marc vit des larmes aux yeux d'Iseut. Il détourna vivement la tête, le cœur lourd. Mais un vœu était un vœu, et le doute était une chose qu'il ne pouvait supporter. Arrivé dans une clairière ensoleillée, il fit halte.

«Krinas?

— Sire?

— Nous allons nous enfoncer en direction du nord-est. Les hommes sont prêts?

— Oui, seigneur.

— Bien. Je serais étonné si cet après-midi de chasse ne nous rapportait pas un cerf ou deux. Dame Iseut, dit-il en lui faisant signe de s'approcher, je vous abandonne ici. J'imagine que vous devez être lasse, tant d'exercice après un long et morne hiver. Nous permettrez-vous de vous laisser en ce lieu afin que nous rapportions de quoi confectionner un festin? Vous n'avez rien à craindre, ma mie, nous sommes à un jet de pierre de la lande.

— Mais bien entendu, seigneur, dit-elle en s'inclinant. Je ne refuse pas de me reposer un peu. Et je ne redoute pas la forêt.

— Je vous laisserai un garde, évidemment…

— Sire Dinadan, s'empressa-t-elle de dire. Je vous en supplie, seigneur, laissez-le-moi. C'est mon ami et nous pourrions passer le temps à bavarder en toute simplicité.

– Je ferai mieux que ça, dit Marc avec un rire contraint. Je vais vous laisser le meilleur guerrier de toute la Cornouailles, un chevalier de sang royal que nul n'osera attaquer.

– Non, murmura Iseut tandis que Marc poursuivait d'une voix enthousiaste :

– Quelqu'un de ma propre famille, mon royal neveu, Tristan de Lyonesse. Tristan, écoute-moi.

– Messire, dit Tristan en s'inclinant.

– Nous avons récemment échangé des propos que je regrette. Je veux te montrer en quelle haute estime je te tiens. Je te charge de la protection de la reine pendant notre partie de chasse. Trouve un endroit à l'ombre et prie-la de se reposer en attendant notre retour.

– Comme il vous plaira, répondit Tristan impassible. Mais je vous assure que vous n'avez pas à vous justifier, mon oncle.

– Ta réponse me fait plaisir. Venez, vous autres, il est temps.

– Dinadan peut rester avec nous ? demanda Tristan alors que Marc s'éloignait.

– Oh, non, il vient avec moi. C'est un trop bon archer pour que je m'en passe. »

Sur ce, le roi quitta la clairière, suivi de tous ses hommes.

Le claquement des sabots des chevaux s'était à peine tu qu'Iseut se tournait vers Tristan.

« Oh, mon amour, j'ai si peur ! Il nous veut du mal. Il nous a fait surveiller, c'est certain. Branny m'avait prévenue. Ramenez-moi à Tintagel, sur-le-champ ! »

Il mit pied à terre et s'approcha d'elle.

« Je ne puis désobéir au roi, à moins que vous ne soyez malade. Iseut, ne tremblez pas ainsi. Nul ne nous menace hormis nous-mêmes. »

Elle eut un pauvre rire et se laissa tomber dans ses bras.

« Hormis nous-mêmes... Mon aimé, vous dédaignez ma couche depuis si longtemps...

– Ne dites pas ça. Vous connaissez mon cœur, Iseut. Je crains pour votre sécurité et c'est ce qui provoque mon éloignement.

– Nous avons si peu de temps », fit-elle, une flamme dans le regard, la peau brûlante.

Il la lâcha et recula.

« Je vais entraver les sabots des chevaux et les laisser dans la clairière où ils pourront paître à loisir. Ensuite j'obéirai aux ordres de mon oncle et vous trouverai un endroit ombragé où vous reposer. Avez-vous faim ? Je suis affamé. Je vais prendre ma sacoche. Ah, si Dinadan avait pu me laisser son outre ! Je n'ai avec moi que de l'eau.

— Je préfère l'eau.»

Tristan accrocha les brides à une branche basse et jeta la sacoche sur son épaule. Il lui tendit la main.

«Venez, il existe un endroit non loin d'ici où nous pourrons manger et bavarder en paix.

— Nous n'allons pas nous perdre? dit-elle en posant un regard inquiet sur les fourrés épais.

— Et nous faire dévorer par des ermites malfaisants? N'ayez pas peur, je connais cette partie de la forêt comme le dos de ma main. Je m'y cachais quand, pour composer une ballade, je voulais échapper à Guvranyl et à ses exercices interminables.»

Il désigna une brèche dans le sous-bois.

«C'est tout au bout de ce sentier. On y trouvera un endroit agréable où nous reposer, une tonnelle.»

Elle lui donna la main et le suivit. Après une centaine de pas, ils atteignirent un bouquet de pins. La forêt s'ouvrait devant eux et le sol était recouvert d'un doux tapis d'aiguilles. Au-delà, le terrain s'élevait progressivement pour redescendre vers une petite vallée parcourue d'un ruisseau tumultueux. Tristan lui montra quelque chose: une pierre se dressait, haute comme un homme, une silhouette sombre qui se détachait sur le rideau de feuilles estivales.

«Oh, s'écria Iseut, qu'est-ce que c'est?

— Bah, fit Tristan avec un haussement d'épaules, impossible de dire de quel dieu il s'agit. L'inscription en est depuis longtemps effacée. On ne voit plus que quelques traces. Les gens du cru prétendent que ce sont les marques laissées par les géants qui ont fait la Cornouailles.

— Vous y croyez vraiment? s'étonna Iseut. Vous, un chrétien? Non, vous ne supposez tout de même pas que le monde a été fait par des géants?

— Avant le Dieu unique, existaient de nombreuses divinités, et avant elles, qui sait? dit-il avec un sourire. La mémoire populaire est très ancrée dans le passé. Mais peu importe, j'ai toujours pensé que ce vallon était un havre de paix. Venez, nous y sommes presque.»

À l'écart du chemin, le paysage formait une petite dépression. Trois noisetiers poussaient tout près l'un de l'autre et le lierre grimpant enserrait si fort leurs branches qu'il en faisait un dais naturel.

«Voilà, dit-il en la menant à l'intérieur de la tonnelle de verdure. Il y a longtemps, j'ai ôté toutes les pierres et autres souches. Le tapis de feuilles et d'aiguilles est plus doux et plus épais que votre lit de Tintagel, croyez-moi!»

Il étendit une couverture sur le sol et Iseut s'assit, invisible à quiconque se trouvait à dix pas de la tonnelle.

«C'est un endroit idéal pour un rendez-vous galant, dit-elle.

– Vous le pensez vraiment?»

Il jeta sa sacoche à terre, se retourna et vit son visage.

«Oh, Iseut, je vous promets que je ne ferai rien.»

Elle inclina la tête, les larmes aux yeux.

«Mon Dieu, comme c'est risible! Vous ne ferez rien, et je ne désire rien d'autre! Je ne vis que dans vos bras. Cette situation m'est devenue insupportable.»

Il défit son baudrier et posa son épée entre eux deux.

«Elle se dressera tel un mur. Nous pourrons converser mais il nous sera impossible de le franchir. Notre vie en dépend, Iseut.»

Elle essuya ses larmes du revers de sa main. Il lui tendit l'outre pleine d'eau et tira du sac d'Iseut un petit paquet entouré d'un ruban ainsi qu'un flacon en argent.

«Qu'est-ce que c'est?

– Des friands et des raisins ainsi qu'une boisson préparée par Branwen, fit-elle en évitant son regard. Mais je n'ai pas faim.

– Moi, si.»

Tristan s'assit à côté de son épée avec sa ration de bœuf séché, d'olives et de pain. Il se mit à manger.

«Iseut, je voulais vous parler de notre avenir, maintenant que nous avons un fils. Je n'y avais jamais songé auparavant, mais à présent je suis père et je vois les choses différemment.

– Et que voyez-vous, Tristan?

– Je veux que mon fils grandisse à Lyonesse.»

Elle pâlit.

«Comment est-ce possible, sans trahir notre secret?

– On peut peut-être s'accommoder de Marc.

– C'est mal le juger que de croire ça. Il n'a qu'une idée en tête et c'est sa dynastie.

– Tôt ou tard, Branwen lui donnera un fils. Et elle lui avouera la vérité.

– Si c'est le cas, il nous tuera tous. À commencer par elle, dit-elle en se signant.

– Peut-être pas. Quand il aura un fils bien à lui, capable d'assurer sa dynastie, peut-être vous laissera-t-il partir avec le petit Tristan. Cet enfant a droit à Lyonesse, pas à Tintagel ou à Camelot.

– Mais il croit *déjà* avoir un fils! Tristan, seuls vos rêves peuvent engendrer de tels fantasmes! Vous ne connaissez pas Marc. Ne lui dites *jamais* rien! Vous ne pouvez croire qu'il accepterait une telle trahison. Jamais il ne voudrait que son héritier fût un bâtard, né d'une suivante elle-même bâtarde! S'il devait savoir un jour que c'est avec elle qu'il a couché et pas avec moi, il ne pourrait ni l'oublier ni me pardonner. »

Tristan tendit la main au-dessus de l'épée mais elle recula.

« Je veux que vous soyez mienne aux yeux de Dieu. Je veux que notre union soit officielle et notre fils, reconnu. Vous ne méritez pas moins de ma part. Je suis las de toujours rôder dans le dos de mon oncle, c'est épuisant.

– Quoi? s'exclama-t-elle. C'est *vous* qui êtes las? C'est *vous* qui êtes épuisé? Vous n'êtes venu qu'une seule fois à Tintagel depuis mon mariage! C'est *moi* qui dois mentir chaque jour! C'est *moi* que l'on abandonne dans cette froide prison, moi qui me réjouis à chacun de ses départs et serre les dents à son retour! Ô Dieu, accorde-moi la patience! Comment osez-vous vous dire épuisé en ne passant que quelques malheureuses heures à duper votre oncle? C'est là ma vie, vous m'entendez, Tristan? C'est ma vie! »

Elle se détourna et cacha son visage dans ses mains.

« Iseut, je...

– Savez-vous ce qu'il m'a fait il y a trois nuits? Il est entré dans ma chambre comme un dément. C'était le soir de son retour, après qu'il nous eut trouvés dans la pouponnière. Il a exigé de savoir ce qu'il y avait entre nous. Il m'a demandé de but en blanc, oui, la main posée sur le Livre de Dieu, si j'avais jamais été votre amante.

– Seigneur! Pourquoi ne m'avoir rien dit? Qu'avez-vous répondu? »

Iseut luttait pour ne pas éclater en sanglots. Elle parla enfin mais d'une voix très grave.

« Je lui ai juré que nul homme ne m'avait connue excepté celui qui avait pris ma virginité. Ensuite... je lui ai demandé s'il se souvenait de cette nuit parce que, moi, je me la rappelais fort bien. »

Tristan poussa un long soupir et ferma les yeux.

« Voyez-vous la femme que je suis devenue? poursuivit-elle. Mes lèvres lui ont dit la vérité, mais Dieu sait qu'au fond de mon cœur je lui ai menti. Il a mis un genou en terre et imploré mon pardon. Il a ajouté qu'il se consacrerait entièrement à moi une fois que le bébé serait sevré. J'ai eu... honte. Il ne nous le pardonnerait jamais, Tristan, constata-t-elle pleine d'amertume. Je remercie le Ciel qu'il vienne si rarement à Tintagel et que Branny ait conçu en même temps que moi. Chaque jour nous devons imaginer comment le tromper. Il est revenu plus tôt que prévu et nous ne sommes pas prêtes. Quotidiennement, il me demande de ne plus allaiter, mais Branny n'est pas encore assez remise pour prendre ma place. Ce qui est certain, c'est qu'elle devra l'être quand mon père nous rendra visite. Marc m'a ordonné de trouver une nourrice à gages.»

Tristan tendit la main au-dessus de l'épée puis la retira. Il ne savait que répliquer.

Iseut s'essuya les yeux.

«Dieu soit loué, il juge répugnante la maternité ainsi que tout ce qui l'entoure: la poitrine gonflée, les effets souillés, les pleurs des bébés. Le sang versé sur un champ de bataille le laisse totalement indifférent, mais celui répandu dans le lit d'une femme est plus qu'il n'en peut supporter.

— Iseut, je suis si...

— N'allez pas me dire que vous êtes *désolé*! lui lança-t-elle. Car moi, je ne le suis pas. Il faut qu'il en soit ainsi.

— Pourtant c'est ma faute si, justement, c'est ainsi.

— Oh, Tristan, déplora-t-elle avec un pauvre sourire, qu'aurions-nous pu faire pour l'empêcher? Mille fois je me suis posé cette question. Il est inutile de regarder en arrière, ne nous soucions que de notre avenir. Je me moque de savoir si ma vie sera longue ou non, seul m'importe de vous voir de temps en temps. Vous me donnez tant de joie, je vous aime si tendrement... laissez-moi vous tenir dans mes bras du crépuscule jusqu'à l'aurore et je serai heureuse de souffrir de notre séparation. Jusqu'à votre retour.

— Mais cela me rend fou! Vous méritiez mieux. Permettez-moi de vous emmener à Lyonesse avec votre fils. Et que Marc fasse ce qu'il veut à notre encontre.

— Non, Tristan, non, je vous en prie, si vous m'aimez, laissez les choses en l'état. Ne me parlez plus de Lyonesse. Promettez-le-moi, vous ne lui direz rien.»

Il s'agenouilla devant son épée et en embrassa la lame.

«Je vous le promets, Iseut.»

Avec un soupir, elle porta le flacon à ses lèvres et but.

«Qu'avez-vous pris?

— Oh, ce n'est qu'une potion que Branny m'a donnée. Pour que je demeure en sécurité.»

Tristan se leva alors qu'elle s'installait de son côté de l'épée. Il s'appuya contre le tronc d'un noisetier et admira la clairière baignée de soleil. Quand il tourna la tête, elle dormait déjà. Son visage reflétait la même innocence que celui de son bébé, le matin même.

«Après aujourd'hui, mon cher cœur, je ne reviendrai plus près de vous. Dinadan a raison, cela nous tuera tous deux.»

Le flacon d'argent avait glissé des mains d'Iseut. Il le ramassa.

«Doux sommeil, permets-moi de demeurer un instant de plus à ses côtés car demain l'espoir touche à sa fin.»

À son tour, il but.

«Vous, Krinas, et vous, Dinadan.»

Marc fit virevolter son cheval et les deux chevaliers abandonnèrent le groupe des hommes occupés par la carcasse du cerf.

«Prenez vos chevaux et suivez-moi. Brychan!

— Oui, seigneur?

— C'en est assez pour aujourd'hui. Vous ramènerez cette bête au château. Je vous attends pour souper.

— Bien, sire.»

Marc partit au petit galop et les deux chevaliers luttaient pour ne pas se faire distancer. Couché sur la tête de son hongre pour éviter les branches les plus basses, Dinadan était inquiet. Ils ne se dirigeaient pas vers Tintagel mais au cœur de la forêt. Il espérait que Marc savait ce qu'il faisait, escorté de deux chevaliers seulement. Ils chevauchèrent près d'une heure avant de pénétrer dans une clairière. L'étalon bai de Tristan et la jument grise d'Iseut étaient là. Dinadan regarda autour de lui.

«Vous ne le trouverez pas ici, dit Marc en descendant de cheval. Mais il ne peut être très loin.»

Les chevaliers attachèrent leurs montures.

«Hanno! cria le roi. Approche!»

Une minute s'écoula et Marc appela à nouveau. Les feuilles bruissèrent, les fourrés s'écartèrent et un jeune homme apparut. Il portait une tunique et des chausses vertes.

«Je suis là, sire, à votre service.

— Tu l'as suivi?

— Rien de plus facile, seigneur. Je me suis caché dans un pin et ils ne m'ont pas vu.

— Que font-ils à cette heure?

— Eh bien, seigneur, ils dorment, fit Hanno avec un sourire béat.

— Ah oui? Après une journée de dur labeur, je n'en doute pas!»

Marc était blême; Dinadan et Krinas échangeaient des regards inquiets.

«Ils n'ont fait que parler.

— Montre-moi le chemin. Et fais doucement.»

Krinas s'avança derrière Dinadan.

«Pour qui prend-il sire Tristan? Pour un innocent, comme cet Hanno?»

Dinadan ne répondit pas, mais en silence, avec ferveur, il implora Dieu de délivrer Tristan du piège tendu par son oncle.

Ils arrivèrent bientôt près du vallon ensoleillé. Hanno montra la clairière au roi.

«Là, sire.

— Un lieu idéal pour un rendez-vous, grogna Marc en brandissant son épée. Tirez vos armes et suivez-moi. Il le paiera de sa vie s'il l'a touchée! Et vous, lança-t-il à Dinadan, ne vous avisez pas de le prévenir.

— Non, seigneur.»

Marc se dirigea vers la tonnelle et s'arrêta sous les noisetiers aux branches couvertes de lierre. Il abaissa la pointe de son épée. Dinadan le rattrapa et regarda.

Tristan et Iseut étaient allongés sur le sol de la forêt, séparés par une épée étincelante. Sa robe n'était pas froissée, sa tunique n'était pas en désordre. À l'exception d'une boucle qui retombait sur sa joue, sa coiffure était impeccable. Ils dormaient comme des innocents et leurs visages reflétaient une telle sérénité que Marc lui-même s'en émut.

«Dieu soit loué, murmura Dinadan.

— Alors, Hanno, ils bavardaient? fit le roi.

— Oh oui, sire, elle était furieuse après lui.

— Et de quoi parlaient-ils?

— Je ne saurais au juste, mais de nourriture, certainement. Sire Tristan avait faim mais ce n'était pas le cas de la reine.»

Marc s'agenouilla à côté d'Iseut. Il ôta l'anneau d'or qui ceignait son doigt et le passa à celui de son épouse avant de porter sa main à ses lèvres et de la baiser.

«Cette fois-ci, son objectif était trop ambitieux..., dit-il à voix basse avant de se relever. Krinas!

— Je suis là, seigneur.

— Je veux que l'on m'amène Segward dès mon retour. Dinadan, restez ici avec Tristan et la reine jusqu'à ce qu'ils se réveillent. Dites-leur que je donne ce soir un festin en leur honneur.

— Et en celui de sire Segward, seigneur?

— Sire Segward ne sera pas présent», répondit Marc d'un ton glacial.

QUATRIÈME PARTIE

20

LE FEU DE JOIE

À la fenêtre, Dinadan contemplait l'immensité de la mer qui luisait comme du métal au soleil de midi. Ici, à Lyonesse, au sud de la Bretagne, elle prenait des reflets dorés, songea-t-il. À qui appartenait une telle richesse? Dans le lointain, une voile blanche surgissait derrière les vagues pour aussitôt disparaître.

La porte s'ouvrit et une femme entra.

«Dame Esmerée! Mais que faites-vous à Lyon's Head? C'est bien le dernier endroit où vous devriez vous trouver! Personne ne vous a vue?»

Elle sourit et posa la main sur son bras.

«Ne craignez rien pour moi, mon bon Dinadan. Je suis ici au vu et au su de tous: c'est mon mari qui m'a envoyée.

– Quoi? Est-ce un piège?

– Non, dit-elle en s'avançant pour respirer l'air marin. Il ne voit plus en moi un appât digne de ce nom. Le roi Marc a des ordres pour Tristan et Segward a décidé de me laisser porter le message.

– Il n'est pas ici, vous savez. Il a pris la mer ce matin.

– Oui, j'ai vu son embarcation non loin de chez moi. Je dois vous avouer que j'ai profité de son absence pour venir ici.

– Je suis désolé.

– Non, ne le soyez pas, fit-elle en haussant les épaules. Je lui dois beaucoup, plus que je ne pourrai lui rendre. Je n'ai jamais pensé qu'un garçon de dix-sept ans pourrait m'aimer. Mais je ne veux pas de sa pitié, ajouta-t-elle en relevant fièrement le menton.

– Une partie de lui vous aimera toujours, Esmerée.

– Vous êtes un gentilhomme, Dinadan.

– Regardez-le, fit-il en désignant l'horizon. Il ne reviendra pas dîner, il ne reviendra même pas au coucher du soleil. Il dérivera toute la nuit avec les courants marins et ne regagnera la rive que lorsque son outre ne contiendra plus de vin. Il perd du poids, savez-vous, et il perd l'esprit. Elle le rend fou.

– J'en suis consciente.

– Jour et nuit il affronte la mort. C'est pourquoi je suis venu de Dorria, pour tenter de le sauver de lui-même.»

Esmerée s'éloigna de la fenêtre.

«Il ne mourra pas. Pas tant qu'Iseut vivra. Quant à son équilibre mental... Dites-moi, Dinadan, pourquoi a-t-il passé ces derniers mois ici, à Lyonesse? Est-ce sur la demande de Marc?

– Il a juré de ne plus la revoir.»

Esmerée prit place dans un fauteuil.

«Par égard pour elle, certainement. Pauvre Tristan, pauvre rêveur...»

Dinadan l'observa plus attentivement et vit de petites rides au coin de ses yeux, au coin de ses lèvres. La pâleur de sa gorge révélait sa fatigue. Malgré tout, son visage faisait encore tourner la tête à bien des hommes.

«Désirez-vous du vin ou de l'eau? Votre voyage a dû vous épuiser.

– Je prendrais volontiers une boisson chaude, si vous en avez, bien entendu, lui répondit-elle avec un sourire. Merci, Dinadan. Marcher me fut pénible et les routes sont poussiéreuses.

– Marcher? Mais vous n'avez pas fait tout ce chemin à pied! Segward a des chevaux et des mules, pourquoi ne s'en sert-il pas?

– Il a vendu les mules, quant aux chevaux, il les garde pour lui. Il veut que nous foulions le sol avec les instruments que Dieu nous a donnés. Pour le bien de nos âmes... Je crois surtout que c'est pour me tenir éloignée du prince Pernam, mon plus cher ami.

– L'immonde personnage! s'exclama Dinadan. Puisse-t-il brûler en enfer!»

Il ordonna au serviteur de leur apporter une tisane à base de feuilles de saule.

«Je ne permettrai pas que vous rentriez chez vous à pied. Nous vous prêterons une mule et un chariot...

– Non, seigneur, protesta-t-elle avec un rire un peu triste.

Pensez-vous qu'il ne sera pas mis au courant? Votre bonté à mon égard ne fera qu'empirer les choses.

— Il n'est pas question que vous marchiez à nouveau. Je vous renverrai chez vous sur une jument, un cadeau que Tristan fait à son oncle Pernam. Demain, vous vous rendrez à son Sanctuaire. Ensuite, il se chargera de vous faire accompagner. Ce n'est que courtoisie, que diable! Comment Segward pourrait-il savoir que nous voulons ainsi déjouer ses funestes projets?

— Il sait toujours tout.

— Il est revenu au premier plan, c'est cela? dit-il en arpentant la pièce. En mai dernier, le roi ne le tenait plus en estime. Je le sais, j'étais là.

— Quand Marc est revenu à Camelot, il a laissé Segward à Tintagel. Mais aujourd'hui, avec la venue de Perceval, Marc doit à nouveau faire appel à lui, que cela l'enchante ou non.

— Perceval nous rend visite? Seigneur, je l'avais oublié.

— Au solstice d'été, sur les falaises de Tintagel, une grande fête sera donnée en l'honneur de l'enfant royal. L'unification de la Bretagne, c'est ainsi qu'il l'appelle. Mon époux a organisé la cérémonie. Ils s'agenouilleront à la lueur d'un immense feu de joie et feront serment de fidélité. Au fils de Tristan, ajouta-t-elle, narquoise.

— Vous étiez au courant?

— J'ai passé tout l'hiver à Tintagel...

— Connaissez-vous l'autre aspect, terrible celui-ci, du jeu dangereux auquel ils se livrent?

— Je sais qui a engendré l'enfant de Branwen, si c'est à quoi vous faites allusion. Iseut est trop confiante. Je n'ignore pas grand-chose à leur propos. J'ai peur pour elle. L'avenir ne leur réserve pas beaucoup de bonheur. »

Un serviteur gratta à la porte et entra porteur d'une cruche emplie d'une boisson parfumée et de deux gobelets décorés. Esmerée but le breuvage avec plaisir puis elle soupira.

« Merci, seigneur. C'était délicieux mais il est à présent temps que je vous délivre mon message. Ensuite je partirai.

— Je vous écoute.

— Le Haut Roi Marc ordonne à sire Tristan ainsi qu'à tous les seigneurs de Cornouailles d'assister au solstice prochain, à Tintagel, à la présentation du futur Haut Roi de Bretagne. Vous aussi, seigneur, devrez y être présent. Et moi de même. Segward veut que Tristan m'escorte sur la route du nord.

— Maudit soit-il. Permettez-moi de vous accompagner, dame

Esmerée. Accordez-moi un peu de temps et je vous emmènerai demain à Dorria. De là, nous irons tous les deux à Tintagel en compagnie de mon père.

– Je vous remercie à nouveau, mais non, dit-elle en se levant. Même si je souhaite ardemment rencontrer votre bien-aimée. Viendra-t-elle à Tintagel avec vous ?

– Pas cette fois-ci, fit-il non sans gêne. Nous serons mariés à la fin de l'été et elle est trop prise par... euh... enfin, tout ce qui occupe les jeunes filles avant leurs noces.

– Vous parlez de son trousseau, sans aucun doute, dit Esmerée en riant. Je forme des vœux pour vous, Dinadan. Tristan s'attristera de perdre votre compagnie. C'est grâce à vous s'il conserve encore tous ses esprits.

– S'il les a toujours... »

Elle baissa la tête.

« J'ai une raison bien précise de décliner votre offre. Je veux que Tristan vienne me prendre chez moi. Je veux qu'il connaisse mes enfants.

– Vous parlez de sa fille, n'est-ce pas ? dit-il en lui prenant les mains. Il ne l'a donc jamais vue ?

– Non, mais vous comprendrez qu'il ne peut la considérer différemment des autres : Segward y trouverait la justification de ses soupçons et ferait du mal à cette pauvre petite. Malgré tout je tiens à ce qu'il la voie. Ne fût-ce qu'une fois. »

Dinadan lui baisa la main.

« Vous êtes une femme remarquable, dame Esmerée. Nous nous rendrons tous dans votre demeure, Tristan, Pernam et moi. Bon, à présent, allons voir cette jument. »

En ce jour de solstice, le soleil allongeait déjà les ombres quand les hommes de Lyonesse franchirent la dernière colline et contemplèrent la lande aride menant au château de Tintagel. Tristan leva le bras et fit faire halte à ses compagnons.

« Seigneur, y a-t-il quelqu'un qui ne soit pas venu ? »

Des milliers de tentes se dressaient dans le paysage, des centaines d'étendards claquaient mollement au vent. Aux abords des campements, les rangées de chevaux semblaient s'étendre sur des milles.

« Chaque seigneur de Dumnonia est ici, dit Dinadan en protégeant ses yeux du soleil. Ainsi que ceux de Summer. Et la moitié de Logris, apparemment. Je ne vois pas les seigneurs du Nord. Elmet n'a pas dû venir. Attends, quel est cet étendard, là-bas, tout près de la chaussée ?

– Celui de Galles. À la place d'honneur. Les hommes de Perceval. Jadis, converser avec Perceval était mon souhait le plus ardent, dit-il en se tournant vers ses hommes.

– Tu ne le désires plus aujourd'hui?

– Peu importe, dit Tristan avec un haussement d'épaules. Plus rien n'a d'importance, d'ailleurs. Le bonheur n'existe plus.

– Qu'est-ce que le bonheur vient faire là-dedans? s'étonna Dinadan. Regarde, ils nous ont repérés. Ils se mettent en rang pour nous accueillir. Donnez le signal et allons-y!

– Tristan! Tristan de Lyonesse!»

Ce cri s'éleva, triomphant, dans l'air du soir. Il traversa l'étendue de la lande, franchit les fenêtres du château et parvint aux coins les plus reculés de la forteresse.

«Tristan de Lyonesse!»

Perceval se détourna de la fenêtre et sourit.

«Voilà le jeune Tristan, enfin. C'est un brave garçon, Brynn. Aussi droit et honnête qu'on puisse le rêver. Un poète dans l'âme.

– Oui, sire.

– Il ne craint pas pour sa vie quand la situation l'exige. Parfois je souhaite... si mon oncle Peredur n'avait pas défié Constantin, j'aurais aimé voir ma fille Iseut mariée à Tristan plutôt qu'à Marc. Mais que ceci reste entre nous.

– Naturellement, sire.

– Peut-être est-ce une erreur que cette alliance. Elle n'est pas heureuse. Elle le cache, mais je le sais.»

Il caressa sa barbe et son regard s'adoucit.

«Mais elle aime son enfant, Dieu le bénisse. Et Branwen semble satisfaite. Avec le temps, peut-être Iseut en viendra-t-elle à mieux apprécier son époux.»

Marc était assis sur son siège sculpté tandis qu'un serviteur s'acharnait à lui enfiler ses bottes. Segward se tenait près de la fenêtre.

«Votre neveu a finalement décidé de nous honorer de sa présence. Au dernier moment. Il aime se faire remarquer!

– Laissez Tristan tranquille, grommela le roi. À tout moment il en vaut trois d'entre vous. Trouvez son campement et faites-lui parvenir nos salutations. Veillez à ce qu'il sache qu'une chambre l'attend. Ainsi que sire Dinadan. *Et* dame Esmerée, fit-il en lançant un regard malicieux à son conseiller.

– Elle est venue à votre invitation, seigneur, pas à la mienne.

– Iseut l'apprécie beaucoup. Pourquoi ne viendrait-elle pas?»

Une fois botté, Marc se leva et ajusta la cape écarlate que le serviteur avait posée sur ses épaules.

«Merron a-t-il doublé la garde devant la porte de la reine?

– Oui. Et il fera savoir à Tristan que, s'il souhaite renouer des liens avec Branwen, c'est elle qui viendra à lui. Nul homme ne doit pénétrer dans les appartements de la reine hormis le roi.

– C'est superflu, vous savez. Votre défiance à l'égard de mon neveu déteint sur toutes vos pensées. Je vous le pardonne parce que ce n'est pas très grave et que vous m'avez toujours rendu service. Mais attention, Segward, le prévint-il assez sèchement, n'allez pas trop loin.

– Peut-être, reprit Segward comme si de rien n'était, Tristan devrait-il épouser Branwen. Il vient d'avoir vingt ans, il est en âge de se marier.

– Mon neveu, avec une suivante? ricana Marc. Ne vous occupez pas de Tristan, il se trouvera une femme quand il y sera prêt. Et surtout il n'a pas besoin de votre aide.»

Marc se coiffa de sa couronne.

«Et ce sera encore mieux s'il ne se marie jamais. Nul héritier hormis le mien ne régnera sur la Cornouailles.»

Au coucher du soleil, Marc s'adressa à l'assemblée des seigneurs depuis un énorme rocher situé à la limite du promontoire. La reine Iseut amena son fils, un robuste bébé âgé de six mois, et le leur présenta. Perceval prêta serment de fidélité. Tristan, Pernam, Bruenor et tous les rois de Cornouailles firent de même. D'autres les suivirent, jurant l'un après l'autre de se mettre au service de l'enfant. Quand ce fut terminé, Marc alluma un grand feu de joie alors que retentissaient hourras et claquements de bottes. Un musicien prit son luth, un autre sa lyre, les cuisiniers s'empressèrent de déposer les viandes sur les flammes et la cérémonie se changea en un rien de temps en un joyeux festin agrémenté de chants, de danses et de jeux qui allaient durer toute la nuit.

Iseut et ses suivantes rentrèrent tôt à Tintagel avec le bébé. Tristan resta une bonne partie de la soirée auprès du feu de joie, buvant avec Marc, parlant à Perceval ou plaisantant avec les seigneurs en visite. Il était près de minuit quand il put s'esquiver sans se faire remarquer. Il se dirigea vers l'escalier menant aux appartements des femmes. Trois gardes se tenaient devant la porte d'Iseut.

«Brychan? Pwyll? Kellis? Mais que se passe-t-il? Vous attendez-vous à ce que la chambre de ma reine soit attaquée?

– Oh oui, seigneur, dit Brychan. C'est en tout cas ce que croit sire Segward. Et vous pourriez bien être l'attaquant auquel il pense.

– Moi? Vous voulez rire? fit Tristan en montant quelques marches.

– Oh non, seigneur. Nos ordres sont on ne peut plus précis.

– Eh bien, dit-il en rejoignant les trois hommes, si j'avais su, je serais resté à boire avec les autres Mais j'ai envie de lèvres de femme, confia-t-il à Brychan, et je veux un corps brûlant dans mon lit. Me refuserez-vous ma douce Branwen?

– Il doit bien y avoir un millier de filles qui ne demanderaient qu'à vous satisfaire, seigneur.

– Ah oui? s'amusa-t-il. Vous êtes trop crédule. Je ne suis pas un papillon. Je suis plutôt un arbre, qui s'enracine là où il dépose sa semence.

– Sauf votre respect, seigneur, je vous verrais mieux en prunellier. Des fleurs blanches mais des épines redoutables.

– Non, mais en lierre, oui. Je persiste, surtout quand je suis malvenu. Moins on s'occupe de moi, plus je deviens sauvage. Mais je suis toujours vainqueur en fin de compte: je recouvre ce que je veux.

– Vous êtes bien trop compliqué pour moi, seigneur. Vous avez votre amie et je ne peux pas vous empêcher de la voir, mais je dois obéir aux ordres du roi Marc, et c'est elle qui doit venir à vous. Dois-je l'envoyer chercher?

– Et me refuser le plaisir de l'enlever? Certainement pas. Je vous le demande, grattez à la porte et annoncez-moi.

– Mais, seigneur...

– Je n'entrerai pas puisque mon oncle l'exige, mais demandez-lui d'ouvrir la porte et de sortir.»

Brychan obéit et Branwen ouvrit la porte. Iseut se tenait derrière elle et portait toujours sa robe dorée mais ses boucles retombaient sur ses épaules. Elle le vit et le sourire mourut sur ses lèvres.

Branwen s'inclina très bas.

«Seigneur. Nous sommes heureuses que vous soyez venu sans encombre de Lyonesse.

– Et moi, je... je suis également heureux de vous voir, Branwen. Le rose vous est revenu aux joues, à ce que je vois.

– Je suis remise, seigneur, merci.»

Tristan lança un rapide coup d'œil à Iseut avant de proposer son bras à Branwen.

«Venez une heure avec moi, jolie Branwen. Je vous chanterai une chanson.»

Les gardes rirent et s'adressèrent des clins d'œil complices. Branwen hésita.

«Je serais bien venu plus tôt, douce Branwen, mais mon oncle et le roi Perceval m'ont longuement retenu à boire et à converser. Le temps est si clément que cela durera toute la nuit. Je crains que ma reine ne doive attendre son époux pendant de longues heures. Je suis certain qu'elle peut se passer un instant de vous.

— Bien, seigneur, dit Branwen en s'inclinant avant de lui prendre le bras. Si ce n'est pas trop long.»

Tristan ignora les rires étouffés des gardes et entraîna Branwen dans l'escalier.

«N'y voyez pas offense, Branwen, mais je connais ces hommes: si je touche la bonne corde, ils joueront à l'unisson avec moi.

— Oui, répondit-elle avec froideur, mon seigneur est un excellent musicien, chacun le sait.»

Quand ils furent entrés dans la chambre de Tristan, il alluma une unique chandelle et ferma les volets. La pièce était simplement meublée, avec son robuste lit de chêne, son châlit posé à la hâte le long d'un mur et sa petite table. Les affaires de Dinadan étaient à terre mais lui était absent.

Tristan lui indiqua le lit.

«Comme il n'y a pas de siège, ce lit conviendra.

— C'est la chambre la plus sordide de Tintagel! dit Branwen en regardant tout autour d'elle. Nul doute que sire Segward vous l'ait réservée. Demain je vous ferai porter des sièges, des lampes et des tentures.

— Vraiment? s'étonna Tristan. Vous avez donc un tel pouvoir?»

Branwen sourit et s'assit sur le lit.

«C'est une forteresse de femmes, seigneur, les hommes y sont rarement présents. Et parmi elles, seule me précède dame Iseut.

— Bien, dit-il en s'inclinant. Comment vous sentez-vous toutes les deux? Comment vont les enfants?

— Vous avez vu votre fils. Il est en aussi bonne santé qu'on puisse l'espérer. Keridwen se porte bien, mais elle est encore petite et maigre. Elle le sera certainement toujours. Marc a contraint Iseut à cesser d'allaiter et Brenna a à peine assez de lait pour deux nourrissons.

— Est-ce qu'il a...

— Pas encore. Ce soir sera la première fois depuis sa maternité. C'est pourquoi elle a si peur. Ce soir nous recourrons au même subterfuge.

232

– Je ne l'ai pas trouvée apeurée. Elle semblait plutôt prête à me dévorer tout cru.

– Oh, oui, acquiesça Branwen, elle est furieuse après vous.

– Mais pourquoi, au nom du Ciel? Qu'ai-je fait?

– Elle vous a vu en compagnie de dame Esmerée, elle vous a vu lui tenir la main, lui sourire, échanger avec elle un baiser d'adieu.

– Esme est mon amie, dit Tristan dont les joues rosissaient. Je lui dois beaucoup. Elle a enduré bien des choses pour moi.

– Je le sais, seigneur, mais nul ne peut raisonner une femme jalouse.

– Jalouse! jubila-t-il. Accordez-moi cinq minutes avec elle et je lui apprendrai à ne plus douter de mon amour.

– Depuis votre départ, elle n'a pas passé une nuit sans pleurer. Elle maudit le serment que vous lui avez fait.

– Vraiment? dit-il en détournant les yeux. Moi aussi. Je crois que je donnerais mon royaume pour une nuit avec elle.

– Ce ne sera pas possible cette fois-ci. Segward épie chacun de vos mouvements. C'est pourquoi j'ai demandé à Marc de faire appel à dame Esmerée. Elle est habile à le surveiller et nous pourrons savoir ce qu'il trame.

– *Vous* avez demandé à Marc?

– Oui, dit-elle avec calme. Bien entendu, il croyait que c'était Iseut. Il ferait n'importe quoi pour lui plaire.

– Je vous félicite, Branwen, mais ai-je une chance de voir Iseut seule? Je dois au moins lui parler.

– Ce sera difficile. Il y a des gardes devant chaque chambre et les invités sont partout.

– Mais il *faut* que je la voie! s'écria-t-il en lui prenant les mains. Il doit bien y avoir un endroit… la grève, les bois, à cheval, dans un bateau. Je ne puis avoir fait tout ce chemin sans la voir en tête à tête.

– Bien…, hésita-t-elle. Il y a un endroit. Les hommes n'y vont jamais, mais il est naturel que vous vous y rendiez.

– Où cela? Parlez!

– La pouponnière.

– Mais oui.»

Fou de joie, Tristan l'embrassa.

«Douce Branwen, j'aurais dû y penser moi-même! Nous irons voir nos enfants et personne n'y trouvera à redire.

– C'est toutefois risqué, seigneur, si vous vous attardez trop. Même là, on vous surveillera.

« – Quand pensez-vous que…

– Je vous enverrai un message ou je vous préviendrai moi-même quand il n'y aura rien à craindre.

– Soyez bénie. »

Il se dirigea vers la porte. Branwen le prit à nouveau par le bras.

« J'attendrai votre signal, dit-il. Là, je dois mettre un peu de désordre dans vos cheveux. Les gardes le repéreront. »

Elle ferma les yeux en sentant ses doigts dans sa chevelure. Quand elle les rouvrit, il la regardait, l'air grave.

« Me haïssez-vous pour toutes ces tromperies, pour les mensonges auxquels je vous ai contrainte ?

– Non, seigneur, je ne vous hais point.

– Vous êtes une bonne fille, Branwen.

– Je suis une femme à présent, seigneur. Et quand vous me souhaiterez bonne nuit à ma porte, vous devrez m'embrasser. Un vrai baiser. Cela aussi, les gardes le remarqueront. »

Chaque minute de la journée suivante lui parut durer des années. Tristan avait l'impression que le monde entier l'observait où qu'il se rendît, quoi qu'il fît. Dinadan dormit dans sa chambre et mangea en sa compagnie, Perceval et Pernam le recherchèrent pour discuter avec lui, la moitié des seigneurs de Logris l'approchèrent pour lui proposer leurs filles en mariage et, par là, s'assurer son alliance contre les Saxons. Marc lui-même fut souvent près de lui et Segward, semblait-il, était embusqué dans les parages.

Enfin, quand la chaleur de la journée fut retombée et que la brise marine se mit à souffler sur la lande, Marc organisa une chasse et la moitié des seigneurs l'accompagnèrent. Tristan déclina l'invitation et attendit dans sa chambre en tournant comme un ours en cage. Alors qu'il n'en pouvait plus, on frappa doucement à la porte. Il s'empressa de l'ouvrir.

Branwen fit la référence devant lui.

« Seigneur.

– Mais que faisiez-vous ? C'est insupportable.

– Marc a passé quasiment tout son temps avec Iseut. Elle n'est pas d'excellente humeur.

– Conduisez-moi à elle. Sur-le-champ. »

Les yeux de Branwen brillèrent. Sans plus attendre, elle l'entraîna dans d'obscurs couloirs menant à la pouponnière. Nul ne leur prêta attention.

« Rappelez-vous que vous êtes ici pour voir ma fille. »

Ils entrèrent dans la longue pièce meublée d'un côté de deux berceaux et, de l'autre, de coffres pleins de jouets. Brenna, la nourrice, se leva et s'inclina.

«Seigneur Tristan. Maîtresse Branwen. Elle vient de manger. Elle était affamée aujourd'hui. Voulez-vous la prendre, seigneur?»

Tristan accepta le petit fardeau endormi.

«Puis-je l'emmener au jardin?

— Pas au soleil, seigneur. Il y a un banc sous le pommier, il y fait plus frais. La reine Iseut s'y trouve déjà.

— Merci, Brenna.»

Tristan traversa lentement la pelouse. Iseut tenait son bébé sur ses genoux, le chatouillait et faisait des mimiques pour l'amuser. Le petit Tristan gloussait et agitait les bras de plaisir. À l'approche de Tristan, l'enfant l'aperçut, leva le poing et se mit à gazouiller.

«Il me reconnaît! dit Tristan en riant.

— Vous n'êtes pour lui qu'un étranger», répliqua Iseut sans même relever la tête.

Branwen se plaça aux côtés d'Iseut pour la protéger de tout regard curieux.

«C'est faux, il m'a salué.

— Il fait cela à tout le monde», dit Iseut en haussant les épaules.

Tristan prit place sur le banc. Il coinça Keridwen dans le creux de son bras et posa discrètement son autre main sur la taille d'Iseut.

«Laissez-moi. Je ne vous ai pas autorisé à vous asseoir. Je ne vous permets pas de me toucher.»

Tristan l'attira vers lui et posa les lèvres sur son cou.

«Il faut donc des autorisations de vous à moi à présent? Mon doux amour, cela fait des siècles que je ne vous ai vue, lui souffla-t-il à l'oreille.

— Vous avez passé agréablement ce temps, je n'en doute pas, en compagnie de la belle Esmerée», répondit-elle avec un léger tremblement.

Les lèvres de Tristan effleurèrent sa joue puis le coin de sa bouche. Branwen toussota.

«Esmerée est une étoile au firmament de la beauté, mais vous, Iseut, mon seul amour, vous en êtes le soleil. Pour moi vous êtes le ciel et la terre. Vous le savez. Ne me torturez pas avec de vaines jalousies. Que dois-je faire pour vous convaincre, vous baiser les pieds ici même, en ce jardin? Demandez-le-moi et je m'exécuterai.»

Elle se tourna brusquement vers lui, incapable de résister plus longtemps. Ses yeux étaient embués de larmes.

«Oh, Tristan, ce n'est pas vous, c'est Marc. Je... je me sens impure. J'étais seule dans la tour et il m'a surprise. Il m'a embrassée et serrée contre lui, comme si j'étais une traînée de village. Et il se serait allongé sur moi, dans l'escalier, si Merron n'était arrivé à cet instant!»

Une larme tomba sur le bébé qui se mit à geindre.

«Je n'en peux plus, Tristan, je ne supporte plus cette vie. Emmenez-moi loin d'ici!»

Tristan tendit un doigt à son fils, qui s'en empara et le porta goulûment à sa bouche. Iseut posa la tête sur l'épaule du jeune homme. Branwen se pencha au-dessus d'elle comme pour remettre en place sa résille alors que Tristan l'embrassait sur la bouche.

«Je ne désire rien de plus, lui murmura-t-il. Et un jour, je le ferai. Mais il convient de préparer soigneusement ce projet si nous ne voulons pas tous périr. Vous aviez raison: quand je vous emmènerai, ce devra être avec l'aval de Marc.

— Mais quand pourrai-je vous voir seul? Il n'y a qu'avec vous que je peux effacer cette souillure.»

Tristan interrogea Branwen du regard.

«C'est le seul endroit, seigneur.

— Bien. Ce sera donc ici. Laissez-moi partir, Iseut. Revenez cette nuit, une heure avant minuit. Prenez n'importe quel prétexte: il n'y a que là que vous puissiez prendre l'air en jouissant de la solitude. Venez m'attendre sous le pommier.

— Ici? Sous les regards de Brenna? Est-ce bien prudent? Et comment entrerez-vous?

— Ne vous en souciez pas. Elle ne verra que vous. Quand vous entendrez à deux reprises le chant du rossignol, rendez-vous tout au fond du jardin. Il y a là un vieux pommier tout noueux. Je vous y attendrai. Ses branches nous abriteront. Vous serez seule à savoir que je suis là.»

Iseut se redressa et posa les lèvres sur sa joue.

«Dieu vous bénisse, Tristan. Je n'ai jamais douté de vous.»

Il lui prit la main. Elle portait son anneau, l'Aigle de Lyonesse, l'aigle d'or sur fond d'émail bleu.

«Je vous pardonne tout.

— Il est temps de partir, le pressa Branwen. Brenna va franchir la porte.

— Oh là, s'écria Tristan en retirant son doigt de la bouche du bébé, mais il m'a mordu!»

Iseut se mit à rire, les yeux étincelants de bonheur.

«N'y voyez pas malice, il fait cela à tout le monde.»

21

LE POMMIER

«Où vas-tu ainsi? lui demanda Dinadan. Tu n'as rien mangé à table et maintenant tu réclames ton cheval! Que se passe-t-il?

— Je descends jusqu'au campement de Lyonesse. Je veux voir les hommes.

— À une heure pareille?»

Dinadan l'entraîna dans un recoin de la cour.

«Tu es un piètre menteur, Tris, tu l'as toujours été. Qu'y a-t-il dans ce sac?

— Des provisions.

— Pour quoi faire?

— Écoute, Din, mieux vaut que tu ne saches rien. Ne m'oblige pas à me confier.

— C'est Iseut, n'est-ce pas? murmura Dinadan. Tu ne peux pas aller la voir.

— Nous sommes à Tintagel et les hommes de Marc sont omniprésents. Cette escapade me vaudra la mort si je me fais prendre et tu connaîtras le même sort si tu es au courant. Je ne te dirai rien.

— Qu'est-ce qu'il y a dans ce sac?

— Une corde et un grappin.

— Sa fenêtre est située tout en haut du château et la mer est juste en bas. Je ne vois pas pourquoi tu t'inquiètes pour Marc.

— Je ne grimperai pas jusqu'à sa fenêtre, dit Tristan en souriant.

— Je ne comprends pas.

237

– C'est un vieux subterfuge que j'employais étant enfant. C'est tout ce que je t'en dirai. Si tu veux m'aider, raconte à ceux qui me cherchent que je suis allé voir mes hommes. C'est d'ailleurs ce que je vais *commencer* par faire. »

Un garçon d'écurie amena le cheval de Tristan dans la cour. Dinadan saisit le bras de son ami.

« Puisque je ne peux pas t'arrêter, alors je te souhaite de réussir. »

Tristan descendit jusqu'au campement de Lyonesse. La plupart des soldats buvaient autour du feu ou jouaient aux dés sous les tentes. Il adressa quelques mots au commandant, sire Grayell, avant de revenir vers Tintagel. Peu avant d'arriver en vue de la poterne, il mit pied à terre et conduisit son cheval sur un chemin escarpé menant à la grève. Là, il l'attacha à un vieil arbre et jeta sa cape sur les flancs de l'animal. La nuit était chaude et la mer calme, mais le vent soufflait. Puis il prit son sac et courut sur les galets jusqu'à la base même du château.

Enfants, Gérontius et Tristan avaient réussi à trouver le moyen de pénétrer l'imprenable forteresse. À marée basse, ils se rendaient à pied jusqu'au promontoire rocheux. Les marches taillées dans la pierre étaient encore là, dix ans après, quoique plus lisses, et celles menant au château, plus friables. Après quelques minutes, Tristan put courir en silence le long de la muraille extérieure, se courbant quand il passait devant une meurtrière. Il arriva enfin devant un haut mur de pierre dressé entre deux tours. Ouvrant son sac, il noua la corde au grappin, retint son souffle et projeta le crochet par-dessus le mur. Les haillons enroulés autour des pointes atténuèrent le choc, mais il préféra attendre et compta jusqu'à dix. Personne ne venait, personne n'appelait. Il grimpa à la corde, enjamba le mur et se laissa tomber vingt pas plus bas sur un gazon épais.

Il faisait très sombre. Aucune lampe ne brûlait dans la pouponnière et le verger était désert. Il courut courbé jusqu'au vieil arbre et escalada ses branches les plus basses puis il se prépara à patienter.

Au bout de quelques instants, il vit la lueur d'une chandelle dans la pouponnière et entendit murmurer des voix de femmes. La porte s'ouvrit.

« Ne t'occupe pas de moi, dit Iseut. J'ai besoin d'un peu de solitude. Il y a trop de monde ici et la nuit est si belle. Regagne ton lit, Brenna. Je ne sors qu'un instant. »

Elle portait une cape noire sur sa robe et, quand elle parvint dans le verger, elle sembla disparaître. En chemise de nuit, Brenna tenait sa chandelle bien droite pour éclairer la reine jusqu'au banc, mais

Tristan remarqua que son regard parcourait le jardin en tous sens. Enfin, quand Iseut eut atteint le banc, Brenna fit la révérence et se retira. Quelques instants plus tard, la lumière s'éteignait.

Tristan attendit encore. À un moment, il crut voir le visage rond de la nourrice apparaître à la fenêtre, mais rien ne bougea.

Accroupi, il imita le chant du rossignol, ainsi qu'il l'avait dit. Iseut se mit alors à arpenter la pelouse, se rapprochant chaque fois un peu plus du mur du verger. Tristan regarda une ultime fois la fenêtre obscure, mais il ne vit rien. Soudain Iseut passa sous les branches et tomba dans ses bras.

« Oh, Tristan, murmura-t-elle entre deux baisers, comme mon cœur se languissait de vous !

— Le souffle de la vie me revient enfin. Ma bien-aimée, je connais le bonheur. »

Après avoir subi une si longue attente, ils n'en finissaient plus de s'embrasser et de se caresser.

« Tristan, je dois coucher avec vous ou vous quitter. Cette situation est intolérable !

— Nous devons l'endurer, dit-il en s'asseyant au pied de l'arbre et en l'entraînant près de lui. Nous ne pouvons nous unir. Pas ici. Je l'ai juré.

— Oui, c'est à moi que vous l'avez juré, fit-elle en le prenant par le cou, mais je n'en peux plus de cette abstinence. Je vous relève de votre serment. »

Il posa sa tête contre son sein et soupira.

« Pourrais-je vous désobéir sans connaître le déshonneur ? Non, Iseut, restons ici et parlons, de notre fils, de notre avenir, et ne souillons pas nos consciences.

— La mienne est pure.

— La dernière fois, vous n'étiez que récrimination à mon égard.

— Oh, je suis aussi changeante que la mer. Un jour, c'est le désespoir et, le lendemain, le désir insatiable. Il n'y a que dans vos bras que je trouve la paix.

— J'éprouve la même chose. »

Il ferma les yeux. Contre lui, il sentait la chaleur d'un corps de femme. Il la serra plus fort.

Douze jours plus tard, alors que le ciel était obscur, quelqu'un gratta à la porte de Segward. Prudemment, il se leva, ouvrit le loquet et entrebâilla la porte.

« Brenna ?

– Seigneur.

– Chut. Quelles sont les nouvelles?»

Nerveuse, elle regarda derrière elle, mais le couloir était sombre et désert.

«Je crois qu'ils se voient. Dans le jardin de la pouponnière.

– Ah! dit Segward avec un soupir de satisfaction. Continue. Comment le sais-tu?

– Depuis douze nuits, à l'exception de celle où il y a eu un orage, ma reine est sortie seule prendre l'air. Une fois, Branwen l'a accompagnée, mais elle est restée à l'intérieur. Elle ne s'est pas occupée des bébés. Je crois qu'elle me surveillait.

– C'est plus que probable. Et Iseut?

– Elle s'assied sur un banc, sous le pommier. Mais ensuite, quand le rossignol se met chanter, elle fait quelques allers et retours sur le gazon avant de disparaître.

– Elle disparaît?

– Oui, seigneur. Mais je n'ose pas allumer la chandelle et je n'ai jamais découvert où elle va. Jusqu'à ce soir.

– Oui? Continue.

– Il y avait un clair de lune, ce soir, seigneur. Je les ai vus tous les deux sortir de dessous le vieux pommier, tout au bout du jardin.

– Tous les deux? Donne-moi un nom, femme, hâte-toi!

– C'était sire Tristan, seigneur. Il a escaladé le mur de pierre avec l'agilité d'une araignée. Ensuite, ma dame est revenue en laçant son corsage.

– Parfait, Brenna, ricana Segward, parfait. Quand cela a-t-il commencé, dis-tu?

– Il y a douze nuits, juste après le feu de joie.

– Chacun doit rentrer chez soi après-demain. Je n'ai donc qu'une nuit pour moi.»

Il plongea la main dans sa bourse et compta trois pièces d'argent.

«Tiens. Ne raconte à personne ce que tu as vu, ne dis pas non plus que je t'ai parlé jusqu'à ce que je t'autorise à prévenir le roi. Sinon, tu seras pendue pour vol.»

Elle se saisit des pièces et s'enfuit dans le couloir. Segward sourit et referma la porte.

Derrière lui, sur le châlit, dame Esmerée était tournée vers le mur, les yeux grands ouverts.

Le dernier jour de fête fut consacré aux jeux et aux concours, aux exploits à cheval et aux courses à pied dans la lande ainsi qu'à la natation le long du rivage. Au fil des heures, les esprits s'échauffaient et chaque royaume pariait sur ses jeunes représentants. Tristan fit la joie de la Cornouailles en gagnant la dernière épreuve de natation avec trois longueurs d'avance sur son concurrent immédiat, et ils furent nombreux à soutenir qu'il devait être en partie poisson pour l'emporter avec autant d'aisance.

«Bravo, Tristan, lui lança Dinadan en s'avançant dans l'eau. Tu les as tous battus et je te félicite.»

Sur la grève, les seigneurs corniques l'acclamaient et l'applaudissaient tandis que les perdants reprenaient leur souffle sur les galets. Nu, hâlé, Tristan avait de l'eau jusqu'aux genoux. Il s'inclina pour remercier et sourit à Dinadan.

«Dieu merci, c'est fini. Je n'en peux plus.

— Tu n'en as pourtant pas l'air. Ils sont tous à demi morts et toi, tu sembles encore en pleine forme.

— C'est parce que j'ai passé la moitié de l'été dans la mer.

— À notre départ de Lyonesse, tu étais tout maigre et tu ne dormais pas. Maintenant, tu as retrouvé ta forme et tu es souriant. De plus, tes odes n'évoquent plus la mort à tout instant.

— Tu en connais la raison…

— Tu l'as à peine vue.

— Crois-tu? fit-il en chassant l'eau de ses oreilles.

— Quoi? s'étonna Dinadan. Comment as-tu fait? J'ai partagé ma chambre avec toi et tu ne m'as rien dit?»

Tristan sortit de l'eau en riant.

«Si j'ai des secrets pour toi, Din, c'est pour que tu puisses jurer de bonne foi que je dormais chaque nuit dans mon lit.

— Bon sang… tu l'as vue.»

Les spectateurs se dispersèrent tandis que les autres nageurs venaient féliciter Tristan. Il se sécha et enfila sa tunique.

«Quelle journée! s'écria-t-il avec un geste en direction de l'horizon. Par un jour comme celui-ci, je crois que je pourrais vivre à tout jamais!

— Dans ce cas, dit une voix de basse derrière lui, j'espère que tu n'as pas approché la reine.»

Il se retourna brusquement. Pernam était assis sur un rocher, au pied de la falaise. Ses cheveux argent coupés très courts resplendissaient comme un joyau au soleil.

«Oncle Pernam! Mais où vous cachiez-vous? Je vous ai à peine vu depuis notre arrivée?»

Tristan l'enlaça affectueusement et Pernam sourit.

«On m'a accordé une chambre à Tintagel mais je préfère une tente sur la lande. Là, dit-il en désignant les tours sombres du château, je me sens plus dans une prison que dans une forteresse. Et puis, ajouta-t-il avec un clin d'œil, mon choix n'est pas dépourvu de raisons pratiques : mon frère Marc n'apprécie pas mes amis.

– Il n'apprécie pas grand-chose, me semble-t-il, fit remarquer Dinadan.

– Ce n'est pas le cas de Tristan, ou plutôt ce ne l'est plus. Pour l'heure, c'est son enfant chéri, il pourrait faire n'importe quoi.

– Que se passe-t-il, mon oncle ? Si vous êtes venu sur la grève pour autre chose qu'un compliment, il est temps de me le dire.

– Esmerée m'envoie, dit-il avec calme. Elle a un message urgent à t'adresser, sinon elle ne serait pas sortie du château sans la permission de Segward. Tristan, je dois te prévenir que mon seul intérêt en cette affaire, c'est la protection d'Esme. Elle a pris de grands risques. Je compte donc sur toi pour qu'elle n'en pâtisse pas. »

La tente de Pernam se dressait sur la lande, derrière le campement de Lyonesse et non loin du parcage des chevaux. Un jeune homme d'une beauté surprenante en gardait l'entrée. Bien qu'armé d'une dague, son allure et sa nervosité indiquaient clairement qu'il n'avait rien d'un guerrier. Son visage s'illumina quand il aperçut Pernam. Quand il se fut incliné et eut prié les trois hommes d'entrer, il se retira pour aller s'occuper du feu.

Esmerée se leva à leur arrivée.

«Merci, Pernam, vous êtes trop bon de prendre ainsi soin de moi. »

Tristan remarqua la pâleur de son visage et, au lieu de lui saisir la main, il l'attira à lui et la baisa sur la joue.

«Douce Esme, ne faites pas d'imprudence pour moi. Il n'est rien qui ne puisse attendre.

– Non, Tristan, ne croyez pas cela, dit-elle en le repoussant doucement. Je suis venue dès que Segward est allé trouver Marc. Il en veut à votre vie.

– Qui donc ? Marc ? demanda Dinadan.

– Asseyons-nous donc, proposa Pernam, et demandons au jeune Arthur de nous apporter une boisson à l'écorce de saule. »

Ils prirent place tandis que Pernam allait rejoindre son beau serviteur.

«Segward vous épie par l'intermédiaire de Brenna, la nourrice, dit Esmerée sans plus attendre. Je l'ai moi-même entendue lui raconter qu'elle vous avait vu avec Iseut dans le jardin de la pouponnière, une heure avant minuit, chaque soir depuis une quinzaine, à l'exception d'une nuit d'orage. Est-ce vrai?

– C'est donc *là* que tu allais? gronda Dinadan. J'aurais dû m'en douter. Sire Grayell se demandait où tu pouvais être passé.

– Enfer et damnation, s'écria Tristan furieux, on n'a donc pas mieux à faire que de se mêler de mes affaires?

– C'est *toi* qui t'immisces dans les affaires de Marc, dit doucement Pernam qui rapportait quatre gobelets d'argile emplis d'un breuvage chaud. Rien ne serait arrivé si tu avais fait ton devoir.

– Je sais, je sais, mais je n'ai fait que parler avec elle, mon oncle, rien de plus, je l'ai à peine touchée. Nous nous voyons pour bavarder. C'est si innocent que Marc en personne pourrait nous regarder sans rougir.

– J'espère que vous dites vrai, trancha Esmerée, car, ce soir, il vous observera, justement.

– Quoi?

– Segward a conduit Brenna à Marc. Il est clair qu'il a rapporté au roi tout ce qu'il savait. Vous êtes ici, parmi nous, ce qui signifie que Marc ne le croit pas. Mais je connais bien Segward: il n'aura de cesse de convaincre le roi de votre culpabilité. Et un tel crime se punit de mort, ajouta-t-elle en le regardant droit dans les yeux. »

Tristan se contenta de hocher la tête.

« Maintenant qu'il connaît l'heure et le lieu de vos rendez-vous secrets, il fera tout pour que Marc en soit témoin.

– Mais comment? Où sera-t-il? Dans le jardin? »

Esmerée se rapprocha de lui et baissa la voix.

« À un endroit où vous ne pourrez le voir. Dans le pommier, probablement. »

Il fit la grimace.

« J'ai été stupide de croire que nous pourrions nous rencontrer sans être observés, même pour une discussion privée.

– Ce sont tes rendez-vous qui sont stupides, oui, affirma Dinadan. Tristan, tu ne peux pas y aller ce soir. Maintenant que tu es au courant de ce piège, tu ne peux te jeter dedans.

– Un piège qui n'attire pas de proie un jour en saisira une le lendemain. Non, le piège se refermera, mais il faut que Segward en soit le prisonnier.

– Je pensais de même, dit Esmerée. Retrouvez-vous comme d'habitude, ne changez rien. Faites en sorte qu'il soit témoin d'une discussion entre deux sujets honnêtes et loyaux, poussés à la discrétion par le comportement pervers de Segward, et qui ont à cœur les intérêts supérieurs du royaume. Discréditez Segward et vous n'aurez plus rien à craindre de Marc.»

Tristan lui prit les mains.

«Porterez-vous ce message à Iseut?

— Sinon à Iseut, du moins à Branwen.

— Bien. J'imiterai comme à mon habitude le chant du rossignol.

— Ce sera fait.

— Merci, Esmerée, dit-il en portant ses doigts à ses lèvres, merci encore une fois pour tout ce que vous m'apportez.»

Elle lui sourit, sans savoir que son visage resplendissait et qu'on pouvait y lire ses sentiments les plus profonds.

«Seigneur, je ne fais que vous rendre ce que vous m'avez donné.»

Les trois hommes sortirent de la tente pour la voir s'en aller précipitamment. Pernam leva la main en signe de bénédiction.

«Voilà bien le cœur le plus noble que je connaisse. Tristan, j'espère que tu te rends compte de ce qu'il adviendra d'elle si tu réussis à discréditer Segward... Il sera banni à Lyonesse et, dans sa fureur, il la battra chaque soir.»

La nuit était assez sombre. Des traînes de nuages masquaient la lune et un brouillard venu de la mer enrobait les falaises, apportant son humidité aux murs du château et dessinant des halos autour des torches. Tristan se laissa tomber sur le gazon. Le vieux pommier avait une apparence spectrale et il hésita un instant avant de se glisser sous ses branches. Bien qu'il n'y eût ni bruit ni mouvement, il sut tout de suite que Marc était déjà là.

Puis il vit les lumières de la pouponnière et entendit les voix des deux femmes. Iseut attendit sur le banc qu'il imite le chant du rossignol puis, sans le moindre subterfuge, elle marcha jusqu'au vieil arbre. Ce soir, elle portait son bandeau d'or.

«Sire Tristan.

— Ma reine, dit-il en s'inclinant. Comment se porte votre fils, l'héritier du royaume?»

Il voulait que cela passât pour une question rituelle, et il fut heureux de l'entendre répondre sur le même ton ennuyé.

«Bien, bien. Keridwen allait un peu mieux aujourd'hui. Je crois que ce sont ses dents, cela la rend nerveuse.

— J'aimerais la voir plus souvent, mais dame Branwen me déconseille d'aller à la pouponnière. Elle ne fait pas confiance à cette nourrice. Elle pense que Segward la paie pour bavarder à notre sujet.

— Mais pourquoi parlerait-elle de nous?

— Il ne m'a jamais aimé, répondit-il en haussant les épaules. Je crois qu'il aimerait salir mon nom.

— Quel indigne personnage! Le roi ne sourit jamais en sa présence et je me demande pourquoi il le garde à son service.

— C'est tout de même un homme très intelligent, mais il n'a pas le jugement de Marc. C'est pourquoi nos rencontres doivent être ainsi. Bien que nous soyons amis depuis que je vous ai ramenée de Galles, Segward aimerait voir dans nos relations plus que de l'amitié.

— Qu'entendez-vous par là? demanda Iseut d'une voix tremblante plus vraie que nature.

— Ne vous tourmentez pas, je vous en prie, dit-il en la prenant par la main pour l'aider à s'asseoir entre les racines de l'arbre. Vous savez que le roi a fait doubler la garde à votre porte et que l'accès de vos appartements m'est interdit. Branwen doit donc sortir pour me voir. Il lui faut traverser les longs couloirs du château, passer devant les hommes, subir leurs rires et leurs clins d'œil, sans parler de leurs gestes... uniquement pour être une heure avec moi et, euh, bavarder.

— Je sais comment Branwen passe son temps avec vous, seigneur. »

Il perçut une note amusée dans sa voix. Au-dessus d'eux, une branche craqua brièvement.

«Peut-être savez-vous que les gardes sont aux ordres de Segward. Mon oncle Marc n'a aucune raison de douter de vous ou de moi. Chacun est au courant pour Branwen et moi. Mais si Segward parvenait à planter la graine de la suspicion dans le cœur de Marc...

— La suspicion? Mais de quoi? s'écria Iseut dont l'émoi n'était pas feint, cette fois-ci.

— Ne soyez pas bouleversée, ma reine. C'est pour cette raison que je vous ai proposé cet endroit. Je sais depuis un certain temps que Segward désire que le roi croie que nous sommes amants!

— Ne soyez pas ridicule!»

L'arrogance de sa voix céda immédiatement la place au remords.

«Oh, Tristan, pardonnez-moi, je ne voulais pas vous faire injure. Vous êtes mon ami fidèle et je sais que vous le serez toujours. Je veux dire qu'il est absurde que Marc puisse croire une telle chose. Vous êtes excessivement prudent. Je ne vois pas pourquoi nous ne pourrions marcher et converser ensemble en pleine lumière. Marc n'y verrait rien de mal. Pourquoi serait-ce différent avec vous alors que je le fais avec Dinadan, le prince Pernam ou une centaine d'autres?

– Ah, soupira-t-il, vous ne comprenez pas la nature de la suspicion. C'est une graine malfaisante. Une fois enracinée dans l'esprit, elle change toute pensée, tout désir, toute certitude. C'est un voile noir qui tombe devant les yeux. Elle détruit la confiance pour nourrir la jalousie et le mépris. Il faut un esprit solide pour combattre un tel fléau.

– Marc est fort, répliqua doucement Iseut. Et je sais qu'il m'aime. Mais ne croyez-vous pas que nous éveillons ces soupçons que vous redoutez tant en nous retrouvant ainsi? Tout prête à croire à un rendez-vous galant, dit-elle en désignant de la main le décor qui les entourait.

– C'est de Segward dont nous nous cachons, pas de Marc. Mais ne vous inquiétez pas, demain je rentre à Lyonesse et Segward pourra agir comme bon lui plaira.

– Vous me manquerez, Tristan. Je serai bien seule ici quand vous serez tous partis. Je n'aurai plus que Branny. Je regretterai vos paroles et vos ballades, dit-elle avec de forts accents de sincérité.

– Vous avez votre fils. »

Elle releva la tête. L'ovale pâle de son visage se détachait à peine sur la noirceur de l'écorce de l'arbre.

« Oui, et Marc en désire un autre. »

Un instant, il fut incapable de répondre. Son sang battait à ses tempes.

« Un autre? Si tôt?

– Il a eu trois fils auparavant, poursuivit-elle en baissant la voix, et il leur a survécu. Leur trépas lui a plongé une dague dans le cœur. Il veut être certain d'avoir un héritier. Il souhaite par-dessus tout fonder une lignée de rois. C'est une noble ambition, après tout, et mon père a le même désir.

– Pourquoi me racontez-vous cela? La pouponnière royale s'agrandirait-elle déjà?

– Pas encore, mais cela arrivera, tôt ou tard. Je vous explique ce à quoi vous devez vous attendre.

– Bien, dit-il en s'efforçant de masquer au mieux son soulagement, l'avenir nous le dira. Mais j'espère sincèrement que Marc aura une telle descendance. Il fut un excellent intendant pour la Cornouailles et, si les Saxons le lui permettent, il pourra prendre place aux côtés d'Arthur et être un grand Haut Roi de Bretagne.

– Il en est toutefois qui vous soupçonnent de vouloir sa couronne, fit lentement Iseut, parce qu'elle appartenait jadis à votre père.

– Vous avez écouté les mensonges de Segward, ma reine. Je n'ai nul désir de régner au-delà des limites de Lyonesse. Demandez à mon oncle Pernam ou à Dinadan. Quand je rêve, c'est de musique ou d'amour, pas de puissance. Je ferai tout mon possible pour permettre à Marc d'assouvir son ambition. Il s'est toujours montré bon envers moi. »

Iseut tendit la main. Tristan la lui prit et la lui baisa.

«Vous avez fait bien plus que le devoir n'exige. Ah, comme je regrette que vous ne soyez son conseiller à la place de Segward!»

Tristan s'inclina poliment.

«Toutes choses changent avec le temps. Prenez patience, ma dou... ma dame, et un jour peut-être... comment disiez-vous? pourrons-nous converser ensemble en pleine lumière.»

Iseut lui pressa la main, fit une révérence rapide et disparut. Tristan attendit que la porte de la pouponnière se fût refermée, puis il franchit le mur du jardin en se servant des pierres et des fissures que Gérontius et lui-même avaient utilisées, étant enfants, pour échapper à leurs nourrices.

Marc sauta à bas des branches. Ses larmes coulaient dans sa barbe. Une fois encore Segward s'était moqué de lui. Il l'avait entendu de leurs propres bouches: ils étaient amis, rien de plus, et pourquoi pas? Ils avaient pratiquement le même âge et communiaient dans l'admiration qu'ils portaient à leur roi. *Et dire que j'ai cru cet immonde serpent bifide! Il ne passera pas une journée de plus à mon service. Je le renverrai et j'inviterai Tristan à séjourner ici encore une semaine. Je ferai tout pour qu'on ne les surveille pas. Ma belle Iseut, comment ai-je pu douter d'elle? Même si c'est la dernière chose que je doive faire en ce monde, j'arracherai le voile de la suspicion de devant mes yeux et l'enterrerai à tout jamais!*

22

LE CHÂTEAU DE DORR

Par une chaude journée de septembre, Tristan et ses soldats cheminaient sur la route sinueuse qui menait au château de Dorr. La forteresse se dressait sur une colline, à moins d'une lieue de la mer, et elle était entourée sur trois côtés par la lisière orientale du bois de Morois. Des tours de guet faisaient face au cœur de la forêt, à l'ouest, et à la mer, à l'est. Tristan ne se rappelait que trop bien la morsure du vent dont aucune tenture ne pouvait protéger. Il avait malgré tout passé à Dorr quelques-unes des plus belles journées de son enfance et c'était avec satisfaction qu'il contemplait le riche paysage environnant : troupeaux de moutons ou de vaches paissant au flanc des collines, riches vergers, champs où résonnait le sifflement des faucilles, cours poussiéreuses où poulets, chèvres, enfants et chiens jouaient sous le regard placide des villageoises. Comme si rien n'avait changé depuis ce jour où Méliodas l'avait amené à Dorria lors de l'une de ses visites à Bruenor. Dinadan n'était alors qu'un gamin turbulent de sept ou huit ans... et aujourd'hui, Dinadan se mariait.

Sire Bruenor les accueillit au portail.

« Tristan ! Comme je suis heureux de te revoir ! Sois le bienvenu, mon garçon, ainsi que tous tes compagnons. J'ai eu plaisir à apprendre que tu quittais pour moi ta Lyonesse bien-aimée. J'espère que le voyage n'a pas été trop pénible.

— Merci, seigneur, nous avons fait bonne route. Un temps clément, des chemins secs, la certitude de savoir que bonne chère et

248

bons vins nous attendaient… qui n'aimerait pas voyager en de telles circonstances? Et puis, je ne manquerais pour rien au monde les noces de Dinadan: toute ma vie j'ai rêvé de le voir courir à l'appel d'une femme!»

Bruenor éclata de rire et lui assena une grande tape dans le dos alors qu'un garçon d'écurie emmenait son cheval.

«Dinadan sera certainement très heureux de te voir. Il ne se sent pas très hardi ces jours-ci.

— Avec un mariage prévu pour demain? Je vais le guérir, seigneur, je vais lui chanter un petit air qui lui rappellera les joies de la vie conjugale, fit-il avec un clin d'œil. Ça s'appelle "La fiancée du marin".

— Ah, je serais fier de t'entendre chanter pour mes hôtes, Tristan. Et la promise, dame Diarca, brûle de te connaître. Tu es l'un de ses héros, tu sais, depuis que tu as tué Marhalt et sauvé la Cornouailles.»

Bruenor l'emmena vers un petit jardin attenant à la grande cour.

«Toi aussi, Tristan, tu devrais songer au mariage. Tu n'as qu'un an de moins que Dinadan. Vingt ans, c'est bien ça? Il est temps de prendre épouse. Et ne viens pas me seriner que tu n'as pas rencontré la femme de tes rêves, dit-il avec un sourire narquois. Tout le monde est au courant.

— C'est vrai? demanda Tristan qui afficha une pâleur soudaine.

— Mais oui. Le nierais-tu?

— Non, je ne puis le nier.

— Nul ne s'attendait à ce que tu fasses un mariage de raison, alors n'hésite pas, marie-toi par amour. Pourquoi attendre?»

Tristan était on ne peut plus gêné.

«C'est que, seigneur, pour l'instant, la dame, euh, n'est pas libre…

— Qu'est-ce que j'entends! s'exclama Bruenor. Voilà une bien piètre excuse pour un garçon comme toi, non? Tu n'as qu'à faire ta demande. Je ne connais pas une femme qui refuserait de quitter une maîtresse pour un mari!»

Sans cesser de rire, il se retourna et appela Dinadan, qui arriva sur-le-champ et accueillit chaleureusement son ami.

«Grâce au Ciel tu es venu. Tu vas devoir me calmer, tu sais, je suis aussi nerveux qu'un chat par temps d'orage! Mais qu'y a-t-il? On croirait que tu as vu un fantôme!

— C'est ton père qui m'a effrayé, dit-il en s'efforçant de rire, bien involontairement. Et j'ai failli m'évanouir. Allons, trouvons-nous une outre de vin. Je meurs de soif!

— Descendons jusqu'à la mer, comme lorsque nous étions enfants. Tu sais très bien où. On chassera nos soucis et la vie nous paraîtra plus belle. »

Ils suivirent un chemin escarpé et arrivèrent enfin sur le sable. Là, ils retrouvèrent, au pied de la falaise, une anfractuosité où, gamins, ils se cachaient souvent pour échapper à leurs devoirs. Dinadan but à l'outre et la tendit à Tristan.

« C'est plus petit que dans mon souvenir.

— On guettait les pirates, tu t'en souviens ? Mais on n'en a jamais vu.

— Maintenant on guette les Saxons. Et on les voit effectivement de temps en temps, même s'ils ne débarquent que rarement à Dorria, la côte est trop escarpée.

— Ils repèrent les lieux, rien de plus. Il ne sert à rien de s'emparer de Dorria avant d'être installé à Dumnonia et à Summer. On les en chasserait trop facilement.

— Bon, d'accord, concéda Dinadan en riant, mais ma vanité en prend un coup : c'est tout de même moi le responsable de la défense du littoral ! Tiens, passe-moi le vin. Seigneur Jésus, tu bois comme un trou !

— Tu as une deuxième outre, je l'ai vue.

— Heureusement.

— Je t'ai dit que j'avais une soif terrible, elle ne me quitte pas ces temps-ci. Mais qu'est-ce que j'apprends, que tu ne te sens pas très hardi ?

— Mon père t'a déjà parlé, c'est ça ?

— Tu ne peux pas douter à ce point. Tu l'aimais avant même mon départ pour Galles.

— Je m'inquiète peut-être du genre de mari que je ferai. Je ne veux pas être comme Marc, dont l'affection se ternit au rythme de la beauté d'une femme. Et pardonne-moi, Tris, mais je ne veux pas non plus te ressembler, lié pieds et mains par une passion cruelle qui ne t'accorde aucun repos. Je me demande s'il existe un juste milieu.

— Si je pouvais l'épouser, lui murmura Tristan, cette passion n'aurait rien de cruel. Ce serait plutôt le Ciel sur la terre. Passer le reste de mes jours à Lyonesse en compagnie de la douce Iseut ? Seigneur, mais je me consume à cette idée ! Quant à toi, ou tu l'aimes ou tu ne l'aimes pas, il n'y a pas de juste milieu, comme tu dis. Marc n'a jamais aimé que lui-même. »

Il cessa de contempler la mer et regarda son ami droit dans les yeux.

«Tu l'aimes depuis des années et tu le sais. Que se passe-t-il ?

– Nous nous sommes disputés. C'était la première fois.

– Que les saints nous protègent ! s'exclama Tristan en riant. Une querelle d'amoureux !

– C'était à propos de toi et d'Iseut.»

Tristan perdit aussitôt son sourire.

«Elle prend plus ton parti que moi. Elle pense qu'Iseut devrait s'enfuir et te rejoindre à Lyonesse. Marc ferait alors annuler le mariage.

– Et toi ?

– Je crois que tu devrais l'oublier, déclara-t-il après un moment d'hésitation. Tu le sais déjà.»

Le silence s'instaura entre eux deux. Épaule contre épaule, ils regardèrent le ciel sans nuages et les vagues bleues de la marée montante.

«Bien, dit Tristan d'une voix terne, tu seras heureux d'apprendre que je me suis rangé à ton avis. J'ai juré de ne plus jamais la revoir.»

Dinadan but du vin et laissa le silence perdurer. Il parla enfin, d'une voix neutre.

«La dernière fois que je t'ai vu, tu étais fou de joie à l'idée de ruiner le projet de Segward et de mystifier Marc. Il t'a donné sa bénédiction pour que tu l'emmènes au lit, si ma mémoire est bonne.

– Tromper Marc ne m'a apporté que peu de plaisir. Même si ce fut facile, cela laisse sur nous une marque indélébile. Être séparés est une torture, mais être ensemble, c'est le déshonneur. Nous ne connaîtrons plus la paix. Le choix d'Iseut, celui de Diarca également, est synonyme de trépas. Mais maintenant il me faut aussi penser à l'enfant. Ils ne vivront que si Marc les protège. J'ai fait en sorte qu'elle reste avec lui.

– Tu as fait le bon choix, Tristan, approuva son ami en lui serrant le bras. Cela ne m'étonne pas, tu as toujours été courageux.

– Dis plutôt que j'aimerais l'être... Chaque heure de chaque journée, ma pensée me ramène à Tintagel et à Iseut, enfermée dans sa prison. Si tu étais avec moi, je suis sûr que je ne reviendrais pas sur ma décision. Il te faudra me rendre visite de temps à autre pour que je ne dévie pas de la voie que je me suis tracée.

– Pourquoi ne demeures-tu pas ici après la cérémonie alors que tous les autres s'en iront ? Reste jusqu'à l'hiver, nous boirons ensemble et nous évoquerons le bon vieux temps où les femmes comptaient moins pour nous que nos chevaux et nos épées.»

Tristan rit et prit Dinadan par les épaules.

«Franchement, je doute que ta femme apprécie. Elle doit imaginer différemment ses soirées, non?

– Tout à fait, dit une voix froide au-dessus d'eux. Néanmoins, je donne mon aval à cette invitation.»

Dans une avalanche de graviers, un petit cheval à longs poils dévala le chemin menant à la grève. Sa cavalière leur souriait. Avec sa tunique, ses chausses et ses bottes, elle était vêtue comme un garçon, mais il n'y avait aucun risque de confusion. Elle avait un beau visage, de grands yeux sombres et une épaisse chevelure brune qui retombait sur ses épaules.

«Diarca!»

Dinadan sortit de son abri et épousseta le sable collé sur ses habits.

«Diarca, voici mon plus cher ami au monde, Tristan de Lyonesse.»

Son sourire se fit plus radieux et elle lança à Dinadan un regard chargé d'affection.

«Je m'en doutais un peu. On ne parle plus que de lui depuis son arrivée. Quand vous avez disparu, je me suis portée volontaire pour partir à votre recherche.»

Elle sauta à bas de sa monture et fit la révérence devant Tristan.

«Je suis flattée de vous rencontrer, seigneur. J'attends ce jour depuis longtemps.»

Tristan lui prit la main et la porta à ses lèvres. Il était impossible de ne pas lui sourire, tellement elle resplendissait.

«Merci. Votre estime m'honore. Dinadan me parle de vous depuis des années et je suis heureux de vous voir enfin. Les mots ne sauraient exprimer votre beauté et votre charme. Maintenant que je vous connais, je me demande comment il a jamais pu quitter Dorria.

– Seigneur, vous vous exprimez comme un barde qui transformerait un château de sable en un palais merveilleux, dit-elle en rougissant.

– Diarca, l'interrompit Dinadan, si vous avez entendu ce que j'ai raconté à propos des femmes et des chevaux, ne croyez pas...

– J'ai entendu, effectivement, dit-elle en lui prenant la main, mais ne vous excusez pas. Croyez-vous que tout cet été je n'aie pas souhaité un millier de fois retrouver mon enfance?

– Vous êtes un ange, fit-il en l'embrassant.

– Et vous, vous êtes ivre, répliqua-t-elle en tordant le nez. Dois-je vous faire envoyer un cheval ou pourrez-vous rentrer à pied?

– Tristan l'est encore plus que moi.

252

– C'est ce que je vois, mais il a plus l'habitude de boire, certainement. Bien, je vous laisse tous deux à vos réminiscences. Je désirais simplement rencontrer sire Tristan avant son entrée officielle. Les femmes se perdent facilement dans la foule. »

Elle s'inclina, sauta sur son cheval et se tourna vers la colline.

« À votre place, je ne tarderais pas. Sire Guvranyl veut accueillir sire Tristan avant souper. »

Elle fit claquer sa langue et le petit cheval s'élança parmi les rochers avant de disparaître derrière les arbres.

« Eh bien ! s'écria Tristan en donnant une grande tape dans le dos de son ami. Félicitations, Din, tu ne m'avais jamais dit qu'elle avait autant de… caractère.

– Une tête de bois, voilà comment sa mère l'appelle. Elle te plaît ?

– Oui, voilà une femme dont un homme peut être l'ami.

– C'est mon amie depuis longtemps. Je me demande parfois si c'est de l'amour.

– Tu as passé trop de temps à courir avec moi. Reste un an en sa compagnie et tu ne seras plus dans le doute. »

Ils revinrent lentement vers le château.

« Tu ne m'avais pas dit que Guvranyl serait là. Je m'en souviens encore, il faisait notre éducation sur la grève, non loin d'ici. Sa chambre est-elle proche de la mienne ?

– Non, de la mienne. Guvranyl est venu en tant que représentant du roi.

– Marc n'est pas là ? s'étonna Tristan.

– Il a fait dire qu'il était parti à Logris se battre contre les Saxons. Si tu veux mon avis, le vieux soldat semblait tout à fait soulagé d'être éloigné de Marc. »

Ils cheminèrent un instant sans parler.

« Avant d'être au service de Marc, il était à celui de mon père, dit enfin Tristan. Je crois que Guvranyl est toujours loyal à sa mémoire. C'est un soldat de la vieille époque, sincère, droit. Aujourd'hui les hommes ne sont plus de la même trempe.

– Marc n'est pas le seul à se faire représenter. Le prince Pernam a envoyé quelqu'un. Tu te souviens de Jarrad ? Apparemment une sorte d'épidémie frappe ses garçons et il doit rester auprès d'eux, mais je ne saurais dire s'il a voulu faire son émissaire de Jarrad ou simplement le protéger de la contagion.

– Les deux, probablement. Tu as parlé à Jarrad ? Pernam est-il souffrant, lui aussi ?

253

– Je ne crois pas, mais la présence d'Esmerée lui manque. Dans le passé, quand les malades étaient trop nombreux, elle l'aidait à les soigner. Mais aujourd'hui que Segward est banni à Lyonesse et la garde auprès de lui, il n'a pas osé la faire envoyer chercher. Segward la frapperait rien que de savoir qu'elle peut être utile ailleurs.

– Le jour viendra où la terre s'entrouvrira pour engloutir cette canaille, dit Tristan en serrant les poings. Je le souhaite de tout mon cœur. Sinon, je le tuerai moi-même.

– Tu as promis à Esmerée que tu n'en ferais rien.

– C'est uniquement pour cette raison qu'il est encore en vie.»

Le festin dura une partie de la nuit. Le jeune Hébert, un barde breton, leur chanta ballade après ballade jusqu'à s'enrouer. Quand l'assemblée demanda à entendre Tristan, Hébert lui proposa gracieusement sa harpe. Il interpréta alors une ode aimée de tous, l'histoire de Diarmaid et Grainne et de leurs amours à une époque où le monde était en sa jeunesse et où les dieux marchaient parmi les hommes. À la fin, nul n'avait les yeux secs. Hébert mit un genou en terre.

«Non, Hébert, dit Tristan en l'aidant à se relever, ne t'agenouille pas devant moi. Ma technique et ma mémoire ne sont rien à côté des tiennes. Si je les émeus, c'est parce qu'ils m'aiment. Je chante assez bien l'amour, mais mon don n'est rien comparé au tien. Merci de m'avoir prêté ta harpe, sa voix est d'une grande pureté.

– Seigneur, vous vous sous-estimez. Un barde n'est rien si la passion ne se dissimule derrière ses mots. Vous détenez le grand secret et les dieux vous ont béni en vous accordant cette voix.

– Dis plutôt qu'ils m'ont maudit. Une voix, et personne à qui chanter…»

Guvranyl le serra contre lui et Tristan s'étonna de constater que sa barbe était humide.

«Qui t'a appris à jouer ainsi? Je n'ai jamais rien entendu d'aussi beau, et je sais que je ne t'ai jamais donné le temps ou la permission d'étudier.»

Tristan étreignit le vieil homme et sentit ses muscles noueux sous la fine étoffe de sa tunique.

«Ah, Guv, vous seriez surpris de savoir tout ce que j'ai pu apprendre quand vous ne me surveilliez pas.

– La musique me manque, dit le vieux soldat, les yeux embués. Ton père, Méliodas, faisait toujours venir à Lyonesse les meilleurs bardes de Bretagne et il les récompensait bien. L'armée n'obtenait pas de nouvelles selles, pas d'armes parfois, pour que Méliodas eût sa musique. À l'époque je trouvais ça absurde, je n'en suis plus aussi certain aujourd'hui.

— Marc doit avoir des bardes à Camelot. C'est une tradition depuis Arthur d'accueillir les meilleurs chanteurs du pays.

— Non, fit Guvranyl en secouant tristement la tête, Marc n'a pas l'oreille musicale. Camelot était jadis un endroit civilisé, mais c'est fini, ce n'est plus maintenant qu'un repaire de combattants. Un festin, c'est uniquement de la viande, du vin, des chiens, de l'ivrognerie, des querelles et de l'abrutissement. Je suis heureux de savoir qu'à Dorria et à Lyonesse, la lueur de la vie civilisée ne s'est pas éteinte.

— Comment, Guv? s'étonna Tristan. Avez-vous changé à ce point? Vous dédaignez la compagnie des guerriers? C'est étrange pour un maître d'armes.»

Guvranyl vida sa coupe. Le regard qu'il posa sur Tristan ne faillit pas.

«Les temps ont changé. Marc n'est pas Méliodas. Tristan, nous sommes en train de perdre la Bretagne. Il est même possible, si nous ne prenons aucune mesure, que je voie aussi la perte de la Cornouailles.

— Allons, Guvranyl, cessez de boire, dit Tristan qui sentait trembler le bras de son vieux maître.

— Vin ou pas, c'est vrai, fit-il en ébauchant un sourire. Son héritier ne change rien. À la vitesse où Marc perd ses hommes, ce nourrisson n'aura pas l'occasion de voir ses droits reconnus de tous. Ou plutôt *tes* droits. C'est toi qui devrais être roi de Cornouailles, Tristan, et Haut Roi de Bretagne. Si tu prenais la tête des seigneurs de Logris, nous pourrions faire entrer la crainte du Dieu tout-puissant dans le crâne de ces bâtards de Saxons!

— Chut, vos propos sentent la trahison.

— Ah oui? fit Guvranyl moqueur. Eh bien, sache que la moitié de l'armée de Marc parle comme moi. Le temps est venu, Tristan, dit-il en baissant la voix, où tu pourrais la lui prendre. Nul ne chercherait à t'en empêcher. Laisse-le perdre une ou deux grandes batailles ou commettre quelque vilenie…

— Guvranyl, je vous supplie de vous taire. Vous êtes ivre et vous ne savez plus ce que vous dites. Vous avez servi mon oncle Marc huit d'années d'affilée et vous êtes le sujet le plus loyal que je connaisse.»

Guvranyl se leva péniblement et s'appuya contre Tristan. Il titubait mais son langage était parfaitement clair.

«Je sers la Cornouailles. Marc ne nous apportera que ruines. Il n'aurait jamais dû être roi. Méliodas ne s'est battu ce jour-là que parce que Marc avait feint la maladie. C'était le rôle de Marc, mais il mourait de peur devant les Gaëls.»

Il eut le hoquet, se redressa et se dirigea vers la porte sans défaillir.

«Pourquoi ouvres-tu si grand la bouche? lança Dinadan en lui donnant un coup de coude dans les côtes. Ta mâchoire traîne par terre!»

Tristan se tourna vers lui, le regard perdu dans le lointain.

«Je viens d'apprendre... si je l'ai bien compris... que c'est la faute de Marc si mon père est mort.

— Cela ne m'étonnerait pas.

— Mais pourquoi, Dinadan? Il sait que je ne veux pas de sa couronne. Pourquoi doit-il me craindre autant?

— Parce que nombreux sont ceux qui la veulent pour toi.»

Une trompette sonna dans le lointain. Les têtes se tournèrent vers la porte. Quelques instants plus tard, un page entra, s'agenouilla devant Bruenor et lui adressa un message à voix basse. Bruenor bondit sur ses pieds.

«Nobles hôtes! proclama-t-il. Voici une surprise des plus heureuses! J'ai l'honneur de vous annoncer l'arrivée au château de Dorr de notre jeune reine, Iseut de Gwynedd!»

Les gardes rectifièrent la position quand une femme portant une cape vert sombre à capuchon apparut et fit la révérence devant sire Bruenor. Dans le silence absolu, sa jolie voix retentit jusqu'au bout de la salle.

«Seigneur Bruenor, je vous prie de bien vouloir me pardonner cette intrusion. J'aurais dû vous prévenir de ma venue. Je suis ici afin de représenter mon époux au mariage de votre noble fils, sire Dinadan. Le Haut Roi est à la guerre et ne peut venir lui-même.»

Bruenor ne put s'empêcher de sourire devant sa confusion.

«Soyez remerciée, ma reine, de votre geste. Vous êtes la bienvenue au château de Dorr. Mais, euh, Marc m'a déjà expédié ses excuses en même temps que son représentant, sire Guvranyl.

— Sire Guvranyl est ici? s'étonna-t-elle.

— Oui, ma dame, il est arrivé il y a trois jours.»

Iseut rejeta son capuchon. Ses cheveux tressés étaient couverts d'une résille de perles. Un bandeau d'argent ceignait son front.

«Comme c'est étrange. Il nous a donc envoyés tous les deux, dans le même but.

— Peu importe, lui dit Bruenor. Je vous assure que vous êtes ici chez vous à Dorr et que vous le serez toujours. Vous arrivez tard, ma dame, avez-vous soupé? Permettez-moi de voir si les cuisines sont encore ouvertes.

— Nous nous sommes hâtés pour traverser Morois avant la nuit. Pour ma part, je n'ai pas faim, mais j'apprécierais quelques provisions pour mes hommes.

— Je m'en occupe sur-le-champ, dit Bruenor en adressant un signe à son sénéchal, lequel s'empressa de quitter la salle. J'aimerais vous voir vous joindre à nous, reine Iseut, mais comme vous le constaterez, il n'y a que des guerriers et chacun s'est passablement enivré pour célébrer la dernière nuit de jeune homme de Dinadan. Dame Diarca et ses suivantes se sont retirées depuis peu.»

Iseut se retourna et balaya l'assistance du regard. Tous s'agenouillèrent. Tristan frémit quand ses yeux se posèrent un instant sur lui. Aussitôt son corps s'enflamma.

«Seigneur, merci de votre invitation, mais ce voyage m'a épuisée. Je me rendrai dans ma chambre dès qu'un lit aura été préparé.»

Dinadan s'avança vers elle.

«Ma reine, je serais très honoré de vous accompagner. Diarca s'est chargée du logement des femmes et elle vous trouvera un espace à votre goût, j'en suis persuadé. Elle désire depuis longtemps vous rencontrer. Vous pouvez demeurer auprès d'elle en attendant.

— Merci, prince Dinadan, cela me convient parfaitement.

— Excellent..., commença Bruenor, qui s'interrompit en voyant Tristan faire un pas en avant.

— Je vous accompagnerai également.»

Tous les regards se portèrent sur lui. Iseut sourit.

«Fort bien, seigneur. Le neveu honoré de Marc est toujours le bienvenu.»

Elle baissa les yeux et prit le bras de Dinadan. Incapable de parler, incapable de s'empêcher de les suivre, Tristan marcha en silence jusqu'aux appartements des femmes. Diarca accueillit Iseut avec chaleur. Elles s'assirent sur un banc molletonné et bavardèrent tandis que les servantes leur préparaient une boisson chaude et faisaient chauffer du vin pour les hommes. Diarca assura Iseut que la place ne manquait pas pour ses suivantes.

«Je n'en ai pas, répondit-elle. Je suis partie au dernier moment et ma suivante est souffrante. La laisser m'a déplu, mais c'était nécessaire.»

Jamais elle ne se tourna vers lui pas plus qu'elle ne s'adressa directement à lui, mais Tristan savait que le message lui était particulièrement adressé.

«Parlez-vous de Branwen? demanda Dinadan. Est-ce sérieux? Je croyais qu'elle s'était remise de l'enfantement?

– Oui. Elle se sentira mieux d'ici un mois, mais pour l'heure elle est trop malade pour voyager.»

Dinadan hocha la tête. Quant à Tristan, il était complètement perdu. Qu'essayait-elle de lui dire? Était-il censé faire quelque chose pour Branwen?

Diarca se leva et prit Dinadan par la main.

«Venez avec moi, mon ami. Lenore, dit-elle à la vieille nourrice, viens aussi. Je dois converser avec Dinadan et il vaut mieux que tu sois présente.»

La nourrice posa un regard étonné sur Tristan et Iseut. Diarca secoua la tête.

«Ce sont de vieux amis, il n'y a rien à craindre», murmura-t-elle.

Dans le couloir, Dinadan se pencha vers elle.

«Êtes-vous devenue folle? Les laisser ainsi!

– Bien sûr que non, mais si elle a fait tout ce chemin en une seule journée, c'est pour lui adresser un message. Je dois lui donner la possibilité de s'exécuter ou elle ne dormira pas. Din, pouvez-vous relancer le feu? suggéra-t-elle en frissonnant. Je comprends désormais ce que vous vouliez dire. Ils se consumeront l'un l'autre s'ils continuent ainsi.

– Il a juré de ne plus jamais la revoir, déclara lentement Dinadan.

– C'est *elle* qui est venue à *lui*. Il ne pouvait l'empêcher.

– Le Seigneur doit pleurer à leur spectacle...»

Iseut se tenait à la fenêtre de Diarca, mains jointes. Tristan la regardait de l'autre côté de la pièce.

«Qu'y a-t-il, Iseut? N'êtes-vous venue que pour me parler de la santé de Branwen? Dois-je lui rendre visite à Tintagel? Qu'attendez-vous de moi?»

Iseut prit son souffle. La lumière des chandelles jouait sur son bandeau d'argent.

«Je suis venue vous demander de rompre votre vœu. Ma vie et celle du petit Tristan en dépendent.»

Les efforts qu'elle faisait pour surmonter son émotion n'échappaient pas à Tristan, mais il était incapable de comprendre l'origine de son désespoir.

«Rompre mon vœu? Mais...

— Tristan!»

Incapable de se maîtriser plus longtemps, elle traversa la pièce en courant et se jeta à ses pieds. Ses larmes tombèrent sur les mains de son amant.

«Ne comprenez-vous donc pas ce qui nous attend?»

Il la fit se relever et la prit dans ses bras avant de poser délicatement sa tête sur sa poitrine.

«Je crains que non, ma mie. Calmez-vous, Iseut, et dites-moi ce qui ne va pas. Je vous promets de vous protéger.»

Il la conduisit jusqu'à la couche et la fit s'asseoir. Elle chercha à se ressaisir puis, les yeux fixés sur leurs mains jointes, elle parla.

«L'été dernier, au solstice, vous vous souvenez? Le petit Tristan a été présenté à tous. Ensuite, le soir même, Marc a couché avec Branwen. Il a recommencé pendant une quinzaine et elle a conçu.

— Oui. Je comprends.

— Elle est grosse de près de deux mois. Deux mois!»

Elle se mit à trembler et il la serra plus fort.

«Mon cher amour, que redoutez-vous tant? Pourquoi cela causerait-il notre mort?

— Vous ne savez pas compter? dit-elle en le repoussant. Ce n'est pas parce que Segward a disparu que ses espions en ont fait autant.

— Et alors? Au printemps prochain Branwen donnera le jour à un autre enfant. Chacun pensera que c'est le mien. Pourquoi vous inquiéter?

— Avez-vous perdu l'esprit? Que se passera-t-il quand Marc rentrera chez lui pour la Noël? Qu'adviendra-t-il quand il verra que Branwen est grosse et que je ne le suis pas? Il comprendra qui de nous deux partageait son lit. Je... je vais devoir coucher avec lui.»

Ses joues étaient baignées de larmes, sa main était glacée.

«Je mourrai d'abord.»

Il baisa ses joues humides puis ses lèvres et l'attira à nouveau contre lui.

«Je vois. Que pouvons-nous faire? Tenir Marc éloigné jusqu'à ce que Branwen donne la vie?

— Plus longtemps encore. Elle éprouvera ensuite une grande lassitude. Cela durera un an au moins. Et je crains qu'elle ne veuille plus partager sa couche.

— Quoi? C'est ce qu'elle vous a dit?

— Pas en ces termes, mais je crois que l'enfant qu'elle porte joue un rôle important dans son existence, un rôle décisif.

– Je doute de pouvoir tenir Marc éloigné de chez lui pendant un an.»

Elle leva vers lui ses grands yeux brouillés de larmes.

«Dormons ensemble, Tristan. Je vous en supplie. Si je conçois aujourd'hui, je pourrai le duper à Noël quant à la taille de mon ventre. Et je saurai le tenir au loin bien après la guérison de Branwen. C'est pour moi que vous avez prêté ce serment, c'est pour moi que vous devez le rompre.

– Mais j'ai juré sur l'amour que je vous porte, Iseut, lui murmura-t-il, les yeux fermés. Me parjurer n'est pas si facile.

– Cœur cruel! s'écria-t-elle en s'éloignant brusquement de lui. Me refuserez-vous cela? Quand ma vie est en jeu? Oh, vous vous lassez déjà de moi! Oui, vous avez passé tout l'été à Lyonesse en compagnie d'Esmerée et vous...»

Il la saisit par les mains et la plaqua sur le banc tandis que ses lèvres cherchaient les siennes.

«Arrêtez, je vous en supplie, arrêtez! Ne plus vous désirer? Oh, Dieu, me croyez-vous de pierre? dit-il tandis que ses mains glissaient sur sa robe. Il n'est pas une parcelle de mon être qui ne vous désire! Est-ce pour *cela* que vous avez fait tout ce chemin depuis Tintagel?»

Sanglotant et riant à la fois, elle s'accrocha à son cou.

«Je ne pouvais aller à Lyonesse. Sous quel prétexte? Mais ici, c'est le lieu idéal, l'instant idéal. Personne ne me soupçonnera. Chacun sait que Dinadan est mon ami.

– Pas maintenant, dit-il alors qu'il posait la tête sur son sein et qu'elle glissait la main sous ses habits. Diarca ne s'est absentée qu'un instant. Laissez-moi réfléchir... oui, dès que le festin sera terminé, je vous ramènerai à Tintagel. Je renverrai mes propres hommes à Lyonesse. De combien de soldats se compose votre escorte?

– Douze.

– Bien. Combien de temps vous faut-il? Enfin... combien de temps cela prendra-t-il? dit-il en rougissant légèrement devant la mine étonnée d'Iseut. Je sais que certaines femmes ont besoin de plus de temps que d'autres. La dernière fois, un seul rapport a suffi. Je dois savoir. Combien de temps devrions-nous rester ensemble?»

Elle ôta son bandeau d'argent et le déposa sur la tête de Tristan.

«Accordez-nous deux semaines et tout ira bien. Si Dieu nous est clément.

– Une quinzaine, cela risque d'être difficile, à moins que vos hommes soient des sots.

– Ce sont les hommes de Marc, mon aimé, pas les miens. Que comptez-vous faire?

– Mieux vaut que vous n'en sachiez rien. Retirez quelques outres de vos bagages et demandez aux cuisines des rations journalières. Prenez une litière et non pas un cheval. Si Bruenor vous questionne, répondez-lui que vous attendez un enfant. »

Elle le regarda sans trop comprendre. Il la prit par les mains.

«Iseut, êtes-vous certaine que c'est ce que vous désirez? Laissez-moi aller à Tintagel pour y prendre votre fils, je vous conduirai ensuite tous deux à Lyonesse. Le moment est peut-être venu de mettre à l'épreuve la détermination de Marc.

– Non! dit-elle dans un souffle. Je ne suis pas prête à mourir. Si nous pouvons continuer ainsi quelque temps encore, qui sait? Peut-être les Saxons le tueront-ils au combat et connaîtra-t-il une fin héroïque. Voilà qui résoudrait tout. »

Elle lui sourit mais Tristan se crispa.

«Que nous a donc fait Marc pour lui souhaiter ainsi une mort prématurée? Qu'adviendra-t-il si notre vœu est exaucé? Serons-nous heureux?

– Nous sommes damnés, alors? demanda-t-elle en se cachant le visage dans ses mains. Qu'avons-nous fait sinon nous aimer?

– Oui, qu'avons-nous fait? »

23

PERDUS DANS MOROIS

L'évêque de Dorria maria Dinadan et Diarca en fin de matinée. La journée était chaude et sèche et le festin se déroula davantage dans la cour et les jardins que dans la grande salle. Il y avait assez à manger pour nourrir une armée et de vin pour enivrer jusqu'au dernier convive. Les hommes chantèrent et dansèrent, mangèrent et ripaillèrent jusqu'à ce que l'après-midi fût bien avancé. Seuls Tristan et Iseut ne burent rien et ne touchèrent presque pas aux plats qu'on leur servait. Au coucher du soleil, les femmes emmenèrent la mariée. Une heure plus tard, titubant et soutenu par ses compagnons, Dinadan alla la rejoindre. Dans la salle des banquets, les beuveries se poursuivirent. Les hommes tombaient de leurs bancs et s'endormaient en ronflant à même le sol. Les autres éclataient de rire en réclamant encore du vin.

Tristan prit sire Bruenor à part et le remercia de sa généreuse hospitalité. Le lendemain à l'aube, il ferait partie de l'escorte de la reine Iseut jusqu'à Tintagel et il lui demanda la permission de s'en aller.

Bruenor avait du mal à le regarder dans les yeux.

«Bien sûr que je t'y autorise, mon garçon. Ah, tu me rappelles Méliodas, quel dommage qu'il ne soit plus là. Ce fils de garce ne touchait pratiquement jamais au vin, mais quand il s'y mettait, il roulait sous la table! Mais pourquoi te hâter? Reste encore un peu avec nous. La reine Iseut est la bienvenue, elle aussi. On va faire la fête toute la journée, il y aura des courses, des concours, des chansons. Et tu n'es arrivé qu'hier!»

Tristan lui expliqua calmement qu'Iseut désirait partir au plus tôt : quand il l'avait envoyée à Dorria, ni Marc ni elle ne savait qu'elle attendait un enfant, et maintenant il serait furieux d'apprendre qu'elle avait pris des risques en voyageant ainsi. Mieux valait donc repartir sans plus attendre.

Bruenor ricana.

«Encore? Ce vieux bouc lubrique! Bénie soit-elle, elle peut partir quand bon lui semblera. Tu as raison, charge-toi de l'accompagner. Marc t'en sera reconnaissant. J'espère que la petite Diarca va elle aussi nous faire tout plein de beaux garçons!»

Ils partirent à l'aube alors qu'une brume fraîche s'élevait au-dessus des herbes. La route se divisait en deux à une lieue à l'est de la forêt. Tristan envoya ses propres hommes par la route du sud, qui longeait Morois avant de rejoindre Lyonesse en passant par la péninsule. Les yeux vitreux, le crâne douloureux, ils n'avaient qu'une envie, se séparer de leur sobre commandant et cheminer à leur propre rythme. Tristan entraîna au cœur de la forêt Iseut et les dix membres de sa garde.

Il avait souvent chevauché dans Morois, dans le train de Méliodas ou dans celui de Marc. La route reliant Tintagel à Dorria passait pour sûre, pour un groupe d'hommes en armes tout au moins. Bien tracée, elle était facile à suivre, sauf en plein brouillard. Mais au cœur de la forêt, la lumière la plus vive cédait la place à la pénombre et un calme étrange enveloppait le paysage de sorte que même les soldats les plus aguerris serraient leurs amulettes ou bredouillaient des prières pour se protéger des enchantements. Çà et là, disparaissaient entre les arbres des sentiers de traverse parfois à peine assez larges pour laisser passer un cerf. Nul n'osait s'écarter du chemin. Tristan ne connaissait personne qui eût jamais tenté de voir où ils menaient. Selon la légende, des créatures féeriques habitaient la forêt de Morois. En plein jour, personne ne croyait aux fées, mais ici, au cœur de Morois, c'était une autre affaire. Depuis l'enfance, Tristan était attiré par le mystère de ces sentes, mais il n'avait jamais répondu à leur appel. Jusqu'à ce jour.

Ils chevauchaient seuls et observaient tout, bien que rien ne les menaçât. Tristan savait où il voulait aller mais il ignorait à quelle heure il y arriverait. Grâce à Dieu, Iseut avait accepté la litière : elle les contraignait à avancer lentement et il leur faudrait dresser le camp pour la nuit.

En fin d'après-midi, la forêt s'épaissit et les hommes, encore troublés par les excès de la veille, devinrent nerveux. Ils firent halte quand Tristan leva la main. Il était arrivé à l'endroit désiré. Une petite clairière s'ouvrait entre les pins. Dix minutes de débroussaillage permirent de dresser une dizaine de tentes. Ils entravèrent les chevaux, déroulèrent leurs couvertures et édifièrent à l'intention d'Iseut un petit pavillon dont ils couvrirent le sol de fourrures et de couvertures prises dans la litière. Les hommes se sentirent mieux après avoir fait du feu. Ils avaient emporté dans leurs sacoches des reliefs du festin donné par Bruenor et Tristan leur avait acheté des outres de vin. Ils l'acclamèrent quand il les leur tendit, l'acclamèrent une deuxième fois quand il leur conseilla de les vider pour guérir leurs maux de crâne, et une fois encore quand il proposa de prendre le premier tour de garde. Quand un croissant de lune se leva au-dessus des pins, ils dormaient déjà tous à poings fermés. Tristan écarta un pan du pavillon et regarda à l'intérieur : vêtue d'une cape vert sombre à capuchon, Iseut était prête. En silence, comme des voleurs, ils foulèrent le tapis d'aiguilles de pin et s'engagèrent sur le chemin.

Il faisait si sombre qu'ils ne virent quasiment rien dans un premier temps. Ils s'éloignèrent du feu et, quand leurs yeux se furent habitués à la pénombre, ils distinguèrent la bande plus claire du chemin. Serrés l'un contre l'autre, ils plongèrent au cœur de la forêt de Morois, voyant bientôt suffisamment pour distinguer les sentiers de traverse.

«Et s'ils se réveillent? s'inquiéta Iseut. Ils se lanceront à notre poursuite. Ne devrait-on pas abandonner la route principale?

– Peu d'hommes sont assez braves pour s'aventurer la nuit dans la forêt de Morois, et aucun d'eux n'est au service de Marc. De plus, ils ne peuvent savoir que nous sommes partis de ce côté. Il leur faudra attendre le matin pour retrouver nos traces.

– Viendront-ils jusqu'ici?

– J'en doute. Le chemin est sec et, même en plein jour, il y fait sombre. De plus, ils auront si peur qu'ils ne quitteront pas les arbres des yeux. Nous avons le temps de nous cacher, mon amour. Il me faut seulement trouver le bon sentier.

– Le bon sentier? Et où mène-t-il?

– Il suit la crête d'une petite colline et part vers le nord, je crois. Venez, ce ne peut être loin.»

Une heure de marche les mena à l'endroit dont se souvenait Tristan. Ils s'enfoncèrent alors entre les arbres, firent une centaine de pas et bifurquèrent vers l'est avant de commencer à grimper à flanc de coteau. La forêt s'emplissait des bruits de la nuit: battements d'ailes, longs ululements des chouettes, grondements d'une bête inconnue, cavalcades dans les fourrés ou couinements de frayeur.

«Tristan, sommes-nous en danger?

— Non, mon amour, dit-il en lui pressant la main.

— Où allons-nous alors? Où mène ce sentier?

— Je n'en ai aucune idée!» fit-il en riant.

Elle aurait dû être prise de panique – deux personnes seules dans la forêt de Morois, par une nuit si noire qu'elles se voyaient à peine et ne savaient même pas où elles allaient –, mais curieusement il n'en fut rien. Peu importe ce qui lui adviendrait puisqu'elle était avec Tristan.

Elle sourit. Depuis qu'il avait juré de ne plus la revoir, elle avait souhaité jour et nuit le contact de ses mains. Son désir était une souffrance qui s'amplifiait à chaque pas, plus réelle, plus tangible que la peur.

Le sentier prit brusquement fin en débouchant sur une clairière circulaire, tout en haut d'une colline. La beauté de l'endroit les pétrifia. Le croissant de lune projetait ses rayons argentés sur les herbes grisâtres. Un cercle de pierres marquait le centre du lieu; au milieu, la terre noircie témoignait d'un feu récent.

«C'est un lieu sacré, murmura Iseut. Je le sens.

— Oui, fit Tristan en touchant les cendres. Regardez là-bas, sous les arbres. Voyez-vous les pierres dressées? C'est un repaire de druides.

— Des druides? demanda Iseut en frissonnant. Ici?

— La nuit dernière, c'était pleine lune et une cérémonie s'est déroulée ici. La terre est encore chaude. Modron, la trinité: Vierge, Mère et Chèvre, à moins que je ne me trompe. Ne craignez rien, elle est votre protectrice.

— Mais je suis chrétienne, je n'adore pas la Mère.

— Alors ce n'est pas un lieu saint», dit-il en lui souriant.

Elle savait pourtant que c'en était un. Quelque chose de sacré planait sur cet espace et cela n'avait rien du pouvoir familier qu'elle adorait dans la chapelle de Tintagel, avec sa croix d'argent battu et son calice en or serti de joyaux. Le Christ lui parlait de pardon, de beauté dans l'abjection, de joie dans la soumission et de vie éternelle. Cette puissance-ci était différente, plus ancienne, moins raffinée. Elle ne promettait rien. Iseut sentait le calme du lieu pénétrer ses os, la joie imprégner jusqu'à l'air qu'elle respirait. Elle n'était qu'une fleur fragile, mais tout son être aspirait à s'épanouir et donner la vie. Elle émit un gémissement quand elle comprit son désir. Tristan lui sourit.

«Quand je vous vois là, avec vos cheveux si clairs dans votre capuchon, éclairée d'un rayon de lune, vous n'êtes qu'ombre et lumière, vérité et mystère, une femme aussi belle que les étoiles des cieux, aussi impénétrable. Vous pourriez être la Déesse en personne, ma douce Iseut.

— Je ne suis qu'une femme, murmura-t-elle, et je ne suis que la moitié de moi-même sans vous.»

Tristan jeta sa sacoche à terre et étendit une couverture sur le sol, au milieu du cercle de pierres. De son outre, il versa une libation destinée à la terre nourricière, puis il but et la tendit à Iseut.

Elle obéit. Il rejeta son capuchon et défit la fibule de sa cape.

«Tristan, sentez-vous ce que je ressens?

— Oui, mon sang bat à mes oreilles. Ce soir, je suis empereur, conquérant, le roi Cerf en personne sous sa forme terrestre!»

L'une après l'autre, il dénoua ses tresses jusqu'à ce que ses adorables boucles glissent entre ses doigts. Elle s'écrasa contre son corps puissant, si plein de vie, en se demandant si ce besoin impérieux était le fait de sa magie à lui ou de celle de la Mère.

«Oh, Tristan, enfin nous sommes libres!»

Il la prit dans ses bras et s'agenouilla sur la couverture.

«Ce soir, nous adorerons la Bonne Déesse, celle qui dispense la vie. Et je parierais que la Mère appréciera notre offrande.

— Mais nous sommes chrétiens, fit-elle en riant, nous ne connaissons pas le rituel.»

Ses lèvres effleurèrent sa peau.

«Chrétien ou païen, druide ou prince renégat, cela ne change rien. Ce rituel est aussi vieux que le temps.»

Iseut chantait tandis qu'ils marchaient dans la forêt et elle se servait des vrilles de la vigne vierge pour se tresser une couronne. Dans son capuchon, elle avait amassé pignons, glands et baies. La forêt d'octobre se révélait une hôtesse généreuse car elle leur offrait ses fruits et lançaient sur leur chemin lapins, renards et cerfs. Tristan lui avait appris à confectionner un collet. Il n'y avait rien de plus facile et elle se demanda pourquoi on n'enseignait jamais cela aux filles. Le ragoût de lapin aux pignons constituait un plat d'autant plus excellent qu'elle le préparait de ses propres mains. Ils s'étaient pour cela installés dans une cabane de bûcheron désertée mais, la plupart du temps, ils cuisaient la viande à même le feu.

Elle trouvait certains avantages à cette existence errante. La marche avait fortifié ses jambes mais endurci ses pieds. Elle avait perdu de la chair, elle le savait, parce que sa robe toute déchirée pendait lamentablement, mais son corps était plus résistant, plus agile, capable d'accomplir des exploits dont elle n'aurait jamais cru une femme capable. Elle avait ainsi franchi des ruisseaux en sautant d'un rocher à l'autre, traversé un précipice en s'accrochant à une liane, grimpé dans un arbre pour y cueillir des pommes. Un jour, ils avaient entendu des chiens, et elle avait escaladé une falaise à mains nues pour trouver refuge dans une grotte. Cette jeune femme en haillons, échevelée, hardie comme un garçon, était à l'opposé de tout ce dont avait pu rêver la reine Guinblodwyn! Cette seule pensée la fit éclater de rire.

Elle se baignait dans les ruisseaux et se lavait les cheveux à la saponaire. Elle adorait se tenir nue dans l'eau froide, réchauffée par les seuls rayons du soleil, tandis qu'à ses côtés Tristan lui souriait et faisait d'elle la plus belle femme au monde. Elle ne redoutait plus la forêt. Elle ne craignait qu'une chose, se faire prendre.

Il s'en était fallu de peu dans la cabane du bûcheron. Tristan ne s'en était approché qu'à contrecœur : cela voulait dire qu'un hameau ou un village se trouvait non loin de là et qu'elle ne resterait pas longtemps vide. C'était l'époque de l'année où l'on débitait le bois, mais un orage s'annonçait et ils s'étaient abrités dans la cabane. Comme c'était bon de se retrouver dans un lit, tout près d'un feu, dans les bras de Tristan alors que le vent hurlait et que la pluie s'abattait sur la forêt.

La nostalgie s'était brutalement abattue sur elle. Elle supplia Tristan de rester un jour de plus, puis encore un autre. Il lui céda, la tenant serrée contre lui, lui murmurant des paroles d'amour et lui faisant doucement l'amour pour l'aider à sécher ses larmes. Mais au matin du troisième jour, il la prit par la main et l'emmena au loin. Au village, quelqu'un avait certainement remarqué la fumée au-dessus de la cabane et, tôt ou tard, on serait venu s'informer. Comment pouvaient-ils être certains qu'aucun messager du château de Dorr n'était venu trouver les villageois? Que l'on considérât Tristan comme une victime ou un malappris, la disparition de la reine de Cornouailles, Haute Reine de Bretagne, était assez dramatique pour que chacun en eût entendu parler.

L'après-midi, cachés dans un pin, ils avaient vu et entendu le bûcheron et quatre villageois fouiller les bois alentour. Ils étaient armés de haches, de gourdins et d'une épée mais, la Bonne Déesse en soit remerciée, ils n'avaient pas de chiens. Ils savaient qui ils cherchaient. Le plus grand tenait à la main l'un de ses rubans.

«Vertes, comme ça qu'ils ont dit qu'elles étaient, sa cape et sa robe? Tu vois, Birn, je parierais volontiers que c'est à elle, ça.

— Oui, répondit un autre, et on va l'envoyer à Dorr sitôt qu'on sera revenus. J'espère que ces bâtards vont pas l'emmener vers la Fosse noire parce qu'elle en sortira jamais vivante.»

Tristan avait observé par quel chemin ils étaient repartis et, le soir, sous la pluie, il avait suivi leur piste. La Fosse noire n'était en fait qu'une tourbière inondée. Grâce à un long bâton destiné à sonder le fond, il l'avait aidée à passer sans encombre de l'autre côté. Elle avait cru bien faire en y jetant son dernier ruban, mais cela avait déplu à Tristan.

«Je ne veux pas qu'ils vous croient morte. Si c'était le cas, vous ne pourriez jamais revenir.

— Tant mieux! lui avait-elle lancé d'un air de défi. Qu'il oublie ce mariage et en épouse une autre. Je pourrai être vôtre à tout jamais!

— Et qu'adviendra-t-il de notre fils?»

Ce fut la seule fois en six semaines qu'ils firent allusion à leur avenir. Il était plus sûr de vivre au jour le jour et de croire que le lendemain n'existait pas. Parfois, la nuit, alors qu'elle sentait la chaleur du corps de Tristan contre le sien, elle souhaitait la mort. Elle savait qu'elle ne connaîtrait jamais plus grand bonheur. Ce qui l'attendait ne pourrait jamais être aussi beau que ces errances dans la forêt de Morois aux côtés de son amant.

Cependant Tristan changeait. Ce n'était ni son visage émacié ni la maigreur de son corps qui l'inquiétaient, mais son regard. Sauf lorsqu'ils célébraient entre eux la fête de l'amour charnel, son regard semblait hanté. Il évoquait chez elle celui d'un chien pris à faire une bêtise. Dans ses yeux se lisaient la souffrance muette, la honte, voire le regret. Elle crut d'abord que son amour avait perdu de sa vigueur, mais la force de ses dénégations lui prouva le contraire. Pour elle, il aurait franchi les portes de l'enfer, lui déclarait-il, et elle le croyait. Mais il ne pouvait vivre au jour le jour, comme elle. Le passé pesait sur ses épaules et l'avenir redouté le guettait à chaque pas.

Iseut secoua la tête d'impatience. Qu'il soit chrétien expliquait qu'il fût si sombre, si conscient du péché. Le Christ, comme Mithra, était un dieu à l'usage des hommes, et c'était comme eux qu'ils voyaient le monde. Mais la Puissance rencontrée sur la colline drui-dique était d'une tout autre essence. Aussi ancienne et fondamentale que la terre elle-même, elle lui parlait dans une langue qu'elle comprenait, une langue maternelle aux mystères profonds. Sur cette colline sacrée, à la lueur de la lune, elle lui avait demandé son âme et elle continuait de la protéger. La Déesse – si un tel terme s'appliquait à une Présence asexuée, un esprit à la fois mâle et femelle –, le Divin, la source de sainteté avait été avec eux sur cette colline, adoucissant leur union d'une averse d'argent de lune, enflammant leur désir de la chaleur de la terre nourricière. L'Esprit avait pénétré son corps en même temps que Tristan. Il l'avait embrassée avec les lèvres de Tristan, touchée avec ses mains, il avait dormi sur son sein avec sa chevelure brune. Oui, là, sur cette colline étincelante, l'Esprit de la Mère avait béni leur union et insufflé la vie dans la semence de Tristan.

D'instinct, Iseut posa les mains sur son ventre plat en un geste protecteur. Elle n'avait rien dit à Tristan. C'était un secret qu'elle ne partageait qu'avec la Mère, une pépite de joie qu'elle berçait de son amour. Il lui donnait la force de rire quand Tristan était soucieux, de voir dans chaque matin un renouveau et dans la tombée de la nuit une fête amoureuse pleine de mystère et de délice.

Non, elle n'avait rien dit à Tristan parce qu'elle ne voulait pas perdre cette magie. Elle ne voulait pas revenir à Tintagel et être une fois encore séparée de lui. Il s'inquiétait de l'approche de l'hiver et désirait quitter Morois avant les premières neiges. Chaque jour, il attendait qu'elle lui avoue avoir conçu: son devoir serait alors rempli. Il ferait tout pour la protéger, même si cela consistait à la renvoyer à Marc. Mais penser à Tintagel et à ses froides murailles la terrifiait après la liberté dont elle avait joui dans la forêt. L'idée d'y retourner la répugnait.

Le vent agitait la cime des arbres et une pluie de feuilles mortes s'abattait sur leur chemin. Les nuits étaient de plus en plus froides. Quand les loups descendaient des hauteurs, Tristan et elle allumaient un grand feu pour les tenir à l'écart – un feu dont la fumée pouvait se voir à des lieues.

Ils marchaient sur le chemin. Le ciel s'assombrissait. Tristan releva la tête et tendit l'oreille.

«Qu'entendez-vous? demanda-t-elle en le rattrapant.

– La pluie. À l'ouest. Elle vient par ici. Ce sentier a été tracé par les hommes, il suit la crête et mène peut-être à une ferme ou un village.

– Un village? Mais alors nous devons partir dans l'autre sens.

– Iseut, dit-il l'air sombre, vous avez besoin de nourriture et de repos. Vous devriez vous voir : nul ne vous reconnaîtrait. Nous sommes au cœur de Morois. Si quelqu'un vit alentour, il ne peut avoir entendu parler de nous. Personne ne s'aventure seul au creux de ces bois.

— Il n'y a peut-être ici que des druides, des fées ou des géants ? Oh, Tristan, prenons une autre direction.

— Je vais aller voir. Écoutez ! C'est le tonnerre. Lors du dernier orage, nous avons eu de la chance en découvrant une grotte inhabitée. Je ne veux pas que vous passiez la nuit sous la pluie, vous n'êtes plus assez résistante pour cela.

— Oh, je vois, répliqua-t-elle pleine d'amertume, maintenant que mes courbes ont disparu, je ne vous intéresse plus. Quand mes seins étaient gonflés de lait, vous me prêtiez attention, mais aujourd'hui...»

Il écrasa sa bouche sur la sienne et l'embrassa avec une telle violence qu'elle en eut le souffle coupé.

«Que de sottises, fit-il en posant sa tête sur sa poitrine. Vous n'êtes pas aussi forte que vous le croyez, rien de plus. Je veux un abri décent pour nous protéger de cet orage, me condamnerez-vous pour si peu ?

— Oh si, je suis forte, dit-elle en réprimant ses larmes. Je ne mourrai pas tant que vous vivrez.»

Sa main caressa sa joue et lui releva le menton.

«Qu'y a-t-il ? Cela ne va pas ?

— Non, non, tout va bien. Cherchez votre abri. Ne vous faites pas de soucis, je vous suivrai fidèlement.»

Il désigna le sentier.

«Je dirais qu'il y a une heure de marche jusqu'au sommet. Nous grimperons dans un arbre et essaierons de découvrir une fumée. Mais la pluie n'attendra peut-être pas, mieux vaut donc revêtir votre cape.»

L'heure n'était pas écoulée que l'orage éclata.

24

L'ERMITE

Une pluie glaciale les contraignit à gagner un vallon boisé. Là, une hutte basse se cachait parmi les pins tel un animal terrorisé. Tristan tira son épée mais il sut avant même d'y pénétrer qu'elle était vide. Tout y respirait la solitude.

« Venez, Iseut, il n'y a rien à craindre. »

Elle avait les mains glacées ; la pluie et le froid la faisaient trembler. À l'intérieur, il faisait si sombre qu'ils ne voyaient presque rien. À genoux, il palpa le sol de terre battue et découvrit un cercle de pierres, un foyer primitif, certainement. Au-dessus de sa tête, la pluie pénétrait par le trou pratiqué dans le toit de chaume pour laisser s'échapper la fumée. Sous une grosse pierre, il trouva un silex et de l'étoupe, et non loin un panier plein de petit bois.

Penché au-dessus du silex, il balbutia une prière de remerciement qu'il adressa au Christ, à Mithra, à la Grande Mère, surtout à elle qui semblait avoir pris Iseut sous son aile protectrice. Il sentait la jeune femme frissonner, bien qu'il ne fût pas tout à côté d'elle. Leur intimité était telle qu'il pensait comme elle, rêvait comme elle, éprouvait les mêmes sentiments. Leur union physique n'était pas celle de deux corps distincts, mais de deux moitiés qui se rejoignent enfin. Elle était le souffle de sa vie, la mélodie de ses odes, la lame étincelante de son esprit guerrier. Il n'aurait pu davantage se séparer d'elle que de ses propres os.

Une étincelle embrasa l'étoupe puis le petit bois. Il regarda autour de lui.

C'était une construction circulaire au toit de chaume dont le style était encore plus ancien que celui apporté par les Romains. Il n'y avait pas de fenêtres et rien qu'une porte, basse et ronde, faite pour un homme de plus petite taille que Tristan. Contre la paroi, une couche de fougère et de paille était recouverte de peaux et une vieille couverture en laine était soigneusement roulée par terre. Près de l'âtre, il vit un petit tabouret à trois pieds, une marmite et un trépied. Un curieux assortiment de bols, de cuillères et de gobelets en bois était entassé sur une étagère basse à côté de jarres à huile bouchées par des chiffons. Une hache pendait près de la porte; dessous, un petit coffre à serrure.

«Celui qui vit ici est parti sans son instrument, fit remarquer Iseut. Ce n'est certainement pas une hutte de bûcheron.

– Oui, et d'ailleurs, il n'y a pas de tas de bois. Vous êtes trempée, dit-il en la prenant par les épaules, et vous grelottez. Je vais vous ôter vos vêtements.»

Les doigts d'Iseut étaient trop gourds, elle ne parvenait même pas à ouvrir la fibule de sa cape. Sans précipitation, il la débarrassa de ses habits puis il enroula son corps nu dans la couverture. Il la prit alors dans ses bras et la serra contre lui. Comme toujours quand il la regardait, le désir s'empara de lui.

«Ma douce Iseut, bientôt vous aurez assez chaud. Asseyez-vous sur ce tabouret et nourrissez ce feu. Je vais couper suffisamment de bois pour nous réchauffer jusqu'au matin.

– Prenez garde, Tristan, dit-elle en baisant ses lèvres. Je serai avec vous.»

Il n'eut aucun mal à trouver du bois. Une heure sous la pluie battante lui en rapporta plus que nécessaire, mais il refusait de s'arrêter. Cette tâche le détendait. Il sourit et pensa à Iseut. Seigneur, dire qu'ils vivaient ensemble depuis deux mois et qu'elle ne portait pas encore d'enfant! La magie régnait-elle sur Morois? Leur avait-on jeté un sort? Mais non, tout ce qu'elle découvrait enchantait Iseut. Elle était pareille à une fillette, insouciante, heureuse à chaque instant. Il savait ce qu'elle avait vécu et ce qui l'attendait, et il ne pouvait lui en vouloir. Aimer sans secret, aimer dans l'abandon… pour elle, c'était cela, le Ciel. Mais pourquoi ne l'était-ce pas pour lui?

Il empila les bûches sur une peau et les traîna jusqu'à la hutte. Il connaissait la réponse à sa question. Il était responsable de l'apparence d'Iseut: sa robe déchirée, ses mules éculées, ses cheveux emmêlés, mais surtout ses épaules et ses hanches que ne recouvrait plus aucune chair. C'était à cause de lui qu'elle avait risqué sa vie à Morois. Mais grâce à lui elle serait en sécurité à Tintagel, chaudement vêtue de fourrures et de velours, assise près de l'âtre sur le siège royal, les cheveux ornés de perles et de rubans.

« Votre mère nous a maudits, douce Iseut, murmura-t-il, et maudits, nous le sommes toujours. »

Il frissonna en se rappelant ses mots : *Quatre femmes mettront leur confiance en toi et vivront pour voir cette confiance trahie ! Trois enfants tu engendreras : une catin, un mendiant et un assassin !* Mais ce n'était que de la sorcellerie. Nul ne pouvait connaître son destin. Il n'avait pas trois enfants, du moins pas encore, et seules deux femmes avaient placé leur confiance en lui. Trois, si l'on comptait Branwen...

Une pensée le glaça. Pourquoi Branwen n'avait-elle pas dit à Iseut qu'elle attendait un enfant ? Branwen dût-elle hésiter, Iseut dût-elle être contrainte de revivre avec Marc... Tristan imagina les mains noueuses de Marc sur le corps d'Iseut, ses lèvres sèches sur son visage, ses grognements d'ivrogne, son impatience à souiller ses cuisses blanches... Il poussa un hurlement de bête qui retentit dans toute la forêt puis il tomba à genoux, nauséeux à en perdre conscience. Il attendit, tête courbée, de reprendre son souffle. De cette épreuve, il ne lui restait qu'une crampe au niveau du ventre et le goût amer de la bile dans la bouche.

Iseut se tenait devant la porte.

« Tristan ? Tristan ! Vous êtes là ?

— J'arrive », dit-il en se relevant péniblement.

De ses mains tremblantes, il saisit la peau lourde de bûches et la tira vers la hutte.

Elle était blottie dans sa couverture.

« J'ai soudain eu très peur, comme si une chose s'était approchée de moi et m'avait touché de sa patte visqueuse. C'était horrible ! »

Il rangea les bûches dans la hutte et referma la porte.

« Nous ne sommes qu'une âme, vous et moi. Oui, j'ai eu peur, mais c'est fini à présent.

— Qu'était-ce donc ? demanda-t-elle en le dévorant des yeux. Il y avait quelque chose au-dehors ?

— Non, mon amour, fit-il avec un sourire contraint. Pas dehors, mais ici, ajouta-t-il en se frappant la poitrine.

— Ah, ce sont toujours vos craintes irraisonnées. Allons, vous êtes le meilleur guerrier de Bretagne, pourquoi vous torturez-vous ainsi? Ôtez vos habits trempés et asseyez-vous avec moi près du feu. Vous êtes trop glacé pour me toucher.»

Il se dénuda. La chaleur des flammes était pareille à une caresse, mais peut-être était-ce le regard d'Iseut? Elle s'agenouilla près du feu et remua la marmite, les yeux brillants de désir. Il sentit ses reins s'enflammer et éclata de rire.

«Ah, sorcière! Qu'allez-vous faire de moi? Je suis votre esclave, Iseut, n'en avez-vous pas encore assez de ma pauvre personne?

— Cela n'arrivera jamais, dit-elle avec un sourire, mais je vais commencer par vous donner à manger. J'ai fait cuire de la viande de cerf avec des noix, c'est un maigre ragoût, j'en conviens, mais ce sera déjà ça.»

Quand ils eurent fini leur repas, Tristan calfeutra la porte pour éviter que la chaleur ne se perdît. Iseut tremblait moins et ses joues avaient repris des couleurs. Elle était assise sur le tabouret. À ses pieds, Tristan avait posé sa tête sur ses genoux.

«Parlez-moi de Branwen.

— Je vous l'ai dit, elle est malade comme un chien.

— Non, ce n'est pas ça. Selon vous, cet enfant revêtait beaucoup d'importance pour elle. Vous pensez qu'elle l'a fait à dessein?

— Je n'en suis pas certaine. Il est étrange qu'elle ne se soit pas confiée à moi. Si j'avais connu ses intentions en début d'été, nous nous serions aimés sous le pommier et peut-être aurait-on pu éviter tout ceci.

— Oui, c'est bien ce que je pensais...

— Elle sait empêcher la grossesse, et pourtant elle n'a rien fait.

— Vraiment? s'étonna-t-il.

— Oui, mère nous l'a appris. Je regrette de ne pas l'avoir mieux écoutée, mais à l'époque je n'en voyais pas l'intérêt.

— Ces plantes existent-elles vraiment? Je sais que chaque accoucheuse de village prétend avoir un tel pouvoir, mais je n'en ai pas été personnellement témoin.

— Il y a trois simples, mélangées dans des proportions précises, que l'on fait bouillir sur le feu le temps de réciter l'incantation puis que l'on met à refroidir au moment de la lune croissante. Je connais les herbes, mais je ne me rappelle plus les quantités ni les mots du sortilège. Je ne ferais pas une très bonne sorcière, s'amusa-t-elle.

— Dieu merci.»

Elle caressa pensivement les cheveux de Tristan ainsi que sa barbe naissante.

«Pourquoi me parler de Branwen?

– Oh, fit-il lentement, je me demande si elle n'a pas un dessein dont elle ne nous a pas fait part.

– De quel genre?»

Il constata avec plaisir qu'elle avait l'air aussi inquiète que lui.

«Pensez aux projets que nous avons faits dans la maison de Guvranyl. Adoptez le point de vue de Branwen. Qu'a-t-elle à y gagner?

– C'est ma plus chère amie, Tristan. Elle me sert depuis que nous sommes enfants. Elle l'a fait pour moi.

– Non, ma mie. Les servantes, même aimées, ne sont pas des amies. Elle a peut-être compris votre détresse, mais c'est pour elle qu'elle a agi ainsi. Pour la même raison, elle a accepté de coucher avec Marc bien après la nuit de noces.

– Pourquoi, alors? fit-elle, les larmes aux yeux. Pour donner un enfant au roi?

– Pour lui donner un fils.

– Et alors, quelle différence? Elle ne peut lui faire savoir qu'il est le sien, ou il nous tuera tous.

– Peut-être. Oui, il nous tuera tous, ainsi que notre fils, mais qu'il tue Branwen ou l'épouse à la place dépend de plusieurs choses.

– Elle ne ferait jamais ça! s'écria Iseut. Et Marc ne se marierait jamais avec une fille de basse extraction, ce serait renier sa fierté!»

Il s'arrêta un instant pour l'observer.

«Qui sont ses parents, Iseut?

– Sa mère était une servante ordinaire au château de mon père. Elle travaillait au jardin. Par la suite, elle a servi ma mère. Nul n'a jamais su qui était son père.

– Quelqu'un doit bien le savoir.

– Pas Branny, en tout cas, sinon elle me l'aurait dit. Sa mère est morte alors qu'elle était toute petite. Comment pourrait-elle être au courant à moins que son père ne le lui ait avoué?»

Il haussa les épaules.

«Si vous avez raison, alors nous n'avons rien à craindre. Et sa grossesse fut une erreur. Peut-être ne s'est-elle pas rappelé les paroles.

– Branny n'oublie jamais rien. Ces simples ne poussent peut-être pas en Cornouailles. Oh, Tristan, j'ai peur à présent. Depuis la naissance de la petite Keridwen, les choses ne sont plus les mêmes entre Branwen et moi. Voilà que vous la soupçonnez de traîtrise. Est-il possible qu'elle nous veuille du mal? Après tout ce qu'elle a fait pour nous?»

275

Tristan la fit lever de son tabouret pour la serrer contre lui. La couverture glissa de ses épaules nues quand il se pencha pour lui embrasser la gorge.

«Je la soupçonne seulement de duplicité. Ce qu'elle a fait pour nous, elle l'a également fait pour elle, rien de plus. N'allons pas imaginer ce qui n'est pas. Je suis désolé d'en avoir parlé.

– Oh, Tristan, Tristan, emmenez-moi à Lyonesse. Je suis prête à partir. Je ne pourrais plus être séparée de vous, plus jamais. La mort me serait plus douce.

– Tintagel, en premier lieu, pour y prendre notre fils. Ensuite, je vous mettrai à l'abri à Lyonesse. Il est temps. Guvranyl a raison, nous avons peut-être plus de ressources que nous ne le croyons.

– Me le promettez-vous, Tristan?

– Oui, mon amour. Nous tiendrons ferme à Lyonesse. Je le jure sur nos vies.»

Leurs lèvres se rencontrèrent, leurs corps se cherchèrent, puis commença la lente et inexorable danse de l'amour.

Tristan s'éveilla en pleine nuit. Le feu n'était plus que braises. Il se demanda ce qui l'avait arraché au sommeil, se leva du lit de fougère, prit son épée et tendit l'oreille. La pluie avait cessé et la brise agitait les herbes servant à colmater la porte. Il faisait encore chaud dans la hutte mais il remit tout de même une bûche dans l'âtre. Il regarda au fond de la marmite: il restait encore de quoi manger. La veille au soir, ils n'avaient eu faim que d'amour.

Le sol était en grand désordre, témoin muet de leurs ébats. Qui eût imaginé une telle passion chez la fille de Perceval? Si, sur son lit de souffrance, à Gwynedd, il avait imaginé la fougue avec laquelle elle se donnait, il n'aurait pu lui résister. Il aurait succombé devant son charme dans la maison de son père, et il serait mort en Galles.

Il entendit une sorte de grognement et se retourna. Iseut dormait, cachée sous la couverture. Il n'y avait personne d'autre. Il s'approcha d'Iseut et l'appela.

Elle ne bougea pas. Il tendit la main pour la retirer aussitôt. Elle était brûlante! Sa peau était rouge, son front couvert de sueur. Horrifié, il la vit pencher la tête vers lui, les yeux entrouverts. Ses lèvres étaient sèches.

«De l'eau…, balbutia-t-elle.

– Oui, oui! De l'eau. L'outre est juste là, il en reste un peu. Là. Buvez.»

Mais elle n'avait pas la force de se redresser. Il la cala contre son épaule et porta l'outre à ses lèvres.

« Buvez, Iseut, je vous en prie, buvez ! »

Elle s'étrangla et de l'eau lui coula sur le menton. Il la garda contre lui, écartant les cheveux qui lui collaient au visage.

« Iseut, mon amour, dites-moi ce qui ne va pas, dites-moi quoi faire. »

Mais elle referma les yeux et ne parla pas. Tristan regarda autour de lui, affolé.

« Ô dieux, entendez ma supplique ! Venez à moi qui suis dans le besoin. Guérissez-la, sauvez-la ! Je donnerais n'importe quoi pour qu'elle vive. Grande Mère des hommes, terre d'où nous sommes issus... seigneur Mithra, toi, la Lumière, qui as répandu le sang du Taureau... Yahvé au buisson ardent, Jésus-Christ au tombeau vide... Llud, Llyr, Eroth, Myrddin, Cerennos le Cornu... entendez mes prières ! Je suis votre serviteur. Prenez pitié de moi et accordez-lui la vie ! »

Il trempa sa tunique dans le peu d'eau qui restait et la pressa contre son front, son corps, ses joues en feu. Elle soupira mais ne répondit pas à ses appels et n'ouvrit pas les yeux. Il s'agenouilla près d'elle. Il ne connaissait pas la magie des plantes ni les arts de la guérison, sauf ceux mis en pratique sur les champs de bataille. Il pouvait panser un membre blessé, empêcher le sang de s'écouler, mais les fièvres ! Impuissant, il regardait Iseut. Les femmes, comme les enfants, pouvaient mourir des fièvres. Même les hommes, quand une blessure s'infectait. Comment Pernam s'y était-il donc pris dans son cas personnel ? Oui, beaucoup d'eau fraîche, beaucoup de compresses. Seulement, il n'y avait plus d'eau.

Il ramassa l'outre. La nuit était obscure, mais l'orage avait cessé. De rares étoiles scintillaient au-dessus des pins. Il voyait assez bien pour comprendre, après une heure de marche, qu'il n'y avait ni source ni ruisseau. Il ne put qu'étaler sa tunique sur l'herbe humide et en couvrit Iseut. Mais son état empirait. Elle gémissait, pitoyable, et respirait de plus en plus vite. Quand il retira sa tunique, elle était sèche et brûlante. Refusant de céder à la panique, il ouvrit toute grande la porte de la hutte et sortit.

Il tomba à genoux et se prit la tête dans les mains.

« Dieu me pardonne mes péchés ! Peu importe ce qu'il adviendra de moi, mais elle m'est plus précieuse que la vie. Épargnez-la pour le bien de son fils sinon pour le sien. Apprenez-moi à la guérir ! sanglota-t-il. Aidez-moi, esprits du ciel, des rivières et des chemins, de la terre et de tous ses bienfaits, esprits des âmes des hommes, venez-moi en aide! Si vous m'entendez, aidez-moi, je vous en conjure!

– Donne-moi une bonne raison pour laquelle je ferai ça.»

Une voix de basse résonna entre les arbres. Tristan sursauta. Spectral au milieu des brumes, vêtu d'une cape grise, un petit homme marchait auprès de sa mule.

«Qui.. Qui êtes-vous? demanda Tristan.

– Et toi, qui tu es? lui répondit l'apparition. Que fais-tu ici? Disparais!

– Disparaître? Mais comment osez-vous... Donnez-moi votre nom, messire!

– Sottises. Va-t'en. Qui t'a donné le droit de rentrer là-dedans?

– Je ne puis partir. Êtes-vous un guérisseur? Ma... ma femme est malade.

– Je suppose que tu vas me demander un sortilège? ricana l'homme. Allez, fiche le camp avant que je perde mon calme. Sors de ma maison.

– *Votre* maison?

– Eh, il a de bonnes oreilles, murmura l'étranger à son âne.

– Messire, je vous en supplie, pour l'amour du Christ, montrez-moi où trouver de l'eau pour lui baigner le front.»

À travers la brume, il vit des yeux noirs l'observer, cachés sous d'épais sourcils.

«Je ne sers pas le Christ. Dis-moi qui tu es.

– Je suis un voyageur, messire. Si je suis entré sur vos terres, je vous en demande humblement pardon. Nous nous sommes abrités de l'orage, mais pas assez tôt. Dame Is... ma femme a les fièvres.»

Le petit homme l'observa un instant avant de tirer sur la bride de son âne et de faire demi-tour.

«Un voyageur, ah oui? Peut-être bien un habitant des Îles Bénies, où les habits n'ont pas d'importance. À quoi il croit que ça sert, un tonneau pour recueillir la pluie?»

Tristan avait oublié qu'il était nu. Quand il releva la tête, l'homme et sa mule avaient disparu comme ils étaient venus. Il se frotta les yeux. Un tonneau était posé entre la hutte et les arbres, à une vingtaine de pas de lui. Était-ce la nuit ou la brume qui l'avait dissimulé à son regard? Il s'y précipita pour y remplir son outre.

Iseut soupira sous la fraîcheur de la compresse. Hâtivement, il enfila ses bottes et ses chausses humides, ralluma le feu pour faire à manger et s'agenouilla auprès d'elle, l'outre à la main. Il avait vaguement conscience de bruits à l'extérieur de la hutte, mais seuls lui importaient la respiration hachée d'Iseut et sa peau brûlante.

Il se retourna quand une ombre envahit la pièce. Le personnage en cape grise était sur le seuil. Il le regarda puis ramassa les bols en bois pas lavés depuis la veille. Tristan rougit et ouvrit la bouche pour parler.

«Ne fais pas attention à moi, dit l'homme en remettant d'aplomb le tabouret. C'est ta maison, de toute évidence. Ne t'occupe pas de moi.»

Il inspecta le tas de bois, la lame de la hache, avant de humer la viande dans la marmite.

«Tu l'as empoisonnée, hein? Pauvre sot.»

Il ôta la marmite du trépied et repartit, les bols sous le bras.

Tristan le regarda sans comprendre. Du poison? Il se tourna vers Iseut et, après un instant de panique, se calma. Il avait mangé la même chose qu'elle, en plus grande quantité même. Ce n'était peut-être pas le meilleur mets qu'elle eût préparé ni le plus nourrissant, mais il n'était pas pire que tout ce qu'ils avalaient depuis des semaines.

Le petit homme revint après avoir nettoyé la marmite et les bols. Il mit de l'eau à chauffer sur le feu. Après avoir ramassé du petit bois, il adressa un signe de tête mauvais à Tristan.

«Avec ta permission, bien entendu, mon maître, je vais prendre un peu de ce bois que ma hache a coupé et je vais faire du feu dans le four banal.

– Je vous en prie…», commença Tristan, mais l'étranger avait une fois encore disparu.

Le four banal? Était-il passé à côté tandis qu'il cherchait une source? Et l'âne, où était-il? Il posa un regard misérable sur Iseut. Sans elle, il perdait tout repère et sa vie n'était que confusion.

«Je jure par le sang du Christ, déclara-t-il lentement, que quand elle sera remise, je la mettrai en sécurité loin de Morois, que l'enfant l'accompagne ou pas.»

Quand l'étranger revint, Tristan se leva et s'inclina devant lui.

«Messire, veuillez excuser ma…»

Les yeux noirs se détachaient dans son visage ratatiné.

«Voyageur… Je ne veux pas de tes excuses et je n'attends rien de toi.»

Il ouvrit le coffre et en sortit un sac grossièrement tissé.

«Jusqu'à ce que tu partes et nous laisses en paix, moi et les miens, tu peux m'appeler l'ermite.»

Il tira du sac une poignée d'herbes aromatiques qu'il jeta dans la marmite.

«Ce que j'étais avant ton arrivée et serai à nouveau après ton départ.»

Il ramassa leurs vêtements épars à terre, les secoua vigoureusement et les sortit de la hutte. Quand il revint, il portait un sac de grain bourré de paille.

«Avec ta permission, fit-il en glissant l'oreiller improvisé sous la nuque d'Iseut.

— Merci. Apparemment vous connaissez l'art de la guérison.

— Voyageur, tu supposes trop de choses.

— Je vous demande pardon?

— Tu me dois un service pour toutes tes suppositions, gronda l'homme dont le regard s'assombrissait.

— Je le reconnais. Dès que ma femme sera...

— Tout de suite, dit-il en lui désignant la hache. Trois arbres tu abattras et débiteras pour moi. Des bûches grosses comme le bras. Avant le coucher du soleil.

— Mais je..., fit Tristan en se tournant vers Iseut. Je ne puis la quitter.

— Tu le peux, et tu le feras.»

Il lui montra la porte. Tristan se retrouva dans la forêt, la hache à la main. Il ne se rappelait nullement avoir marché ni emporté cet instrument. Nerveux, il regarda autour de lui. La hutte avait disparu, mais il y avait à sa place un appentis grossier où un âne l'observait en mâchonnant du foin. Il chercha fébrilement le chemin menant à la hutte et ne trouva rien, pas même la trace d'un animal. Finalement, il jeta la hache sur son épaule.

«Ton maître est soit un fou soit un magicien, dit-il à l'âne, et ce soir il rejoindra ses ancêtres s'il a fait du mal à Iseut. Pourtant je lui obéirai.»

La lune brillait haut dans le ciel quand il eut fini. Il chargea le bois dans une charrette qu'il trouva dans l'appentis et attela l'âne. Bien que peu vêtu – son souffle se matérialisa en halos dans l'air glacé –, il avait assez chaud pour traverser la forêt. L'animal savait de toute évidence où il allait et Tristan le suivit aveuglément. Quand il découvrit la hutte sombre dont la silhouette se détachait sur les arbres éclairés par l'astre des nuits, un filet de fumée s'échappait du toit. Il déchargea la charrette et empila le bois à toute allure, libéra l'âne et lui assena une claque sur le postérieur pour le renvoyer chez lui. Enfin il poussa la porte d'un coup d'épaule.

Chaleur, fragrances et lumière agressèrent ses sens ; son regard se porta sur la couche. Immobile, pâle, glacée, Iseut était telle qu'il l'avait laissée en partant. Il tomba à genoux et lui prit la main. Elle ne réagit pas.

« Oh, Seigneur ! Iseut ! »

L'ermite était assis près du feu et buvait dans l'un de ses bols en bois.

« Que lui avez-vous fait ? lui lança Tristan nullement effrayé par le regard sombre de l'inconnu. Si vous êtes responsable de son état, je vous…

— Elle dort, pauvre fou. Elle vit. Les fièvres sont parties. »

Tristan posa l'oreille sur sa poitrine et entendit la faible pulsation de la vie. Il soupira et murmura quelques mots de remerciement. L'ermite lui tendit un gobelet.

« Bois ça. »

Le liquide chaud lui coula dans la gorge, doux et odorant.

« Merci, l'ermite. C'est grâce à vous ? dit-il en désignant la couche sommaire.

— Je lui ai confectionné un emplâtre à la moutarde et fait boire une décoction bien forte, rien de plus. Je ne vais pas épuiser mes réserves, grommela l'ermite, ce qui fit sourire Tristan.

— Je bénirais volontiers votre nom si je le connaissais. Quand s'éveillera-t-elle ?

— Elle se réveillera quand elle sera assez forte pour se réveiller. »

L'ermite plongea une louche dans la marmite et tendit à Tristan un bol plein de champignons, d'oignons sauvages et de petits morceaux de viande baignant dans du gruau. Puis il apporta une assiette chargée de friands recouverts de raisins et de noix.

« C'est merveilleux, parvint à dire Tristan entre deux bouchées. Vous n'avez tout de même pas préparé tout ça vous-même ?

— Sûrement pas. Que pourrait faire un pauvre ermite de basse extraction qu'un fils de roi ne saurait mieux faire ?

— Qu'est-ce qui vous fait croire que je suis fils de roi ?

— Ta taille, bien entendu. Il n'y a que dans la maison d'un roi qu'on peut manger assez pour être aussi grand.

— J'ai beaucoup perdu ces dernières semaines, dit Tristan en riant. Mais je ne suis pas un géant. Il y a dans mon village de nombreux hommes qui ont ma carrure, des bûcherons, des laboureurs…

— Oui, mais pas un seul qui ait comme toi un bras fait pour manier l'épée. »

Le visage de l'ermite était impassible, mais ses yeux pétillaient d'intelligence.

«Tu as le physique d'un combattant, et ton bras droit est plus fort que le gauche.

— Et mon épée repose près de votre couche. Je vous félicite de vos déductions, mais on peut manier l'épée ou manger dans la maison d'un seigneur sans être fils de roi.»

L'ermite tendit la main vers les bottes de Tristan.

«Une peau de daim aussi fine, ce n'est pas commun chez les guerriers.

— Je ne suis pas un guerrier ordinaire, je l'avoue. J'ai des goûts particuliers.

— Ça, je m'en doute, ricana l'ermite en désignant la couche.

— Comment osez-vous?»

L'ermite se leva et tendit vers lui un doigt menaçant.

«Prince arrogant! Je ne suis pas un de tes sujets. Pour moi, ton pouvoir n'est rien de plus que fumée au vent. Tu es l'hôte de cette maison, et avant de me reparler ainsi, tu auras pris cette femme et tu seras parti!»

Le petit visage buriné apparut pour la première fois en pleine lumière à Tristan. Il tomba à genoux et fit un vieux signe propitiatoire.

«Vous êtes l'un des Anciens, n'est-ce pas? Vous descendez en droite ligne des anciens Bretons, il n'y a pas en vous une seule goutte de sang romain. Oui, j'ai entendu parler de votre peuple. Les bardes chantent vos dieux et vos héros, répètent les légendes de vos ancêtres. Mais je n'avais jamais rencontré quelqu'un comme vous avant ce jour. Est-ce pour cela que vous vivez aussi seul? Pour éviter les hommes de ma race?

— Pour éviter tous les hommes, quels qu'ils soient! cracha l'ermite.

— Accordez-moi votre pardon. Vous lui avez sauvé la vie. Je vous en suis reconnaissant.»

D'un imperceptible signe de tête, l'ermite accepta sa soumission.

«Je vais te dire quel service tu peux me rendre.»

Il plongea la main dans le sac de Tristan et en sortit sa petite harpe.

«Les chants des bardes, hein? Fais-m'en écouter un, Tristan de Lyonesse.

— Comment...

— Aux bagues qu'elle porte. Si tu as un peu d'intelligence, sers-t'en.»

Tristan grogna. À la main droite, Iscut portait l'anneau nuptial de Cornouailles, à la gauche, la bague qu'il lui avait offerte, celle frappée de l'Aigle de Lyonesse. Si cet ermite savait qu'ils avaient disparu ensemble...

« Le roi Marc te fait chercher dans toute la Cornouailles, dit l'ermite d'un ton bourru. Et il veut te tuer.

– Je m'en doutais...

– Tu dois lui accorder un grand prix.

– Dites plutôt qu'elle n'a pas de prix pour moi. »

Il regarda l'ermite. L'homme avait rejeté sa capuche et s'était accroupi près du feu. Le soleil et les années avaient donné la couleur de la noix à sa peau fripée. Ses cheveux bruns coupés court étaient parcourus de fils blancs, tout comme sa barbe. Ses mains étaient fortes et noueuses, habituées à travailler dur quelle que fût la saison. Mais ses yeux redoutables, noirs comme la nuit, étaient empreints d'une infinie tristesse.

«Jadis vous avez aimé une femme, murmura Tristan. Vous comprendrez. Elle est le souffle de ma vie, le sang qui bat dans mes veines, l'incarnation de tout ce qui est bon pour moi. Je ne puis me séparer d'elle. »

L'ermite lui montra sa harpe.

«Un homme doté d'une âme de barde sait extraire la beauté de la souffrance. Fais-moi entendre ta musique et je jugerai par moi-même de ce qu'il y a en toi. »

Tristan prit sa harpe, la posa contre sa poitrine et l'accorda soigneusement.

«Vous me demandez beaucoup, l'ermite. Ma voix ne s'est pas exprimée depuis longtemps. »

Il ferma les yeux et écouta parler son âme. Ses doigts effleurèrent les cordes, timidement d'abord, puis, quand ses sentiments les plus profonds se manifestèrent, avec toute l'assurance d'un amant. Penché sur son instrument, Tristan se souvint du mariage de Dinadan, au château de Dorr, le soleil éclatant dans un ciel limpide, les mets empilés sur les tables, et la harpe chanta. Il pensa à la noirceur de la nuit quand, main dans la main, Iseut et lui s'étaient enfuis dans la forêt de Morois, et la harpe chanta. Il revit le cercle de pierres dressées, au sommet de la colline, le désir d'Iseut quand elle succomba à l'appel de la Mère, les jours passés à marcher dans la joie et l'inquiétude, dans la froidure du temps et la chaleur de leurs corps. Il décrivit Marc et son armée, aiguillonnés par Segward, leurs cris de haine à son encontre. Puis il pensa à la précieuse Iseut, sa douceur innée, son rire cristallin, ses colères de petite fille, ses mains passionnées et son corps enfiévré. La harpe chanta tout cela. Mais ensuite, il entrevit l'avenir qui les attendait, la mort ou l'exil pour lui-même, l'emprisonnement dans le froid château de Tintagel pour la belle Iseut, sans autre amant que le cupide Marc, sans personne qui pût ravir son âme. Et sa harpe pleura.

Les doigts de Tristan cessèrent de bouger. Les dernières vibrations des cordes s'évanouirent. L'ermite se leva et s'approcha de Tristan, courbé sur son instrument. Il s'inclina devant lui.

«Tristan de Lyonesse, mon nom est Ogrin. Tu es le bienvenu dans ma maison aussi longtemps que tu désireras y séjourner. Les ancêtres t'ont honoré. Ils t'ont béni en t'accordant le don de parler avec ton cœur, sans faire usage de ta langue, de même que j'ai reçu...»

Il ébaucha un sourire.

«... le don de voir sans les yeux.

— Oh, Ogrin, fit Tristan en battant des paupières comme s'il venait de pénétrer dans une pièce brutalement éclairée, si je suis béni, pourquoi mon cœur est-il si lourd? Pourquoi ne puis-je trouver le sommeil? Et pourquoi, quand je dors, dois-je rêver de loups?

— La reine et son enfant pèsent sur ta conscience.

— La reine, oui, fit-il en s'essuyant les yeux. Mais pas l'enfant, grâce au Ciel. Il est à l'abri, à Tintagel.

— Je parle de l'enfant qu'elle porte en elle.

— Quoi? Elle attend un enfant? Mais comment le savez-vous?

— Dans ce cas, ne me crois pas, lui répondit sèchement Ogrin. Si tu avais écouté avec tes oreilles de barde le rythme de la vie qui t'entoure, tu le saurais depuis deux mois.

— Deux mois!»

Tristan se tourna vers Iseut, dont il caressa doucement le visage.

«Douce enfant, la Mère vous a bénie. Pourquoi ne m'avoir rien dit? Jadis j'étais en accord avec la pulsation de la vie, les vents d'orage, le chant des oiseaux. Mais voici que je suis sourd depuis longtemps.»

Ogrin leva une main au-dessus de sa tête et parla à vive allure dans une langue que Tristan ne comprit pas, une sorte d'incantation gutturale qui s'insinua dans son esprit, lui ôta toute pensée, ferma ses yeux et alourdit son corps. Il bâilla et s'allongea près d'Iseut.

LE PRINCE DES RÊVES

«Que le sommeil descende sur toi, prononça Ogrin. Qu'aucun rêve ne trouble ton repos. Ne te soucie pas du lendemain. L'enfant sera en sécurité... mais tu ne verras jamais son visage. La paix sera tienne, mon ami, quand ta bien-aimée dormira près de toi et que le lierre s'enroulera par trois fois autour du noisetier.»

La tête posée sur le sein d'Iseut, Tristan sombrait déjà dans le sommeil et ne l'entendait pas.

25

LES ÉPREUVES DE LA REINE

Iseut était assise devant la hutte, au soleil. Elle raccommodait un morceau d'étoffe brun-roux et ses boucles dorées tombaient en cascade de part et d'autre de son visage. Elle toussa brièvement et se tint la poitrine, puis elle se détendit. Cette toux sèche ne ressemblait en rien aux quintes qui lui déchiraient les côtes depuis trois semaines. Elle releva la tête et vit le regard anxieux de Tristan fixé sur elle. Il se tenait près du tas de bois, la hache à la main. Elle sourit et lui adressa un signe de la main, il lui répondit et se remit au travail.

Elle admira longuement le jeu des muscles de son dos et de ses épaules quand il se penchait, se redressait, se penchait à nouveau. Il avait toute la grâce d'un danseur. Le désir s'empara d'elle et elle s'en amusa. Elle posa alors la main sur son ventre et imagina qu'elle sentait déjà la présence de son enfant. La nuit précédente, Tristan lui avait juré qu'il percevait en elle les pulsations de cette vie naissante. C'était la première fois depuis sa maladie qu'il venait dans son lit. Elle soupira et ferma les yeux.

Quand le soleil eut disparu derrière les pins, l'air se rafraîchit. Peu après, Ogrin les appelait pour le repas. Depuis un mois, les plats préparés par l'ermite lui avaient rendu un peu de chair et mis du rose à ses joues. En retour, Tristan avait coupé assez de bois pour permettre à Ogrin de se chauffer pendant trois hivers ; il avait aussi ramassé assez de foin sauvage pour que l'âne tînt jusqu'à la fonte des neiges.

De même que l'ermite détournait la tête quand le désir qui les tenaillait devenait incontrôlable, ils ignoraient les étranges rituels à base de mues de serpents, de becs d'oiseaux, de couteaux et d'entrailles d'animaux qu'il pratiquait au centre du cercle de pierres, non loin de la source secrète.

«Les druides étaient son peuple, avait expliqué Tristan, mais il est le dernier de sa famille. Pour ceux de sa race, il est de haute naissance: il détient la sagesse populaire de ceux de son clan et c'est un voyant, un juge de la nature humaine. Comment est-il arrivé là où il est, il ne le dira pas.

– N'est-ce pas l'ermite de Morois que tout le monde redoute, comme vous me l'avez dit un jour?

– Les gens craignent ce qu'ils ne connaissent pas.

– Vous avez ajouté que son repas se composait d'êtres humains. Il serait choqué en entendant cela.

– Choqué? s'amusa Tristan. Méprisant, peut-être, devant ce qu'il considère être l'ignorance crasse des hommes de notre temps. Pour lui, nous sommes une race d'irresponsables, toujours prompts à guerroyer. Il a bien l'intention de durer plus longtemps que nous.»

Iseut secoua la tête quand Ogrin remplit son bol pour la seconde fois.

«Oh, Ogrin, je ne peux plus avaler la moindre bouchée.»

Sur le visage de l'ermite se dessina une sorte de sourire.

«Une pour vous. Et une pour lui, dit-il en lui montrant son ventre.

– Lui? Vous en êtes certain?

– Lui», répéta-t-il.

Tandis qu'elle mangeait, Ogrin prépara sa décoction et Tristan tira quelques notes de sa harpe avant d'inventer une nouvelle mélodie.

«Comme c'est beau, murmura Iseut.

– C'est pour vous, mon amour. C'est "Le Lai d'Iseut". Un jour, on le chantera dans toute la Bretagne.

– Ma mère m'a dit un jour en plaisantant qu'elle devrait me marier à un barde.

– Eh bien, elle devrait accorder plus de confiance à son pouvoir de prédiction», répondit-il en lui adressant un clin d'œil.

Comme il jouait, les mains d'Iseut se posèrent sur son ventre et elle pensa à l'enfant qu'elle portait, si fragile, si innocent, ce fils de Tristan qui verrait le jour dans un monde régi par Marc. Il n'était pas juste de le tromper à propos de son père. Pis encore, c'était mal. Elle frissonna et Tristan interrompit sa chanson.

«Qu'y a-t-il, mon amour?

— Tristan, faut-il partir? Est-ce bien nécessaire?

— Ogrin est un ermite, il ne peut mener la vie qu'il a choisie tant que nous sommes là.

— Est-ce obligatoire de négocier avec Marc? Ne pouvons-nous simplement disparaître?

— J'avais espéré que les Saxons l'occuperaient plus longtemps et que notre disparition serait plus brève mais, apparemment, fit-il, l'air désabusé, son honneur le préoccupe plus que l'avenir de la Bretagne. Il me répugne d'imaginer ce que font les Saxons tandis que l'armée de Marc fouille la lande et les bois.

— Il doit voir en vous son plus farouche ennemi. Comment être certains qu'il ne vous tuera pas?

— C'est justement pour ça qu'il faut négocier. Si Marc veut vous voir revenir auprès de lui, il devra promettre de nous pardonner et de nous épargner. Voilà.

— Il n'acceptera jamais, jamais.

— Guv pense le contraire. Les rapports émanant de Logris sont de plus en plus mauvais. S'il ne revient pas bientôt, il abandonnera ces riches terres aux Saxons, et que vaudra sa couronne dès cet instant? S'il les repousse et fait la preuve de sa puissance, il peut retrouver le respect des seigneurs du Nord. Pour être un roi de la trempe d'Arthur, il lui faut leur soutien. Mais Logris est en feu et il n'a pas beaucoup de temps.

— Comment l'avez-vous appris?

— Guvranyl l'a dit à Ogrin la dernière fois qu'ils se sont rencontrés aux abords du village. Il se trouvait dans le campement de Marc quand un courrier a apporté les nouvelles. On peut lui faire confiance, il était loyal avec mon père, il le sera avec moi.

— Comment savez-vous qu'ils ne remonteront pas jusqu'à Ogrin puis jusqu'à nous?»

L'ermite tourna son visage vers elle. Ses yeux étaient pleins de mépris.

«Ne vous inquiétez pas pour Ogrin, il a des pouvoirs que vous ne soupçonnez pas. Personne ne peut le voir s'il n'en a pas envie. Et personne ne peut le suivre.

— Oui, mais quand il nous amènera Guvranyl, demain? dit-elle en frissonnant. Il ne dispose pas des mêmes pouvoirs.

— Ogrin tirera un voile sur cette vallée de sorte que quiconque cherche à l'épier se perdra dans la brume. Ou quelque chose du même genre.»

Tristan adressa un clin d'œil à l'ermite, mais celui-ci l'ignora et s'en retourna préparer une boisson chaude.

«Ne vous torturez pas, mon amour, Guvranyl ne viendrait pas si les négociations n'avaient atteint leur dernier stade. Nous ne craignons rien. Nous ne serons pas mis à mort. Ogrin l'a vu dans les flammes.

– Je ne crois pas à ces stupidités, murmura Iseut, la tête posée sur son épaule. Si Marc vous hait vraiment, il reviendra sur sa parole une fois que nous serons en son pouvoir. Il ne nous laissera jamais aller à Lyonesse.

– S'il essaie, sa propre armée se soulèvera contre lui. Il n'aura pas le choix.

– J'aimerais avoir votre certitude.»

Tristan la prit dans ses bras et effleura sa peau de ses lèvres.

«Je ne vous quitterai jamais. Jamais.»

Elle soupira de plaisir quand ses doigts délacèrent son corsage et se glissèrent sous le tissu. Elle jeta un coup d'œil en direction d'Ogrin, mais il vaquait déjà à d'autres occupations.

«Tristan!»

Guvranyl sauta à bas de son hongre gris et ouvrit les bras en signe de bienvenue.

«Par Dieu, je pensais ne jamais te revoir!»

Il embrassa chaleureusement Tristan et lui tapota le dos.

«Tu as l'air en forme. Quel est ton secret?

– Oh, il suffit d'errer dans Morois…

– Je n'aurais jamais cru que tu tiendrais si longtemps dans cette maudite forêt. Tu as mis les nerfs de Marc à rude épreuve.»

Son regard se posa sur Iseut.

«Est-ce la reine?»

Il s'agenouilla devant elle.

«Reine Iseut, je vous ai à peine reconnue, vous avez tellement changé.»

Debout aux côtés de Tristan, vêtue de sa robe verte rapiécée, ses cheveux lui tombant librement sur les épaules, Iseut tendit la main et le fit se relever.

«Vous dites que j'ai changé, sire Guvranyl? Est-ce ma robe? Ma coiffure? Ou l'étrangeté de ce décor?

– Non, non, ma dame, rien de cela. C'est difficile à dire. Vous avez l'air différente, plus forte, plus belle encore. Royale, en un mot. Vous n'avez plus rien de la jeune fille qui épousa Marc.

— Vous avez trouvé le mot juste, dit-elle d'une voix douce. Car je ne suis pas et n'ai jamais été la femme de Marc. »

Tristan la prit par les épaules.

«Venez, Guv, je vais tout vous expliquer, mais c'est une longue histoire et vous devez d'abord me jurer fidélité. »

À l'intérieur de la hutte, les hommes s'assirent devant le feu tandis qu'Iseut leur apportait des boissons chaudes et des friands.

«Faites-moi le point de la situation. Quand avez-vous vu Marc pour la dernière fois ?

— Hier, répondit Guvranyl. Ses hommes et lui sont installés sur la lande, en lisière de forêt.

— Ils ont cherché à vous suivre ?

— Oh oui, mais je les trouve toujours hébétés au bord du chemin quand je fais demi-tour. Je ne sais ce qui les jette à bas de leurs montures et leur dérobe leurs sens mais, en tout cas, cela m'est profitable. »

Tristan sourit à Iseut.

«Comment était Marc la dernière fois que vous l'avez vu ? Admettra-t-il mes conditions ?

— Il a fait tout son possible, à mon avis. Il est fou furieux, mais il est acculé, et il le sait. Amène-lui la reine et il acceptera de la reprendre pour femme. Quant à toi, il te délivrera un sauf-conduit pour te permettre de te rendre où tu veux, excepté à Lyonesse.

— Tristan ! »

D'un geste, il repoussa sa protestation.

«A-t-il promis de ne jamais faire de mal à Iseut ?

— Oui, jusqu'à la fin de sa vie, il la protégera et ne lui nuira pas. Si tu la lui rends.

— Non ! cria-t-elle en s'agrippant au bras de Tristan.

— Combien de temps ce sauf-conduit est-il valable ?

— Un an. Ensuite, il te traquera. Et si tu mets un pied en Bretagne, il te tuera.

— À moins que je ne l'abatte d'abord.

— Que vas-tu faire ?

— Segward est au courant de ma proposition ? Il est d'accord ? »

Guvranyl fit la grimace comme s'il avait soudain un mauvais goût dans la bouche.

«Rien ne ferait plus plaisir à Segward que ta mort et la disgrâce de la reine, mais Marc a accepté tes conditions, en dépit de son conseiller.

— Oh, Tristan, vous ne pouvez faire ça ! gémit-elle, les larmes aux yeux. Rappelez-vous ce que vous m'avez promis.

– Je m'en souviens, oui, dit-il en lui prenant les mains. Guv, vous fait-il confiance?

– Oui. Je ne lui ai jamais donné l'occasion de douter de moi.

– Si vous voulez continuer à le servir, mieux vaut vous retirer tandis que je parle à la reine. Si vous pouvez rompre votre serment à son égard et me servir, je vous dirai toute la vérité.»

Guvranyl quitta son tabouret, s'agenouilla et courba la tête.

«Tu es le seul capable de sauver la Cornouailles, Tristan. Je te connais depuis l'enfance, c'est moi qui t'ai enseigné le maniement des armes. Il n'y a rien de mauvais en toi. C'est pourquoi je considère caduc le serment fait à Marc, et c'est à toi que je jure fidélité.

– Merci, Guv, dit gravement Tristan, mais n'abandonne pas encore le service de Marc. Pas tant que je ne te l'aurai pas demandé. Il te tuerait avant même de te laisser partir et c'est vivant que j'ai besoin de toi.

– Tristan, quel projet caresses-tu?

– Écoutez-moi, je vais tout vous raconter.»

Par une triste journée de la mi-décembre, Marc était monté sur son étalon bai et contemplait la route pleine d'ornières menant au bois de Morois. Derrière lui, se tenaient les hommes de Cornouailles, dix compagnies en tout. La neige voletait dans un ciel plombé et les chevaux piaffaient d'impatience sur le sol gelé.

À la droite de Marc, Bruenor et Dinadan attendaient dans le froid tandis que la fureur de Marc ne cessait d'augmenter. Enfin, un cheval gris apparut sur la route. La neige tourbillonnait, de plus en plus dense.

Marc se pencha sur sa selle.

«Est-ce Guvranyl?

– Oui, seigneur, lui répondit sire Bruenor. Et l'on vient derrière lui. À pied.»

Chacun fit des efforts pour mieux voir. Deux silhouettes émergeaient de la forêt de Morois, un homme et une femme, royalement vêtus, sereins comme si la force armée dont ils approchaient était leur propre escorte.

«Par le Ciel! dit à voix basse Dinadan. Si ce n'est pas Tristan!»

Alors qu'ils étaient presque arrivés, la neige cessa de tomber et le soleil luit timidement. Marc se pencha en avant. Iseut portait une robe brune bordée de renard et des bottines en cuir souple. Sa cape vert sombre de bonne laine irlandaise était doublée de peaux de lapins et garnie d'or. Sous la capuche, ses cheveux étaient tressés ainsi que

291

Marc les aimait. Malgré sa colère, son cœur bondit quand il la vit. Elle était encore plus jolie que dans son souvenir – un peu trop mince, peut-être, mais avec des attaches fines, une peau diaphane et des yeux étincelants. Une beauté éthérée, surprenante et nouvelle. De toute sa vie, il n'avait jamais vu une telle femme.

«Messire le roi!»

Guvranyl fit faire halte à son cheval et salua.

«En accord avec les conditions dont nous avons discuté et que vous-même avez acceptées, je vous amène ici votre neveu, Tristan de Lyonesse, et Iseut, votre reine, qu'il a arrachée à la mort et qui porte en son sein votre deuxième fils.»

Un long murmure parcourut les rangs des hommes d'armes, pareil au vent dans un champ de blé.

«Une belle histoire», fit Marc avec mépris.

Bruenor toussota.

«Peut-être est-ce vrai, seigneur. Au mariage de mon fils, sire Tristan m'a parlé de la grossesse de la Haute Reine. Et c'était avant leur, euh, disparition.

— Est-ce vrai, Iseut? dit Marc, l'air sévère.

— Tout comme je suis votre humble servante, seigneur, répondit-elle avec froideur.

— Amenez-lui un cheval», ordonna-t-il.

Un soldat s'approcha avec une jument noire et Tristan l'aida à se mettre en selle. Au signal de Marc, elle prit place à son côté. Il scruta son visage mais ne put rien y lire.

«Soyez la bienvenue, Iseut.

— Je vous remercie, seigneur.

— Avez-vous bien voyagé?

— J'ai été malade, mais je suis guérie.

— Où étiez-vous?

— J'habitais la maison d'un ermite, seigneur.

— Avez-vous été tout ce temps avec mon neveu, Tristan?»

Elle posa sur lui ses yeux bleus aux reflets verts et un sourire se dessina sur ses lèvres.

«Tout ce temps, seigneur.»

Les traits du roi se durcirent.

«Qu'on lui donne un cheval!» lança-t-il en se tournant vers Tristan.

Quand il fut monté en selle, Marc s'adressa au capitaine de sa garde.

«Vous, Melcor, prenez les rênes. Deux hommes de chaque côté et trois derrière. Je ne veux pas courir de risques.»

Guvranyl se rembrunit.

«Vous lui avez promis un sauf-conduit, vous avez donné votre parole!

— Il sera en sécurité. Une escorte royale digne de mon royal neveu.»

Il éclata de rire avant de saisir la bride de la jument d'Iseut et de décréter l'ordre de se mettre en marche.

Marc conduisit Iseut à sa chambre. Devant l'entrée, les gardes rectifièrent la position mais regardèrent tout de même du coin de l'œil. Marc poussa Iseut devant lui et referma sèchement la porte.

«Eh bien, ma dame, vous voici enfin chez vous.»

Elle lui fit face et, bien que tremblant ostensiblement, elle se tint bien droite.

«Grâce à votre bonté, seigneur, et au courage de votre neveu.

— Ah, oui, on en revient toujours à lui, n'est-ce pas? ricana-t-il. Le moment est venu de vous montrer honnête avec moi, Iseut de Gwynedd. Qu'y a-t-il entre Tristan et vous? Les rumeurs disent-elles vrai?

— De quoi m'accuse-t-on, seigneur?

— Ne jouez pas les innocentes avec moi. J'ai promis de vous épargner, mais j'exige la vérité. Vous avez été absente trois mois durant et voici que vous attendez un enfant. Vous avez vous-même avoué avoir passé tout ce temps avec Tristan.»

Il écarta la cape d'Iseut et posa la main sur son ventre.

«Est-ce mon fils ou celui de Tristan?

— Mon seigneur m'accuse d'adultère, c'est cela? dit-elle si près de son visage que les larmes lui montèrent aux yeux. Je jure par le Dieu Tout-puissant que je ne suis pas déloyale. À chaque minute écoulée depuis mon mariage, je me suis montrée fidèle à mon époux, le plus brave et le plus fort des hommes.»

Elle repoussa crânement une mèche qui lui barrait le visage.

Les traits de Marc s'adoucirent et il l'attira contre lui pour l'embrasser passionnément.

«Je donnerais n'importe quoi pour vous croire, mais pourquoi tremblez-vous ainsi si ce n'est de peur?

— Je suis affaiblie par le voyage et par... cette rude épreuve.

— Une épreuve? Cela n'apparaissait pas quand vous marchiez aux côtés de Tristan.

— Mon seigneur voit ce qu'il veut voir! lui lança-t-elle.

— J'aime vos reparties, fit-il en riant. Bon, j'apprendrai la vérité de votre bouche avant votre départ. Je suis las de toutes ces paroles… les vôtres, celles de Segward, de Tristan. Devant tous, je connaîtrai la vérité.»

Ses mains se refermèrent sur ses seins avant de descendre vers sa taille.

«Vous me tentez, ma dame, et c'en est presque insoutenable, mais avant de coucher avec vous, je veux être certain de votre vertu. Jusque-là, cette chambre sera votre prison. Vous ne franchirez pas ces murs.»

Sur ce, il quitta brusquement la pièce.

Iseut s'agrippa au montant du lit. Il ne l'avait pas forcée, et le soulagement l'emportait sur la peur. Elle avait cru qu'il ferait tout pour jouir de ses droits. Le seul contact de ses mains sur son corps l'avait révoltée. Des larmes coulèrent sur ses joues.

«Oh, Tristan, murmura-t-elle, comme je regrette la hutte d'Ogrin!»

Le rideau s'écarta. Branwen portait une robe grise et un foulard recouvrait ses cheveux tirés en arrière. Ses mains étaient plaquées sur son ventre et elle baissait les yeux.

«Ma dame, puis-je entrer?»

Iseut se mordit les lèvres.

«Que veux-tu?

— Oh, Iseut, je vous ai offensée, dit-elle en tombant à ses genoux, et je vous prie de me pardonner. Pendant tout ce temps, j'ai… j'ai craint pour votre vie. J'ai compris ce que vous vouliez faire, mais… c'était dangereux, et j'ai pensé que c'était ma faute si vous décidiez de risquer ainsi le tout pour le tout. J'ai eu peur que vous mouriez à Morois et que j'en sois la responsable.

— Oh, Branny, fit Iseut en la serrant contre elle, ne parle pas ainsi. Non, ce n'est pas ta faute, et je n'étais pas en danger. Tristan m'a protégée, il ne m'a pas quittée un seul instant.

— Vous auriez dû me dire où vous partiez, je vous aurais aidée.

— J'ai cru que tu m'en empêcherais.

— Mais pourquoi? fit Branwen en la regardant droit dans les yeux. Je sais ce que vous voulez, Iseut.

— Dans ce cas, hésita-t-elle, pourquoi avoir attendu si longtemps pour m'annoncer que tu étais grosse? Si tu m'en avais parlé plus tôt, nous aurions pu voir les choses autrement. J'ai dû agir précipitamment.

— Je me demandais si j'allais le garder ou pas…

— Quoi? Vous auriez tué l'enfant du roi?

— Si cette grossesse vous... nous mettait en danger, oui. Je n'étais sûre de rien. J'ignorais quand Marc reviendrait à Tintagel. Quand j'ai appris que ce serait pour la Noël, j'ai bu le poison, mais... cela n'a rien fait. Il était déjà trop tard. C'est alors que je vous en ai parlé. Et ensuite, vous êtes partie.

— Oh, Branny! Tu as pris du poison?

— Quand j'ai appris votre disparition, j'en ai compris la raison, bien entendu, mais c'était trop dangereux, Iseut! En venant avec vous, j'aurais tout arrangé au château de Dorr. Je détiens certaines potions. Tout aurait été plus facile. Et plus sûr. »

Iseut frissonna.

« Tu as entendu ce qu'il vient de me dire?

— Oui, j'écoutais derrière le rideau.

— Il ne me croit pas et me traite comme une prisonnière. Je me demande quel est son dessein. Il a affirmé qu'il découvrirait la vérité.

— J'ignore comment, mais je le saurai avant peu. Les serviteurs qui ne sont pas aux ordres de Segward ont ma confiance. Avant la tombée de la nuit, je saurai.

— Et où est Tristan?

- N'est-il pas revenu avec vous? s'étonna la suivante.

— Pas librement. On l'a escorté comme s'il était lui-même prisonnier. Je ne sais où il est à présent, ni ce que Marc lui fait.

— Cela aussi, je l'aurai appris avant la tombée de la nuit, l'assura Branwen en lui pressant la main. Ne vous inquiétez pas, Marc ne peut se permettre de faire du mal à Tristan. La moitié de la Cornouailles l'abandonnerait. Iseut, ajouta-t-elle après un moment d'hésitation, me direz-vous ce qui s'est passé à Morois? Qu'avez-vous fait pour l'enfant?

— Je n'ai pas eu besoin de potions, avoua-t-elle en souriant. Je suis grosse de près de trois mois.

— Trois mois! Dans ce cas pourquoi demeurer si longtemps dans la forêt? Vous vous étiez perdus?

— Nous nous moquions bien de savoir où nous nous trouvions. Ce fut un temps de liberté et de bonheur total... si lointain à présent qu'on croirait un rêve. »

Son regard se perdit dans le vide et sa voix faiblit.

« Je donnerais n'importe quoi, même cet enfant, pour revivre ce que j'ai vécu. »

Branwen la regarda d'un air sombre.

« Pendant ces trois mois, vous avez dû évoquer l'avenir. Que compte faire Tristan?

– Dès qu'il le pourra, il nous emmènera, moi et le petit Tristan... et toi aussi, bien entendu, Branwen, ainsi que la petite Keridwen... il nous emmènera à Lyonesse. C'en sera fini des mensonges, des duperies. Oui, nous irons à Lyonesse, et sire Guvranyl pense que l'armée se rangera aux côtés de Tristan.»

Branwen marcha vers la fenêtre. Le vent d'ouest sifflait à travers les volets. Elle resta longuement ainsi pour permettre à la brise marine d'assécher son front couvert de sueur. Ses mains se posèrent sur son ventre en un geste protecteur.

«L'heure est donc venue de dire la vérité? Nous allons nous dresser contre notre roi?»

Elle ferma les yeux. Le moment était venu de choisir entre eux deux, entre Marc et Tristan. Mais elle n'y serait pas prête avant le printemps, avant la naissance de son enfant. Tristan lui forçait la main – intentionnellement, peut-être? – et, si elle ne pouvait le faire patienter, il lui faudrait être prête plus tôt que prévu pour faire l'ultime choix, celui sur lequel on ne revient pas.

Trois jours plus tard, Marc tint une réunion du conseil à laquelle étaient conviés un certain nombre de nobles soigneusement choisis et l'évêque de Dorria. Ils décidèrent de statuer sur le destin de Tristan de Lyonesse et de sire Guvranyl, son complice lors de l'enlèvement de la reine. Branwen et Iseut attendirent leur décision dans leurs appartements. Très agitée, Iseut ne cessait d'arpenter la pièce alors que Branwen, assise près de la fenêtre, regardait le brouillard gris de décembre s'étendre sur une mer tout aussi grise. Treffor, un des chambellans de Marc, partageait une chambre avec l'une de ses propres servantes. La jeune fille transmettrait la décision à Branwen avant même que les hommes quittent la salle du conseil. Nul ne serait encore prévenu dans Tintagel, Segward n'aurait pas encore parlé à ses informateurs, Dinadan ne se serait pas libéré de son père pour pénétrer secrètement dans les appartements des femmes. Et il faudrait attendre encore longtemps pour que Marc signifiât la décision à son épouse.

Le temps passa, le brouillard se rapprochait au point de faire disparaître la côte. Allongée sur son lit, fatiguée d'avoir trop fait les cent pas, Iseut était partagée entre la fureur froide et les larmes. Un châle sur les épaules, Branwen regardait toujours par la fenêtre jusqu'à ce que l'on tapât discrètement à la porte.

«Qui va là?

— Regan, ma dame. J'apporte à la reine un flacon d'hydromel, avec les compliments du roi. »

Reconnaissant la voix, Branwen ouvrit la porte. Cinq gardes étaient en faction mais, comme elle s'y attendait, ils ne pouvaient empêcher une servante de transmettre à la reine un cadeau de son époux. Elle referma la porte derrière Regan et mit la barre.

« Quelles nouvelles ? »

Iseut franchit le rideau. Elle avait les yeux gonflés d'avoir trop pleuré. Regan fit la révérence et posa l'hydromel sur un meuble, puis elle se tourna vers Branwen.

« Le conseil va s'achever, maîtresse, mais Treffor est venu me voir comme vous l'aviez...

— Oh, par pitié, au fait ! s'écria Iseut qui se tordait les mains. Marc va donc le condamner à mort ?

— Ne t'occupe pas de la reine, dit doucement Branwen à la jeune fille étonnée. Ses pérégrinations lui ont fait perdre l'esprit, c'est ce qui arrive à quiconque a passé tant de temps dans la forêt. Bon, Regan, annonce-moi d'abord la décision et raconte-moi ensuite comment ils y sont parvenus. Ce que tu en sais, tout au moins.

— L'exil. Le bannissement à vie. Pour tous les deux. »

Iseut s'effondra contre le mur, le visage caché dans les mains. Regan lui lança un regard furtif.

« Tourne-toi vers moi, Regan, dit Branwen d'un ton neutre. Continue.

— Le conseil... Treffor affirme que le conseil avait voté la mort pour sire Tristan, mais le roi Marc a commué la sentence en exil. Parce qu'il a ramené la reine. Parce qu'il est le seul fils de son frère Méliodas et le dernier de la lignée de Constantin.

— Pauvre Segward, fit Branwen d'un air méprisant. Sire Tristan pourra conserver Lyonesse ?

— Non, fit la jeune fille, sire Guvranyl et lui ont un mois pour quitter la Bretagne. Ensuite, ils seront traqués et tués s'ils posent à nouveau le pied sur le sol breton. Y compris à Lyonesse. »

Iseut émit un cri de bête blessée, à mi-chemin entre le grognement et le gémissement. Branwen mit la main sur l'épaule de Regan et la poussa vers la porte.

« Je dois m'occuper de ma dame à présent. Viens me voir au moment du coucher, je veux entendre tout ce que tu as d'autre à me dire. »

Regan lui saisit le bras et adressa un regard de pitié à la malheureuse appuyée au mur.

«Encore ceci, maîtresse : une fois partis sire Tristan et sire Guvranyl, le roi mettra la reine à l'épreuve. »

Iseut ne manifesta aucune réaction.

«Quel genre d'épreuve?

– Je l'ignore, dit Regan d'une pauvre voix. Ils n'ont pas encore pris de décision. Mais Treffor m'a expliqué que l'épreuve destinée à prouver sa culpabilité était... de celles auxquelles on ne survit pas, même quand on est innocent.

– Sire Segward était présent? interrogea Branwen, les dents serrées.

– Oh, oui, maîtresse. Il a même rencontré le roi et l'évêque de Dorria avant le début de la réunion du conseil. »

Branwen hocha la tête, le regard grave, et tira une pièce de cuivre de sa bourse.

«C'est bien, Regan. Laissons Treffor découvrir ce que Marc envisage de faire et il recevra ce torque d'argent qu'il convoite depuis si longtemps. »

Quand la jeune fille fut partie, Branwen remit la barre et s'adossa à la porte. Ses genoux tremblaient au point qu'elle craignait de tomber. Iseut était prostrée à terre et secouée par de profonds sanglots.

«Pour l'amour de Dieu, Iseut, lui lança Branwen, maîtrisez votre chagrin. Il vivra. Tristan vivra, je vous l'affirme. Vous devez pour l'instant vous préoccuper d'une chose autrement plus importante. »

Des coups de poing résonnèrent sur la porte.

«Je viens chercher la reine! »

Branwen cacha le pot de baume et prit le flacon vide des mains d'Iseut.

«Ne craignez rien, murmura-t-elle, les charmes agiront. La potion vous protégera. Soyez brave. Et rappelez-vous ce que vous devez faire. Cherchez le pèlerin en robe de bure brune rapiécée de vert. C'est Tristan. Guvranyl sera à côté de lui avec leurs épées. S'il se passe quoi que ce soit, restez avec eux. Les chevaux sont cachés sur la grève. Avec Dinadan. »

Iseut était pétrifiée.

«Si l'on en arrive là, je suis déjà morte. Il nous tuera tous, à commencer par les enfants.

– N'ayez pas de telles pensées, Iseut, concentrez-vous plutôt sur ce qui vous attend. Depuis cinq jours nous ne cessons de vous préparer à cette épreuve, ce n'est plus le moment de fléchir.

– Tristan et Guvranyl auraient dû quitter la Bretagne dès leur condamnation. C'est la mort qui les attend s'ils sont découverts.

– Ils ne le seront pas si vous vous rappelez ce que vous devez faire, et si vous le faites, rétorqua Branwen. Réfléchissez, ne cédez pas à la peur! C'est une épreuve publique et vous êtes la Haute Reine de Bretagne: il n'y a pas un homme dans la foule dont le cœur ne fondra quand il posera les yeux sur vous. Il faut y aller à présent.»

Elle ôta la barre et ouvrit la porte.

«La Haute Reine est prête!»

Les deux gardes s'inclinèrent en voyant apparaître leur reine. Vêtue d'une robe blanche unie, les épaules couvertes d'une cape de laine blanche bordée de peaux de lapins blanches également, ses boucles dénouées sur ses épaules et ceinte de la couronne d'argent de Bretagne, Iseut s'avança et posa la main sur le bras d'un des soldats.

«Allons-y.»

Avec beaucoup de solennité, ils descendirent les marches de l'escalier, parcoururent les couloirs de Tintagel et pénétrèrent dans la cour où un groupe d'hommes en armes se joignit à eux. La procession s'engagea sur la chaussée, où le vent glacial fit vaciller les torches tandis que chacun se pelotonnait dans ses habits. La reine marchait, oublieuse de la froidure, vers la foule assemblée sur la falaise et vers le bûcher qui y avait été allumé.

Soldats, serviteurs, mendiants, fermiers, chevriers et bergers, familles entières venues des villages alentour, pèlerins et prêtres, femmes pieuses portant des amulettes autour du cou ou égrenant leurs chapelets, ou encore enfants aux yeux écarquillés, chacun chuchotait à leur approche et s'écartait. Les visages se tournaient vers Iseut, curieux, incrédules, pleins de pitié ou d'excitation morbide, pour ne pas dire de concupiscence. Elle ne regardait personne et ne songeait qu'à marcher bien droite et à rester calme.

Un grand feu s'élevait au centre de la foule et elle en sentait déjà la chaleur. La silhouette de trois hommes se détachait sur fond de flammes: Marc, Segward et Donal, évêque de Dorria. Alors elle se mit à trembler. Son pied heurta une motte de terre et elle trébucha. La foule retint son souffle, mais un garde la prit par le bras. Calmement, elle l'en remercia.

Cet incident lui rappela les paroles de Branwen. Dans la foule, elle chercha le pèlerin en robe de bure, mais ils étaient si nombreux qu'elle n'y parvint pas, de plus le feu l'empêchait de distinguer la couleur de leurs habits. Elle vit tout de même la robe mal ravaudée. L'homme lui tournait le dos, mais sa carrure ne pouvait prêter à confusion. Quand elle s'en approcha, il se retourna à demi. Elle découvrit alors un visage hideux, décoloré comme celui d'un lépreux, un menton couvert de verrues et un nez difforme. L'homme leva la tête et des yeux bruns et chaleureux rencontrèrent les siens. Elle reprit son souffle et continua de marcher.

«Ne regardez pas, ma dame, lui dit doucement le garde. Une telle laideur ne devrait pas être permise en présence de la reine.»

Était-ce le même homme qui avait frappé si violemment à sa porte? Elle commençait à comprendre le sens des paroles de Branwen. La robe du lépreux effleura son pied.

«C'est insupportable», murmura-t-elle alors que ses yeux se révulsaient.

Elle tomba. Tristan la rattrapa. Pour la première fois depuis leur sortie de la forêt de Morois, ils se retrouvaient face à face. Elle perçut son odeur familière et rouvrit les yeux. Un bref instant, elle s'abandonna à ses bras, puis le garde la releva tandis que la foule poussait un cri horrifié.

«File de là, immonde lépreux! Ne pose pas tes sales pattes sur la reine!»

Le lépreux et son compagnon avaient disparu. Le garde la tenait fermement par le bras.

«Je vous demande pardon, ma dame. Si vous défaillez, reposez-vous sur moi.

– Il m'a touchée…, bredouilla-t-elle.

– Gardez confiance en Dieu, ma reine, et tout ira bien», lui dit le garde d'une voix pleine de compassion.

Une petite estrade avait été dressée devant le brasier. Marc, Segward et l'évêque se tenaient à côté. Le garde la mena au roi et s'inclina, mais Marc n'eut pas un geste à son égard. Il ne la regarda même pas.

Segward s'avança, plus onctueux que jamais.

«Par ici, ma reine.

– Ne me touchez pas, Serpent! J'irai de mon propre chef.»

Elle foula les trois marches conduisant à l'estrade et fit face à la foule. Une clameur s'éleva et chacun agita les mains pour la saluer. Elle fit la révérence et les cris s'amplifièrent. Du coin de l'œil, elle voyait les commandants de Marc, l'air grave et désapprobateur. Parmi eux, sire Bruenor semblait horrifié. Dinadan était absent. Son regard se porta par-delà la foule, vers la lande. Il était quelque part, en compagnie de Guvranyl et de Tristan.

L'évêque leva le bras et chacun se tut pour l'écouter.

«Marc, Haut Roi de Bretagne, nous a conviés ici même afin d'assister au jugement de sa reine, Iseut de Gwynedd, qu'il accuse d'adultère avec son neveu, Tristan de Lyonesse.»

Quelques personnes applaudirent mais les autres les firent taire aussitôt. Iseut inclina la tête pour manifester son accord.

«À cette fin, reprit l'évêque qui adressait des regards inquiets au roi, je me dois de soumettre la reine à l'épreuve du feu pour juger de la pureté de son âme.

– Je m'y oppose!»

Iseut vit sire Bruenor s'avancer vers le roi.

«Messire le roi, il est mal que vous traitiez ainsi la reine. Elle vous est revenue. Vous avez promis à sire Tristan, devant nous tous, que s'il vous la rendait, vous ne lui causeriez aucun tort et lui rendrait son honneur. Vous n'avez fait ni l'un ni l'autre. Et, pendant que nous sommes ici, en Cornouailles, à mettre notre reine à l'épreuve, les Saxons brûlent villes et villages et dévastent nos terres! Je vous en conjure, seigneur, laissez partir la reine! Quels que soient ses péchés, ils sont derrière elle à présent et Dieu en sera seul juge. Emmenez-nous affronter ces Saxons honnis et les chasser de notre royaume! C'est ainsi que vous connaîtrez la gloire et non pas de cette façon, dit-il, révulsé, le bras tendu vers le feu. Car il n'y a là que honte et dégradation!»

Les paroles du commandant suscitèrent une grande clameur dans la foule mais aussi parmi les soldats.

«La reine! La reine!» hurlait le peuple assemblé.

Segward se pencha pour dire quelques mots à Marc. Le roi se rembrunit.

«Sire Bruenor, je vous ai entendu et je tiens compte de vos paroles. Si la reine prouve son innocence, j'honorerai ma promesse. Mais ne demandez pas au Haut Roi de Bretagne d'accueillir une catin dans son lit. Si elle prouve qu'elle est digne de moi, alors je la reprendrai. Sinon, elle mourra. Et comme sire Segward me l'a rappelé, c'est en revenant du château de Dorr que la reine a disparu. À votre place, seigneur, je tiendrai ma langue!»

Sire Bruenor s'empourpra de colère.

«Je dis la vérité, Marc, et chacun le sait!»

Marc lui adressa un regard glacial avant de se tourner vers l'évêque.

«Allez, faites-lui subir l'épreuve du feu sans plus attendre!»

L'évêque s'éclaircit la voix et leva le bras.

«Au nom de Dieu tout-puissant, je sanctifie le feu sacré de Notre Seigneur...»

Iseut ne put s'empêcher de songer qu'un tel bûcher était allumé chaque année, au solstice d'hiver, en l'honneur d'une divinité plus ancienne que le dieu des chrétiens. Elle pensa à la Divine Mère et à la vie qui grandissait en elle et elle se demanda si l'évêque savait qu'il blasphémait.

«... ce feu purificateur qui permettra de séparer le bon grain de l'ivraie. *Car je ferai connaître mon Jugement,* dit le Seigneur, *et je serai prompt envers les mages, les adultères et les parjures.*»

L'évêque prit une torche et l'alluma au brasier, puis il monta sur l'estrade et s'approcha d'Iseut. Il était en sueur et sa main tremblait de manière perceptible.

«Iseut, reine de Bretagne, répondez sincèrement à cette question si vous accordez quelque valeur à votre vie. Avez-vous jamais trahi la confiance de votre époux? Avez-vous jamais, au risque de brûler, dormi avec un autre homme que lui?»

La foule était silencieuse.

«Non, monseigneur, jamais!» dit-elle d'une voix puissante.

Un soupir parcourut la foule.

«Vous êtes trop vague, l'évêque! Posez-lui la question en me citant nommément!

— Iseut, reine de Bretagne, avez-vous jamais, au risque de brûler, dormi avec un autre homme que Marc?»

Iseut se redressa de toute sa hauteur. Chacun retenait son souffle.

«Sire Marc, dit-elle en se tournant vers lui, et vous, seigneurs et bon peuple de Cornouailles et de Bretagne, je jure ceci : depuis le jour où j'ai quitté la maison de mon père, nul homme ne m'a jamais tenue dans ses bras hormis Marc...»

Elle s'arrêta et tendit la main vers la foule.

«... et celui-ci, ce lépreux, qui m'a rattrapée quand j'ai trébuché.»

Des acclamations fusèrent de toutes parts.

«Menteuse! hurla Segward.

— Ça suffit! gronda Marc. Mettez-la à l'épreuve!»

L'évêque se tourna vers Iseut. Sa peur était tangible, il paraissait affolé.

«Reine Iseut, commença-t-il, je vous supplie de me pardonner pour ce que je vais devoir faire...»

Sans répondre, elle dénoua sa cape et la laissa tomber à terre. Ce ne fut qu'un cri de surprise. Elle portait une robe immaculée et ses cheveux non retenus étaient ceux d'une vierge. La chaleur des flammes faisait rougeoyer son visage. «Un miracle», «Elle est innocente», murmurait la foule dans le froid glacial.

«N'hésitez plus, mon père, je ne crains pas le feu divin.»

L'évêque brandit la torche embrasée.

«Iseut de Gwynedd, passez votre main dans la flamme. Lentement. »

Elle prit son souffle et fit ce qu'on lui demandait. Mieux encore, elle garda la main dans le feu jusqu'à ce que le peuple se mît à pleurer en la suppliant de cesser. Sa chair crépita et fuma, mais elle n'éprouva que des picotements dans le bras. L'évêque lui retira la main de la flamme.

«Seigneurs! s'écria-t-il, elle ne porte aucune marque! C'est un miracle!

— Faites-moi voir! » ricana Marc.

L'évêque lui présenta le poignet d'Iseut et le retourna.

«L'autre!

— Mais, seigneur…

— Obéissez! Sur-le-champ! »

Iseut toisa Marc.

«Vous ne méritez même pas mon mépris», cracha-t-elle avant de tendre la main gauche vers la torche.

Marc s'en saisit et l'obligea à rester longuement au milieu de la flamme. La foule commençait à le conspuer. Il ne la retira que quand une odeur désagréable assaillit ses narines. La main d'Iseut était intacte et Marc la rejeta avec dégoût avant de regarder l'évêque puis Iseut, les yeux fous.

Le peuple poussa des acclamations de joie et s'avança vers l'estrade tandis que Segward filait discrètement.

«Iseut, dit Marc d'une voix mal assurée, je vous demande pardon. J'étais persuadé… mais j'écoutais des langues perfides. Pourrez-vous un jour me pardonner? »

Iseut montra sa cape et Marc se pencha pour la ramasser et la poser sur ses épaules.

«Cela dépendra, dit-elle sèchement. Mais voici ce que j'exige de vous, Marc de Cornouailles, si je dois rester ici et ne pas emmener mes fils en Galles…

— Tout ce que vous demanderez, je l'accepterai.

— Vous resterez loin de mon lit tant que je ne vous aurai pas envoyé chercher. Il vous faudra obtenir ma permission avant de poser un doigt sur moi. »

Marc ouvrit la bouche pour protester, mais il vit les regards sombres que lui adressaient l'évêque et ses commandants.

«Qu'il en soit ainsi, ma dame. Je jure que je n'ai jamais voulu vous faire de mal. »

Iseut frissonna et s'enroula dans sa cape alors que ses bras commençaient à la brûler.

«Vous avez souhaité me voir dans ma tombe, et vous l'avez fait publiquement. Ne me mentez plus, roi Marc, et je ne vous mentirai pas.»

Elle descendit de l'estrade et s'avança vers la foule, qui s'écarta à son passage. Chacun cherchait à toucher sa cape. Une heure, lui avait dit Branwen, c'était tout le temps dont elle disposait. Elle marcha vers la chaussée du pas le plus rapide qu'elle put. Une heure pour revenir et appliquer le baume destiné à empêcher les cloques. Elle ne pourrait se servir de ses mains trois jours durant. Mais alors, si Dieu et la Mère le voulaient, Marc et ses hommes seraient repartis vers Logris, et Tristan serait sorti de sa cachette.

CINQUIÈME PARTIE

26

L'OTAGE DU ROI

«Voici donc Lyonesse.»

Aux côtés de Tristan, Iseut admirait les terres fécondes qui se présentaient à elle. Guvranyl et Dinadan venaient derrière eux, accompagnés d'une cinquantaine d'hommes de troupe et d'une litière destinée au transport de Branwen et des enfants. Les trois jours de voyage depuis Tintagel s'étaient déroulés sans encombre: le climat était doux pour cette époque de l'année et la terre, sèche au pas des chevaux. Ils avaient traversé la lande, la forêt et les prairies avec autant de facilité que par un jour d'été, et ils se trouvaient à présent sur l'étroite bande de terre qui reliait Lyonesse à la Cornouailles et à toute la Bretagne.

Iseut releva le menton quand un vent d'ouest, d'une chaleur inattendue, fit frémir la bordure de son capuchon.

«Comme cette terre est verte! Comparé à ce que nous venons de traverser, on se croirait dans un autre pays. Mais peut-être le printemps est-il précoce à Lyonesse?

– Certains parlent d'une contrée enchantée, dit Tristan en souriant, et ce n'est pas moi qui les contredirai!»

D'un geste, il engloba la chaussée qu'ils foulaient et la mer à perte de vue, à l'est comme à l'ouest.

«Il semble chaque année que cette bande de terre rétrécisse. Soit la mer monte, soit Lyonesse s'enfonce dans les flots. Mais il est vrai que la brise marine est ici plus douce que dans le reste de la Bretagne. La mer également, j'y nage à tout moment de l'année.

— Parce que tu es un peu fou, oui. »

Dinadan s'approcha de Tristan et sourit à Iseut.

« Il nage et navigue en toute saison. Impossible de le sortir de l'eau. Sa mère devait être une sirène.

— Dès l'instant où j'ai posé les yeux sur lui, je me suis rendu compte qu'il n'était pas comme tout le monde, fit Iseut en riant.

— Tristan, le jour va tomber dans une heure. Désires-tu passer la nuit ici ou pousser jusqu'à Lyonesse ?

— La lune sera pleine ce soir. Continuons. Comment vont Branwen et les enfants ?

— Elle ne cesse de regarder derrière elle comme si une armée nous pourchassait.

— C'est inutile. Marc est à Logris. Nous nous serons enfuis depuis dix jours lorsqu'il sera alerté. Filas, Régis, Dynas et leurs compagnons l'abandonneront pour se joindre à nous. Il ne disposera plus que des trois quarts de ses forces. S'il lance sur nous ses hommes, il perdra Logris à tout jamais. Dis à Branwen de ne pas s'inquiéter. Pour l'instant tout au moins. Je vais envoyer un messager faire part de notre arrivée. Et un autre à mon oncle Pernam pour le prier de nous rejoindre à Lyon's Head. Mais où est Segward ? demanda-t-il après un instant d'hésitation.

— Nul ne le sait, répondit Iseut. Il a quitté Tintagel lors de mon épreuve et on ne l'a pas revu depuis. »

Tristan fit signe à son capitaine.

« Grayell, nous allons directement sur Lyon's Head. Qu'on les prévienne. Rendez-vous à la demeure de Segward et arrêtez-le. Emmenez-le à Lyon's Head, enchaîné s'il ne vous suit pas de son plein gré. Donnez à sa dame et à ses enfants une escorte digne de leur rang, ils seront mes hôtes. »

Grayell ne put s'empêcher d'ébaucher un sourire.

« Oui, seigneur. Avec grand plaisir. »

Tristan contempla ces terres fertiles que son père, Méliodas, avait un jour appelées « la terre des promesses ». Il était amoureux de la fille d'un barde à l'époque et, pour lui, son avenir n'était que promesses. Roi de Lyonesse, roi de Cornouailles, héritier du Haut Roi de Bretagne ! Hélas, elles n'avaient pas été tenues. Sa femme était morte en couches un an après son mariage et le chagrin l'avait empêché de prendre une nouvelle femme. Douze ans plus tard, il avait perdu la vie en affrontant des pillards irlandais et ses deux royaumes étaient revenus à son frère, Marc. À l'instant d'accomplir un acte qui scellerait de nombreux destins, Tristan se demandait ce que lui réservait, en bien ou en mal, cette terre de promesses, ce vert et fertile royaume de Lyonesse.

«L'heure décisive est venue, affirma-t-il, pour nous comme pour Segward. Nous serons jugés pour ce que nous ferons à Lyonesse.»

Quand les ordres furent donnés et les avant-courriers envoyés, ils repartirent à vive allure. Iseut ne cessait d'admirer le paysage qu'elle traversait. Autour d'elle, ce n'étaient que vergers et prairies, bois et pâturages, routes bien tracées et vallées fertiles. Elle remarqua les fortifications érigées tout au long de la grève afin de prévenir le débarquement des navires saxons. Quelle différence avec Galles et son sol aride! Malgré cela, et pour la première fois depuis son départ de Gwynedd, elle se sentait chez elle.

Bien après la tombée de la nuit, ils franchirent un imposant portail dressé au pied de la falaise. Sous eux, la mer frappait les rochers. Au-dessus et au-delà des portes, plus sombre que la nuit, une formidable pierre jaillissait de la mer, éclairée çà et là par la lueur des torches. Des gardes les saluèrent, échangèrent des mots de passe. À une demi-lieue, Iseut vit la forteresse sur son promontoire rocheux. La mer les en séparait.

«Tristan, comment allons-nous passer?

– Suivez-moi», se contenta-t-il de lui répondre.

Ils s'engagèrent alors sur un ruban rocheux sombre et si peu large que, par endroits, deux chevaux ne pouvaient aller de front. Elle n'osait regarder sous elle et gardait les yeux rivés sur le dos de Tristan. Bientôt, le chemin s'élargit et ils franchirent un nouveau portail pour se retrouver dans une cour éclairée où chacun saluait Tristan et s'inclinait devant lui. Il la prit dans ses bras pour l'aider à mettre pied à terre.

«Bienvenue à Lyon's Head, ma douce reine. Nous voici chez nous.»

Plus tard, ils se tenaient sur le petit balcon de la chambre de Tristan. Sous eux, la mer ne cessait de saper les fondations de la forteresse. Iseut soupira.

«C'est ici le bonheur, c'est à cet endroit que j'appartiens. Entre les étoiles et la mer, au bord du monde. Pas au centre des choses, comme le voulait mon père, mais à leur lisière. Ici. Avec vous. Le vent est si chaud. Je me trouve là, dans cette robe légère, les bras nus, et pourtant je n'ai pas froid. C'est étrange, c'est… magique.»

Il posa les mains sur ses hanches puis sur le renflement de son ventre, et elle s'appuya contre lui.

«Quand j'étais dans l'officine de ma mère, à préparer ces horribles potions, je me demandais toujours ce que j'aimerais faire étant grande. Ici, dit-elle en tendant les bras vers la mer, j'ai trouvé la réponse.»

Elle sourit quand il effleura son cou de ses lèvres.

«Que pourrais-je souhaiter de plus sinon d'être à tout jamais en sécurité?

— Nul ne l'est jamais.

— C'est vrai, soupira-t-elle.

— Je vous protégerai tant que je vivrai, Iseut.

— Ce n'est pas ce que je redoute, dit-elle en se tournant vers lui. Je n'ai pas peur de la mort, mais je ne veux pas vous survivre, Tristan. Quoi qu'il advienne, je ne veux pas vivre dans ce monde sans vous.»

Ses mains s'appuyèrent doucement sur son ventre.

«Si cela devait être, vous tiendriez bon. Pour nos enfants. Je ne veux pas que mes fils vous perdent. Vous et moi, fit-il en posant la main sur ses lèvres pour lui interdire toute réponse, nous nous sommes dépassés. Nous formons aujourd'hui une famille, douce Iseut. Que Lyonesse serve de berceau à l'avenir de la Cornouailles, quoi qu'il nous arrive.

— Est-ce pour cette raison que vous avez fait venir Esmerée?

— En partie, oui. Je veux que ses enfants vivent ici. Dès l'arrivée de Marc, ils ne seront plus en sécurité au-delà des portes de Lyon's Head. C'est également pourquoi j'ai appelé Pernam. Mais je dois parler de Segward à sa femme avant de me venger de lui.

— Quand Marc doit-il arriver?

— Dans quinze jours, répondit-il avec un haussement d'épaules. Dans un mois, deux, peut-être, s'il est intelligent. Pourquoi se hâterait-il? Nous n'avons nulle part où aller.»

Ensemble, ils écoutèrent les soupirs de la mer. Les murs du château étaient invisibles dans l'obscurité, mais l'écume phosphorescente ceignait les bases de la forteresse, s'insinuait dans les crevasses et dessinait des tourbillons.

«Faudra-t-il en venir aux armes? demanda-t-elle. Dites-moi la vérité.

— Je l'ignore. Cela dépendra de Marc.

— Vous ne l'affronterez pas, Tristan, n'est-ce pas? Promettez-le-moi. Mon père s'en prendrait à vous.

– Je ferai tout ce qui est nécessaire à votre protection.

– Et si je ne puis être protégée?

– La Petite Bretagne se situe dans cette direction, dit-il la main tendue. Il ne faut pas plus de deux jours de navigation avec le bateau que j'ai construit. Vous seriez étonnée, Iseut. J'ai copié la forme d'une embarcation saxonne dont je me suis jadis emparé et j'en ai également reproduit le gréement. Le diriger est un plaisir, je m'y suis adonné tout l'été. J'y chargerai des vivres quand Lyonesse nous aura approvisionnés. Si la guerre éclate, nous partirons. Tous. Mais nous ne reviendrons jamais.

– Je m'en moque car vous seul m'importez. J'étais heureuse dans la hutte d'Ogrin alors que je n'avais que des hardes sur le dos. Ce n'est pas être reine dont j'ai besoin, Tristan, mais être avec vous. »

Elle l'embrassa passionnément.

Tristan la prit alors dans ses bras et la ramena dans la chambre. Au-dessus du lit était accroché un ancien étendard de soie, avec l'Aigle de Lyonesse sur champ d'azur.

«Ne le tuez pas, Tristan, je vous en conjure. »

L'immense salle se fit l'écho des paroles chuchotées. Avec ses dalles de pierre, ses piliers de marbre, ses tapisseries et ses bannières, mais aussi ses douze grandes lampes en cuivre où brûlaient des huiles odorantes, la salle des audiences du roi s'étendait du nord au sud, sur toute la largeur de la forteresse. D'étroites embrasures donnaient sur le nord et la chaussée. Au sud, le soleil matinal pénétrait abondamment par les vastes fenêtres ouvertes sur la mer et inondait de lumière l'estrade où le roi accordait audience à un personnage agenouillé.

Nul n'aurait plus songé à qualifier Tristan de jeune homme. Sombre, grave et calme, son visage était celui d'un roi. Sa couronne étincelante, son anneau, son torque d'or aux aigles gravées, sa robe, sa tunique, son épée, tout était royal, mais rien ne proclamait plus sa souveraineté que son aspect hiératique et solennel.

Les soldats formaient un demi-cercle devant l'estrade et guettaient la moindre parole de leur roi, tendus comme des faucons à qui l'on va ôter leurs chaperons.

Tristan regarda la femme prosternée à ses pieds et elle soupira, les mains jointes vers lui en un geste de supplication.

«Au nom de Dieu, Esme, pourquoi? Après ce qu'il n'a cessé de vous faire? Et à Iseut? Chacun sait qu'il a poussé Marc à décider ce jugement par le feu. Comment pourrais-je l'épargner?

— Je vous en supplie, murmura-t-elle en levant vers les yeux vers lui. Il ne mérite pas votre pitié, seigneur, mais je vous implore. Sa mort serait indigne de vous.

— Comment pouvez-vous dire ça? fit-il en baissant la voix. Vous l'aimez donc? Pouvez-vous chérir l'homme qui vous a traitées, vous et vos filles, plus mal que je ne traite mes chiens?»

Esmerée se mit à trembler.

«Non, seigneur. Je ne l'aime pas. Je le méprise.

— Dans ce cas…

— Aucun de ses projets n'a abouti. Il a été éloigné de l'entourage de Marc. Il n'a plus aucun pouvoir. Que ce soit son châtiment.

— Banni pour vivre simplement à Lyonesse? Il peut ainsi rester tranquillement chez lui – sous ma protection! –, libre de frapper qui bon lui semble. Une telle condamnation n'est rien.

— Son statut et la faveur du roi lui importent par-dessus tout parce qu'il ne les a pas acquis à la naissance. Il souffrira cruellement d'un bannissement. Un jour, il se livrera à quelque action qui justifiera votre vengeance, mais jusque-là, Tristan, mon seigneur et mon roi, je vous supplie de l'épargner. Je ne veux pas que sa mort souille vos mains.»

Elle se tourna brièvement vers Iseut, assise à côté de Tristan sur le siège réservé à la reine de Lyonesse, et elle baissa les yeux.

«Il est le père de mes enfants…»

Tristan attendit pour parler d'une voix grave.

«Esme! Si vous l'aviez vu! Un brasier ardent sur les falaises de Tintagel, une exécution publique par le feu si elle n'avait surmonté l'épreuve! C'est un affront à son honneur et à celui de la Cornouailles!»

Les soldats ne purent s'empêcher de murmurer et de hocher la tête.

«Oui, seigneur, son acte est ignoble, mais…»

Esmerée releva la tête et le regarda droit dans les yeux.

«Quelles que fussent ses intentions, il ne vous a pas nui. Vous n'avez pas le droit de le châtier. Marc seul a ce droit.»

Dinadan retint son souffle. Le silence se fit dans la grande salle. Iseut observa Guvranyl, Grayell, les courtisans et les soldats, et chacun d'eux paraissait gêné.

Tristan s'adressa à Esme sur un ton aussi sec que pompeux.

«Fort bien. Si vous pensez que moi, neveu du roi, n'ai aucun droit à protéger celle qu'il appelle sa reine, cette femme que j'ai ramenée de Galles pour lui… si vous pensez que Marc a le droit de se dire son époux après la façon dont il l'a traitée... je ferai ce que vous me demandez. Marc va arriver. Je le lui abandonnerai.»

Une touche de rose apparut sur la peau blême d'Esmerée et elle inclina la tête.

«Je vous remercie, mon gracieux seigneur. Vous êtes généreux.

— Non, ma dame, fit-il d'un air désabusé, c'est vous qui l'avez été avec moi et avec Iseut. À de nombreuses reprises. Si vous me laissiez faire, je vous remercierais en vous débarrassant de cet époux répugnant, mais je vous obéirai. Je vous le dois bien. Vous avez plaidé sa cause avec tant d'éloquence.»

Le visage d'Esmerée devint cramoisi et c'est d'une voix tremblante qu'elle parvint à lui répondre.

«Obligez-moi, Tristan, en prenant garde à votre honneur.»

Elle fit une révérence assez raide et s'en alla sans lancer le moindre regard au roi.

«Même à Lyonesse, on pense que je vous fais honte, dit Iseut avec amertume.

— Non, répondit Tristan en lui prenant la main. Ici, vous êtes la Dame de Lyonesse. Esme est généreuse et elle en souffre.»

Dinadan toussota discrètement.

«Sire Grayell m'informe que ton oncle Pernam est arrivé, désires-tu le voir?»

Tristan se tourna vers la porte et ne rencontra que le regard vide des gardes.

«Non, qu'il prenne du temps pour se remettre de son voyage. Guvranyl, où en sont les défenses côtières? Mes sujets ont été prévenus? Sont-ils nombreux à chercher refuge à Lyon's Head?

— Oui, chacun est au courant. La plupart cachent leurs biens et se préparent à se mettre à l'abri à la première alerte. D'après ce que je sais, ils sont tous derrière leur roi, hommes, femmes et enfants. Ils sont fiers que tu aies sauvé la Haute Reine. Ils pensent comme moi que Marc a usurpé le titre à la mort de ton père. Tu es le fils de Méliodas, c'est ta couronne, et Lyonesse devrait être le premier parmi les royaumes!»

Guvranyl n'avait pas pris la peine de baisser le ton et les soldats poussèrent des hourras dès qu'ils l'entendirent. Tristan dévisagea ses hommes et il ne vit dans leurs yeux que fierté, espoir et fougue.

«Est-ce là ce que vous voulez? leur lança-t-il. Dois-je affronter mon propre oncle, tuer mon parent, déshonorer mon nom pour la couronne de Bretagne? Est-ce ce que vous êtes venus voir?

— Sire, dit l'un des soldats après s'être éclairci la voix, nous savons depuis longtemps que Marc est responsable de la mort de notre roi Méliodas. Vous portez en vous l'honneur de la noble maison de Cornouailles et c'est vous que nous suivrons!»

Tristan se leva pour faire face aux soldats qui l'acclamaient.

«Marc n'a pas tué Méliodas. C'est le fait de pillards irlandais. Nul n'a forcé la main à mon père. N'oubliez pas que je me suis agenouillé devant Marc pour lui jurer allégeance. Je ne prends pas ce serment à la légère et vous-mêmes devriez m'imiter. À Lyonesse il n'y a que des hommes de parole. J'ai juré fidélité à Marc comme vous l'avez fait à moi-même.»

L'un après l'autre, ils baissèrent les yeux.

«Mais avant Marc, j'ai juré fidélité à Lyonesse.»

Il vit l'espoir renaître dans leurs regards.

«Marc peut me chasser de chaque parcelle de Bretagne, mais il ne me dépossédera jamais de Lyonesse, car c'est ici que je vis, et la reine avec moi!»

Tous les regards se portèrent sur Iseut. Quelques soldats l'acclamèrent, d'autres les imitèrent et bientôt la salle tout entière résonna de vivats. Tristan leva la main pour leur imposer le silence.

«Je ne m'en prendrai pas à lui mais, s'il veut la guerre, alors nous lui donnerons ce qu'il cherche!»

Les cris redoublèrent et tous acclamèrent le Haut Roi Tristan mais, quand il prit Iseut par la main pour sortir avec elle, son visage était froid comme le marbre.

Pernam était accroupi au pied de la poterne sud et ramassait des laminaires abandonnées par la marée descendante. Tristan l'observa un instant en silence puis il remonta ses manches et se joignit à lui. Quand le panier du guérisseur fut plein de ces longs rubans brunâtres aux bords acérés et que Tristan se fut entaillé les doigts par manque d'habitude, Pernam se redressa.

«Il y en a assez. Merci, Tristan, tu m'as épargné une heure d'effort.

— À quoi cela va-t-il vous servir?

— Après une courte préparation, elles constituent une puissante médecine. Elles sont aussi très nourrissantes.

— Quoi? Vous en mangez? Quelle horreur! Mais peuvent-elles guérir mes mains?

— Trempe-les dans la mer et prends une nuit de repos, voilà le meilleur des remèdes.»

Tristan se rinça les mains en faisant la grimace à cause du picotement provoqué par l'eau salée tandis que Pernam balançait son panier par-dessus le muret. Ils s'assirent sur les pierres et regardèrent sans parler la brume s'épaissir au-dessus des flots.

«Alors, mon neveu, dit enfin Pernam, pourquoi m'as-tu fait appeler?

— Avez-vous besoin de me le demander? Il a voulu la brûler vive devant le peuple rassemblé!

— C'est ce que j'ai entendu dire.

— Il ose se prétendre chrétien et se faire passer pour son époux! Il est allé trop loin cette fois-ci, je ne le lui pardonnerai pas.

— Le pardon est chose étrange, si difficile à venir quand on en a besoin. Tu l'as enlevée pour la sauver?

— Surveillez vos paroles, mon oncle. Je vous aime bien, mais ce sont des mots de trahison.»

Le visage de Pernam demeurait impassible.

«C'est donc là le problème.

— Non. Je ne désire pas sa couronne. Dieu sait que je n'ai pas les mêmes ambitions que lui, même si chacun pense à Lyonesse que je le devrais. Ils me feraient me parjurer et tuer mon oncle. Croient-ils qu'ils pourraient suivre un homme capable d'une telle fourberie? J'ai annoncé à mes hommes que je n'en ferais rien mais que j'affronterais Marc s'il me portait le premier coup. Je n'attaquerai pas celui à qui j'ai juré loyauté.

— Ah, Tristan, tu ne peux pas savoir à quel point j'aime t'entendre parler ainsi.

— De plus, je ne l'ai pas enlevée, insista Tristan. Mais par Dieu, Pernam, je ne pouvais l'abandonner à Tintagel après que ce monstre eut cherché à la brûler! Vous approcheriez la vérité en disant qu'elle s'est enfuie avec moi. Après une telle humiliation, elle préférerait se jeter dans la mer plutôt que de passer encore une heure sous sa tyrannie!

— Ce n'est donc pas une affaire de couronne, seulement de femme?

— Oui, et il y a aussi cet ordre de bannissement de Bretagne.

— Oublie un instant que tu es banni, dit Pernam l'air grave. Risquerais-tu la guerre et ton avenir, celui d'Iseut, de Lyonesse et de la Bretagne pour une femme?»

Tristan jeta un caillou dans la mer.

«Pour cette femme, oui. Je le ferais.

— Dans ce cas, tu n'es pas un roi.

— Un jour, c'est moi qui vous l'ai dit, fit-il en haussant les épaules. Mais vous, ne feriez-vous pas la même chose pour Jarrad? Pour Arthur?

— Ce n'est pas la même chose et tu le sais bien, lui rétorqua Pernam, les narines frémissantes. Je ne suis pas un guerrier et ils ne peuvent porter l'héritier du Haut Roi. Mais quoi qu'il en soit, Tristan, ma réponse est non. L'honneur d'un homme, celui d'un royaume, a plus de valeur que la satisfaction d'un désir.

— C'est donc tout ce qu'ils sont pour vous?» dit doucement Tristan.

Pernam se détourna. Longtemps il regarda la brume se lever.

«Bien sûr que non, mais la Bretagne est ce qui importe le plus.

— Pour la Bretagne, donc, il doit me l'abandonner. C'est tout ce qui compte à présent. C'est la seule manière de faire régner la paix entre nous.

— Marc se soucie moins de la paix que toi.

— Elle est mienne, Pernam, et elle n'a jamais été à lui.»

Pernam le considéra avec gravité et Tristan ne put soutenir son regard gris et calme.

«Aux yeux de ton propre Dieu, ils sont mari et femme. Si tu es réellement chrétien, Tristan, tu dois tenir leur union pour sacrée.

— Elle n'est sa femme que de nom, murmura-t-il. Pas de la manière essentielle. Ils n'ont jamais connu l'union charnelle. Son cœur et son âme ne font qu'un avec les miens. Elle est pour moi le souffle de la vie, la chair de ma chair, car elle porte en elle…»

Il vit les yeux de Pernam s'écarquiller d'horreur.

«Qu'as-tu fait, mon neveu? As-tu complètement perdu l'esprit?»

Tristan ébaucha un timide sourire.

«Trois mois dans la forêt de Morois, cela fait beaucoup.

— Même Marc sait compter sur ses doigts, dit Pernam dont le souffle se faisait sonore. Comment peux-tu nier l'accusation de trahison?»

Il rejeta son capuchon. Les os de son crâne apparaissaient sous ses cheveux argentés coupés très courts. Son profil était celui d'un aigle.

«Tu as trahi ton sang et humilié ton nom. Pis encore, tu as entraîné cette douce enfant sur le chemin du péché. Elle est la reine et elle a trahi son roi. Tu en es responsable.

— Il n'est pas son roi.

— C'est pourtant le cas, et toutes les lois de la Cornouailles le veulent ainsi. Ah, Tristan, dit Pernam en se prenant la tête dans les mains, qu'as-tu fait de ton honneur? L'amour de cette femme t'a-t-il fait perdre tout jugement? Tu aurais mieux fait de la laisser.

— Je n'ai pas pu. Dieu m'est témoin que j'ai essayé, à plusieurs reprises, mais je n'ai pas pu.»

Pernam se redressa et prit son panier. Son regard était glacé.

«Pourquoi m'avoir fait venir ici?»

Tristan voulut se lever à son tour.

«Pour vous garder à l'abri de cette forteresse, pour que Marc n'incendie pas votre demeure et vous prenne en otage.

— Je peux manipuler Marc sans ton aide, fit-il avec un certain mépris.

— Et aussi... pour vous demander conseil.

— Eh bien, mon conseil est de lui rendre sa femme.

— Enfin, pour apporter réconfort à Esmerée... et à ses enfants.

— Quoi? Ils sont ici? À Lyon's Head?

— Oui, et Segward est au cachot.»

Pernam reposa doucement son panier.

«Dans ce cas je resterai. Je suppose que tu veux le tuer?

— Dieu sait ce dont j'ai envie. Dès le début il avait envisagé de faire mourir Iseut par le feu, mais ce matin même, j'ai cédé à la demande d'Esme, qui me suppliait de l'épargner.

— Ce n'est que sagesse, souffla Pernam.

— De l'idiotie, oui. J'ai accepté de laisser Marc décider de son sort. C'est pourquoi nous l'attendons tous.

— Et qu'arrivera-t-il quand il sera là? T'es-tu seulement posé la question? Ne peux-tu te mettre à sa place?

— Que voulez-vous dire?

— Comment peut-il te laisser lui prendre son épouse sans passer pour un malheureux que tu as humilié? Crois-tu qu'il écoutera calmement tes suppliques et te la donnera? Tu n'es pas aussi stupide, tout de même! Il voudra quelque chose en échange, une chose à laquelle le monde entier accorde plus de valeur qu'à une femme. Réfléchis, Tristan, que possèdes-tu donc qu'il désire tant?»

Tristan regardait la mer sans répondre.

«Aux yeux de Marc, la seule chose de valeur que tu détiennes, c'est Lyonesse. C'est pourquoi il t'a banni. Il espérait l'obtenir librement sans avoir à croiser le fer avec le champion de la Cornouailles. Et nul ne doute qu'il l'espère toujours.

— Lyonesse est à moi.»

Pernam hocha la tête et se détourna.

«Cette femme aussi, mais pour combien de temps?»

27

SERMENTS BRISÉS

Vêtue d'une chaude robe de laine, un châle sur les épaules, Iseut s'efforçait de regarder par les fentes des volets.

«Est-ce que j'ai dit qu'il faisait chaud ici?»

Elle frissonna quand le vent caressa sa joue.

«Il fait encore plus froid que chez mon père!

– À quoi vous attendiez-vous à la fin de l'hiver? murmura Branwen, penchée sur son fuseau.

– Venez vous asseoir près du feu, Iseut, vous y serez mieux.»

Esmerée se leva et fit de la place à la jeune femme, mais celle-ci se contenta de faire non de la tête, de marcher en long et en large devant la fenêtre.

«Non, Esme, ne bougez pas, c'est vous qui êtes malade, moi, j'ai une santé de fer!»

Elle rit et posa les mains sur son ventre dont l'ampleur de sa robe ne pouvait dissimuler les courbes.

«Celui-là sera encore plus gros que le petit Tristan. Ce sera un guerrier, assurément, il me donne des coups de pied jour et nuit.»

Branwen ne fit aucun commentaire mais sa main se glissa furtivement sous ses vêtements pour toucher son ventre déjà gros. Esmerée la regarda d'un air inquiet, constata que la suivante était sur la défensive et s'empressa de retourner à ses travaux.

«Tristan pose la tête sur lui chaque nuit, reprit Iseut, il aime percevoir ses mouvements et il lui chante les exploits qu'il réalisera un jour. Comme il a hâte de le voir naître! Vous ai-je dit qu'il voulait être à mes côtés cette fois-ci? Vous vous rendez compte? Moi, la sage-femme et Tristan de Lyonesse?»

Elle éclata d'un rire sonore et Esme lui sourit.

«Vous avez de la chance de porter si facilement des enfants. Ce n'est pas la même chose pour toutes les femmes.»

Iseut ne remarqua pas le regard d'avertissement qu'elle lançait à Branwen et elle poursuivit du même ton insouciant.

«Je le laisse s'occuper des petits à la pouponnière, il les aime tous, même les vôtres, Esme. Le petit Tristan a fait ses premiers pas hier, accroché au doigt de son père, le croirez-vous? Nous avons fêté ça avec force gâteaux aux raisins, le petit Tristan en avait plus sur les joues que dans la bouche!

– Iseut, faites silence un instant, je vous prie, dit Esmerée en mettant une main sur le genou de Branwen. Comment vous sentez-vous aujourd'hui, ma chère? Cela va mieux?»

Branwen haussa ses maigres épaules et ne s'intéressa qu'à son rouet. Iseut quitta alors la fenêtre pour poser sa jolie main sur la tête de Branwen.

«Elle déteste être grosse, expliqua-t-elle en lui caressant les cheveux, mais ses enfants sont adorables. Tu verras, tu n'auras rien à regretter.»

Esmerée fronça les sourcils. La peau de Branwen paraissait jaunâtre comparée à celle d'Iseut, rose et fraîche, ses pommettes saillaient et elle avait des cernes sous les yeux.

«Je vais vous envoyer Pernam, il apaisera vos douleurs sans blesser votre enfant. Les simples n'ont aucun secret pour lui.

– Je vais bien, s'obstina la suivante, et je ne désire aucun remède. Comme l'a dit Iseut, la grossesse me déplaît, mais je survivrai. Plus que six semaines...

– Six semaines, soupira Iseut, comme c'est encore long!»

Elle revint à la fenêtre.

«Je me demande ce qui retient Marc. Je vois jusqu'aux collines et rien n'indique sa venue. Vous ne pensez tout de même pas qu'il arriverait par la mer?

– Certainement pas, lui assura Esmerée. Et s'il vient, vous entendrez le cri des guetteurs avant même d'apercevoir ses oriflammes.

– Comment cela, s'il vient?

– Trois mois se sont écoulés depuis le solstice et il se bat toujours contre les Saxons, rien de plus. Il verra Tristan dès que les choses seront rentrées dans l'ordre en Bretagne.

– Il viendra quand bon lui semblera», murmura Branwen.

Esmerée les dévisagea puis elle reposa son ouvrage.

«Il viendra voir son fils, quoi qu'il décide pour sa femme. Y avez-vous songé? Il voudra reprendre son héritier.

– Il n'emmènera pas le petit Tristan, déclara Iseut d'une voix mal assurée. Je lui avouerai tout avant que cela ne se produise.

– Vous ne ferez rien de tel! intervint Branwen. J'ai votre parole ainsi que celle de Tristan que vous ne ferez rien sans mon accord.

– Que veux-tu dire?»

Le fuseau tomba à terre et Esmerée se leva pour le ramasser. Branwen tremblait de la tête aux pieds.

«Dans la maison de Guvranyl, le lendemain de... Vous m'avez promis de ne pas révéler sans ma permission que c'est moi qui dormais avec lui.

– Bien, fit Iseut, c'est d'accord, nous ne le lui apprendrons pas. Mais depuis Morois, il sait que Tristan est mon amant. Nous le lui confirmerons... en précisant que cela dure depuis plus longtemps qu'il ne le croit.»

Branwen ferma les yeux et tituba légèrement.

«Pas encore. Ne lui dites pas la vérité à propos des enfants. Pas encore...

– Bon, je veux bien, mais calme-toi, Branny, ne sois pas aussi nerveuse.»

Au moment de se saisir du fuseau, Esmerée frôla le rebond de la robe de Branwen. Le bas de ses jupes était rouge sombre.

«Branwen!»

Elle eut le temps de la rattraper au moment où elle glissait de son tabouret.

À terre, dissimulée sous la robe de Branwen, s'étalait une grande flaque de sang.

Toute la nuit le vent d'est hurla autour de la forteresse. La neige s'infiltrait par les fentes des volets et les lourdes tapisseries frémissaient. Partout, dans le château, serviteurs et soldats se serraient les uns contre les autres pour se tenir chaud. Dans la grande salle, les hommes étaient réunis devant l'âtre, autour de Tristan, ainsi qu'ils le faisaient toujours, mais la conversation se languissait. Le roi était assis sur son siège sculpté et la reine avait posé sa tête sur ses genoux, le visage enfoui dans les replis de sa cape. Sa crise de larmes avait cessé et ce n'était plus à présent qu'une misérable créature pâle et épuisée.

Les heures s'écoulèrent et les compagnons se retirèrent les uns après les autres. Seuls restaient Guvranyl et Dinadan. Ils nourrissaient le feu, versaient à boire, parlaient avec fougue de chevaux et de batailles, détournant pudiquement les yeux quand Tristan embrassait le pauvre visage d'Iseut et lui murmurait à l'oreille des paroles de réconfort.

«Ne la laissez pas mourir, gémissait Iseut en prenant Tristan par le cou. Elle est ma plus chère amie.»

Il caressa ses longs cheveux et la serra contre lui.

«Si quelqu'un peut la sauver, c'est bien Pernam.

— Et s'il se montre impuissant?

— Allons, Iseut, il n'est pas bon de s'inquiéter à l'avance. Ce qui doit arriver arrivera.

— Oh, mon Dieu! J'ai de si mauvais pressentiments. Chantez pour moi, Tristan, chantez pour chasser ma peur.»

Il la prit dans ses bras comme une enfant et lui susurra une berceuse. Bientôt sa respiration s'apaisa et elle s'endormit, épuisée. Dinadan tendit une coupe de vin à Tristan.

«Bois ça, Tris. Tu n'as rien absorbé depuis des heures, tu dois être à moitié gelé.»

Il but et le remercia.

«Écoute, fit-il en penchant la tête, l'orage est en train de passer. Demain le temps se lèvera et le soleil brillera à nouveau.

— Oui, l'approuva Dinadan. Il faut le croire, il écoute les tempêtes comme la plupart des hommes écoutent un barde.

— En tout cas, fit Guvranyl, je ne serai pas fâché de voir celle-là se terminer.

— Pas moi, dit Tristan en serrant dans ses bras Iseut endormie. Avec le beau temps, les flots s'apaiseront.

— Les Saxons?

— Non, Marc.

— Il n'a pas besoin d'attendre une mer d'huile, fit remarquer Dinadan. La Cornouailles n'est pas si loin par voie de terre.

— S'il voulait venir seul, ce serait déjà fait, répliqua Tristan tout en lissant les cheveux d'Iseut. Il attend ses alliés.

— Quels alliés?»

Avant même que le roi pût répondre, la porte s'ouvrit et Pernam fit son entrée, les mains, le visage et le crâne fraîchement lavés. Tristan se redressa et Iseut se réveilla.

«Prince Pernam!»

Dinadan et Guvranyl lui firent de la place sur le banc et poussèrent une coupe de vin vers le guérisseur. Pernam accepta la boisson tiède et s'installa près de Tristan.

Iseut posa la main sur son bras.

«Oh, je vous en prie, dites-moi qu'elle vit!»

Pernam lui sourit et prit sa main dans la sienne.

«Je suis heureux de vous apporter de bonnes nouvelles, ma dame. Branwen est vivante. Même si ce fut délicat, nous avons pu arrêter les saignements à temps. Elle est très faible. J'ai demandé aux cuisines qu'on lui prépare du bouillon chaud.»

De nouvelles larmes coulaient sur les joues pâles d'Iseut. Tristan se tourna vers son oncle.

«Et l'enfant?

— Il est mort il y a plusieurs jours. Pauvre Branwen, brave Branwen, elle n'a rien laissé paraître pendant toute cette nuit de souffrance. Tout est fini à présent, mais elle a failli donner sa vie.

— Était-ce un fils?

— Non, une fille.»

Pernam regardait le feu. Son visage ne révélait rien.

«Elle ne doit plus avoir d'enfants. Le prochain la tuera, j'en suis persuadé.»

Tristan n'ajouta rien mais Iseut se pencha vers le guérisseur.

«Puis-je la voir? Puis-je rester avec elle jusqu'au matin? Dame Esmerée doit être épuisée, je serais heureuse de la remplacer.

— Ma dame est fort aimable et je suis persuadée qu'Esmerée et Branwen apprécieraient votre attention, mais vous-même, ma reine, êtes fatiguée. Branwen a demandé après vous mais il n'est pas nécessaire que vous restiez.

— Peu importe comment je me sens, dit Iseut avec un sourire. Je vais mieux à présent que je sais qu'elle vit. Un instant, j'ai cru... Branwen est mon amie depuis l'âge de quatre ans, elle est comme une sœur pour moi.»

Elle se dégagea de l'étreinte de Tristan et lui prit la main.

«Venez, Tristan, allons trouver Branwen et nous assurer qu'elle prend bien son bouillon.»

Branwen était couchée sur un bat-flanc sous quatre épaisses couvertures de laine. La chaleur de trois braseros envahissait la pièce et Esmerée, qui se leva pour les accueillir, avait le visage empourpré. Le sol était débarrassé de la plupart des taches de sang et Esmerée en personne avait baigné Branwen et changé ses vêtements. Iseut la serra dans ses bras et la remercia. Sur un signe de tête de Pernam, elle se retira. Le guérisseur parla avec Branwen, prit son poignet dans sa main, lui toucha le front et le cou, puis donna à Tristan et Iseut la permission de l'approcher.

Tristan ne put dissimuler sa surprise en voyant à quel point la jeune femme avait changé. Blême, le visage ravagé, on eût dit qu'elle avait perdu l'esprit en même temps que du poids. Iseut glissa sur le sol à côté d'elle et pressa la petite main de Branwen sur ses lèvres.

«Branny, oh, Branny! Grâce au Ciel, tu n'as pas succombé comme ce malheureux petit enfant. Je vais te veiller jusqu'à l'aube, je ne veux pas être séparée de toi.»

La bouche de Branwen se tordit en une ébauche de sourire.

«Et Tristan?

– Il peut attendre, fit Iseut en souriant. Cette fois-ci, tu passes en premier. Te rappelles-tu la dernière fois où j'ai soigné un moribond? Je l'ai guéri de sa maladie et de ses blessures pour connaître moi-même la maladie d'amour!»

Branwen posa ses yeux sombres sur Tristan.

«Je m'en souviens...

– Branny, tu vas affronter l'avenir avec moi, un nouvel avenir où Marc n'a pas sa place. Nous vieillirons heureux tous ensemble.

– J'en doute, fit-elle sans cesser de regarder Tristan. Votre mère m'a maudite, Iseut.

– *Quoi?*

– Sa malédiction m'a suivie au fil des années. Elle a failli me tuer. Je dois y mettre fin.

– Branny, mais que racontes-tu là?»

Branwen poussa un profond soupir et ferma les yeux.

«Dans une semaine, j'aurai recouvré mes forces. Je pourrai alors tout vous dire, à vous et à Tristan.

– Mais de quoi parle-t-elle, vous le savez? demanda-t-elle à Tristan.

– Non, j'ignore tout d'une malédiction.»

Pernam s'approcha du bat-flanc et fit se relever Iseut.

«Cela suffit pour ce soir. Si vous désirez la veiller, venez me trouver quand vous vous serez reposée et restaurée. Je vais m'occuper d'elle. Elle doit rester tranquille. Puisse la Mère garder son esprit, dit-il en se tournant vers la jeune femme alitée. Voilà, elle dort.»

Au matin, la tempête s'éloigna et, comme l'avait prédit Tristan, le temps changea. Au fil des jours, le vent d'ouest fit fondre la neige et de jeunes pousses jaillirent de terre. Branwen reprenait des forces de jour en jour et, à la fin de la semaine, elle put passer une heure d'affilée sur le balcon. Les habits qu'elle portait avant sa grossesse semblaient appartenir à une autre, mais ses joues étaient plus rondes et ses os moins saillants. Iseut se réjouissait de la voir ainsi et elle passait chaque jour plusieurs heures en sa compagnie. Elles ne reparlèrent plus jamais de malédiction. Pourtant, un soir, Branwen prit l'air grave.

«Demain, dit-elle, à midi, je me rendrai dans la chambre de Tristan. Soyez là tous les deux.»

«Elle était si sérieuse, dit Iseut à Tristan alors qu'ils se mettaient au lit, le soir du même jour. Mais je ne sais ce qu'elle veut. C'est étrange, n'est-ce pas? Toutes ces années, elle n'a jamais parlé de sortilège. Croyez-vous... j'ai entendu dire que la souffrance fait parfois perdre l'esprit...

— Chut, fit Tristan en l'attirant à lui. Branwen a toujours eu tous ses esprits. Je ne crois pas qu'elle soit folle, je pense plutôt qu'elle a un dessein.

— Mais dans quel but?

— Ah, ma mie, je l'ignore, mais je me rends compte que, depuis que je vous connais toutes deux, Branwen a toujours eu une idée en tête.»

Le jour suivant, il faisait plus froid, mais cela n'empêcha pas Iseut de se lever tôt et Tristan, plus tôt encore pour emmener ses hommes chasser dans les collines. Ils revinrent vers midi, chargés de deux cerfs et d'un jeune sanglier. Las de manger du chou, du poisson et du mouton, les soldats les acclamèrent. Tristan se baigna dans la mer et regagna ses appartements. Iseut l'attendait sur le balcon. Ses cheveux étaient relevés sur sa tête et elle portait une robe bleu-vert; un mince torque d'or ceignait son cou.

«Eh bien, vous êtes vêtue comme pour une audience royale? Ce n'est que Branwen.

— Dans ce cas pourquoi vous êtes-vous baigné et avez-vous savonné vos cheveux?

— J'étais couvert du sang d'un sanglier. Nous avons trouvé un jeune mâle qui se prélassait dans la boue. Nous avons également scruté les collines, au nord, et découvert nulle trace de Marc.

— Je vais vous aider à vous vêtir, Tristan. Elle sera bientôt là et je veux être la seule à pouvoir contempler votre nudité.»

Elle s'avança vers lui mais il la prit dans ses bras.

«Vous êtes le printemps personnifié, Iseut. Avec vos yeux couleur d'océan, votre peau laiteuse, vos courbes gracieuses, fit-il en plaçant la main sur son ventre, et aussi cette vie qui se développe en vous, comment ne pourrait-on vous voir sans vous désirer?

324

– Pas maintenant, Tristan. Si Branwen nous surprenait dans les bras l'un de l'autre...

– Allons, tout le monde est au courant de notre amour! Qu'elle patiente une heure, fit-il en l'embrassant tendrement.

– Ne disiez-vous pas que l'attente intensifie le plaisir? rétorqua-t-elle entre deux baisers. C'est nous qui attendrons une heure qu'elle soit partie!»

On frappa à la porte. Tristan libéra Iseut, qui lui jeta une tunique; il s'empressa de l'enfiler.

«Entrez!»

Un page pointa le nez.

«Dame Branwen, annonça-t-il avant de disparaître.

– *Dame* Branwen?» s'étonna Tristan.

Branwen fit son entrée. Elle portait une robe jaune pâle adaptée à sa minceur. Tressée par endroits ou libre comme celle d'une vierge, sa chevelure s'ornait de rubans que retenaient deux perles. Des bracelets d'or gravé entouraient ses poignets. Elle se déplaçait avec lenteur, mais il y avait de la dignité dans sa démarche. Aussi faible fût-elle, elle donnait l'impression non pas de la fragilité, mais de la force. Tristan et Iseut la considéraient avec étonnement.

Iseut s'avança pour la prendre par la main.

«Branny, tu es adorable et si bien vêtue. Mais dis-moi, pour quelle occasion? Désires-tu fêter quelque chose?»

Le regard glacial de Branwen se posa sur Iseut.

«La fin d'une duperie, peut-être. Comme vous-même me l'avez dit il y a peu, le moment de révéler la vérité est venu.»

Elle vit Tristan à peine vêtu, ses bottes et sa tenue de chasse jetées à terre.

«Suis-je arrivée au mauvais moment?

– Nullement. Tristan est rentré tard de la chasse, rien de plus. Viens au soleil, Branny, je vais t'apporter un tabouret.

– Merci, mais je n'en ai pas besoin.»

Elles restèrent donc debout sur le balcon. Le vent salé rafraîchissait leurs visages et le silence s'instaurait entre elles.

Tristan s'éclaircit la voix.

«Je suis étonné par vos progrès, Branwen. Vous portez-vous bien?

– Pas bien, seigneur, mais mieux, merci, fit-elle en levant les yeux vers lui. On m'a dit que la chasse a été fructueuse et qu'il y aura de la viande au souper.

– Oui, nous avons eu de la chance.

– Savez-vous si Marc va arriver?

– Non, mais j'ai posté des guetteurs.

– C'est en partie à propos de Marc que je désire vous parler. Êtes-vous prêt à le tuer, Tristan?

– Pas tant qu'il ne m'y obligera pas, répondit-il gravement.

– Partout dans la forteresse on chuchote qu'un combat entre vous deux est la seule solution et que c'est ce que vous désirez. On dit aussi que l'enlèvement de la Haute Reine n'était que la première étape de votre accession au trône du Haut Royaume.

– Je n'ai pas d'ambition en dehors de Lyonesse. Ma rupture avec Marc est la conséquence de la façon dont il a traité Iseut et rien de plus. Je l'ai expliqué à mes hommes.

– Dans ce cas, dites-moi, vous deux qui connaissez Marc presque aussi bien que moi, si nous lui disons la vérité, écartera-t-il Iseut pour faire de moi sa reine?

– Ah, Branny, soupira Iseut, si seulement nous le pouvions!

– Il est possible qu'il répudie Iseut s'il la croit trop souillée pour sa couche, fit-il pensif, mais pour ce qui est de … Non, jamais.

– Je suis de votre avis, répondit Branwen. Ce serait différent si je lui avais donné des fils, mais votre mère m'a maudite en ne me prédisant que des filles, Iseut, de sorte que je n'ai aucun pouvoir sur Marc.

– C'était *cela*, sa malédiction? Mais pourquoi t'a-t-elle maudite, Branny? Que lui as-tu fait?

– Elle voulait que je tue Tristan et elle m'a donné les instruments pour le faire.»

Iseut poussa un cri et se précipita dans les bras de Tristan. Branwen les regarda sans manifester le moindre sentiment.

«Tant qu'il vivra, m'a-t-elle annoncé, tous mes enfants seront des filles. Et c'est ce qui s'est passé. Aujourd'hui je ne peux plus en avoir, constata-t-elle d'une pauvre voix. Chaque fois que vous vous enlacez ou vous donnez un baiser, vous devez me remercier. Oui, vous devez me remercier pour le petit Tristan et pour cet enfant que vous portez dans votre ventre. Chaque instant passé ensemble depuis notre départ de Gwynedd, c'est un présent que je vous fais. J'ai sacrifié mon avenir à votre plaisir parce que je vous aimais, tous les deux.»

Iseut se mit à pleurer, les bras autour de la taille de Tristan.

«Oh, Branny! Ma mère t'a envoyée le tuer? Alors ce serait me tuer aussi!

– C'est vrai, Branwen, nous vous devons tout, constata Tristan.

Et cette dette est si grande qu'il est quasiment impossible de la rembourser.

– Le moment en est pourtant venu, dit Branwen dont les yeux gris virèrent au noir. La crise qui s'annonce ne connaît qu'une seule issue où il n'y ait ni mort ni déshonneur. Cette fois-ci, c'est vous qui ferez le sacrifice. Vous deux.

– De quoi parles-tu ? gémit Iseut.

– Rappelez-vous ce que vous m'avez dit dans la maison de Guvranyl, Tristan de Lyonesse, le défia-t-elle. Pour prix de ma complicité, vous m'avez juré que, quand je trouverai le seigneur que je désire épouser, vous approuverez mon choix et m'aiderez à satisfaire mon désir.

– Je m'en souviens.

– Non ! s'écria Iseut. Non !

– L'avez-vous trouvé alors ? Qui est-ce ? Je ferai tout mon possible pour arranger cette union. »

Branwen se redressa.

« Je suis heureuse de vous l'entendre dire, seigneur, car vous êtes l'élu. »

Iseut s'écroula à terre en sanglotant.

« Jamais ! Oh, Dieu, je le savais ! Je l'ai toujours su ! »

Tristan pâlit.

« Moi ? Mais je suis lié à Iseut.

– Seulement par l'amour, et l'amour n'a rien à faire là-dedans, dit Branwen avec une pointe d'amertume. Oh, il est exact que je vous aime, Tristan, depuis que je vous ai soigné dans votre chambre du château de Gwynedd. Et durant toutes ces années j'ai vu Iseut vous toucher, vous embrasser, vous réclamer à chaque instant. Je me suis réfugiée dans le désespoir et j'ai attendu mon heure. Je vous ai épargné et, grâce à moi, vous avez connu l'amour de cette femme que vous chérissez. Elle vous a même donné des enfants. Que peut-on demander de plus quand on est un homme hormis une mort glorieuse ? »

Sa voix se faisait plus dure alors que l'angoisse s'installait dans le regard de Tristan.

« Vous deux, savez parfaitement que Marc ne vous laissera jamais vous marier. Il préférerait vous tuer l'un et l'autre plutôt que vivre en laissant le peuple chuchoter dans son dos. Oui, il vient pour vous tuer parce qu'il sait que vous l'avez trahi. Épousez-moi et vous dissiperez ses craintes. Épousez-moi et laissez Iseut lui revenir. Les enfants seront bien traités. Votre fils vivra pour être Haut Roi de

Bretagne. L'alliance avec Galles ne faiblira pas. Cela ne sera pas difficile. Marc ne posera aucune question parce qu'il ne désire pas connaître la réponse. Vous avez tout à gagner et rien à perdre, si ce n'est la possession du corps d'Iseut. Et cela, vous l'avez depuis déjà trop longtemps!»

Iseut s'accrocha à la robe de Branwen.

«Demande au soleil sa lumière et à la terre sa solidité avant de nous demander pareille chose!»

Branwen la considéra d'un air hautain.

«Vous êtes égoïste, Iseut. Songez à vos enfants, que Marc tuera quand je lui dirai qui ils sont. Songez à Tristan, qui mourra à cause de votre insolente avidité. Et si c'est la pensée du lit de Marc qui vous inspire une telle terreur, vous devrez vous en accommoder. Je ne puis plus avoir d'enfants, je ne puis plus prétendre à rien. Vous devrez vivre comme j'ai vécu!

— Sorcière! Démon! Comment peux-tu être aussi cruelle? Tu me demandes plus que je ne peux donner!

— Sottises. C'est moins que je n'ai donné, moi. Mon tour est venu. Et vous avez juré. Devant Dieu. Reprendrez-vous votre parole?»

Tristan était hiératique. À genoux, Iseut joignit les mains et implora Branwen.

«Mais lui et moi... nous nous sommes juré fidélité. Sur notre vie. Et je ne peux pas non plus rompre ce serment.

— Il le faut pourtant. Nos existences en dépendent.

— Je refuse! cria Iseut en bondissant sur ses pieds. Qui es-tu, toi, pour exiger que je t'obéisse ainsi? Je renouvelle la promesse que j'ai faite à Tristan et je me libère de ce que je t'ai dit. J'aimerais mieux sauter dans la mer que te voir une seule nuit dans les bras de Tristan. La mort est préférable à l'infidélité!

— Dans ce cas, mourez, lui lança Branwen. Mais ce choix ne dépend que de vous.

— Tu n'es pas digne de lui!

— Ah non? Depuis des années, chacun en Cornouailles croit qu'il est mon amant.

— Digne de réchauffer son lit, peut-être, mais pas de l'épouser. Toi... une servante, une bâtarde... tu n'as aucun droit à épouser un prince!

— Chut, Iseut, fit Tristan en la prenant par la main.

— Je me demandais quand nous en arriverions là, dit Branwen dont la voix se radoucit pour se faire plus perfide. Vous avez toujours pris beaucoup de plaisir à votre naissance supérieure, n'est-ce pas, Iseut? Mais je ne suis pas aussi mal née que vous le croyez. Comme mon demi-frère Ceredig, je suis l'un des bâtards de Perceval. Je suis même la première d'entre eux. Votre père est aussi le mien, Iseut de Gwynedd!»

Iseut la regarda longuement, le souffle coupé. Puis elle explosa.

«Tu mens!»

Branwen sortit de son sac un anneau d'or sur lequel était gravé le Loup gris de Gwynedd.

«C'est la bague de mon père! s'exclama Iseut. Où l'as-tu prise?

— Il me l'a donnée la nuit de notre départ, quand il m'a dit adieu.

— C'est faux! Tu l'as volée!»

Branwen plongea une nouvelle fois la main dans son sac et tendit un petit parchemin à Tristan.

«Lisez-le-lui.»

Tristan examina brièvement l'écriture et le sceau.

«Iseut, murmura-t-il, Perceval en personne l'atteste. Branwen est votre sœur.

— Non! cria Iseut, accrochée à lui. C'est impossible!

— Ma douce, cela explique la ressemblance entre vous deux. Cela explique sa fidélité, son désir de lier son avenir au vôtre, sa capacité à duper Marc. Oui, cela explique tout. Ce ne peut être que vrai.

— Et alors? dit Iseut. Même ainsi, elle n'est pas de haute naissance! Elle est indigne d'être votre épouse! Oh, Tristan, je mourrai si vous en épousez une autre que moi.»

Un bras posé sur les épaules tremblantes d'Iseut, Tristan adressa un regard sombre à Branwen.

«Ce que vous demandez est difficile à accepter, mais je ne vous nie pas le droit de le faire. Pouvez-vous nous accorder du temps, Branwen, pour discuter de tout ça?

— Vous avez jusqu'à l'arrivée de Marc. Si vous me refusez, Tristan, il vous faudra le tuer. Il n'est pas d'autre issue.

— Quoi que je fasse, je suis déshonoré.

— Il est trop tard pour parler d'honneur, fit-elle avec dédain. Il était déjà trop tard, ce matin-là, dans la maison de Guvranyl.»

Sur ce, elle remit le parchemin et l'anneau dans son petit sac et quitta la pièce sans leur adresser un regard de plus.

«Tristan! sanglotait Iseut, appuyée contre sa poitrine. Ne m'abandonnez pas! Je ne puis me séparer de vous.

— Ma douce Iseut...»

Ses lèvres rencontrèrent les siennes alors que ses doigts ôtaient les épingles de ses cheveux.

«Je ne vous quitterai jamais. Nous ne faisons qu'un, et cela ne peut changer.

— Jurez, dit-elle d'une voix tremblante, jurez que vous n'épouserez jamais une autre que moi. Jurez-le-moi.»

Il la souleva dans ses bras et la porta jusqu'au lit.

«Nous sommes destinés l'un à l'autre, Iseut. Si je dois un jour me marier, ce ne sera à nulle autre que vous. Je vous le jure.»

28

VENTS D'ORAGE

Trois cents cavaliers dévalèrent des collines dans l'aube grise. Les portes sombres de Lyon's Head se profilèrent devant eux. Les chevaux hennirent et se cabrèrent quand retentit le cor des guetteurs.

«À la garde! À la garde!

— Ho, Grayell! C'est moi, Régis de Caer Conan! Ouvrez-nous les portes, pour l'amour de Dieu!»

Sire Grayell eut du mal à recouvrer ses esprits. Ces chevaux avaient jailli de la brume, pareils à des apparitions, et il lui fallut quelques instants pour reconnaître la voix.

«Dornal, Geoff, Hargas, aux portes! Pressez-vous, les gars! Ho, Régis, combien êtes-vous?

— Trois cents. Filas et Dynas ont ajouté leurs hommes aux miens et nous sommes accompagnés de cinquante archers.

— Oh, Seigneur!»

Grayell posa la main sur l'encolure du cheval fourbu de Régis alors même que le grand portail s'ouvrait.

«Mieux vaut mettre pied à terre et le tenir par la bride. Le chemin n'est pas assez large pour deux et, avec la brume, on se perd facilement.

— Oh, oui, fit Régis en souriant, je me rappelle la première fois où je suis passé par là… Ce promontoire, je me demande comment la mer ne l'a pas sapé.

— Dieu veille sur Tristan, déclara Grayell avec solennité. Dieu aime cet homme. Je ne trouve pas d'autre explication au fait qu'il soit toujours en vie.

— J'espère qu'il l'aime beaucoup, sinon c'en est fait de nous tous.

— Quoi, y aurait-il un problème? s'inquiéta Grayell. Vous avez été suivis?

— Non. Nous sommes partis au petit jour, mais Marc sait parfaitement quelle était notre destination.

— Le Haut Roi est donc enfin ici?

— Il a installé son campement dans les collines. Il sera ici dès ce soir.

— Voici donc l'heure de l'ultime confrontation, dit Grayell, pensif. Tristan ne veut pas d'effusion de sang, mais je pense pour ma part qu'une petite bataille réglerait tout.

— Je crois que votre souhait sera exaucé.

— Régis, vous devez nous aider à le convaincre de s'emparer de la couronne de Marc. Elle lui revient de droit. Il doit le comprendre.

— Pour quelle autre raison serais-je venu? s'exclama Régis. Vous ne voulez tout de même pas dire que... Tristan refuse la royauté?

— Malheureusement, si.

— Holà, vous plaisantez? Pourquoi aurait-il amené la reine à Lyonesse sinon pour contraindre la Cornouailles à entériner ce choix?

— Il l'aime, dit simplement Grayell. Voilà l'objet de cette guerre. La reine. Rien de plus.

— Ça lui ressemble bien, grogna Régis de Caer Conan. C'est une toquade, assurément.

— Je n'en suis pas si sûr.

— Dans ce cas, c'est assez simple. Marc est son mari et, s'il la veut, il lui faudra tuer ce vieux brigand et prendre sa place.

— Combien des hommes de Marc sont-ils loyaux? Foncièrement loyaux, je veux dire? Combien mourraient pour lui?

— Une poignée. Le reste se battra pour le Haut Roi, quel qu'il soit.

— Alors nous devons persuader Tristan de tuer Marc», dit calmement Grayell.

Le garde blond ouvrit la porte des cachots et laissa entrer Branwen. Elle frissonna et referma sa cape. Autour d'elle, la pierre dégageait une odeur de moisissure. Elle en sentait l'humidité jusque dans la moelle de ses os.

«Où est-il? demanda-t-elle, usant de la colère pour repousser la peur qui la tenaillait.

– Par là, ma dame, fit le garde avec un geste vague. C'est le seul qu'on a en ce moment. »

Il déverrouilla une porte basse et l'ouvrit. La lumière pénétrait par une meurtrière placée assez haut et la moitié de la cellule était plongée dans la pénombre. Branwen sursauta. Un personnage tassé sur un banc se leva à son approche.

« Ça alors… Bonjour, Branwen, vous êtes bien bonne de me rendre visite. »

Elle frissonna une fois encore quand Segward s'avança dans le rai de lumière. Sa détention lui avait fait perdre du poids, sa peau livide et tachetée formait des bajoues. Ses petits yeux avaient abandonné leur éclat cupide et la regardaient sans la moindre expression.

« Vous savez pourquoi je suis ici », répondit-elle avec froideur.

Ses lèvres se retroussèrent en un sourire forcé.

« Ma jolie Branwen… »

Il tendit un doigt bouffi vers son visage et elle recula.

« Non, vous n'êtes plus aussi charmante. Trop maigre, trop pâle. Une vie trop difficile, n'est-ce pas, pour une fleur aussi délicate ? C'est trop étouffant de faire jour et nuit le petit chien pour une créature aussi belle que stupide, non ? Vous en valez trois comme elle, nous ne le savons que trop ! ajouta-t-il en riant.

– Vous avez menacé Esmerée, vous lui avez dit que vous tueriez sa fille si je ne venais pas.

– Pas n'importe laquelle. Seulement la plus jeune, l'engeance de Tristan. »

Un air de jouissance passa rapidement sur son visage.

« Que vous importe si cette enfant meurt ? Une bâtarde de plus ou de moins, cela ne fait aucune différence.

– Vous êtes vous-même un bâtard, Segward.

– Je me suis trompé, vous en valez dix comme eux ! s'amusa-t-il. Vous m'avez étudié, n'est-ce pas ? Et vous m'avez fait surveiller depuis votre arrivée en Cornouailles. Je le savais. Je vous ai admirée. Nous sommes de la même race, vous et moi.

– Jamais !

– Mais si, dit-il en regagnant son banc. Vous êtes la seule qui s'oppose vraiment à moi. Et je dois dire que vous avez été parfois une ennemie redoutable. Moi aussi, j'ai passé des années au service d'un prince écervelé qui n'écoute les conseils que d'une oreille distraite. Je l'ai fait pour le pouvoir, je le reconnais. Mais vous, Branwen, pourquoi ?

– C'est pour le savoir que vous m'avez fait appeler ? Indiquez-moi ce que vous voulez, Segward, et restons-en là. J'ai froid et la pestilence de ce lieu me rend malade.

– Ce n'est pas très plaisant, je l'admets, mais vous avez connu pire, non?»

Branwen ne put s'empêcher de frémir au ton de sa voix.

«Vous avez tenu ce vieux bouc dans vos jolis bras blancs alors même qu'il revenait de beuverie, puant le chien et l'hydromel. Vous l'avez vu si soûl qu'il ne pouvait que tituber, vous l'avez vu vomir dans sa barbe. Il n'est pas votre époux et il ne le sera jamais, mais vous l'avez laissé jouir de votre corps, vous pénétrer comme une brebis en chaleur! Et vous n'avez jamais émis la moindre plainte.»

La gorge sèche, Branwen dut poser la main sur le mur pour se retenir de tomber.

«Je sais qui occupait le lit de Marc. Vous y étiez depuis le premier jour, et elle n'y est jamais entrée.

– Qui vous l'a dit? lui demanda-t-elle d'une voix rauque.

– Personne. Nul n'a de soupçons en dehors de moi. Je suis le seul à l'avoir déduit.

– Et comment?

– Grâce à une observation attentive de vous tous...»

Des gouttes de sueur se formaient sur le front de Branwen.

«Vous êtes très intelligent. Pour un bâtard.

– Oui, il le faut bien. Vous devriez le savoir.

– Qu'attendez-vous de moi? dit-elle en étreignant sa cape.

– En premier lieu, je désire savoir pourquoi vous acceptez depuis des années de servir cette catin royale.

– Il est inutile de l'insulter. Je ne la hais pas. Ce n'est pas sa faute si sa mère et non la mienne a épousé Perceval. Elle est peut-être irréfléchie, mais elle n'est pas méchante.

– Dans ce cas, persifla-t-il, c'est *vous* qui l'êtes. J'aurais dû le deviner. Voilà comment vous avez réussi à abuser Marc.

– Oui, mais c'est fini.

– Oh, non. La partie continue. Mais vous ne m'avez toujours pas expliqué pourquoi vous restez dans l'ombre de la reine alors que vous pourriez la chasser d'un mot et vous imposer enfin.

– Vraiment? fit-elle avec un sourire amer. Comme vous, Segward, j'ai désiré le pouvoir, et même vous ignorez combien j'en ai eu. En attendant que le sommeil vienne, il parlait avec moi, le saviez-vous? Il m'a fait part de ses projets, et je le conseillais. Il a suivi mes avis autant que les vôtres... parfois même plus. Et il ne s'est jamais rendu compte, quand il parlait à Iseut à la lumière du jour, qu'elle n'avait pas la moindre idée de ce qu'il lui disait. Seuls sa peau, ses yeux, ses cheveux le fascinaient.»

Le regard de Segward s'était fait glacial.

«Puisqu'elle se dressait sur votre route, pourquoi ne l'avez-vous pas détruite? Défigurée? Déshonorée? En disant la vérité à Marc.

— J'attendais... de lui donner un fils.

— Bien sûr.

— Et aujourd'hui... je sais que je n'aurai plus d'enfants, ajouta-t-elle d'une pauvre voix. Que ferait-il d'une bâtarde? S'il découvre la vérité, il nous tuera toutes les deux!

— Ainsi donc, lui suggéra Segward d'un ton mielleux, nous devons tout faire pour qu'il reste dans l'ignorance, c'est exact?

— Que voulez-vous?

— En échange de votre vie, ma petite princesse? Une chose d'importance, assurément.

— Je peux vous faire sortir d'ici.»

Il eut un sourire aimable.

«Je suis quasiment dehors. Esme – bénie soit son âme naïve et honorable! – a obtenu du tout aussi naïf et honorable roi de Lyonesse qu'il me ménage une audience avec Marc. Je compte bien en profiter pour recouvrer la liberté. Je songe à ce qu'un prêtre m'a lu un jour... la vengeance, une vie pour une autre vie.

— Œil pour œil, dent pour dent, c'est bien ça? Vous... vous voulez que je tue quelqu'un?»

Le sourire de Segward se changea en ricanement.

«Qui m'a empoisonné l'existence? Qui est le seul homme capable de chasser Marc de Cornouailles? Qui a été assez audacieux pour séduire Esmerée à mon insu et m'imposer son bâtard? Qui a échappé aux pièges que je lui tendais? cria-t-il presque. Qui a dressé Marc contre moi? Qui m'a jeté dans ce trou putride? Cet hypocrite, ce fornicateur! Qu'il soit maudit! Je n'aurai aucun repos tant que je n'aurai pas dansé sur sa tombe!»

Branwen se détourna. Elle regardait le mur sans le voir et des larmes coulaient sur ses joues pâles.

«Tristan, murmura-t-elle en refermant les doigts sur sa cape. Je suis prise au piège. Je le savais dès le début.»

Esmerée fit la révérence.

«Tristan, je suis votre obligée.»

Il fit signe à son chambellan de quitter la pièce et sourit à la jeune femme.

«Merci, Esme, d'être venue si promptement. Je savais que je pouvais compter sur vous.»

Il lui prit la main pour la porter à ses lèvres.

«Vous savez que Marc est ici, à Lyonesse? Qu'il vient ce soir à Lyon's Head?

— Tout le monde en parle au château.

— Les choses vont très vite et je n'aurai peut-être plus le temps de converser avec vous. Voilà pourquoi je vous ai envoyée chercher.

— Pernam raconte que les soldats veulent vous couronner Haut Roi à sa place, dit-elle, accrochée à sa main. Ils veulent aussi que vous le tuiez.

— Certains le souhaitent.

— Tristan...

— Non, Esme. Ce n'est pas la couronne de Marc que je veux, c'est sa femme. Quand il sera ici, nous verrons bien ce qu'il demande en échange.

— Vous croyez donc que Marc va *négocier*? fit-elle, les yeux emplis de larmes. Allons, Tristan, il veut vous châtier, rien de plus!

— Et récupérer son épouse.

— Non, seulement vous faire payer, murmura-t-elle. Il ne peut vouloir d'elle à présent.

— Oui, c'est ce que j'espère.»

Esmerée détourna la tête.

«Un rêve insensé. Mon pauvre ami, en échange d'Iseut, que croyez-vous pouvoir offrir à Marc qu'il ne puisse obtenir par la force? Oh, Tristan, enfuyez-vous alors qu'il est encore temps! Il ne vous laissera pas la vie!»

Tristan s'approcha du coffre où reposait son baudrier et il s'en ceignit.

«Si l'on en vient à la force, il n'est dans son armée aucun homme susceptible de me surpasser. Il devra me tuer s'il la veut.»

Esmerée sourit timidement alors que les larmes coulaient sur ses joues.

«Jeune insensé! Pour vous vaincre, il n'a qu'à placer une dague devant la gorge d'Iseut. Et il l'enfoncera si vous ne rampez pas à ses pieds en le suppliant de vous pardonner.

— C'est ce que vous voulez me voir faire?

— Non, bien sûr que non, dit-elle en fermant les yeux. Je ne vois pas de solution, Tristan. Il est votre suzerain, votre oncle et le Haut Roi de Bretagne. Vous ne pouvez le tuer et il ne peut vous laisser vivre. Vous devrez partir ou mourir.

336

– J'ai un plan, avoua-t-il dans un souffle. Voilà pourquoi j'ai besoin de vous. Allez trouver Dinadan et dites-lui de préparer le bateau. Ils n'attendent plus que mon ordre. Si besoin est, nous nous enfuirons d'ici ce soir même, Iseut, l'enfant et moi.

– Un bateau? Mais lequel?

– Je pensais que vous l'aviez remarqué. J'ai longé vos côtes tout l'été dernier. Il est plus rapide que tout ce que Marc peut mettre à la mer et il est prêt à assurer une traversée, en dernier ressort.

– Et vous confieriez Iseut et son enfant à une telle embarcation? s'étonna-t-elle.

– Oui. Si vous étiez marin, vous me comprendriez. Mais je n'ai plus le temps de voir Dinadan et ceci doit rester secret. J'ai passé une grande partie de la nuit à tout expliquer à Iseut. Elle est prête et notre fils le sera si besoin est. Demandez seulement à Dinadan de veiller aux ultimes préparatifs. Pouvez-vous le faire discrètement?

– Certainement. »

Elle prit le visage de Tristan dans ses mains et le regarda au fond des yeux.

« Quand vous m'avez signifié que vous n'auriez peut-être plus le temps de converser avec moi, vous vouliez dire... à tout jamais?

– Oui. Oh, adorable Esmerée, ajouta-t-il en la prenant dans ses bras, vous savez la place que vous occupez dans mon cœur et que vous occuperez toujours. Si je pars... avant que je parte, je vous débarrasserai de votre mari. Mon scribe a préparé un document qui vous accorde toutes ses terres. Il est entre les mains de Pernam. Si je pars, je m'assurerai que Marc s'engage à tout vous donner. Vos filles et vous-même aurez un endroit où vivre. J'ai remis de l'or à Pernam pour constituer leurs dots. Elles sont petites-filles de roi, après tout. »

Esmerée enfouit son visage dans sa tunique afin de réprimer ses sanglots. Il lui effleura les cheveux.

« Je voudrais vous demander un autre service.

– Tout ce que vous voudrez.

– Prenez soin d'Iseut. Depuis sa rupture avec Branwen, elle n'a auprès d'elle que des servantes, et aucune d'elles n'est sa confidente. Elle a peur, Esme. Demeurez auprès d'elle jusqu'à ce que tout soit réglé. Apaisez-la de votre mieux. »

Esmerée se détacha de lui et approcha son visage du sien.

« Je la réconforterai comme si elle était ma sœur. Oh, Tristan, mon tendre ami, dit-elle en le baisant sur les lèvres. Mes prières vous accompagneront toujours, aimable Orphée. Arrachez-la à l'enfer si vous en avez le pouvoir. Je vous souhaite à tous deux un monde meilleur. »

Au crépuscule, des serviteurs sortirent de Lyon's Head pour allumer les torches disposées tout au long de la chaussée reliant l'île-forteresse aux falaises de Lyonesse. De la fenêtre de sa chambre, Branwen regardait les armées assemblées. La masse sombre des soldats et des bêtes frémissait comme un être vivant hérissé de bannières et de lances. Elle ferma les yeux pour chasser cette image. Tous ces hommes, là, pour Tristan. Grâce à l'étroitesse de la chaussée, ils ne viendraient à lui que l'un après l'autre, mais le contraire était vrai aussi : il ne pourrait les attaquer qu'un à la fois.

Elle alluma le chandelier placé sur la table. Puis elle prit son souffle et s'approcha d'un coffre posé à terre dans un coin de la pièce. Elle en souleva le couvercle. Tout au fond, sous une pile de vêtements bien pliés, elle trouva une petite boîte incrustée de nacre. Elle en sortit trois sachets de toile, un noir, un vert et un écarlate. Une voix lui murmura à l'oreille : *Uses-en avec discernement. Si tu es aussi sage que je le crois, alors tu vivras l'avenir que tu te seras choisi.* Segward. Marc. Esmerée. Tristan et Iseut. Elle ferma les yeux et expira lentement. Deux grosses larmes jaillirent de ses paupières et séchèrent sur ses joues amaigries. Alors elle rouvrit les yeux et glissa l'un des sachets dans son corsage.

Une sonnerie de cor retentit au portail. Le roi Marc et douze de ses compagnons se détachèrent du gros des hommes pour s'arrêter devant les épées dressées des sentinelles de Tristan. Ils mirent pied à terre. Sire Grayell donna un ordre et les hautes portes de Lyon's Head s'ouvrirent. Marc dévisagea les gardes, mais aucun ne le regarda ni ne le salua. Il leva la main et ses compagnons le suivirent sur la chaussée, l'un derrière l'autre, jusqu'à l'île accueillant la forteresse de Lyon's Head. Des soldats les entourèrent et, les éclairant de leurs torches, les menèrent aux portes mêmes du château de Tristan.

Une fois à l'intérieur, le sénéchal les fit entrer dans la grande salle éclairée de plus de cent flambeaux. La foule s'écarta au passage de Marc. Quelques soldats s'inclinèrent, certains se contentèrent de lui adresser un signe de reconnaissance. La plupart étaient impassibles. La tête haute, les traits tendus, Marc s'avança vers l'estrade où l'attendait Tristan.

Simplement vêtu d'un habit sombre et de bottes, ne portant

d'autre ornement que la mince couronne de Lyonesse et pour unique arme l'épée de son père, Tristan lui rappelait tant Méliodas que le Haut Roi ralentit sans même s'en apercevoir. Tristan descendit de l'estrade et, sous les regards de tous, mit un genou en terre devant son oncle.

«Soyez le bienvenu à Lyonesse, seigneur.»

Marc contempla longuement sa chevelure sombre.

«Je t'ai banni, Tristan. Toi et ce vieux bouc de Guvranyl. Que fais-tu ici?

— Vous ne pouvez me chasser de Lyonesse, dit Tristan en se relevant. Il n'est pas de votre ressort de donner ou reprendre ce royaume car je le tiens de mon père.

— Je suis ton roi, ricana Marc, mais peut-être as-tu oublié le serment que tu m'as prêté?

— Je ne l'ai pas oublié. Je vous dois obéissance.

— Sage garçon… Mais tu n'as pas assez d'hommes pour me défier.

— J'en ai plus que vous ne croyez, répondit calmement Tristan, et certains marchent à cette heure sous votre bannière. Réfléchissez-y par deux fois, mon oncle, avant de tenter de me déposséder de mes droits.

— Que fais-tu, terré à Lyonesse avec mon épouse et mon fils? Pourquoi m'as-tu provoqué?

— Je veux que justice soit rendue.

— Justice, ah!»

Marc vit les visages hostiles qui l'entouraient. Il lança un regard aux douze compagnons placés derrière lui.

«Justice pour qui? Qui a été injustement traité si ce n'est moi?»

Le visage de Tristan se fit brusquement si dur que Marc hésita, mais c'est d'une voix très douce qu'il lui répondit.

«La reine Iseut.»

Marc se cabra. Pour la première fois, il remarqua le petit groupe de femmes. Iseut se tenait près de l'estrade, les mains posées sur le ventre. La couleur de sa robe accentuait celle de ses yeux, ses cheveux tressés entouraient son visage et un bandeau d'argent lui ceignait le front. Elle le regarda, parfaitement immobile, mais il eut l'impression d'un tourbillon de sentiments exacerbés, tranchants comme des lames.

«Je ne suis pas venu ici pour parler de femmes, gronda Marc.

— Dans ce cas, répliqua Tristan, il n'y a pas de litige entre nous. Rendez officiellement sa liberté à la reine et je me soumettrai à votre commandement.

– Tu dois t'y soumettre quoi qu'il advienne! Je suis ton roi! Cette femme est toujours ma reine et je n'ai pas l'intention de l'écarter, mais je veux qu'elle quitte cette salle tant que je discute avec toi.»

Tristan fit signe à Iseut, qui vint se placer à ses côtés.

«C'est pourtant d'elle qu'il nous faut parler. Comprenez-moi, Marc, je ne l'ai pas fait venir de Tintagel pour vous défier, vous dépouiller de votre pouvoir ou déclencher un conflit…

– Comme si j'allais me battre pour une femme!

– Je l'ai amenée ici pour qu'elle soit en sécurité. Pour la protéger. De vous.»

Marc émit un rire pareil à un aboiement.

«Des paroles fausses pour un cœur tout aussi faux! Elle n'a rien à craindre de moi, je le lui ai déjà dit. Avoue plutôt que c'est *toi* qui ne peux la laisser seule. Rends-la-moi, rends-moi mon fils et prouve-moi que tu ne convoites pas ma couronne.»

Tristan porta la main à la poignée de son épée, mais Iseut lui effleura le bras et il s'arrêta.

«Tu me menaces de ton épée, c'est bien cela? s'écria Marc. Segward avait finalement raison, quand il parlait de toi, Tristan de Lyonesse! Du fond de ton âme, tu n'es qu'un traître!»

Il rejeta les pans de sa cape écarlate et tendit les bras.

«Tu vois? Je n'ai pas d'épée ni de dague. Le Haut Roi de Bretagne se présente nu en ton bastion.

– Vous n'avez rien à craindre de moi, je ne désire pas la guerre.

– Tu enlèves mon héritier, tu me voles ma femme, tu dresses la moitié de mes hommes contre moi, et je dois croire que tu ne veux pas la guerre? Dans ce cas, fit-il en désignant les soldats innombrables, que font-ils ici? Je les connais tous. Ils me servaient jadis. Tu es bien comme ton père, tu n'en as jamais assez!

– Je vous assure que je ne veux pas vous affronter. Je ne convoite pas vos terres ni la couronne de Bretagne. Ces soldats vous effraient? Je vais les renvoyer. Je n'attends qu'une seule chose de votre part, Marc…

– Oui, Segward m'avait prévenu, tu veux jouir du droit qui te revient!»

Le silence s'abattit sur la salle. Le visage de Marc s'empourpra quand il se rendit compte de ce qu'il venait de dire.

«Ainsi vous le reconnaissez. Vous admettez que vous m'avez privé de mes droits en vous emparant de la couronne de mon père.»

Marc semblait pris au piège et regardait de tous côtés.

«Je ne reconnais rien. Un roi agit par nécessité.

— Dans ce cas, moi aussi, j'agirai par nécessité, déclara Tristan d'un ton ferme. Je ne rendrai ni la reine ni son fils. Vous les mettiez en danger et je les ai sauvés, il me revient à présent de les protéger.»

Une voix s'éleva derrière Marc.

«Non, mon fils, c'est à moi d'en prendre soin.»

Un des compagnons de Marc s'avança et abandonna sa cape. Iseut poussa un cri et tomba à genoux.

«Père!

— Voilà donc celui que vous attendiez, dit Tristan dans un souffle. Perceval!»

29

LE SAUT DANS LE VIDE

«Je crois, dit calmement Perceval de Gwynedd, qu'il vaudrait mieux faire évacuer la salle.»

Tristan hocha la tête et donna un ordre. À contrecœur, les hommes se retirèrent à l'exception d'une poignée: Guvranyl, Dinadan, Pernam, le sénéchal Loholt, Grayell et deux de ses lieutenants, ainsi que ceux qui étaient arrivés avec Marc. Quelques servantes se pressaient devant la porte.

«Seigneurs, l'heure est venue de discuter.»

Perceval tira une chaise de l'estrade, la posa sur le sol et fit asseoir Iseut.

«Ne parlons ni de bannissement ni de trahison. Nous sommes tous des hommes honorables. Abordons ce sujet avec calme et bienséance. Vous avez dit, seigneur, fit-il, tourné vers Tristan, que vous ne désiriez qu'une seule chose de la part de Marc. Quelle est-elle?

– Seigneur...

– Eh bien?»

Tristan tendit les mains d'un air implorant.

«Vous est-il vraiment nécessaire de me le demander? Je veux votre fille.

– Par tous les...», commença Marc, rouge de colère.

Perceval leva la main et lui imposa le silence.

«Vous voulez ma fille, Iseut? Épouse de Marc et Haute Reine

de Bretagne ? De quel droit pouvez-vous exiger pareille chose ? Ou souhaitez-vous la prendre sans le consentement de son mari ?

– Elle est la fille de votre royale maison, seigneur, ce n'est ni une voleuse ni une traîtresse, et pourtant il la traite comme... il la traite comme il ne traiterait pas ses chiens ! Il l'a humiliée publiquement, lui qui devrait tenir son honneur en haute estime. »

Le visage de Perceval s'était assombri.

« J'ai entendu dire que vous niez convoiter sa couronne. Vous devez pourtant savoir que le mariage de Marc avec Iseut lui a valu l'alliance avec Galles. S'il vous abandonnait ma fille, qu'adviendrait-il de cette alliance selon vous ? Qui serait Haut Roi de Bretagne ? »

Tristan était blême, mais il parla avec sincérité.

« Seigneur, qu'il garde sa couronne. Qu'il épouse une fille de Strathclyde, de Lothian ou d'Elmet. Qu'il forme l'alliance qu'il voudra. Je vous dirai la vérité : je ne veux pas être Haut Roi.

– Malgré tout, vous voudriez épouser la Haute Reine. Cela ferait de vous le rival de Marc. Il devrait vous tuer, à moins que ce ne soit le contraire, pour que la paix revienne en ce pays. La Bretagne serait écartelée. Est-ce ce que vous souhaitez ?

– Bien sûr que non. Elle ne le sera pas si Galles... si vous vous alliez avec Marc pour le bien du royaume. Rien ne changera.

– Ah, dit doucement Perceval en se tournant vers sa fille, elle accepte donc d'abandonner son fils ? »

Iseut adressa un regard désespéré à Tristan, dont le visage était blanc comme neige et les yeux exorbités. Perceval poursuivit sans hausser le ton.

« Pourquoi me croyez-vous allié à Marc ? Pourquoi croyez-vous que Powys, Dyfed, Northgallis et Guent marchent derrière moi ? Ils n'ont aucun amour pour Marc. Ils vivent pour le jour où mon petit-fils, un enfant de Gwynedd, deviendra Haut Roi de Bretagne. Il est l'héritage que je laisse après moi. Enlevez-moi ça, et je suis votre ennemi juré, pas votre allié. »

Tristan passa une langue sèche sur ses lèvres.

« Je ne suis pas ambitieux, seigneur Perceval, demandez à quiconque me connaît. Je ne désire pas amoindrir Marc. Que votre petit-fils soit Haut Roi. Que Marc règne jusqu'à son dernier jour. Mais que sa mère élève ce garçon et qu'elle vive avec moi. Je l'aime plus que ma vie, seigneur, dit-il en regardant Perceval droit dans les yeux. Voilà ce qui me pousse, et non pas l'ambition.

– Je le savais ! hurla Marc, le poing dressé. Je l'ai toujours su ! »

Perceval le toisa et effleura de la main la chevelure d'Iseut.

«Ma fille m'est précieuse, mais elle a accepté Marc, sans condition, et un époux peut traiter sa femme comme bon lui semble. Je ne puis accéder à votre demande, Tristan, quoi que je la comprenne. Je...

— Seigneur! s'écria Tristan. Il lui a fait passer l'épreuve du feu, il l'a soumise au jugement de Dieu! Au solstice d'hiver! Publiquement!

— Il a fait *quoi*? s'étrangla Perceval.

— L'ignoriez-vous? Marc ne vous a donc pas prévenu quand il vous a demandé de marcher contre moi? S'est-il contenté de mensonges à propos de ma vilenie en se gardant bien de révéler *ça*? Voilà pourquoi je l'ai arrachée à Tintagel!»

Glacial, Perceval se tourna vers sa fille.

«Iseut, est-ce exact?

— Oui, dit-elle calmement en regardant Marc. C'est la vérité. Il a lui-même tenu ma main dans les flammes jusqu'à ce que ma chair crépite. Jusqu'à ce que l'évêque verse des larmes.»

Perceval lui prit les mains et les exposa en pleine lumière.

«Mais elles sont parfaites. Intactes. Sans la moindre marque.

— Je le dois à Branny, père. Elle m'a donné un baume protecteur quand elle a découvert ce que cette brute vicieuse voulait me faire subir.

— Branwen! s'exclama Perceval dont le visage reprenait des couleurs.

— Quel tour habile! glapit Marc. L'épreuve n'a aucune valeur, elle a triché!

— Silence! rugit Perceval en abandonnant les mains de sa fille pour se tourner brusquement vers Marc. Comment osez-vous traiter ma fille? J'ai tué des hommes pour moins que ça et vous avez fait de même. C'est donc *ainsi* que le Haut Roi de Bretagne se conduit envers sa reine? Vous l'avez soumise au feu? Vous lui avez fait passer *une épreuve*?

— Elle n'est pas brûlée, rétorqua Marc. Elle m'a abusé. Elle me ment depuis des mois. Il n'y a que fourberie en elle, seigneur! Tout ce que j'attendais d'elle, c'était la vérité!»

Iseut baissa la tête et se mit à pleurer. Tristan s'approcha pour lui prendre les mains, et elle dissimula son visage dans sa tunique.

«Regardez-les! cria Marc en les montrant du doigt. S'ils ne sont pas amants, alors je suis roi de Rome!»

Perceval les considéra à son tour.

«Iseut, ma fille», dit-il d'une voix douce.

Elle releva la tête, les yeux inondés de larmes.

«Je l'aime, père, je l'aime plus que ma vie!

— Je vous l'avais dit! Je vous l'avais dit! cracha Marc hors de lui. Votre catin de fille m'a fait cocu!»

Perceval porta la main à son épée et s'arrêta à temps. Il frémissait de colère.

«Tenez votre langue, le Cornique! Mes hommes se dressent entre vous et la Bretagne. Si je joins mes forces à Tristan, vous serez pris au piège. Alors, cessez vos grossièretés envers ma fille. Sans moi, vous n'êtes qu'un prince de Cornouailles.

— Mais... ils nous abusent depuis le début... votre fille et mon neveu. Segward le savait, il m'a prévenu un millier de fois. Ah, où est-il, ce gros paysan, maintenant que j'ai besoin de lui? Il les a fait surveiller, il pourra vous le dire!»

Perceval hésita et regarda successivement Tristan, Marc et Iseut.

«Où est sire Segward?

— À cette minute même, dans mes cachots, répondit Tristan. C'est de lui que vient l'idée de brûler vive la reine devant ses sujets. Quand elle a déjoué son plan et défié les flammes, Marc l'a banni à Lyonesse et je l'ai fait emprisonner. Je vais le faire chercher si vous le voulez, mais ne vous attendez pas à entendre la vérité de sa bouche. Ce n'est pas pour rien qu'on l'appelle le Serpent!»

Perceval avait du mal à réprimer ses tremblements.

«J'écouterai néanmoins ce qu'il a à dire.»

Tristan hocha la tête et sire Grayell fit signe à l'un de ses lieutenants, qui quitta la salle au moment même où entraient des serviteurs porteurs de boissons.

«Père, murmura Iseut sans lâcher la main de Tristan, je ne suis pas adultère! Segward le Serpent vous le dira, mais ce n'est pas vrai. Un tel péché ne m'a pas souillée.

— Je suis conscient des mobiles de Segward, comme je le suis des vôtres, dit Perceval, l'air grave. Je l'entendrai d'abord, puis je vous entendrai ensuite.»

Peu après, les gardes revinrent et Segward s'inclina avant même de pénétrer dans la salle.

«Mes seigneurs! Quelle noble réunion je vois là!»

Ses lèvres ébauchèrent un sourire, mais son regard ne perdit rien de sa vigilance.

«Sire Perceval, je suis honoré de me trouver à nouveau en votre présence et j'espère que votre voyage s'est déroulé sans encombre. Sire Marc.»

Il s'agenouilla avec difficulté, prit la main du roi et la baisa.

«Cela fait si longtemps, mon bon seigneur, que nous sommes séparés. Ah, votre neveu est si impitoyable! Ce long hiver au cachot m'a gelé les articulations et je peux à peine bouger. Et chaque soir je me demande, en cherchant le sommeil, ce que j'ai fait pour offenser le bon sire Tristan. Peut-être ai-je tenu enfermée mon épouse, c'est cela?»

Tristan ne répondit pas et observa Perceval.

«Parlez, fit Marc en le relevant, dites-lui tout ce que vous savez à propos de Tristan et de ma reine.

— Oh, non, seigneur, fit Segward d'un ton mielleux. Pas maintenant, cela prendrait plus d'une nuit pour tout vous relater. Et puis, ils sont ici, et tous deux rougiraient d'entendre révéler à tous ce secret qui les unit depuis si longtemps.

— Je crains qu'il ne faille l'entendre, ordonna Perceval, si vous parvenez à vous contraindre à la brièveté.

— Oh, sire, dit Segward en s'inclinant devant lui, j'ai peur que l'histoire de Tristan et Iseut ne s'y prête guère, mais puisque vous le souhaitez, je vais commencer.»

Une servante encapuchonnée s'avança entre eux avec un plateau chargé de six coupes de vin. Le regard brouillé, Iseut la renvoya, mais Tristan prit les deux coupes les plus proches de lui et en tendit une à Iseut. Elle l'accepta docilement. Perceval regarda la servante avec ennui puis il se figea. Deux yeux couleur noisette le scrutaient intensément. D'un regard discret, elle lui indiqua une coupe en or. Il la prit. Elle eut un léger mouvement du menton avant de se détourner. Marc saisit la coupe voisine sans quitter Tristan des yeux. Il restait deux coupes sur le plateau quand la femme s'approcha de Segward. L'une était de corne sculptée, l'autre en argent battu. Segward aperçut le visage dissimulé sous le capuchon et leva les sourcils.

«J'apprécie votre esprit, dit-il si doucement que personne d'autre ne l'entendit. Mais il faudra vous lever de bonne heure pour m'avoir. Je suppose que celle en argent m'est destinée?

— Comme il vous plaira, seigneur, fit-elle en baissant les yeux.

— Et pour qui est l'autre?

— Pour moi, seigneur. J'y ai droit.»

Segward sourit et saisit la coupe en corne.

«Eh bien, prenez-la.»

La main tremblante de la femme se referma sur la coupe en argent et Segward sourit.

«Buvons à l'avenir de la Bretagne! lança Perceval.

– À la Bretagne!» répondirent Marc et Tristan avant de boire.

Segward hésita et regarda Tristan. Il plissa les yeux, fit la moue, frissonna et contempla sa coupe d'un air consterné. Segward leva sa coupe devant la femme encapuchonnée et but d'une traite.

«Ce vin a un goût, dit Tristan en retirant la coupe des mains d'Iseut. N'y touchez pas.

– Le mien est très bien, dit Marc.

– Le mien aussi, ajouta Perceval. Mais qu'a donc Segward?»

Chacun se retourna. Segward titubait, la main à la gorge, les yeux révulsés. Il s'étouffa et tomba à terre. Ses membres furent pris de convulsions et ses talons frappèrent les dalles. De l'écume se formait sur ses lèvres tandis qu'il lançait des regards affolés à la femme et à la coupe d'argent.

«Catin!» croassa-t-il.

L'urine se répandit en flaque entre ses chausses et Segward s'immobilisa.

«Seigneur! s'écria Marc. Que se passe-t-il?

– Il est mort», dit gravement Tristan.

Chacun se précipita pour voir. Quelqu'un appela le médecin, un autre demanda une litière et de l'eau, un autre encore les gardes. Dans la confusion, la servante au capuchon s'était retirée. Les femmes fendirent alors la masse des curieux, conduites par Esmerée.

«Il me revient de m'en occuper, dit-elle, les yeux secs. Déposez-le sur la litière et suivez-moi. Je vais le préparer.»

Les gardes obéirent et, bientôt, la salle se vida pour la seconde fois.

«Que lui est-il arrivé? demanda Marc, l'œil rivé sur le sol souillé. Je ne lui ai jamais connu de crise. L'a-t-on empoisonné? Où est la servante qui a apporté le vin?»

Tel un somnambule, Perceval s'avança, ramassa la coupe en corne et la sentit.

«Il n'y a rien là que de la lie et l'odeur en est normale. C'est lui-même qui a choisi, Marc. Je l'ai vu. Cette servante ne l'a pas empoisonné. L'insalubrité des cachots a dû l'emporter.

– Oui, dit Tristan avec froideur, ils sont très humides. Quel dommage.»

Marc lui décocha un regard furieux.

«Il y a passé tout l'hiver, mais il n'est tombé malade qu'au moment de révéler ce qu'il savait sur *toi*! L'humidité, ah! Tu l'as tué!

– Ah oui? Comment?

— Cette fille… il y avait en elle quelque chose de familier. Elle… elle a agi pour ton compte !

— Si j'avais voulu tuer Segward, répliqua Tristan sans se départir de calme, j'aurais pu le faire à tout moment pendant l'hiver. Personne ne l'aurait regretté, pas même vous.

— Il connaissait la vérité ! cria Marc. Tu as couché avec ma femme derrière mon dos !»

Il serra les poings. Sire Bruenor dut poser la main sur son bras pour l'apaiser, mais l'autre le repoussa.

«C'était ton dessein depuis le début, je le comprends aujourd'hui ! Trop lâche pour me défier ouvertement et me prendre ma couronne, tu te vautres dans la luxure avec ma reine, cette catin hypocrite, tu plantes ta semence dans *mon* jardin et c'est à *moi* que tu imposes ton bâtard…»

La main de Perceval se referma sur la poignée de son épée alors même que Tristan tirait la sienne du fourreau. Marc s'arrêta au milieu de sa phrase quand Tristan lui mit la pointe de son arme sous la gorge. Le bruissement du métal retentit dans la grande salle quand dix épées furent brandies au service de Marc et que sire Grayell et ses hommes firent de même pour celui de Tristan.

«Ne parlez plus ainsi de la reine, dit Tristan d'une voix vibrante de colère. Si la moindre insulte franchit encore vos lèvres, mon oncle, je vous tuerai sans un regret. M'avez-vous entendu ?»

Marc chercha du regard ses compagnons.

«Voici donc comment tu traites le Haut Roi de Bretagne. Ah ! Dire que je suis arrivé sans arme dans ton château pour jouir de ton hospitalité. J'aurais dû me douter qu'un fils de Méliodas songerait plus à une femme qu'à son honneur.»

En entendant le nom de son père, Tristan enfonça davantage la pointe de son épée dans la gorge de Marc.

«Vous vous engagez sur un terrain dangereux, mon oncle. Ils sont nombreux en cette salle à savoir pourquoi mon père est mort !

— Mensonges ! Calomnies ! hurla Marc, rouge de fureur. J'étais couché avec les fièvres quand les Gaëls l'ont attaqué. Ne me rends pas responsable de sa mort ! Et veille à ton honneur, Tristan, avant de souiller le mien !»

Tristan éloigna son épée, mais Marc se pencha vivement pour porter la main à sa botte. Iseut poussa un cri. Quand la main resurgit, Tristan bloqua la dague de la poignée de son épée.

«Prends ça ! beugla Marc en le frappant à nouveau. Immonde traître !»

Tout le monde criait. Les lames flamboyaient. Perceval cherchait désespérément à s'interposer entre les deux groupes de guerriers. Soudain, une torche apparut qui aveugla les combattants. Chacun recula d'un pas.

«Seigneurs, dit Pernam d'un air grave, il ne s'agit pas d'une lutte entre deux champions. Rangez vos armes.

— Vous l'avez entendu! Il m'a trahi!

— Oui, et je vous ai également entendu, mon frère, quand vous avez avoué le traitement infligé à la femme qui vous a apporté votre royaume.

— Tristan! gémit Iseut. Tristan est blessé!»

Toutes les têtes se tournèrent. Une dague était plantée dans le bras de Tristan. Iseut tendit la main vers la garde, mais il l'en empêcha.

«Ce n'est rien, mon cœur, à peine une égratignure. Pernam s'en occupera, une telle blessure, c'est un jeu d'enfant pour lui.»

Pernam déchira un morceau d'étoffe de ses propres habits et banda le bras de Tristan tandis qu'il arrachait la dague de sa propre main. Le manche d'émail noir était incrusté d'un sanglier d'argent.

«Je connais cette dague, dit Pernam en regardant Marc. Elle est à vous, mon frère, ne le niez pas.

— Je ne vois pas pourquoi je le ferais. Il m'a agressé, il a pointé son épée sous ma gorge! Après que je lui ai montré que j'étais désarmé. C'est un traître, à moi-même, à la Bretagne, il mérite une mort lente et cruelle!

— Désarmé, dites-vous?

— Il ignorait que j'avais cette dague, et pourtant il m'a attaqué!

— Peut-être, répondit doucement Pernam, vous connaît-il assez bien pour ne pas vous faire confiance. Mais assez discuté pour ce soir. Allons nous reposer et apaiser nos esprits. J'ai le sentiment que la situation sera plus claire demain matin.»

Il rendit sa dague à Marc.

«Dois-je appeler des porteurs de torches pour qu'ils éclairent votre chemin?

— Inutile, fit Marc en maugréant. Nous ne quitterons pas la forteresse. Nous dormirons à Lyon's Head et j'aurai ma femme auprès de moi!

— Jamais! s'écria Iseut avec un mouvement de recul. Père, ne le laissez pas me toucher! Vous avez vu quel genre d'homme il est. Il aurait tué son propre parent parce qu'il voulait me protéger. Tristan ne l'a pas attaqué. Voyez-vous une marque sur le roi, une seule goutte de sang ? Mais là, fit-elle en désignant la manche souillée de Tristan, voyez comment mon seigneur saigne de sa blessure ! Je jure devant Dieu que je me jetterai du haut de la tour avant de consentir à demeurer seule avec Marc ! »

Perceval toisa Marc.

« Tant que je ne saurai pas la vérité, nul ne dormira avec la reine. »

Il posa un regard sombre sur l'oncle et le neveu.

« Ni Tristan ni Marc. Jurez-le. »

Marc ne décolérait pas.

« Vous ne pouvez vous fier à sa parole ! Il n'a aucun honneur ! Il vendrait son âme pour une nuit dans ses bras !

– Dans ce cas, je placerai l'un de mes hommes devant la porte de ma fille et un autre devant celle de Tristan. Et vous ferez de même. Au matin, nous nous réunirons, sans armes, et nous mettrons au jour la vérité. Si nous pouvons nous comporter comme des êtres civilisés », ajouta-t-il en regardant d'un air dubitatif les visages courroucés qui l'entouraient.

Les nuages masquaient les étoiles et la lune était invisible. La mer frappait sans relâche les rochers et la grande forteresse se dressait dans la pénombre. Les soldats qui somnolaient sur les remparts sentaient plus sa présence qu'ils ne la voyaient. Bien au-dessus de leurs têtes, plaquée contre la paroi froide et hostile, une forme humaine avançait doucement.

Tristan n'osait pas regarder en bas. Il ne songeait qu'à trouver une anfractuosité où glisser sa main ou son pied, une pierre sur laquelle reposer son genou. Il reconnaissait la folie de sa tentative. Personne n'aurait risqué cette escalade de jour, encore moins de nuit. Mais il savait aussi qu'il ne connaîtrait plus jamais la paix de l'esprit s'il ne parvenait pas à sa fenêtre.

Iseut était agenouillée au bord de son lit, les mains jointes. S'il ne venait pas, elle périrait ou perdrait l'esprit. À quoi ressemblait la mort ? Fallait-il donc la craindre ? Peut-être n'était-ce qu'une grande aile noire qui emportait l'âme vers la mer, aussi légère que la plume d'un ange. S'il ne venait pas, elle pleurerait jusqu'à ce que toutes les pierres s'effondrent dans la mer, que les étoiles s'éteignent, que la terre ouvre ses bras et que la Grande Déesse l'emporte.

L'enfant qu'elle portait lui donna un coup de pied et une larme coula sur la joue pâle d'Iseut. Elle ne pouvait souhaiter mourir sans vouloir aussi sa mort à lui, ce pauvre enfant de Tristan qui ne verrait jamais la lumière du jour. Branwen avait raison. Elle était égoïste et ne pensait qu'à elle. Il lui faudrait attendre de pouvoir confier le jeune prince à d'autres mains. Alors seulement serait-elle capable d'envisager la mort si Tristan n'était pas auprès d'elle, qu'il fût exilé ou trépassé. Elle frissonna à cette idée et se demanda si elle pourrait retrouver la servante qui avait empoisonné Segward. Ah, si seulement cette fille stupide avait tendu la coupe à Marc!

Elle se redressa et tendit l'oreille. Pendant des heures, ç'avait été le silence absolu d'une nuit sans lune, mais là... n'était-ce pas une botte sur la pierre? N'était-ce pas une respiration? Elle se tourna vers la fenêtre. Quelque chose se mouvait dans l'obscurité. Elle tendit la main et des bras puissants l'attirèrent.

«Tristan!»

Il posa un doigt sur ses lèvres.

«Chut, mon amour. C'est la mort si l'on nous surprend.

– Vous êtes pourtant venu me trouver!

– Je n'avais pas le choix, fit-il en riant.

– Je ne l'ai pas non plus. Je me languis tant de vous!»

Elle avait ôté sa chemise de nuit et son corps charmant resplendissait dans la nuit comme s'il avait absorbé toute la lumière pour illuminer de l'intérieur ses seins, ses hanches, ses cuisses. Elle s'agenouilla sur le vieux lit, bras tendus.

«Venez à moi, Tristan.»

La férocité de son désir effrayait Tristan et il faisait de son mieux pour caresser ses bras, ses épaules avec la plus extrême délicatesse. Mais elle l'étreignit soudain et colla sa bouche contre son oreille.

«Je suis la reine d'un orage de feu, murmura-t-elle, et ce soir nous brûlerons tous deux, mais nul ne nous entendra...»

«Comment se fait-il que vous sachiez toujours ce que je pense? fit-il à voix basse alors qu'ils attendaient, enlacés, que leur respiration s'apaise.

– Parce que je *suis* vous, dit-elle en rejetant une mèche de cheveux. Et vous êtes moi. C'est une réalité que vous connaissez fort bien quand nous sommes unis.»

Il l'embrassa longuement.

«Tristan, hésita-t-elle, ressentez-vous la même chose que moi?

– Que notre destin nous attend? Oui.

– Allons-nous mourir au matin?»

Sa main quitta son sein pour son ventre et elle y demeura.

«Vous ne pouvez pas mourir, vous avez un enfant à protéger.

– Si je ne le puis, alors vous ne le pouvez pas non plus, Tristan.»

351

Elle s'appuya sur un coude et s'efforça de le voir dans la pénombre.

«Si nous... si nous sommes séparés... si l'on nous y oblige, tant que l'un de nous vivra, l'autre devra vivre également. Car, tant que nous sommes tous deux vivants, subsiste l'espoir qu'un jour...

— Oui, un jour...

— Tristan, si mon père se range aux côtés de Marc... je ne pourrai résister. Que ferons-nous alors?

— Nous nous enfuirons en bateau.»

Les larmes de la jeune femme coulèrent sur l'épaule de Tristan alors même qu'elle s'efforçait de les retenir.

«Ils nous poursuivront pour reprendre le petit Tristan. Jusqu'à ce que je leur dise la vérité. Oh, Tristan! Les paroles de Marc m'ont planté une dague dans le cœur. Il est vrai que j'ai menti à maintes reprises chaque fois qu'il exigeait de moi la vérité.

— Si Marc la découvre, il tuera l'enfant.

— Pas tant que mon père est là. C'est tout de même son petit-fils. S'il le savait, il pourrait s'allier à vous et non plus à Marc. J'y ai songé toute la nuit.»

Tristan ne dit rien et se contenta de lui caresser les cheveux.

«Et Branwen? Elle a risqué la mort pour protéger notre secret.

— C'était un accident, elle n'avait pas l'intention de faire une fausse couche.

— Non, mon cœur, je ne parle pas de ça. Je veux dire qu'elle a empoisonné Segward pour l'empêcher de parler.

— Branwen?» s'écria-t-elle.

Tristan plaqua une main sur sa bouche et ils demeurèrent un instant immobiles, guettant le moindre bruit. Puis il ôta sa main.

«Oui, c'est Branwen qui lui a servi le vin. Perceval l'a reconnue, moi aussi. Segward aussi, c'est pourquoi je ne vous ai pas laissée boire.

— Je ne comprends pas.

— Vous vous rappelez ce qu'elle a dit? Votre mère lui a donné les moyens de me tuer. Et il faut qu'elle obéisse pour rejeter la malédiction des druides. À moins de l'épouser, à quoi pourrais-je lui servir? C'est pourquoi j'ai pensé qu'il pouvait y avoir autre chose que du vin dans votre coupe. La mienne avait un goût étrange, fit-il en fronçant le nez, mais ce devait être un effet de mon imagination puisque je n'ai ressenti aucun mal.»

Il réfléchit un instant.

«À moins que Branwen n'ait délibérément rendu mon vin amer

pour que Segward croie que c'est *moi* qu'elle empoisonnait et non lui.

— Père a dit que le vin n'y était pour rien et qu'il avait choisi lui-même sa coupe.

— Votre père protégeait Branwen. Segward avait trouvé en elle son égale, mais elle l'a finalement surpassé. Elle savait quelle coupe il prendrait, à moins qu'elle n'ait empoisonné les deux.»

Iseut frissonna et Tristan l'embrassa. Il s'étonna de constater que les contours de son visage lui apparaissaient.

«Mon amour, l'aube va poindre. Je dois m'en aller.

— Comment va votre bras? dit-elle d'une voix qui s'efforçait d'être calme. Vous fait-il souffrir?

— Jusqu'à ce que vous me le demandiez, je n'y pensais même plus, répondit-il avec un sourire. Pernam est venu dans ma chambre et il m'a appliqué un baume. C'est assez sensible mais cela guérira. Si je ne m'étais tourné, il m'aurait frappé à la poitrine.»

Des larmes coulèrent sur ses joues.

«Il n'est pas digne d'essuyer vos bottes.

— Il est le Haut Roi de Bretagne et son millier d'hommes en atteste. Quant à nous, nous n'en avons que... cinq, six cents?

— Les siens ne sont pas tous loyaux, vous l'avez dit vous-même.»

Des lèvres, Tristan lui effleura les cheveux.

«J'ai menti.

— Oh, Tristan!»

Il quitta le lit et se vêtit. Iseut se couvrait la bouche à deux mains pour s'empêcher de sangloter. La nuit s'éloignait et, peu à peu, les objets de la chambre prenaient forme dans la lumière grise.

«Tristan, vous saignez!

— Peu importe, mon bras me servira encore.»

Elle s'arracha du lit pour se jeter contre lui.

«Je ne vous reverrai plus! Toute la nuit, la terreur m'a broyé le cœur.

— Allons... Je vous le promets, Iseut, je vous reverrai.»

Il l'embrassa lentement comme pour mieux garder en mémoire le goût de sa bouche.

«À nouveau je baiserai ces lèvres. Il le faut. Rien ne peut nous séparer. Vous-même l'avez dit, nous ne sommes qu'un.»

Des coups sourds résonnèrent à la porte.

«Dame Iseut! Êtes-vous réveillée? Êtes-vous seule?

— Vite! lui intima Tristan en la repoussant. Passez votre chemise de nuit et faites semblant de dormir. Gagnez du temps si vous le pouvez, car moi, j'en ai grand besoin!»

Il s'esquiva par la fenêtre alors même qu'Iseut se vêtait et s'enfouissait sous les fourrures et les couvertures, fermant les yeux et réprimant ses pleurs.

La porte s'ouvrit.

«Oui. La reine est au lit. Seule.

— Envoyez chercher l'une de ses femmes. Ce sont les ordres du roi Marc. Il est en route.»

La porte se referma. Iseut eut un sanglot. Pourquoi Marc? Pourquoi en ce moment précis?

Avant peu, elle entendit des bruits de pas. La porte s'ouvrit une seconde fois. Une main lui toucha délicatement l'épaule.

«Iseut. Réveillez-vous, ma chère.

— Esmerée!

— Oui. Vous feigniez le sommeil. Dites-moi franchement: Tristan était-il ici?»

Elle hocha la tête et Esmerée parcourut la pièce du regard.

«Comment y est-il parvenu? Peu importe. Le roi Marc arrive et vous devez vous habiller. Savez-vous ce que vous allez porter? dit-elle en ouvrant le coffre à vêtements.»

Iseut fit signe que non.

«Pourquoi? Que se passe-t-il?

— Je l'ignore, ma chère, déclara Esmerée en secouant une robe. On m'a tirée du lit avec l'ordre de vous quérir. Mais les gardes pensent que le roi est furieux.

— Mon Dieu!»

Esmerée l'aida à ôter sa chemise de nuit.

«Comment a-t-il fait? La fenêtre? Mais c'est à pic! Oh, Iseut, qu'avez-vous là sur le bras? C'est du sang!»

Les deux femmes se tournèrent vers le lit. Il y avait du sang frais sur les draps, sur les oreillers.

«Qu'y a-t-il? Vous saignez? Est-ce l'enfant?

— Non, dit Iseut d'une petite voix, c'est le sang de Tristan.

— Par Dieu!»

Esmerée jeta à terre la chemise de nuit souillée et s'empara d'un pichet d'eau dont elle lui versa le contenu sur le corps.

«Esme! Que faites-vous?

«Calmez-vous, conseilla Esmerée en la frottant énergiquement. Essuyez-vous avec l'une de ces fourrures. Votre robe, vite. Oh, ma pauvre Iseut, Marc vous tuera s'il voit ça!

Terrorisée, Iseut lui obéit. Il était impossible de laver les draps, de les cacher, d'en remettre d'autres. Elles recouvrirent donc le lit de fourrures et cachèrent la chemise de nuit dans le coffre. Iseut était assise et Esmerée la coiffait quand la porte s'ouvrit brusquement sur le roi.

« Où est-il ? hurla Marc en parcourant la pièce du regard. Où est mon chien de neveu ?

— Comment le saurais-je ? lui répondit Iseut avec froideur.

— Il n'est pas dans sa chambre ! gronda-t-il en tirant son épée. Je le trouverai et, ensuite, je lui trancherai la gorge ! »

Il enfonça à trois reprises la lame de son épée sous le lit.

« Éloignez-vous de ce coffre ! »

Esmerée écarta Iseut tandis que Marc ouvrait brutalement le coffre. Il ne prit pas la peine de fouiller parmi les vêtements et se contenta d'y plonger plusieurs fois son épée.

« Maudit ! Je lui éclaterai le crâne quand je le trouverai ! »

Les deux femmes se tenaient enlacées. Iseut s'obligea à se calmer.

« Je veux voir mon père.

— Il arrive, justement, ricana Marc. Je l'ai fait prévenir. Dieu seul sait pourquoi. Je ne devrais pas faire confiance à un Gallois.

— Vous n'avez pas le droit de parler ainsi !

— On verra ça ! fit-il en éclatant de rire. Il était là, hein ? Ce fornicateur ! Je sais qu'il était là ! »

Sans dire un mot, Iseut le regarda fouetter l'air de son épée, hurler le nom de Tristan, jeter en tout sens peaux et couvertures. Des bottes claquèrent dans le couloir.

Perceval apparut à la porte.

« Marc ! »

Le roi s'immobilisa puis il tendit la main vers le lit.

« Regardez ça, seigneur, regardez *ça* ! Le lit de *votre* fille ! »

Perceval s'approcha lentement. Le lit n'était qu'un tas de fourrures lacérées, de draps froissés et rougis de sang. Perceval se tourna vers sa fille, toute pâle.

« Est-ce l'enfant ? Parlez, Iseut.

— Mais non, ce n'est pas son sang ni celui de l'enfant, intervint Marc. C'est la blessure que j'ai infligée à Tristan, oui ! Pas assez profonde pour qu'il en meure ! Qui d'autre à Lyon's Head perdrait ainsi son sang ?

— Dites-moi la vérité, ma fille. Le Haut Royaume en dépend. Tristan était-il avec vous ? »

Elle ne répondit pas. Esmerée avait passé un bras tremblant autour de sa taille.

«Votre silence lui sera plus nuisible que votre aveu, l'implora Perceval. Parlez, Iseut, si vous accordez quelque valeur à sa vie.»

Ses yeux s'emplissaient de larmes, mais elle tenait bon. Perceval se tourna vers Marc.

«Seigneur, je…»

Une cavalcade résonna dans le couloir.

«Sire, on l'a attrapé. Il traversait la grande salle, tout trempé. Il a dit qu'il était parti nager dans la mer. Avec ses bottes et ses chausses! ricana le garde.

– Ne le lâchez plus. Et s'il fait mine de vouloir s'échapper, tuez-le!

– Oui, sire».

Le garde disparut. Prise de violents tremblements, Iseut s'écroula sur l'épaule d'Esmerée.

«Marc, fit Perceval avec lassitude, regagnons tous la grande salle. N'agissons pas à la hâte. Mon honneur n'est pas seul en jeu. L'avenir de la Bretagne est également entre vos mains.»

Marc adressa un signe aux sentinelles postées près de la porte.

«Conduisez ces deux femmes dans la salle. Portez-les s'il le faut!»

L'aube se levait sur la mer. Une lumière blafarde franchissait les hautes fenêtres de la salle pour chasser l'obscurité du lieu. Vingt compagnons de Marc bloquaient les portes. Sire Grayell et les autres compagnons de Tristan avaient été regroupés, désarmés, et placés sous la garde des hommes du roi. Marc s'était installé sur l'estrade aux côtés de Perceval, d'Iseut et de ses femmes ainsi que de sire Bruenor. Devant eux, Tristan, bottes et chausses dégoulinantes, était tenu en respect par deux gardes armés de dagues. Sa blessure s'était rouverte et du sang coulait parfois à ses pieds.

«Eh bien, fit Marc qui se rengorgeait, je vous tiens enfin. Vous m'avez trop souvent ridiculisé, Tristan, mais c'est fini.»

Tristan secoua ses cheveux mouillés et lui adressa un sourire.

«Seulement avec mon consentement. Je me rends, mon oncle. Seulement pour le moment. Je vous laisserai prendre ma forteresse. J'ai donné à Dinadan et à Grayell l'ordre de désarmer mes hommes et j'ai laissé entrer cinquante de vos soldats. Je vous ai abandonné Lyon's Head. Jusqu'à midi. Si nous n'avons pas trouvé de solution, alors je reprendrai mon bien. Et notre affrontement aura finalement lieu. Mais pour l'heure, Lyon's Head est vôtre. C'est un gage de ma bonne foi.»

Sur le visage de Marc, l'amertume succéda à l'étonnement.

«Ah, oui, vous cédez maintenant que vous n'avez plus le choix. Cela ne vous mènera à rien. Je vous tuerai et de surcroît j'y prendrai plaisir.

— Comme il vous plaira, mon oncle, fit Tristan en s'inclinant. Mais que vous rapportera ma mort? Vous aurez une femme à qui vous ne pourrez plus jamais tourner le dos.»

Marc rougit de colère et Iseut acquiesça.

«Elle vous poignardera dès que vous entrerez dans son lit. C'est ce genre d'épouse que vous désirez? Renvoyez-la. Par là même, vous serez débarrassé de moi. Libérez-la et laissez-nous partir.

— Jamais! Sur ma vie, je le jure, jamais! Je préférerais vous voir morts, tous les deux!

— Vous ne ferez aucun mal à ma fille, dit Perceval dont les doigts se refermèrent sur la poignée de son épée. Cela vous coûterait la vie et c'en serait fini de la Bretagne, je vous le promets.

— Si vous la tuez, reprit Tristan sans se départir de son calme, vous détruisez la Bretagne et votre rêve de royauté. Perceval ne restera pas sans rien faire. Si vous touchez à sa fille, vous serez en guerre avec Galles dans moins d'une heure. Et dans l'année à venir, la Bretagne sera tombée aux mains des Saxons.»

Marc parut interroger Perceval du regard, mais celui-ci était impénétrable.

«Et si vous me tuez, vous devrez l'empêcher de vous tuer. Vous n'êtes en sécurité que si elle vit!

— Je ne puis la garder et vous laisser en vie! s'écria Marc. Vous me cocufieriez encore!

— Alors laissez-la partir.

— Et vous récompenser pour votre trahison? Jamais. Je dois vous tuer, Tristan. Il n'y a pas d'autre issue.

— Donnez-le-moi!»

Chacun se retourna vers la porte.

Branwen quitta la pénombre pour la pleine lumière. Sa robe jaune et les fleurs piquées dans ses tresses la faisaient resplendir dans le soleil matinal. Elle traversa la salle et monta sur l'estrade avec toute la dignité d'une reine.

Elle fit la révérence devant Perceval.

«Je vous salue, père.

— Branwen. Ma fille, fit Perceval d'une voix hésitante.

— Votre fille? répéta Marc, interdit. Ce ne peut être votre fille, c'est une suivante.

— *J'étais* la compagne de la reine, le corrigea doucement Branwen.

– Oui, fit lentement Perceval d'une voix où l'inquiétude se mêlait à l'admiration. Je le reconnais.»

Chacun regarda Branwen s'incliner devant Marc.

«Je ne suis pas de haute lignée maternelle, messire le roi. Et je vous avoue que mon père préfère ne pas en faire état. Mais je ne suis pas dépourvue de pouvoir.»

Un instant, ses yeux se posèrent sur Tristan, qui pâlit.

«J'épouserai votre neveu, seigneur, si vous me le permettez. Dès lors, le royaume sera intact. La loyauté de mon père vous sera ainsi deux fois acquise. Vous pourrez établir votre dynastie royale. Et je peux vous promettre, déclara-t-elle d'une voix ferme, que je tiendrai Iseut à l'écart de son lit.»

Un sourire se dessina sur les lèvres de Marc.

«Ah, voilà qui mérite réflexion. Seigneur Perceval, accorderiez-vous votre bénédiction à une telle union, même si vous savez que mon neveu n'est qu'une canaille?»

Iseut posa une main timide sur le bras de son père, mais celui-ci ne réagit pas. Il ne pouvait détacher son regard de Branwen.

«Eh bien, Branwen? Dites-vous cela parce que vous souhaitez blesser Iseut? Afin de vous sacrifier pour le bien du royaume? Ou parce que vous aimez cet homme?

– Oh, elle l'aime depuis longtemps, dit Marc. Chacun le sait. Elle a été dans son lit une centaine de fois. Elle lui a même donné une fille.»

Branwen baissa les yeux avec modestie tandis que Perceval, prenant son souffle, demanda:

« Alors, ma fille? Est-ce vrai? Dans ce cas…

– Non! s'écria Iseut. C'est faux!

– Iseut! fit Tristan.

– Silence!»

Les dagues s'enfoncèrent plus profondément dans les côtes de Tristan, qui se tut.

Iseut repoussa la main tremblante d'Esmerée et s'adressa à Marc.

«Sa fille n'est pas de lui. Elle n'a jamais couché avec lui. Ce n'était qu'une ruse, pour qu'il me rejoigne dans mes appartements. Tristan est mon époux, Marc, et vous ne l'avez jamais été!

– Iseut, calmez-vous, dit Branwen en lui prenant le bras, mais la jeune femme se dégagea.

– Vous n'êtes pas le père de mon fils! C'est Tristan!»

Chacun poussa un cri de surprise.

«Et vous n'êtes pas le père de l'enfant que je porte! C'est Tristan à nouveau, oui! Vous n'êtes pas mon mari, Marc de Cornouailles, car c'est Tristan! Tristan! Je l'aime depuis que je l'ai rencontré, d'un amour plus fort que la vie. Je vous tuerai et je me tuerai également avant que vous ne lui fassiez du mal! Si vous le contraigniez à épouser Branwen, je vous tuerai ou je mourrai en m'y essayant, mais si vous le laissez vivre... hésita-t-elle, si vous le laissez vivre dans le célibat, je... je me soumettrai à vos désirs. Mais soyez prévenu, conclut-elle en se redressant, je ne porterai jamais vos fils. Je le jure devant Dieu. Si vous ne m'éloignez pas, votre rêve de dynastie ne sera que cendres et poussières!»

Le sang se retira du visage de Marc. Il la regardait, hébété.

«Garce que vous êtes! hurla Branwen. Parjure!

– Je suis bien au-delà de tes injures, répliqua Iseut. La nuit dernière il a exigé de moi toute la vérité, eh bien, maintenant, il la connaît. Et voyez son plaisir!»

Pendant un instant, nul ne fit un geste. Iseut se présentait à eux dans sa robe brodée d'or, les cheveux embrasés par la lumière. Tristan ouvrit la bouche pour parler mais les dagues le contraignirent au silence.

Marc soufflait comme un bœuf. Son front se couvrait de sueur.

«Je suis votre époux, bredouilla-t-il. Nous sommes mariés.»

Perceval s'avança et prit fermement Iseut par les épaules, mais elle ne fléchit pas.

«Je ne suis jamais entrée dans votre lit. Pas une seule fois. Un mariage non consommé n'a aucune valeur.

– Il y avait *quelqu'un* dans mon lit! s'écria Marc. Quelqu'un qui avait votre voix, votre corps, votre parfum. Et si ce n'est vous, sorcière galloise, qui était-ce?»

Seul le silence lui répondit. Branwen s'avança vers la grande fenêtre sans volets qui dominait la mer. Puis, après un moment, elle se retourna pour faire face au roi.

«C'était moi, Marc.»

Elle vit l'indignation sur son visage et elle eut un sourire désabusé.

«Vous n'êtes pas aussi déshonoré que vous le pensez, me semble-t-il. Je suis, moi aussi, fille de Perceval. Il y a peu, vous me jugiez assez noble pour épouser votre neveu. Que vous le croyiez ou non, vos épousailles avec moi satisferont vos désirs. Ce ne sera jamais le cas pour une union avec Iseut. Oui, c'est moi qui ai écouté vos rêves, vos projets, vos regrets. C'est moi qui vous ai conseillé. Au fond de votre cœur, vous connaissez ma valeur. Et pourtant voici que vous me regardez comme si des serpents me jaillissaient hors de la tête! La haute naissance a-t-elle tant d'importance?»

Elle prit une coupe en argent posée sur le rebord de la fenêtre et la fit lentement tourner entre ses doigts.

«Je vais vous donner un ultime conseil, mon royal amant, car je vous honore. Quoi qu'il advienne à présent, c'en est fini de votre dynastie. Si vous répudiez Iseut, vous perdez l'alliance de Perceval et par là même le Haut Royaume. Il vous faudra du temps pour sceller une alliance avec un autre seigneur et vous trouver une promise, et vous n'êtes plus jeune. Tristan a beaucoup à gagner si vous ne vous remariez pas. Je vous conseille de garder Iseut et l'amitié de Galles. Vous serez Haut Roi de Bretagne jusqu'à la fin de vos jours. Et si ce sont les fils de Tristan qui siègent à Camelot, et non pas les vôtres, quelle importance puisque ce sont des petits-fils de Méliodas et qu'il est naturel qu'ils occupent cette place? N'êtes-vous pas de mon avis?

– Catin! gronda Marc, pâle comme la mort.

– Quant à Tristan, que cela lui plaise ou non, c'est à moi de décider de son destin. Gardes, laissez-le venir vers moi.»

Les hommes consultèrent Marc du regard et il se contenta de hausser les épaules. Tristan s'approcha de Branwen, les yeux rivés sur la coupe en argent. Il la reconnut.

«Tristan!» sanglota Iseut, mais Perceval la rudoya.

Tristan regarda Branwen.

«Depuis le début, ma vie est entre vos mains.

– Vous ne le regrettez pas, n'est-ce pas? Je vous ai donné tout ce que vous demandiez.

– Je le reconnais.

– Voulez-vous… pourriez-vous m'épouser, Tristan?

– Je le devrais. Je vous le dois, oui, mais je ne le puis. Et je crois que vous le regretteriez si je le faisais. Mon cœur serait toujours à Iseut.»

Branwen le fixait calmement et sa voix était posée.

«Il ne lui fera aucun mal. N'avez-vous pas vu son visage? Il désire le Haut Royaume plus que toute autre chose. Je le connais. Il ne lui nuira pas. Perceval ne lui permettra pas de toucher à ses enfants. Mais vous, Tristan, il vous faut partir. Sur-le-champ. À tout jamais.»

Elle indiqua la fenêtre.

«Dinadan surveille la route côtière et Pernam vous attend près du bateau. Partez.

– Cette coupe n'est pas pour moi alors?»

Les lèvres de la jeune femme esquissèrent un triste sourire.

«Elle ne le sera jamais. Je vous aime.

— Bénie soyez-vous, Branwen, dit-il en se penchant pour lui baiser la joue. Mais ne puis-je emmener Iseut avec moi? N'y a-t-il vraiment aucune issue?

— Il n'y en a plus depuis qu'elle a dit la vérité. Il vous suivrait pour la récupérer. Il voudra que son fils naisse de son ventre.

— Je ne puis l'abandonner à Marc.

— Il le faut.»

Elle lui prit le visage et l'embrassa doucement sur la bouche.

«Elle sera en sécurité. Elle portera votre fils. Un jour vous la reverrez. Ne m'en demandez pas plus. Mais partez de suite, mon aimé, avant qu'ils ne comprennent.

— Dieu vous accorde longue vie!»

Il lança un ultime regard à Iseut, posa un genou sur le rebord de la fenêtre et sauta dans le vide.

Marc poussa un cri, les gardes se précipitèrent, Iseut vit la coupe dans les mains de Branwen.

«Ma sœur, non!»

Branwen se retourna, lui adressa un sourire désabusé et porta la coupe à ses lèvres.

Iseut poussa un hurlement.

SIXIÈME PARTIE

30

LE GÉANT RYOL

L'éclat du soleil faisait resplendir la mer. D'un horizon à l'autre, rien ne se déplaçait sur les flots à l'exception d'un carré de toile blanche. La voile claquait sur son espar quand le bateau apparaissait et disparaissait au gré des vagues. Assoiffé, tremblant de fièvre, le bras gonflé, Tristan somnolait à l'ombre, en proie à des rêves flous.

Parfois, il recouvrait sa lucidité et les souvenirs lui revenaient. Dinadan au bord de la grève avec l'épée de Tristan, sa dague et, Dieu le bénisse, sa couronne. Comme elles lui avaient semblé lourdes à porter, comme elles lui étaient désormais inutiles. Pernam, dans la grotte où était dissimulée l'embarcation : il avait préparé un panier de vivres, une cape et une tunique, des outres pleines d'eau fraîche. Il avait regardé d'un œil inquiet la blessure de Tristan, il l'avait embrassé sur les deux joues puis avait prié son Dieu de l'accompagner. La quille qui fendait les flots, la voile gonflée par la brise matinale, les mouettes qui criaient dans le ciel. Et la volée de flèches qui s'abattait autour d'eux.

Il ouvrit les yeux et s'empressa de les refermer, aveuglé par la réverbération. La conscience lui revint assez longtemps pour qu'il formule une prière. *Ô, dieux, envoyez-moi un vent d'orage, envoyez-moi un orage béni !* Puis il se rendormit.

Il se réveilla en sursaut. Il faisait nuit, mais les étoiles luisaient et l'on voyait des rochers dressés devant la grève. La coque grinça sur la pierre, le vaisseau se souleva et retomba lourdement. Des récifs! Tristan s'obligea à se lever et à sortir les avirons, étonné du peu de forces qu'il lui restait. Pendant tout le temps où il rama pour s'éloigner des récifs, le vent souffla et la pluie s'abattit sur son dos tandis que les étoiles disparaissaient derrière un grand nuage frangé d'argent. Il sauta à terre quand il sentit la coque glisser sur le sable, mais il se rendit compte qu'il n'avait pas l'énergie nécessaire pour mettre son bateau à sec. Il baissa alors la voile et se servit des amarres pour l'attacher à une grosse racine qui faisait saillie avant de poser sur la proue la pierre la plus lourde qu'il pût trouver. Harassé, en sueur, il s'assit sur le sable et s'efforça de reprendre son souffle. Depuis combien de temps était-il en mer? Il ne se souvenait quasiment plus de rien. Quand il se releva péniblement, ce fut pour prendre son épée dans le bateau, se ceindre de son baudrier, glisser sa dague dans sa botte et partir à la recherche d'une source ou d'un ruisseau.

Il en découvrit effectivement une heure plus tard et plongea son visage dans l'eau en remerciant le Seigneur. Il but abondamment puis, se mettant à genoux, il perçut dans l'air une odeur de fumée. Se fiant à son odorat, il ne tarda pas à atteindre, au milieu d'un bois touffu, une clairière où un groupe d'hommes s'était réuni autour d'un feu. Le fumet de la viande rôtie le saisit à l'estomac. Les hommes n'avaient pas posté de guetteurs et il était assez près pour entendre leurs conversations. En découvrant leurs visages éclairés par les flammes, il comprit aussitôt que ce n'étaient que des jouvenceaux.

«Il faut attendre les renforts, Kaherdyn. Réfléchis. On ne peut attaquer seuls.

— Il faut tout de même essayer.

— Sans aide, on mourra tous, c'est certain, dit une troisième voix. À quoi lui servira d'être la cause de la mort de son frère?

— Ce n'est pas *elle*, la cause! s'écria le dénommé Kaherdyn, plein de colère et d'amertume en essayant de dissimuler ses larmes. Non, *rien* n'est de sa faute, elle n'y est pas allée de son plein gré, elle a été enlevée!»

Ses compagnons n'osaient pas le regarder.

«Pourquoi ton oncle Gallinore ne nous prête-t-il pas ses hommes? L'Armorique n'est pas en guerre.

— Je lui ai adressé un message. Il le fera, oui, j'en suis certain. Mais, en attendant, je ne peux me contenter d'attendre à Benoïc alors qu'Iseut... alors que ma sœur est emprisonnée dans le repaire de ce géant. Une heure de retard de notre part, c'est pour elle une heure de plus de tourment!»

Tristan dévisageait le jeune homme qui avait parlé avec tant de fougue. Il se redressa, la tête douloureuse, et fit quelques pas avant d'agripper un arbre pour ne pas tomber. Puis il traversa la pénombre pour pénétrer dans la lumière. Les garçons se mirent à crier et se précipitèrent sur leurs armes.

«Ne craignez rien de moi! leur lança Tristan, toujours vacillant. Je suis venu vous aider. Laissez-moi faire, je sauverai la belle Iseut.»

Un cercle de pointes d'épée étincelantes brouilla sa vision et ses genoux fléchirent.

Dès son réveil, il se rendit compte qu'il n'avait plus mal à la tête, que sa gorge était sèche mais ne le brûlait plus et que son bras lui faisait moins mal. Il s'arracha à sa couche faite de feuilles et de fougères et regarda le bois qui l'entourait. La lumière dorée de cette fin d'après-midi s'étalait en taches informes sur le sol inégal. Des braises rougeoyaient encore. Il ne reconnaissait rien.

Son épée, sa dague, sa cape et sa tunique avaient été déposées près de lui avec le plus grand soin. Sa couronne surmontait le tout. Son bras avait été pansé, entouré d'un lien de cuir. Il le plia doucement. La douleur était moins lancinante. Il but longuement à l'outre qu'on avait laissée près de lui. Jamais l'eau ne lui avait paru aussi douce. Il se leva, se vêtit et se ceignit de son baudrier. Une branche craqua. Tristan se retourna vivement, épée à la main, quand un groupe de jeunes garçons apparut à l'orée de la clairière, parés pour le combat. Ils s'arrêtèrent en le voyant mais l'un d'eux s'avança vers Tristan. Il avait un visage agréable, d'épais cheveux bruns et une barbe naissante.

«Qui êtes-vous, messire, et pourquoi brandir cette épée? Nous ne vous menaçons en rien.

– Je te l'avais bien dit, Kaherdyn, il fallait le désarmer, mais tu ne nous écoutes jamais», murmura l'un de ses compagnons.

Kaherdyn leur fit signe et ils se déployèrent, l'épée à la main.

Tristan esquissa un sourire.

«Peu importe pour l'heure qui je suis, mais vous, qui êtes-vous?»

Le jeune homme aux cheveux bruns le toisa. Il était le seul à ne pas avoir dégainé.

«Je suis le prince Kaherdyn de Lanascol. Nous vous avons sauvé la vie. Nous vous avons donné à manger et à boire pendant ces deux jours où vous déliriez. Pourquoi nous menacer à présent, nous ne vous voulons aucun mal.

– Comme si vous pouviez quelque chose contre moi. Dites à vos amis de rester à l'écart, l'art des armes ne leur est certainement pas familier et je ne souhaite pas les blesser.»

Parfaitement immobile, il regardait Kaherdyn droit dans les yeux. Soudain, il pivota sur lui-même. Il y eut un choc métallique et une épée tournoya en l'air avant de se planter dans le sol. Désarmé, le garçon se tenait le poignet. La pointe de l'arme de Tristan s'enfonçait dans sa gorge.

«Vous êtes courageux, mais vous n'avez pas d'entraînement, dit Tristan aux jeunes gens apeurés. Remettez vos épées au fourreau et je ferai de même.»

L'un après l'autre, ils obéirent. Le jeune homme courut ramasser son arme. Tristan l'en empêcha.

«Cela m'étonne de vous. Mais vous dites vous appeler Lanascol? J'ai déjà entendu ce nom... Seriez-vous parent de sire Lancelot de Lanascol, qui était au service du roi Arthur?

– Je suis son petit-fils», répondit-il en s'inclinant.

Tristan mit un genou en terre.

«Mille pardons, prince Kaherdyn. J'aurais dû le savoir, mais j'erre sans but depuis je ne sais combien de temps. Mon passé n'existe plus et mon avenir l'a rejoint. Permettez-moi de vous servir et je serai heureux de finir mes jours en ce royaume qui était jadis la terre de sire Lancelot.

– Mais vous-même, seigneur, qui êtes-vous? fit le prince, troublé.

Les yeux bruns de l'homme rencontrèrent ceux gris-vert du jeune garçon.

«Mon nom est Tristan. Mon père s'appelait Méliodas, roi de Cornouailles, et Marc, le Haut Roi de Bretagne, est mon oncle.

– Tristan de Lyonesse? s'exclama Kaherdyn.

– À votre service, je vous le répète.

– Ne vous agenouillez pas devant moi, seigneur, dit-il en le relevant. Vous êtes un roi, le sauveur de la Bretagne, de surcroît.»

Les garçons s'assemblèrent autour de lui.

«Vous avez tué le géant Marhalt!» «C'est à vous que le roi Marc doit sa couronne!» «Combien de Saxons avez-vous tués, seigneur?»

Tristan ne put s'empêcher de rire.

«Merci, mes jeunes seigneurs, de toutes ces louanges. Je fournirai en temps voulu des explications à toutes vos questions mais, d'abord, dites-moi où nous nous trouvons. Depuis combien de temps suis-je ici ? Qui a soigné mon bras ?

— Je répondrai à vos questions, accepta Kaherdyn alors que ses compagnons se taisaient. Mais je vous en poserai ensuite deux.

— Cela me semble juste.

— Nous sommes tout proches du bastion d'une brute assassine connue sous le nom de Ryol le Rouge. C'est un géant. Il a servi mon père jusqu'au jour où... il l'a trahi. Ses terres sont contiguës aux nôtres. Pour l'heure, nous sommes à Lanascol, à l'orée de la forêt de Brocéliande. Quant à vous, votre bateau s'est échoué il y a deux nuits. La tempête vous a probablement poussé vers le rivage.

— La tempête ? s'étonna Tristan. Il y a eu une tempête ?

— Oh, oui, répondit Kaherdyn tandis que ses compagnons acquiesçaient. L'orage était si violent que nous avons failli en mourir. Des arbres séculaires se sont abattus tout près de notre campement. Et en mer ! Des brisants plus hauts qu'un homme ! Comment avez-vous survécu dans cette embarcation de fortune, je n'en ai pas la moindre idée.

— Je crois avoir prié pour la venue d'une telle tempête...

— Votre bateau nous a paru suspect, dans un premier temps. Nous l'avons cru saxon.

— Effectivement, j'ai reproduit les lignes des embarcations saxonnes. J'en ai jadis piloté une et elle fendait les flots.

— Cela expliquerait tout. Et vous êtes venu ainsi depuis Lyonesse ?

— Je crois bien », dit Tristan avec un demi-sourire.

Les compagnons s'interrogeaient du regard.

« Les fièvres s'étaient emparées de vous et vous étiez dans l'incapacité de nous répondre. Quant à votre bras, ce ne sera plus qu'un mauvais souvenir. J'ai refermé la blessure.

— Comment ?

— Avec le feu d'une torche, dit Kaherdyn en lui montrant le cercle de pierres.

— Grâce au Ciel, je ne me rappelle rien ! »

Les garçons sourirent, mais Kaherdyn gardait tout son sérieux.

« Pourquoi êtes-vous ici, Tristan de Lyonesse ? »

Tristan contempla le visage déjà viril de son interlocuteur, son regard clair, trop pour avoir connu le péché.

« Kaherdyn de Lanascol, je ne puis vous le dire. Posez-moi plutôt votre seconde question.

– Il y a un instant, dit plus sèchement Kaherdyn, vous m'avez offert vos services. Je serais heureux de trouver de l'aide auprès de quiconque, certes, mais de la part d'un homme tel que vous, c'est un don du Ciel. Pourtant, avant toute chose, je dois savoir comment vous connaissez le nom de ma sœur.

– J'ignorais que vous en aviez une, s'étonna Tristan.

– Vous avez prononcé son nom. Vous êtes arrivé ici, porteur de votre couronne, et vous avez proposé de sauver la belle Iseut. Je désire uniquement savoir comment vous connaissez son nom.

– *Iseut?* bredouilla Tristan. C'est bien ce que vous avez dit? *Iseut?*»

Les compagnons s'adressèrent des regards furtifs.

«Ma sœur, la princesse Iseut, répéta calmement Kaherdyn. Il y a trois semaines... non, un mois, elle a été enlevée par le géant Ryol alors qu'elle traversait la forêt de Brocéliande pour se rendre chez mon oncle Gallinore, en Armorique. Si... si elle est encore en vie, nous devons la libérer.»

Des larmes jaillirent des yeux gris-vert du jeune homme et il ne fit rien pour les empêcher de couler.

«Quoi qu'il lui ait fait, cela ne nous regarde pas, ni la Mère ni moi. Mais il faut la ramener à tout prix.»

Tristan fut pris de tremblements et l'un des garçons tendit la main pour le soutenir.

«Elle a dix-neuf ans et n'est pas mariée, reprit le prince. Ryol a eu le front d'envoyer à ma mère un message pour expliquer qu'il l'avait arrachée au célibat. Il l'a certainement violée, mais il ne l'a pas épousée. Je la connais trop bien, elle le tuera à la moindre occasion, mais au premier geste de sa part, c'est lui qui la tuera.

– Son nom est Iseut? fit Tristan devant les garçons étonnés.

– Je vous l'ai déjà dit, répliqua Kaherdyn, non sans inquiétude. Elle a été baptisée Hélène, mais nous la nommons Iseut depuis l'enfance à cause de sa beauté. En Petite Bretagne, chacun la connaît pour la beauté de ses mains.»

Tristan fit un effort pour se ressaisir.

«Pourquoi de jeunes garçons comme vous veulent-ils la secourir? Où sont vos pères, vos oncles, vos frères? Où sont les hommes adultes?

– Une centaine sont déjà morts en s'y essayant, intervint l'un des compagnons. Kaherdyn a demandé de l'aide auprès de ses oncles, mais aucun n'est venu.

– Vos oncles? Qui est votre père, Kaherdyn? Est-il encore en vie?

— Certainement, seigneur, répondit le prince d'un air crâne. Et je prie chaque jour pour lui. Il est parti il y a deux ans en pèlerinage à Jérusalem.

— Deux ans? Que s'est-il passé? Est-il prisonnier des pirates?

— Pas que je sache, seigneur. Mais il n'a pas pris la mer, il y est allé à pied, par les chemins.»

Tristan s'en étonna, mais l'air grave des garçons lui ôta toute envie de rire.

«Qui dirige Lanascol en son absence?

— Ma mère, la reine, bien évidemment. Elle a envoyé nos hommes attaquer Ryol, mais ils sont morts, jusqu'au dernier. En attendant mes oncles, nous sommes impuissants.

— Je comprends. Eh bien, montrez-moi cette forteresse inexpugnable et je réfléchirai à la façon dont peuvent s'en emparer un barde errant et une poignée de jouvenceaux imberbes mais braves!»

Tristan était couché sur le sable, à l'abri d'un bouquet d'ajoncs. À côté de lui, Kaherdyn aux yeux clairs lui indiquait la mer de la main. Parler était inutile. Il n'y avait, sur cette étendue bleue, sur cette grève dorée, qu'un seul endroit susceptible d'abriter la jeune fille. Jaillissant des flots comme le croc brisé de quelque créature primitive, un cercle de falaises entourées par la mer servait de fondations à une forteresse grossière faite de bois et de pierre.

«Cela ne m'a pas l'air très solide, fit remarquer Tristan.

— Non, mais une robuste tour se dresse derrière. Romaine, probablement. Les guetteurs voient jusqu'à des lieues à la ronde. Nous avons emprunté le seul chemin possible menant à la grève. La forêt s'en approche trop.

— Je comprends, mais il doit pourtant y avoir une chaussée, sinon comment les provisions leur parviennent-elles?

— Oui, il y en a une, à marée basse, mais elle est bien gardée. On peut y chevaucher à deux de front sur la plus grande longueur mais, au moindre écart, les sables mouvants sont là pour vous aspirer. Même Ryol y perd des hommes.

— Ce n'est pas une mort très héroïque, grimaça Tristan. Ils n'utilisent pas de bateaux?

— Seulement de minuscules embarcations, à peine plus grandes que des coracles. C'est si peu profond… De plus, il y a partout des bancs de sable.

— L'autre côté de cette île donne-t-il directement sur la mer?

— Je ne sais. Je ne connais personne qui y soit allé.

— C'est certainement notre unique chance. Je m'y rendrai à la marée montante et en repartirai quand la mer descendra. J'espère seulement que je pourrai remiser mon embarcation au pied des falaises.

— Non, le courant est trop fort. J'ai jadis entendu Ryol se vanter à mon père de l'isolement de sa forteresse.

— Quand était-ce? demanda Tristan en se tournant vers le garçon.

— Il y a trois ans. Ils étaient alliés alors.

— Que s'est-il passé?»

Kaherdyn se tut. Mâchoires crispées, bouche pincée... Tristan comprit que cela relevait de l'indiscrétion. Il insista toutefois et lui posa une main sur l'épaule.

«Prince Kaherdyn, cela ne me regarde pas, mais si ce géant a enlevé votre sœur pour se venger de votre père, cela m'aiderait de savoir quel a pu être son mobile. Je n'irai pas à l'aventure, à l'aveuglette.

— Vous avez déjà deviné beaucoup de choses, sire Tristan. Mais je n'en puis dire plus.

— Bah, fit Tristan avec un haussement d'épaules, il devait se vanter quand il évoquait le caractère imprenable de ce lieu. Ce ne peut être pire que Lyon's Head. Chaque cuirasse a son défaut, dit-on. Je découvrirai celui de cette forteresse mais je n'aimerais pas rester dans les ténèbres.

— Dieu sera votre guide, dit Kaherdyn d'un air sombre.

— N'en soyez pas trop sûr. La Grande Déesse est certainement fière de moi, mais le Christ doit être déçu.

— Êtes-vous païen? s'étonna Kaherdyn.

— Oh, je suis un peu tout cela. Mes parents étaient chrétiens et je fus baptisé. Quand j'étais enfant, leur Dieu me parlait. Mais plus tard j'ai entendu d'autres voix.

— Tous les hommes sont pécheurs, fit le prince avec un soulagement évident. Ne vous inquiétez pas, Dieu est avec vous, même lorsque vous doutez.

— Cela ferait-il une différence, prince? demanda Tristan d'un ton léger. Me laisseriez-vous sauver votre sœur si j'adorais Mithra, Yahvé ou Cerennos?

— Oui. Mon père m'a dit un jour de ne pas me soucier si les bâtisseurs que j'emploie ont les mains sales: l'important, c'est que la maison soit bien construite.

— Votre père m'a l'air d'être un sage.»

Tristan se retourna pour contempler l'îlot désolé.

372

«Le tirant d'eau de mon bateau est à peine supérieur à celui d'un coracle. À marée haute, j'approcherai de ces falaises. Priez pour que je ne m'écrase pas sur les rochers. Pour que je trouve votre sœur sans me faire tuer. Pour que je la ramène au bateau saine et sauve. Et pour que nous appareillions avant d'être la cible de flèches enflammées.

– Cela fait beaucoup de prières, non? dit en souriant Kaherdyn. Nous créerons une diversion sur la côte avec des torches et de la fumée. Ils ne songeront pas à regarder derrière eux.

– Ah, Kaherdyn de Lanascol, plus je vous connais et plus vous me plaisez. Que m'a donc dit un jour l'évêque au château de Dorr? Oui, c'est ça: si tu veux que Dieu t'aide, commence par t'aider toi-même.»

La nuit était sombre et le vent, léger. Les nuages masquaient les étoiles, projetant des ombres invisibles sur les flots. À la barre, Tristan profitait de la marée montante et cherchait du regard des feux qui, sur la côte, lui indiqueraient l'emplacement de l'île. Il avait passé l'après-midi en haute mer, loin des regards, et attendu la marée favorable. Au crépuscule, il avait hissé une voile noire: c'était une idée de Kaherdyn, qui avait fait écraser du charbon de bois sur la toile blanche pour la rendre plus discrète. Tristan ne craignait pas d'être découvert, mais de s'échouer sur un banc de sable.

Enfin, il aperçut une lumière, bien au-dessus de lui. Il abaissa la voile et s'empara des avirons. L'île était toute proche! Déjà il entendait les vagues se briser sur les rochers vers lesquels l'entraînait la marée. Un courant bienfaisant le poussa vers la grève, mais un autre le détourna vers une autre falaise. Désespérément, il lutta pour atteindre la paroi rocheuse. Après des efforts acharnés, l'embarcation glissa sur le sable. Au-dessus de Tristan se dressait l'éperon rocheux.

«Dieu est avec vous, même lorsque vous doutez, murmura Tristan. Au fait, qui est le père de ce garçon?»

Il palpa la roche à la recherche d'anfractuosités où placer ses mains et ses pieds. À sa grande surprise, il découvrit un chemin. La voie était raide et il avait tiré son épée, s'attendant à tout moment à trouver un garde devant lui. Mais il n'en vit aucun. Au sommet de la falaise, le chemin virait à droite pour suivre la ligne de crête. Courbé, Tristan courut vers les lumières de la forteresse. Du coin de l'œil, il vit quelque chose bouger. Au loin, sur le rivage, trente ou quarante flammes dansaient dans la nuit. Les compagnons de Kaherdyn, certainement, qui cherchaient à donner l'impression qu'ils étaient plus nombreux. Ce garçon impétueux incendierait Brocéliande pour y retrouver sa sœur. Devant lui, Tristan vit trois hommes qui lui tournaient le dos et observaient les torches lointaines. Si Ryol pouvait se montrer aussi curieux que ses guetteurs !

La forteresse de Ryol n'était en réalité qu'une ruine étayée et couverte de chaume. À couvert, Tristan passa devant chaque fenêtre, chaque trou dans le mur, et regarda à l'intérieur. Il vit une vaste salle pleine d'hommes ivres ou titubants, des dormeurs bouche grande ouverte pour mieux ronfler, des manants qui leur dérobaient furtivement des pièces, quelques serviteurs qui donnaient l'alerte. Mais pas la moindre trace de Ryol ou d'une femme. Il fit ainsi le tour de la forteresse. Il trouva les cuisines, le casernement (si l'on peut appeler ainsi une pièce unique abritant quelques paillasses), l'entrepôt et la fosse à déjections, mais toujours pas de femme. À l'ouest d'une tour carrée d'apparence robuste, deux guetteurs observaient attentivement les manœuvres qui se déroulaient sur la côte. Il s'approcha de la bâtisse, l'épée à la main et persuadé qu'elle serait bien défendue, mais il n'y avait nul garde à la porte : soit chacun se trouvait sur la grève sud pour mieux jouir du spectacle, soit Ryol pensait son repaire trop sûr pour être défendu.

Tristan enfonça la porte d'un coup d'épaule et tendit l'oreille. Il n'entendit rien. Un escalier en colimaçon disparaissait dans la pénombre. Il l'emprunta et arriva sur un palier éclairé par une méchante torche. Deux portes lui faisaient face, l'une grande et ornée, l'autre petite et de guingois mais tout de même utilisable. Ce fut celle-ci qu'il choisit et, comme il s'y attendait, un autre escalier menait aux remparts. Il déchira un morceau de sa cape et le coinça sous la porte de telle sorte qu'on ne pouvait plus l'ouvrir. Puis il souleva doucement la barre de la grande porte, qui pivota lentement sur ses gonds bien huilés.

Il se tenait dans une pièce spacieuse aux murs ornés de tapisseries. Le sol était recouvert de peaux, l'immense lit sculpté était garni de coussins. Un candélabre de bronze et un chandelier d'argent étaient posés sur une table à plateau de marbre, à côté d'une chaise gigantesque. Il fronça le nez. L'endroit était luxueusement meublé, mais il puait la sueur.

Une brise souffla par la fenêtre, qui fit vaciller les flammes. C'est alors qu'il la vit, parfaitement immobile de l'autre côté du lit. Si la lumière n'avait fait miroiter un instant sa peau d'albâtre, il l'aurait ignorée. Mais il lui était désormais impossible d'en détacher son regard. Des yeux d'un bleu vif rencontraient les siens. Ses cheveux aile de corbeau formaient avec sa peau blanche un tel contraste que l'on ne pouvait que désirer les caresser.

«Princesse Hélène de Lanascol? Mon nom est Tristan. Je suis envoyé par Kaherdyn, votre frère, pour vous ramener chez vous.»

Il ne se passa rien pendant un instant, puis elle secoua la tête et il poussa un cri de surprise. Elle était à demi nue et ses habits étaient si déchirés qu'ils n'étaient plus que haillons. Elle avait des épaules rondes, des seins fermes et une taille si étroite qu'il aurait pu en faire le tour avec ses mains. Il voulut parler et s'en trouva incapable. Il ôta sa cape afin de l'en vêtir. Plus il la regardait, plus le regard de la jeune fille se faisait glacé. Lentement, elle leva les mains devant son visage comme pour le prévenir. Avec leurs longs doigts à l'élégance classique, c'étaient les plus belles qu'il lui eût été donné de contempler. Iseut aux Blanches Mains. Il avait déjà entendu parler d'elle, par quelque barde, certainement, venu à Lyon's Head chanter ses louanges.

«Dame Hélène, dit-il dans un murmure, venez avec moi, vite! Je vais vous emmener loin de cette île et vous retrouverez votre famille, mais le temps nous est compté.»

Encore une fois, elle secoua la tête avant de sursauter quand un beuglement retentit dans l'escalier. Tristan se retourna. La porte s'ouvrit brutalement sur le géant Ryol. Il avait de longs cheveux roux emmêlés ainsi que de petits yeux brillants. Jadis, peut-être avait-il été un guerrier, mais sa chair s'était ramollie par manque de discipline. En apercevant Tristan, il ricana et découvrit deux rangées de dents pourries. Il parlait un mélange hétéroclite de breton et de latin, et son accent était si épouvantable que Tristan le comprenait à peine.

«Ah, le héros est arrivé! Tu es un brave, hein? Tu es venu au secours de la vierge pure, c'est ça? Eh bien, c'est trop tard, la demoiselle n'est plus pucelle!»

Il rit aux éclats, ce qui eut pour effet de faire tressauter son ventre rebondi. Il avait déjà délacé sa tunique et dénoué le cordon de ses chausses en prévision de sa distraction vespérale. Ses bras et ses jambes avaient l'épaisseur de troncs d'arbre et il puait la sueur.

Tristan recula lentement. Si seulement il disposait de plus de place. Le géant emplissait la chambre, il était impossible de lui échapper. S'il s'emparait de lui, c'était la mort assurée. Un coup d'épée ne ferait aucun mal à ce monstre, vu l'épaisseur de sa chair, à moins que... Tristan sauta sur le lit, ramassa des coussins et les lui lança au visage. Ryol les rattrapa et éclata de rire. L'épée pratiquement à la verticale, et tandis que Ryol avait les mains occupées par les coussins, il plongea et enfonça de bas en haut sa lame dans la gorge du géant.

Il l'en arracha quand Ryol s'avança en titubant. Un sang vermillon tachait la poitrine du géant, sa tunique, le sol de la chambre. Ryol poussa un beuglement de fureur et leva la jambe pour frapper Tristan, mais celui-ci avait déjà plongé sous le lit. Ryol tira sa propre épée et se précipita à sa suite. Il le manqua d'un cheveu. Le jeune homme réapparut aux pieds d'Hélène, et Ryol se jeta sur le lit. Tristan saisit alors la jeune femme par la main et la poussa sans ménagement vers le mur. Le lit craqua et s'effondra sous le poids de la brute dont la blessure laissait échapper des flots de sang.

Tristan courut vers la porte, reprit sa cape et en enveloppa Hélène.

«Restez là», lui ordonna-t-il.

Elle ne le regarda même pas. Ses yeux ne pouvaient se détacher de cette masse ensanglantée vautrée sur le lit. Alors Tristan s'approcha du géant blessé, leva très haut son épée en murmurant «Va retrouver tes dieux, Ryol» et l'abattit sur lui de toutes ses forces. Il lui fallut frapper à cinq reprises pour lui trancher le cou.

Il referma les doigts sur les cheveux roux, attrapa la tête et courut vers la porte.

«Suivez-moi! cria-t-il, mais la jeune fille était tétanisée. Hélène! Écoutez-moi, l'alarme a été donnée.»

Au lieu de lui obéir, elle marcha lentement vers le lit. Les sentinelles tambourinaient sur la porte bloquée en criant, mais la beauté aux cheveux noirs choisit de renverser le candélabre. Le feu prit immédiatement et la fumée emplit la pièce.

«Hélène!»

Désespéré, Tristan saisit la jeune fille par la taille et l'entraîna dans l'escalier.

À l'extérieur de la tour, les hommes de Ryol s'étaient rassemblés, alertés par l'épaisse fumée et les cris des sentinelles. La plupart tenaient des épées, quelques-uns, des dagues. L'un d'eux brandissait même une hache saxonne. Tristan s'immobilisa. Il ne pouvait les affronter tous. S'ils ne le tuaient pas, ils massacreraient leur captive. Tenant le corps de la jeune fille d'un bras, il décida de leur faire face.

«Je suis Tristan le Tueur de Géants, lança-t-il de sa puissante voix de barde et, ce soir, j'ai abattu le géant Ryol. Laissez-moi passer et je ne vous ferai aucun mal!»

Les hommes grommelèrent mais aucun ne bougea. Lentement, il présenta la tête tranchée. Les soldats reculèrent, médusés. Il traversa leurs rangs, poussant Hélène devant lui et exhibant toujours son trophée sanglant.

«Vite! lui murmura-t-il quand ils eurent atteint le chemin de la falaise. Servez-vous de vos jambes! Il y en a bien un ou deux qui vont recouvrer leurs sens et nous devons être partis avant!»

Mais elle ne réagissait toujours pas. Ce n'était qu'un poids mort. À tâtons, il chercha la paroi rocheuse et ne la trouva pas.

«Dieu de Kaherdyn, si tu es toujours à mes côtés, montre-moi le chemin!»

Un homme se dressa devant lui, l'épée à la main. Tristan n'avait pas le choix. Il déposa la jeune fille à terre ainsi que la tête de Ryol et se jeta sur son assaillant, qu'il pourfendit presque immédiatement avant de le pousser du pied. L'homme s'écrasa sur les rochers, au bas de la falaise.

Le chemin tortueux menant à la grève s'ouvrait devant eux. Tristan ramassa la tête et se pencha au-dessus de la princesse.

«Je vous demande pardon, ma dame, mais il le fallait, c'était lui ou nous. Mais regardez, voici le chemin de la liberté. Si le Dieu de Kaherdyn nous accompagne encore, peut-être nous rendra-t-il la marée favorable.»

Ils ne se trouvaient plus très loin de la grève quand d'autres soldats les rejoignirent en vociférant. Une fois de plus, Tristan se débarrassa de son trophée, abandonnant la jeune fille. L'affaire fut vite réglée. Tristan transperça de sa lame la poitrine des hommes.

Essoufflé, il ramassa la tête, mais Hélène n'était plus là.

«Elle a peut-être un beau regard, mais où diable est-elle passée? murmura-t-il, furieux. Quelle famille, le frère et la sœur, têtus comme des mules! Il veut la revoir, elle ne souhaite pas revenir, je suis béni si je sais quoi faire d'eux!»

Il entendit alors des avirons frapper l'eau. Arrivé en bas du chemin, il découvrit une forme noire qui se démenait avec les rames tandis que la marée emportait doucement l'embarcation.

«Attendez-moi!» lui cria-t-il.

Il jura amèrement et, se jetant à l'eau, il parvint à saisir la poupe et à monter à bord.

«Laissez-moi faire, je vais ramer! Asseyez-vous à l'arrière, il y a un banc et une outre. Écartez-vous et, surtout, restez tranquille!»

Mais, bien entendu, elle ne bougea plus, comme paralysée. Il dut la soulever et la transporter vers la poupe. Profitant de la marée, son bateau suivit très vite le chemin de la haute mer. Tristan crut percevoir des cris, tout en haut de la falaise, mais il s'en moquait bien à présent. Le Dieu de Kaherdyn accompagnait la beauté brune et les hommes de Ryol ne pouvaient plus rien contre eux.

À l'aube, il atteignit la petite baie où il s'était échoué, à Lanascol. Kaherdyn et ses amis l'attendaient impatiemment. Quand il sentit la coque crisser sur le sable, il descendit dans l'eau, prit la jeune fille dans ses bras et l'emmena à terre. Il la déposa devant son frère, toujours revêtue de sa cape.

« Elle n'a pas prononcé un seul mot depuis que je l'ai trouvée, expliqua Tristan au prince. Elle n'a rien avalé, ni eau ni nourriture. Et il lui faut une tunique. En vérité, Kaherdyn, dit-il en baissant la voix, je crois qu'elle ne va pas bien du tout. Elle a subi de rudes traitements. Cet homme… cet homme était un monstre. »

Kaherdyn enlaça sa sœur.

« Iseut, Iseut, c'est fini maintenant. Tout ira bien. »

Mais elle frémit à son contact et se réfugia dans sa cape. Il fronça les sourcils.

« Que s'est-il passé, sire Tristan ? Comment l'avez-vous sauvée ? Et où est Ryol ? »

Tristan l'entraîna vers la poupe du bateau.

« Elle était dans sa chambre à coucher, à demi nue, et il se préparait à abuser d'elle une fois encore. Mais ne craignez rien, il est mort. »

Il brandit alors l'énorme tête rousse ensanglantée. Le temps n'avait rien fait pour améliorer son apparence. Deux des compagnons poussèrent un cri de surprise. Même Kaherdyn pâlit.

« Je présenterai ce trophée à la reine, votre mère.

— Comment le saviez-vous ? Qui vous a dit qu'il avait enlevé Iseut pour se venger de notre mère ?

— Je l'ignorais avant de le rencontrer, mais j'ai deviné. C'était un homme, euh, doté d'un fort appétit.

— Mon père l'a affronté et l'a dépossédé de ses biens, à l'exception de cet îlot et de cette bande de terre, mais il ne l'a pas tué. Ryol avait imploré son royal pardon et lui avait juré fidélité éternelle.

— Ne me dites plus rien, fit Tristan en posant la main sur son bras. Contentez-vous d'apporter la tête de ce géant à votre mère, elle en fera ce que bon lui semble.

— Peut-être dormira-t-elle enfin la nuit. Venez, Iseut, dit-il en se tournant vers sa sœur. C'est fini. À tout jamais. »

Il tendit la main vers elle, mais elle demeura immobile, les pieds dans le sable, la tête baissée.

« Accordez-lui du temps, conseilla Tristan. Rendez-la à sa mère au plus vite. Je crois qu'elle ne supporte plus la compagnie des hommes ni celle des jeunes garçons. Avez-vous prévu un cheval pour elle ?

— Vous viendrez avec nous, n'est-ce pas ? l'implora Kaherdyn. Il le faut, je n'y arriverai pas tout seul.

— Je suis à votre service, prince Kaherdyn, dit Tristan en s'inclinant. Donnez-moi le cheval et je la ramènerai. Vous savez, ajouta-t-il avec un sourire malicieux, je la porte pratiquement depuis l'antre de Ryol, elle est habituée à mon contact désormais. »

31

LA REINE DE LANASCOL

Au plus profond de Brocéliande, la verte étendue de Benoïc resplendissait comme un joyau. Une rivière coulait lentement autour de ses champs et de ses prairies riches en bétail et en pierres dressées, pour disparaître ensuite dans l'impénétrable forêt. Au milieu de cet espace, une petite colline était entourée d'une épaisse muraille de bois et de pierre. À l'intérieur de ce mur d'enceinte, la ville de Benoïc grandissait et prospérait. De la porte principale, une large route pavée menait à la demeure du roi, au sommet de la colline.

Tristan observait chaque détail avec intérêt alors que le prince Kaherdyn, à la tête de ses hommes, franchissait la porte, salué par ses gardes et ses sujets, et s'engageait sur la route. Il ne s'était jamais vraiment représenté la terre natale de Lancelot, mais ce n'était sûrement pas cette minuscule forteresse enchâssée dans la forêt. Toute de bois et de clayonnages, la maison du roi tenait à la fois de l'habitation et de la forteresse. Il avait imaginé quelque chose ressemblant davantage à Camelot, pour le moins une lourde structure de pierre de style romain. Mais sa déception fut de courte durée : lorsqu'ils entrèrent dans la cour pavée, des sentinelles se mirent au garde-à-vous, des serviteurs accoururent s'occuper des chevaux et le capitaine des gardes embrassa Kaherdyn, les larmes aux yeux, avant d'aboyer des ordres. Oui, malgré sa taille et sa simplicité, cette forteresse était un modèle d'ordre, de calme et de discipline.

Ses derniers doutes furent balayés quand les grandes portes de bronze s'ouvrirent et que la reine Dandrane en personne vint les accueillir sur les marches. Son visage offrait la même pâleur que celui de sa fille, mais ses traits étaient ceux de Kaherdyn, jusqu'à la couleur gris-vert des yeux, le dessin des lèvres, les nuances brunes de ses cheveux. Elle était vêtue d'une simple robe grise, droite, et portait à la taille une ceinture de cuivre ciselé, mais aucun ornement supplémentaire ne lui était nécessaire. L'âge avait conféré de la majesté à sa beauté. Son regard se porta sur sa fille qui, escortée de Tristan et de Kaherdyn, se tenait toujours tête baissée. Elle accueillit son fils avec une émotion certaine, remercia chaleureusement Tristan et le pria d'assister au banquet qui se donnerait le soir même en son honneur. Elle pria des serviteurs de lui montrer ses appartements et de lui fournir tout ce dont il aurait besoin pour sa toilette.

Au moment de quitter la cour, Tristan se retourna pour voir la reine prendre sa fille dans ses bras. Un instant, les beaux yeux gris-vert rencontrèrent ceux du jeune homme, et il s'aperçut qu'ils étaient emplis de larmes.

La salle du festin était de grandes dimensions, s'étonna Tristan, presque aussi vaste que celle de Lyon's Head, mais elle n'était qu'à demi remplie, et la moitié de ses occupants étaient des femmes. Chacun se leva à l'entrée de la reine. Tristan eut du mal à reconnaître la femme si simplement vêtue rencontrée l'après-midi. Elle pénétrait dans la salle comme un majestueux vaisseau au port, somptueusement parée d'or.

Elle se plaça à côté de Tristan et brandit sa coupe.

«Tristan de Lyonesse, buvons en votre honneur!»

Des acclamations fusèrent de toute part et tous lui souhaitèrent bonne santé et longue vie.

La reine baissa la voix et se pencha vers lui.

«Vous devez vous demander pourquoi nous sommes autant de femmes. Ryol en est la cause. D'innombrables combattants sont morts en tentant de secourir ma fille. Ce sont là leurs veuves, car cette fête est donnée en l'honneur de tous ceux qui risquèrent leur vie pour elle et pour moi.»

Son visage s'assombrit.

«Ces dames n'ont pas seulement perdu leurs époux, elles ont aussi perdu tout moyen de subsistance, et je veille sur elles. Ce n'est que justice. Pourquoi mourraient-elles de faim alors que leurs maris sont morts à mon service ? Le fardeau n'est pas trop lourd : à Benoïc, tout le monde œuvre de concert. »

Des serviteurs arrivèrent chargés de paniers de pain, de plats de viandes rôties, de bols emplis de fruits et de noix. La coupe de Tristan se remplissait dès qu'il la vidait et le vin était plus capiteux que tous ceux auxquels il avait goûté en Bretagne.

« Je vous dois la vie de mon fils et celle de ma fille. C'est contre mon gré qu'il a entraîné ces enfants loin de Benoïc. Je devrais le punir pour sa désobéissance mais je ne puis m'y résoudre. Je suis trop heureuse de le revoir. De cela aussi, je vous remercie.

– C'est un brave garçon, déterminé.

– Je dirais plutôt opiniâtre, précisa-t-elle avec un sourire.

– Il me déplaît de contredire mon hôtesse alors que je bois son vin et mange ses mets.

– J'aime vos manières, sire Tristan, déclara-t-elle avec un rire léger. Je vous remercie également de la tête du géant, je l'ai fait empaler à la porte principale. Les villageois dansent à cette heure autour d'un feu de joie. »

Son sourire s'éteignit.

« Oui, merci de me l'avoir rapportée. Peut-être allons-nous pouvoir oublier cette horreur…

– Et votre fille ? Comment se porte-t-elle depuis son retour ?

– Iseut est malade. Il a blessé son esprit plus encore que son corps. Le corps guérira mais… »

Elle se détourna quand ses lèvres frémirent.

« Cette brute lui a volé son innocence, sa personnalité. Pour l'instant, elle n'est personne. Il est trop tôt pour dire qui elle deviendra.

– Faisons confiance au temps.

– Oui, c'est mon seul espoir. »

Le silence s'installa entre eux. Autour, les convives buvaient et mangeaient, riaient et bavardaient, mais la reine contemplait son assiette sans y toucher. Tristan partageait son souci et en perdait lui aussi l'appétit.

« Ma dame la reine de Lanascol, dit-il en respectant scrupuleusement le protocole, j'ai parcouru un long chemin sans connaître ma destination, puis Dieu m'a déposé sur votre rivage et m'a montré à quoi je pouvais servir. Kaherdyn m'a révélé que votre royal époux était en pèlerinage. Faites-moi l'honneur de me garder à votre service à Lanascol, jusqu'à son retour, tout au moins. »

Elle écarquilla les yeux d'étonnement.

« Tout l'honneur est pour moi, sire Tristan. Ce que vous m'offrez, tout l'or de Lanascol ne pourrait me le payer. Et vous ne demandez rien en échange de votre séjour à Benoïc? Que peut trouver ici un homme tel que vous? Nous ne sommes pas à votre mesure.

– Non, ma dame. Il y a quelque chose en ce lieu... Je désire le voir depuis l'enfance, lorsque mon père me relatait ses campagnes avec Lancelot et Arthur. D'une certaine façon, il me rappelle Camelot. La magie de cette époque bénie s'y manifeste encore.

– Je vous comprends. Moi aussi, j'aurais aimé connaître ces hommes. Mais Lancelot est mort avant que j'épouse son fils et je ne l'ai jamais rencontré. »

Elle hésita et baissa les yeux.

«Nous nous sommes épousés à côté de sa tombe alors que nous revenions de Galles. Je ne l'ai jamais approché de plus près.

– De Galles? s'écria Tristan. Vous êtes donc galloise?

– Oui, j'ai grandi à Gwynedd. Le roi Maelgon était mon père.

– Mais... Perceval de Gwynedd est le fils de Maelgon!

– Val est mon frère, répondit la reine, soudain radieuse. Mon jumeau. Oh, je ne l'ai pas vu depuis si longtemps! Dites-moi ce que vous savez de lui, je vous en prie. »

Tristan avait la tête qui tournait.

«On m'aura envoyé ici, murmura-t-il, oui, on m'y aura envoyé... »

Puis il se reprit.

«Perceval est le plus grand roi de Bretagne. Il tient fermement Galles dans sa poigne.

– Non, fit-elle avec douceur, parlez-moi de *lui*. Quand je l'ai quitté, son épouse venait de lui donner un fils. C'était une jolie fille, quoiqu'un peu superficielle. Guinblodwyn, fille du roi Pelléas. Elle ne m'aimait pas, mais ce n'était que naturel. Les jumeaux sont proches l'un de l'autre. Nous partagions tout, Val et moi. J'espérais que l'amitié renaîtrait entre eux à mon départ, dit-elle en l'interrogeant du regard.

– J'ignore quel fut leur passé, répondit Tristan sur un ton neutre, mais ils sont à peine amis aujourd'hui. Quand je me trouvais à Gwynedd, ils ne se parlaient ni ne partageaient la même couche. Chacun pense que c'est une sorcière revenue aux pratiques païennes de son enfance.

– Je suis attristée de l'apprendre. Pauvre Val... Vous étiez donc à Gwynedd? dit-elle, les yeux embués de larmes. Comme je vous envie. Je me languis tant de ma terre natale. Comment vont ses enfants? Quand je suis partie, voyons... la petite Iseut avait deux ans et Melléas n'était qu'un nourrisson. Ils doivent être adultes à présent. Y en a-t-il d'autres?»

Tristan sentit sa gorge se serrer.

«Perceval a deux fils vivants, Melléas et Logren.

– Deux garçons, quel bonheur! Mais qu'est-il advenu de la jeune Iseut? Elle promettait d'être fort belle, si je m'en souviens bien.»

La douleur étreignait la poitrine de Tristan et il avait du mal à respirer. Il remarqua l'étonnement de la reine. Péniblement, il retrouva sa voix.

«Ne vous a-t-on donc pas prévenue? Perceval a marié Iseut à mon oncle Marc, roi de Cornouailles. Elle est à ce jour Haute Reine de Bretagne.

– Ma nièce Iseut? Je comprends tout. Nous avons parfois des nouvelles du monde extérieur, ici, dans notre forêt perdue, mais elles ne sont jamais très récentes. Je savais que Marc était Haut Roi et qu'il l'était devenu grâce à vous. Je savais aussi qu'il avait pris pour épouse une princesse galloise, mais j'ignorais que ce fût Iseut. Lui a-t-elle donné un enfant?

– Oui, balbutia Tristan, un fils.

– Alors le petit-fils de Perceval sera le prochain Haut Roi de Bretagne! Quel honneur pour notre maison. Et pour la vôtre.

– C'est vrai. Il suffit de connaître Iseut pour lui rendre hommage.»

Il détourna les yeux et Dandrane le regarda d'un air pensif.

«J'accepte votre offre, sire Tristan. Vous êtes le bienvenu à Benoïc et vous y demeurerez tant que vous le souhaiterez. Non, ne me remerciez pas. Nul doute que j'en tirerai plus d'avantages que vous. Mais répondez à ma question, je vous prie: pourquoi le seigneur de Lyonesse et honoré neveu de Marc désire-t-il se cacher à Brocéliande?

– Je suis ici parce que je ne puis rentrer chez moi, fit-il assez sèchement. Mon oncle le roi m'a banni de Bretagne.

– A-t-il mis votre tête à prix?

– Non, tout ce qui lui importe est que je vive loin de la Bretagne.

– Et vos terres?

– Elles lui sont revenues.

– Vous êtes celui à qui il doit sa couronne. Marc serait donc un tyran? Ou méritez-vous sa colère?»

Tristan hésita, mais les yeux de la reine le poussaient à dire la vérité.

«À sa place, j'aurais fait de même, sinon pire.

— Je vois... Ah, je regrette qu'il n'y ait pas de barde pour nous divertir, dit-elle en promenant son regard sur la salle. Rares sont ceux qui se rappellent encore les vieilles légendes, plus rares encore ceux qui daignent s'aventurer jusqu'à Benoïc. Quand j'étais jeune, à Gwynedd, nous avions les meilleurs artistes de Bretagne, mais les temps changent...»

Elle se leva et chacun fit de même.

«Il est temps que les dames se retirent. Resterez-vous à boire avec les hommes, sire Tristan, ou puis-je jouir encore un instant de votre compagnie?

— Je suis à votre service, reine Dandrane», dit-il en s'inclinant.

Elle l'entraîna dans un couloir pavé jusqu'à une grande pièce carrée meublée de chaises capitonnées; le sol carrelé était recouvert d'une natte épaisse. Elle congédia les femmes qui l'accompagnaient et alluma elle-même les lampes; puis elle ouvrit un volet et s'enivra de l'air chargé de senteurs sylvestres. La lueur des chandelles faisait resplendir l'or de sa robe.

«Je désire que vous leviez une armée destinée à protéger Lanascol d'hommes tels que Ryol. Les nôtres ont péri en l'affrontant. Vous êtes un guerrier: les hommes vous suivront, des hommes que vous apprendrez à connaître. Mon époux s'en chargerait s'il était ici. Je ne puis assumer cette tâche. Le ferez-vous, Tristan?

— Oui, ma dame.

— Il vous faudra tout reconstruire.

— Je chevaucherai dans tout Lanascol, j'irai de maison en maison et je chercherai des hommes jeunes. Permettez-moi d'emmener Kaherdyn avec moi. Vous aurez votre armée à la fin de l'été.»

Il fut récompensé par un sourire de soulagement.

«Merci. Je suis persuadée que Kaherdyn sera heureux de vous assister.»

Elle quitta la fenêtre.

«J'ai également une faveur à vous demander.

— Je vous en prie, ma dame.

— Quand vous avez sauvé Iseut... quand vous l'avez trouvée dans la chambre de Ryol... elle était en haillons, m'a raconté Kaherdyn, et votre cape a servi à dissimuler sa nudité. Vous qui l'avez vue, vous savez ce que ce monstre faisait d'elle. Moi aussi, je le sais, de même que Kaherdyn, mais...

— Votre secret sera le mien. Personne au monde n'apprendra ce qu'a subi votre fille. Je ne dirai rien.

— Merci, mais vous savez que les mauvaises nouvelles se répandent

385

très vite. En Petite Bretagne, tout le monde est déjà au courant. Mais je veux autre chose...»

Elle revint vers la fenêtre.

«Quand il reviendra, ce sera par cette route, c'est cette porte qu'il franchira. Chaque jour je le guette. Depuis un mois, je craignais qu'il rentre avant qu'Iseut ne soit délivrée. Maintenant, je redoute de le voir avant sa guérison.

– Vous ne tenez pas à ce que le roi soit mis au courant?»

Elle se retourna, les yeux pleins de larmes.

«Il est certainement impossible de lui dissimuler la vérité. Quand il l'apprendra...

– Il la blâmera? dit Tristan en s'avançant vers elle.

– Bien au contraire. Il pardonnera Iseut, il me pardonnera, avec le temps il en viendra même à accorder son pardon à Ryol. Mais il s'en voudra toujours et il endossera tous nos péchés.

– Qu'attendez-vous de moi?

– S'il se fait des reproches, Iseut ne le supportera pas. Je crains qu'elle ne se jette dans la rivière ou ne s'ouvre les veines. Elle ne supporte pas de décevoir son père. Je ne puis les protéger tous deux, Tristan. Voici donc ce que je vous demande. Protégez ma fille d'elle-même et je prendrai soin du roi. Voyez-vous, fit-elle avec un sourire un peu contraint, tout a commencé avec moi. Il avait prévu ce pèlerinage depuis des années, mais il ne l'a entrepris que lorsque... Il n'y a pas de raison pour que vous l'ignoriez. Ryol a tenté de me violer en l'absence de Galaad, mais celui-ci est revenu prématurément. Ils se sont battus et, la pointe de l'épée de mon époux sur sa gorge, Ryol s'est soumis et a juré fidélité à Lanascol. Des années durant, il ne nous a pas inquiétés. Jusqu'à maintenant. Galaad se sentait responsable, ma honte est devenue la sienne et il a entrepris d'aller à pied à Jérusalem pour expier sa faute. Imaginez ce qu'il fera en apprenant que Ryol a abusé de sa fille en son absence!»

Elle enfouit son visage dans ses mains tandis que Tristan la regardait sans bien comprendre.

«Galaad? murmura-t-il. Sire Galaad? Votre époux?»

Il était à peine possible de croire qu'un seul homme avait combattu Ryol et l'avait désarmé sans le tuer, mais s'il s'agissait de Galaad... Que lui avait donc dit Perceval à Gwynedd? *C'est un homme d'une grande complexité.* Perceval le lui aurait sûrement précisé si Galaad avait épousé sa sœur, mais ils avaient eu si peu de temps pour parler...

Tristan dut agripper une chaise.

« C'est impossible, bredouilla-t-il. Ce ne peut être le même homme... »

La reine essuya ses larmes.

« Avez-vous donc grandi en entendant les bardes chanter sa mort devant le Graal? Vous n'êtes pas le seul. En dehors de Lanascol, rares sont ceux qui connaissent la vérité à propos de Galaad. Sa renommée a traversé la Bretagne telle une comète dans le ciel nocturne, puis il a disparu du jour au lendemain. D'où les légendes qui se construisent autour de son nom. Mais ceci mis à part, c'est un homme comme tous les autres.

— Non, pas comme tous les autres, parvint à répondre Tristan. Il était différent. Vertueux, immaculé. Saint.

— C'est autrement plus complexe, fit la reine en le regardant avec compassion. Qui est à l'image de la sainteté? L'ermite qui se coupe du monde et adore Dieu, un acte dont nul ne profite hormis lui-même? Ou celui qui vit parmi les pécheurs, partage leurs joies et leurs douleurs, parfois même leurs péchés, mais qui les aime par-dessus tout et donne son sang pour eux?

— Me feriez-vous comprendre que sire Galaad était un grand pécheur?

— Oui. Il a fait des choses dont il croyait incapable tout homme craignant Dieu. Demandez-le-lui vous-même.

— Dans ce cas, l'espoir m'est permis pour moi-même.

— Il y en a pour nous tous, dit la reine avec un sourire. C'est certainement pour nous l'enseigner que le Christ est mort. »

Tristan la contemplait d'un air grave alors que la lumière jouait avec les contours exquis de son visage. Il avait devant lui une femme dont la beauté resplendissait jusqu'au tréfonds de son âme. Il se demanda si elle avait jamais été mauvaise dans sa jeunesse. Cela lui paraissait inimaginable.

« Il n'y a donc pas de Graal? C'est là encore le fruit de l'imagination des bardes?

— Non, répliqua-t-elle avec douceur, le Graal existe bien, mais il n'a rien à voir avec la sainteté. C'est du blasphème.

— Qu'est-ce donc alors? Me le direz-vous?

— C'est une partie d'un trésor ancien perdu depuis longtemps pour les rois de Bretagne. Il existait trois trésors autrefois: l'Épée, la Lance et le Graal. Merlin a trouvé l'Épée pour Arthur et il l'a nommée Excalibur: il s'en est servi pour sauver la Bretagne des Saxons. Mais il n'a découvert ni la Lance ni le Graal. Nul ne les avait vus depuis quatre cents ans quand Arthur demanda à Galaad de les lui rapporter[1]. »

Son visage s'éclaira.

« Ce qu'il a fait, bien des années après, alors qu'il s'y attendait le moins. Mais ce ne sont pas des objets saints, Tristan, et peu importe ce qu'en disent les bardes. Peut-être sont-ils sacrés pour la Bretagne et appartiennent-ils à leurs rois. Arthur en personne leur conférait une importance politique. Pour les bardes, il est aisé d'embellir la vérité. Parfois certains pénètrent dans cette forêt et, sans savoir qui sont leurs hôtes, prennent leurs harpes pour chanter comment Galaad, le Chaste Fol, est le seul des Compagnons d'Arthur à découvrir le Graal et à périr à sa lumière. Comme il s'en amuse ! Il avait quatorze ans à la mort d'Arthur et il ne fut jamais l'un de ses Compagnons. Jeune homme, il redoutait les femmes, d'où sa réputation de chasteté, mais, comme tous les hommes il a vaincu sa peur. Le Graal lui-même était un cratère appartenant à un empereur : à sa mort, son épouse l'avait enfoui pour qu'il ne tombe pas aux mains des Saxons. Mais de nos jours les bardes donnent à chaque légende une coloration chrétienne afin de ne pas irriter les évêques.

— Non, les bardes que je connais croient sincèrement à ce qu'ils racontent sur sire Galaad.

— Réfléchissez un instant. Galaad fut toujours un personnage important parce qu'il était fils de Lancelot. Il était grand pour son âge et aussi habile à l'épée que son père. Il a vécu à Camelot aux côtés d'Arthur. Effectivement, sa gloire s'est répandue dans toute la Bretagne. On parle de lui avec respect dans les royaumes du Nord, dans ce qui reste de Logris, dans tout le pays de Summer et bien sûr en Galles. Chaque Saxon connaît son nom. Sa loyauté et son épée ne faillirent jamais et, grâce à lui, Angles et Saxons battirent en retraite un certain temps. Et puis, à l'âge de vingt-cinq ans, il disparut. J'en suis la raison, dit-elle avec un sourire timide. Tous l'ignorent car, à notre départ de Bretagne, nous sommes venus ici. Benoïc n'est que de peu d'importance. Même si Galaad et ses frères ont protégé la Bretagne en se battant pour faire de la Petite Bretagne un front uni contre les Francs, les Burgondes et les Alamans, il s'est totalement retiré. Il ne faut donc pas s'étonner si les bardes le croient mort, ils se sont contentés de donner une fin à une histoire qui n'en avait pas.

---

1. Voir *Le Prince du Graal* tomes 1 et 2, du même auteur chez le même éditeur.

— Je composerai une ode destinée à faire éclater la vérité, proposa Tristan.

— Cela me plairait, dit-elle en lui prenant la main avec chaleur, mais apprenez d'abord à le connaître. Il ne vous refusera rien : vous avez sauvé sa fille, qui lui est si précieuse. Bien entendu, ajouta-t-elle après un instant d'hésitation, il vous faudra pour ce faire attendre son retour, et je ne puis vous dire quand cela sera. »

Tristan se leva et porta à ses lèvres la main de la reine.

«Ma dame, vous êtes la grâce en personne. Je serai heureux de lever une armée et de vous servir tant que Lanascol aura besoin de mon bras. Vous me faites beaucoup d'honneur en m'invitant à rester auprès de vous. Cet endroit est pour moi un sanctuaire et peut-être parviendrai-je à y commencer une nouvelle vie.

— Je l'espère sincèrement, Tristan. Il est inutile de parler de la tragédie que vous avez vécue. Vous avez risqué votre vie pour nous parce que vous ne lui accordez plus aucune importance. Je sais ce qu'il y a dans votre cœur, cela fut aussi dans le mien.»

Elle approcha son doux visage du sien et posa les lèvres sur sa joue.

«J'ai vu aussi votre visage quand vous parliez d'elle. Restez avec nous, Tristan, et le temps fera son œuvre de guérison.»

32

LE RETOUR DU ROI

Par un bel après-midi de septembre, Tristan pinçait sa harpe, assis sur un muret. Dans son esprit, naissait la mélodie, un chant d'amour doux et amer à la fois, qu'exprimerait mieux la vieille harpe de Merlin, abandonnée à Lyonesse. Celle-ci avait des sonorités plus aériennes qui s'accordaient mal à son humeur mélancolique. Mais au moins pouvait-il chanter. Durant ces deux années passées à Lanascol, son esprit était demeuré si longtemps maussade qu'il en avait perdu tout espoir de retrouver un jour sa voix.

Comme par le passé, la cicatrice de Marhalt, la souffrance que lui inspirait Iseut était toujours présente, mais elle ne connaissait pas d'antidote. Il était désespéré, et elle l'était aussi, à cause de lui. Il frissonna involontairement et la harpe gémit. Il s'empressa d'en calmer les cordes du plat de la main.

Hélène était assise sur un banc, non loin de lui. Il lui sourit comme pour s'excuser.

«Mille pardons, ma dame.»

Les yeux bleus de la jeune fille savaient lire dans les siens.

«Une âme apaisée, Tristan. Tout n'est pas perdu. Elle vit. Accrochez-vous à cette idée.

– J'essaierai», répondit-il en laissant son regard s'attarder sur sa chevelure noire qui lui faisait comme une cape.

Elle lui sourit à son tour et reprit ses travaux d'aiguille.

«Ne m'avez-vous pas répété ces mots, jour après jour, pendant ces deux années, "une âme apaisée, une âme apaisée"? Voyez, elle l'est aujourd'hui. Je peux parler à nouveau.»

Ses doigts firent naître une cascade de notes.

«Et votre voix est si belle. Attendre n'était pas inutile. Je devrais vous apprendre à chanter.

– Non, mais faites-moi encore une fois entendre cette ballade. La mélodie suffit à briser le cœur.»

Tristan ferma les yeux et revit cette dernière aube en Bretagne, la belle Iseut blottie dans ses bras, ses cheveux flamboyants sur sa peau et son chaud parfum enivrant ses narines.

Quand il eut fini de chanter, Iseut se détourna pour dissimuler ses larmes.

«Oui, vous êtes un maître, Tristan.»

Il secoua la tête.

«Je ne suis barde que lorsque l'esprit m'habite. Je ne pratique pas assez. Et puis, ajouta-t-il en souriant, je ne connais pas non plus la généalogie. Avant mon arrivée à Lanascol, j'ignorais que sire Perceval avait une sœur.»

Elle lui sourit à son tour et il la regarda avec plaisir. Quel chemin elle avait parcouru! Un mois durant, elle avait gardé le lit, la tête sous les couvertures bien que ce fût l'été, recroquevillée sur elle-même pour se protéger du monde entier. L'automne venu, elle demeurait allongée sur le dos, regardant en permanence par la fenêtre ouverte, au point que la reine Dandrane avait commencé à désespérer de la voir un jour recouvrer ses esprits. Fidèle à sa parole, Tristan avait fait de son mieux pour la jeune fille: chaque fois qu'il le pouvait, il se tenait auprès d'elle et lui offrait des contes bardiques, des histoires où les dieux côtoyaient les héros, des souvenirs de sa propre jeunesse, des évocations de la vie à Lyonesse. À une ou deux reprises, il avait pleuré en songeant à ce qu'il avait perdu; à une ou deux reprises, il avait vu des larmes couler sur les joues d'albâtre d'Hélène, mais il n'avait rien dit. Elle désirait rester dans son univers et il ne cherchait pas à l'en arracher.

Puis les saisons avaient fait leur œuvre. Elle s'était levée au solstice d'hiver, au printemps elle avait marché à son bras, dans le jardin. Il se rappelait parfaitement le jour où il l'avait entraînée hors de sa chambre. Auparavant, nul homme, pas même son frère, Kaherdyn, n'avait pu effleurer sa peau.

Six mois encore s'étaient écoulés et elle pouvait à présent marcher seule, mais elle ne parlait toujours pas. En proie à l'inquiétude que lui inspiraient son époux et sa fille, la reine Dandrane passait de longues heures à la chapelle.

Enfin, à Noël dernier, la reine avait appris de la bouche de son fils que Tristan savait chanter et jouer, et elle lui avait offert un instrument susceptible de réveiller sa voix. Pendant des heures, il l'avait serré contre lui comme une femme aimée et il avait chanté ces chansons consacrées à la mer qui déplaisaient tant à Dinadan. Quand il avait relevé la tête, Iseut se tenait à la porte, les yeux baignés de larmes. Pour la première fois depuis vingt mois, elle avait parlé.

«Ne vous arrêtez pas, oh non, je vous en prie, ne vous arrêtez jamais!»

Depuis ce jour, ils conversaient souvent ensemble. Plus de cent fois, elle avait pleuré dans les bras de sa mère, mais elle ne s'adressait qu'à Tristan. De son côté, il se sentait capable de lui confier des secrets qu'il ne pouvait partager avec personne. Et quand il évoqua enfin Iseut, il s'étonna de constater qu'elle avait déjà pratiquement deviné la vérité. Elle seule entendait les plaintes de son cœur que reflétait sa musique, des douleurs si vives, si profondes qu'il en percevrait l'écho jusqu'à la fin de ses jours.

L'automne céda la place à l'été; peu à peu, mains crispées et regard assombri par la terreur, elle lui raconta son enlèvement. L'une après l'autre, elle gagnait les batailles qu'elle menait contre la peur. Il y avait en elle une détermination qu'il admirait, unc force en laquelle il croyait. Elle guérissait sous ses yeux et il l'enviait.

Il sauta à bas du muret et alla s'asseoir sur le banc.

«Je pars demain inspecter les défenses du littoral. Nous avons détruit la forteresse de Ryol, rasé les bâtiments extérieurs et renforcé la tour. La chaussée a été élargie et pavée. Kaherdyn croit le lieu imprenable. Aimeriez-vous le voir? Vous le reconnaîtriez à peine. Je vous accompagnerai, cela vous aidera.

— Non, balbutia-t-elle, soudain très pâle. Non, je vous en prie. Emmenez plutôt ma mère, elle n'a jamais vu cet endroit. Vous avez reconstitué l'armée de Lanascol, elle vous doit tant.

— Elle ne me doit rien. C'est moi qui ai demandé à rester.

— Quoi? Je l'ignorais.

— Pourquoi pas? Je ne puis rentrer chez moi. Quel meilleur endroit pour terminer mes jours que celui qui donna le jour à sire Lancelot et sire Galaad?

— C'est vrai, cette terre engendre des hommes forts, mais vous, Tristan, dit-elle doucement, un jour, vous repartirez. Je le sais.»

Une sonnerie de cor les surprit. Iseut se leva.

«Un courrier! Oh, Tristan, allez voir ce qu'il veut! Ce sont peut-être des nouvelles de père!»

Il lui tendit la main.

«Venez avec moi.

— Non, je ne peux pas, je...»

Mais il prit sa main tremblante et lui fit faire quelques pas.

«Si, vous le pouvez. La reine le recevra en privé. Il n'y aura personne d'autre. Vous n'aurez pas à apparaître publiquement. Venez, vous verrez.»

Ils trouvèrent la reine Dandrane dans son antichambre, entourée de ses seules dames de compagnie. Un messager était agenouillé à ses pieds, les habits et les cheveux encore couverts de la poussière de la route. Un bissac était accroché à son épaule. La reine Dandrane parcourait une missive avec une telle concentration qu'elle ne les entendit pas entrer. Puis elle leva la tête et leur fit signe d'approcher.

«Tristan, Iseut, ma chérie. Une lettre de votre oncle Galahodyn. Votre père est sur le chemin du retour. Il a passé une quinzaine avec Hodyn en Neustrie et celui-ci dit qu'il... qu'il ne va pas bien. Il a été blessé en Orient, semble-t-il, et la cicatrice s'est rouverte. Il a été malade un an durant, mais il s'en revient enfin.»

Iseut tomba à genoux et se signa, mais le courrier ne parvenait pas à quitter des yeux Tristan.

«Tristan? Vous ne pouvez être Tristan de Lyonesse, celui qui a disparu en Bretagne il y a deux ans?

— Tout à votre service, répondit celui-ci. Le voyage de Neustrie est-il long? Quand devons-nous attendre sire Galaad?

— Je ne puis être précis, seigneur, dit le messager extrêmement intimidé. Il y a une semaine de route à cheval, mais il voyage dans une litière.

— Une litière! s'écria Dandrane.

— Oui, ma dame. J'ai été retenu par un orage qui avait fait grossir la rivière. Il est peut-être à un ou deux jours de route de moi. Peut-être même quelques heures.»

Tristan avait la main posée sur l'épaule d'Iseut et il la sentait frissonner. Il eut soudain l'air inquiet.

«Quelles nouvelles de Bretagne?

— Récemment, seigneur? Pas grand-chose...

— Au cours de ces deux dernières années.

— Oh, il s'est passé bien des choses. Cela dépend de ce que sire Tristan désire savoir.

– Qu'en est-il de mon oncle et de la reine?»

L'homme hésita.

«Eh bien... Dieu n'a pas souri au roi Marc, seigneur, depuis que... enfin... depuis votre...

– Quoi? Parlez!

– Depuis que vous vous êtes enfui», dit-il très vite.

Tristan devint rouge de colère.

«Enfui? C'est ce qu'on raconte?

– Certains, oui, surtout les hommes de Marc. Mais pour d'autres, vous avez tout simplement... disparu.

– Parlez-moi de Marc. Qu'est-il arrivé à la Bretagne depuis qu'il a perdu la moitié de ses commandants?

– Les Saxons gagnent du terrain chaque saison. Au printemps dernier, le Haut Roi a été vaincu à la Danse des Géants. Les Saxons ont pris Amesbury et toutes les terres alentour. Drustan d'Elmet a été tué par les Angles et la fédération du Nord s'est scindée en factions à propos de la succession. Seul Perceval de Gwynedd est resté fidèle à Marc, seul l'Ouest demeure fort.

– Que le Ciel bénisse Perceval. Maintenant, que savez-vous de la reine?»

Iseut le regarda et lui prit la main. Dandrane roula le parchemin et le rangea tout en les observant du coin de l'œil. Le messager hésita.

«La reine, seigneur? Je n'ai pas beaucoup de nouvelles...

– Vous savez parfaitement ce que je veux entendre. Se porte-t-elle bien? Et comment vont ses enfants?»

L'homme tira nerveusement sur sa barbe.

«Les deux garçons vont bien. Quant à la reine, les rapports sont divers. Après la naissance d'Isaïe le Triste, elle est restée alitée plusieurs mois. Certains disent qu'elle est mélancolique depuis, d'autres qu'elle est en pleine santé. J'ignore où est la vérité...

– Isaïe? Pourquoi a-t-elle donné à l'enfant un nom si douloureux?

– Peut-être parce que la Haute Reine a pleuré deux mois avant et après sa naissance. C'est un beau garçon plein de vigueur, mais la reine dit qu'elle n'aura plus d'enfants après celui-là, même si elle est assez jeune et que Marc est encore fort comme un bœuf.»

Une sorte de grognement résonna dans la gorge de Tristan. Sa main glissa vers la poignée de son épée.

Le messager s'inclina très bas.

«Pardonnez-moi, seigneur, mais vous m'avez demandé quelles étaient les nouvelles.

– Ce n'en sont pas!»

Tristan allait quitter la pièce quand il se ravisa.

«C'est donc tout ce que vous savez sur elle? Personne n'est allé à Tintagel, c'est cela?

– Nous avons bien eu un barde, Hébert d'Aquae Sulis. Il disait vous connaître.

– Effectivement.

– Il a chanté une ode en votre honneur, seigneur, et il y relatait vos exploits. C'est ainsi que la plupart d'entre nous apprennent ce qui se passe en Bretagne. Il disait que vous aviez mis votre vie en péril pour donner sa couronne à Marc et pour ramener sa promise de Galles. Malgré votre bravoure, Marc vous avait refusé l'unique récompense que vous désiriez.»

Le courrier leva la tête et regarda brièvement Tristan.

«Il n'est pas toujours sage d'aider les rois à assouvir leurs envies. C'est ce que disait Hébert. Les obligations les rendent irritables.

– Irritables! s'écria Tristan. Comme peut l'être un loup affamé. Hébert est un poète, s'il était allé à Tintagel, il en aurait raconté plus. Que fait la reine? A-t-elle le sourire? Danse-t-elle, chante-t-elle? Elle ne passe tout de même pas tout son temps dans l'affliction!»

Iseut lui pressa la main. Le regard de l'homme allait de Tristan à la jeune fille.

«Hébert n'a jamais fait état de Tintagel, seigneur. Il a toutefois dit que... euh, sans sa fidèle compagne... j'ai oublié son nom... sans sa suivante galloise, la Haute Reine est malheureuse. "Un vaisseau privé de son pilote sur une mer tourmentée", c'est ce qu'a chanté le barde. Je suppose que...»

Le visage de Tristan avait perdu toute couleur. Iseut glissa un bras autour de sa taille. Sa voix n'était plus que murmure.

«Branwen? Vous parlez de Branwen? Elle est partie? Où ça?

– Partie, seigneur? s'étonna le messager. Oui, dans l'Au-Delà, car elle n'est plus.»

Tristan ferma les yeux.

«Comment? demanda Dandrane. À la suite d'une maladie, d'un accident? Vite, parlez!

– Je vous croyais déjà au courant de ces événements, ma dame. La suivante est morte il y a deux ans, le jour même où sire Tristan a disparu de Lyonesse.

– Comment? Qui l'a tuée?

– Personne, ma dame. Elle a pris elle-même la coupe de poison et c'est de son plein gré qu'elle a quitté la vie.»

Tristan titubait, les yeux pleins de larmes.

«Cette coupe m'était destinée. Ô, Seigneur... Je ne la croyais pas aussi déterminée. Iseut, pardonnez-moi, je vous ai privée de tout ce qui était cher à votre cœur.»

Dandrane se leva.

«Merci d'avoir bravé les hasards de la route, dit-elle d'un ton ferme au courrier. Ma servante vous conduira aux cuisines, où vous pourrez vous rafraîchir et prendre un repas. Je vous rappellerai pour avoir davantage de nouvelles de mon époux.»

L'homme s'inclina et suivit la servante. Dandrane se tourna alors vers Tristan et sa fille.

«Emmenez-le à la chapelle, Iseut, c'est le lieu le plus indiqué pour un tel chagrin.»

Elle hésita.

«Restez à ses côtés et réconfortez-le de votre mieux.»

Galaad revint trois jours plus tard au crépuscule. La reine Dandrane l'attendait dans la cour, Kaherdyn à sa droite, Tristan et Iseut à sa gauche. Ils étaient entourés de deux compagnons de la jeune armée de Lanascol et du capitaine de la garde, dont les bottes et la boucle de ceinture resplendissaient aux derniers feux du couchant.

Ils virent arriver la lente procession, trente chevaux qui marchaient deux par deux derrière une litière. Des torches avaient été disposées tout le long du chemin : un tunnel de lumière pour le retour du roi.

Tristan avait le bras posé sur l'épaule d'Iseut. Elle se tenait très raide.

«Il est au courant, lui expliqua Tristan. Votre oncle Galahodyn l'a mis au courant et il a eu le temps de se faire à cette idée. Vous n'avez plus rien à craindre.»

Elle ne répondit rien. Elle gardait les yeux rivés sur la route et Tristan soupira. *Il absorbe le péché comme une éponge le fait de l'eau*, lui avait-elle dit un jour. *Il se croit lui-même le père des péchés. Et je vais en ajouter un à son fardeau.*

Six appels de cor annoncèrent l'arrivée du train royal. Comme il approchait du sommet de la colline, Tristan vit marcher à côté de la litière un homme portant sandales et robe de bure. Avec son bâton, on eût dit un mendiant, mais on ne pouvait douter de son identité.

La reine Dandrane s'avança, des larmes pleins les yeux.

«Galaad, ô mon cher seigneur, bienvenue chez vous!»

Elle l'enlaça très vite puis s'agenouilla devant lui. Il la releva, la prit par les épaules et lui parla doucement avant de la serrer contre lui et de l'embrasser. Iseut poussa un long soupir et Tristan sentit ses épaules s'affaisser.

Kaherdyn fit un pas en avant et, tandis que Galaad saluait son fils, Tristan regarda avec fascination ce chevalier de légende. Sa tête était nue – sans couronne ni heaume, sans même une capuche pour le protéger du soleil – et ses cheveux noirs comme ceux de sa fille grisonnaient aux tempes. Pourtant sa barbe était blanche. Il ne portait aucun ornement, ni torque, ni bracelets, ni même baudrier, bien que ce fût l'homme d'armes le plus redouté, un grand roi de surcroît. Son visage était buriné par des années passées au soleil et il se mouvait comme un vieillard, mais son regard! Tristan frémit quand il se posa sur lui avant de ne plus s'intéresser qu'à Iseut.

Elle se mit à trembler à son approche et, au lieu de se jeter dans les bras de son père, elle s'écroula à terre afin de porter à ses lèvres l'ourlet sali de son vêtement. Galaad s'agenouilla à côté d'elle et il lui releva le menton. Longtemps leurs yeux se rencontrèrent.

«J'ai quitté une enfant, murmura le roi, et je retrouve une femme. Je vous connais à peine, petite Hélène. Soyez patiente avec moi. Je vous aime tant.»

Les larmes ruisselaient sur le visage de la jeune fille quand elle le serra contre lui. Galaad lui parlait doucement, oublieux de tous ceux qui l'entouraient. Puis il lui offrit sa main et tous deux se relevèrent.

Tristan sentit les yeux bleus rencontrer les siens avec la force d'une flèche qui frappe un arbre.

«Messire le roi...», dit-il dans un souffle.

Ses jambes fléchirent et il se retrouva à genoux dans la poussière.

«Sire Galaad.»

Une main forte et hâlée se tendit vers lui.

«Tristan de Lyonesse, je bénis le jour de votre venue à Lanascol. Vous avez sauvé ma fille, qui m'est plus précieuse que toute âme vivante, et vous avez sauvé mon royaume. Je vous remercie du fond du cœur. Tout ce qui est mien vous appartient.

– Ce ne fut rien, sire, votre royaume n'était pas en péril avec à sa tête une reine telle que votre noble épouse.»

Galaad sourit. Sa peau brunie et ridée révélait un beau visage à la fine ossature.

«Elle en vaut trois comme moi à chaque instant, tous mes hommes vous le diront. Allons, dit-il en tendant la main vers le château où l'attendaient impatiemment Kaherdyn et Dandrane, prêtez-moi votre épaule. Je crois que Dane a fait préparer un banquet. Même si, je vous l'avoue, je ne m'y sens pas prêt, habitué que je suis aux mets de l'étranger.»

Une main posée sur Tristan et l'autre sur son bâton, Galaad monta les marches conduisant à sa demeure.

Ainsi qu'il l'avait dit, il mangea peu et évita toute chair animale, mais il paraissait se réjouir au spectacle des autres convives. Assise à côté de lui, Iseut ne le quittait pas des yeux. Il parla peu de ses pérégrinations; il préférait en effet savoir ce qui s'était passé à Lanascol durant son absence. Il questionna Tristan et Kaherdyn sur la défaite de Ryol, leurs voyages au sein du royaume, l'armée nouvelle, l'état des relations entre Francs et Alamans, et il demanda des nouvelles de son frère cadet, Gallinore, roi d'Armorique. Les épreuves imposées à Iseut furent passées sous silence. Enfin, quand les chandelles diminuèrent et que le vin circula, on en vint à parler de son pèlerinage.

«Ah, c'est une autre vie, soupira-t-il, les yeux perdus dans le lointain. Un autre monde. J'ai laissé ma jeunesse, Dane, dans les collines blanches qui ceignent la Cité de David.

— Est-ce là que vous avez été blessé? Y avait-il des bandits?

— Non, pas là, ce ne fut qu'une escarmouche. Cette blessure que j'ai à la cuisse est due à une flèche perse.

— Quoi? s'écria la reine. Vous avez mené une armée contre les Perses? Seigneur Dieu!

— Non, ma mie, c'était un roi hébreu, malin comme un renard. Mais je vous raconterai les détails une autre fois. Je suis las de parler. Cela m'est arrivé si peu souvent..., ajouta-t-il comme pour s'excuser.»

La reine Dandrane adressa un signe aux porteurs de torches.

«Vous me permettrez d'aller chercher le médecin. Nous devons trouver le moyen de guérir cette blessure.

— Vous croyez donc qu'il n'y en a pas en Orient? Je vous assure que ma blessure a été vue par une dizaine de médecins compétents, pas des charlatans qui ne connaissent que les sangsues et les imprécations! Pendant près de la moitié d'une année, dans un hôpital perdu dans le désert, on a cherché à extraire le poison. Un homme ne peut en faire davantage. Le Seigneur me rappelle ainsi que l'humilité est un don et l'arrogance, une malédiction.»

Il porta la main de Dandrane à ses lèvres et la regarda dans les yeux.

«Qu'est-ce, sinon l'arrogance, qui m'a poussé à croire que, comme le Christ, je pouvais porter sur mes épaules les péchés du monde entier? Qu'est-ce qui m'a poussé à aller jusqu'à Jérusalem pour découvrir ce que j'avais chez moi? L'arrogance, la gloriole, rien de plus. Sur la colline de David, j'ai appris ce que vous savez depuis des années: je ne suis ni plus ni moins qu'un homme ordinaire. Mes méfaits sont plus que je ne puis supporter, je n'en veux pas d'autres», ajouta-t-il avec un doux regard à l'adresse d'Iseut, qui se tenait tête baissée.

Au soleil de novembre, Kaherdyn chevauchait à côté de Tristan. La plupart des bois de feuillus étaient dénudés, prêts à affronter les neiges de l'hiver, mais les pins se dressaient, toujours aussi majestueux, jusqu'aux rives du lac.

«Comment va votre père aujourd'hui? demanda Tristan.

— Comme d'habitude, dit Kaherdyn en désignant le milieu du lac. Enfant, il passait beaucoup de temps sur cette île et mon grand-père, Lancelot, en faisait de même. Elle est belle, non? Pourtant elle ne m'a jamais attiré. Elle me donne même la chair de poule. Les gens du cru la disent hantée.

— Mais par qui?

— Je l'ignore. Je ne crois pas aux fantômes.

— Je m'en doutais. Votre voie est toute tracée.

— Non, dit Kaherdyn d'un air solennel, ce n'est pas le cas.

— Quoi? Des ennuis avec la belle Lionors? Je pensais que vous aviez la bénédiction de son père.

— Effectivement.»

Il s'empressa de détourner la tête pour ne pas en dire plus. Tristan le regarda et sourit. Ce n'était plus un enfant: il avait près de dix-huit ans et son corps déjà viril ne pouvait qu'attirer les caresses des femmes. Il surmonterait certainement ses problèmes.

«Dans ce cas, épousez-la au printemps prochain. Votre père n'y trouvera rien à redire. La reine Dandrane l'a pratiquement élevée, elle est depuis si longtemps à son service.

— Mon père s'y oppose», dit Kaherdyn, les joues rouges.

Tristan arrêta son cheval.

«Mais pourquoi?»

Kaherdyn se tourna vers lui. Sur son visage, des sentiments

contradictoires se succédèrent: la honte et le désespoir, l'humiliation puis l'espérance.

«J'ai promis de ne rien vous révéler. Je suis déjà allé trop loin. Oui, je l'ai promis à père. Il m'a demandé de vous prier d'aller le trouver. J'ignore ce qu'il veut, mais il y a sûrement un rapport...

— Mais qu'ai-je à voir dans votre mariage avec Lionors? Bien, puisque votre père attend, hâtons-nous. Une course, peut-être?

— Oh, ce n'est pas pressé à ce point, dit Kaherdyn qui retrouvait son sourire. À mon départ, il prenait un bain chaud. Il y reste des heures, cela lui fait du bien.

— Il me semblait en meilleure santé il y a un mois.

— Mère dit qu'il faisait plus chaud en Orient. Mais savez-vous ce que m'a raconté sire Bellas? Mon père a tué de ses mains dix-sept bandits alors qu'ils traversaient le sud de la Gaule et arraché trente enfants des mains d'un seigneur barbare de Massilia. Devant la Ville Sainte, il a empêché la lapidation d'une jeune juive, et bien d'autres choses encore. Croyez-vous que sire Bellas m'ait menti? Pourquoi père n'en parle-t-il jamais?

— Dans la discrétion, une bonne action n'en est que meilleure. Votre père n'est pas homme à apprécier les louanges.»

Tristan hésita, l'air grave.

«Il est très amaigri.

— Oui. Pensez-vous qu'il est revenu mourir dans son château?

— Cette idée m'a effleuré...»

Il trouva Galaad dans sa chambre, assis sur un siège à haut dossier. Les volets étaient fermés et deux braseros réchauffaient la pièce; malgré tout, le roi portait une lourde cape et une couverture dissimulait ses genoux. Tristan s'agenouilla.

«Seigneur Galaad.

— Relevez-vous, Tristan. Quittez votre tunique ou vous serez bientôt en sueur. Je sais qu'il fait trop chaud, mais j'ai toujours froid. Asseyez-vous.»

Les yeux bleus si pénétrants le rivaient au mur au point d'annihiler en lui toute volonté. Tristan affronta ce regard avec le calme d'un soldat confronté à son commandant.

«Tristan de Lyonesse, je suis honoré de vous avoir dans ma maison. Depuis mon retour, j'ai appris à vous apprécier. Je connaissais votre père et je l'admirais. Je sais avec quelle bravoure vous vous êtes battu en Bretagne, pour votre oncle et pour le royaume. Je suis heureux de vous offrir un foyer.

– Seigneur, l'honneur est pour moi.

– Je parle d'un foyer permanent.

– Merci, seigneur, fit Tristan avec une certaine inquiétude. Vous êtes la courtoisie incarnée.»

Les lèvres de Galaad esquissèrent un sourire, mais c'est d'une voix grave qu'il parla.

«Je vous demande d'épouser ma fille.»

Tristan blêmit. La pièce vacilla et il dut se tenir à son siège.

«Dane et moi nous inquiétons pour Iseut depuis des années, reprit le roi. Nul prétendant ne s'est manifesté. Je craignais que ma réputation ne les effrayât, mais la vérité est plus simple: depuis la mort de Hoel d'Armorique et depuis que son royaume est géré par les héritiers de Lancelot, je suis apparenté à toutes les nobles familles de Petite Bretagne. Les fils de mes frères sont plus jeunes que Kaherdyn. De plus, on me croit mort. Personne ne sollicite la main d'Hélène, et je ne connais qu'un seul homme digne d'elle.

– Seigneur, c'est… c'est impossible.

– Kaherdyn veut se marier avec la jeune Lionors, une parente éloignée. Je n'ai qu'une objection à cette union: Iseut a vingt et un ans et elle n'a pas trouvé d'époux. Après son mariage, Kaherdyn amènera sa femme dans cette maison, supplantant sa sœur et faisant d'elle une vieille fille. Après tout ce qu'elle a enduré, elle mérite mieux, n'est-ce pas? dit-il, une note de tendresse dans la voix. Qu'en pensez-vous?

– Oui, balbutia Tristan, mal à l'aise. C'est une femme au noble cœur, elle est brave et belle, mais, seigneur…

– Vous l'appréciez, Tristan? Dane m'a fait comprendre que vous étiez désormais les meilleurs amis du monde.

– Des amis, oui, sans aucun doute. Mais de là à…

– L'amour d'un ami est souvent le plus sincère, et vous êtes plus que cela à ses yeux. Vous êtes le seul à qui elle parle. Vous êtes son guérisseur, Tristan, elle aura toujours besoin de vous.

– Seigneur, je ne peux pas, dit très vite Tristan. C'est impossible. Lui avez-vous posé la question? Je vois bien que non. Elle ne voudrait pas de moi, elle lit dans mon cœur et sait que je suis promis à une autre. Elle mérite mieux que ça.»

Tristan s'attendait à une réplique cinglante de la part du roi, mais Galaad lui répondit avec douceur.

«Vous êtes promis à une femme qui est l'épouse d'un autre homme.

– Oui, seigneur.

– Ah, mon père a jadis connu pareil dilemme... Mais l'objet de vos désirs n'est pas libre. De plus, elle est mariée à votre souverain, à qui vous devez allégeance. »

Tristan hocha lamentablement la tête.

« Alors, vous savez que votre promesse est vaine, faite dans le feu de la passion et impossible à tenir, dit Galaad avec encore plus de douceur. De même, elle n'a pu respecter son serment. »

Telle était la blessure qui gardait éveillé Tristan depuis plusieurs nuits, la douleur cuisante qu'il cherchait à dissimuler à tous. Et voici qu'un étranger, un homme censé tout ignorer, mettait le doigt sur le point sensible.

Galaad versa du vin dans une coupe qu'il tendit à Tristan. Celui-ci but docilement.

« Une promesse est une promesse, murmura-t-il. Il me faut donc partir.

– Je ne puis vous en empêcher, mais c'est inutile. Vous êtes chez vous à Lanascol. Nous vous aimons tous comme si vous faisiez déjà partie de la famille.

– Mais si je reste après le mariage de Kaherdyn, cela fera jaser, dit-il avec tristesse. On se demandera pourquoi je demeure aussi près d'Hélène sans l'épouser. Ce n'est pas lui rendre justice.

– C'est vrai, mais ce n'est pas nouveau.

– Quoi ? Parle-t-on déjà ? Raconte-t-on que j'ai déshonoré votre fille ?

– Non, sans vous, elle serait morte. Vous êtes la joie de sa vie, mon fils, son unique joie. Il ne faut jamais écouter les commérages. Iseut aimerait que vous restiez à n'importe quel prix. »

Tristan bondit sur ses pieds et arpenta la pièce en tous sens.

« Si je reste, je suis l'homme le plus cruel au monde, mais si je pars, je suis le plus ingrat des êtres. Si je romps ma promesse, je suis maudit, mais si je la tiens, je ne suis qu'un misérable pécheur, déjà damné. Ô, Dieu, l'honneur m'est désormais interdit !

– Non, sire Tristan. Asseyez-vous et reprenez vos esprits. »

Galaad posait sur lui un regard plein de compassion.

« Vous vous châtiez parce que votre vie est pleine d'erreurs, de jugements erronés, de mauvais choix, voire de péchés. Il en va de même pour nous tous. Vous n'êtes pas damné si vous mettez tous ces actes douloureux derrière vous et devenez un homme meilleur. Dieu nous pardonne à tous. Nous pouvons toujours recommencer. »

Galaad prit son bâton et se redressa ; Tristan tomba à genoux devant lui.

« Je ne vous dirai pas ce qu'est l'honneur, car vous le savez mieux que quiconque. Je vous dirai seulement de ne pas désespérer. Cherchez un nouveau chemin, trouvez la route droite. L'espoir nous accompagne toujours : c'est là le plus grand cadeau que nous fait le Créateur. »

Il fit le signe de la croix sur la tête de Tristan avant de se diriger lentement vers la porte.

33

ISEUT AUX BLANCHES MAINS

Par une belle journée de décembre, dans la chapelle romane de la colline de Benoïc éclairée aux chandelles, Tristan écoutait le prêtre prononcer les paroles solennelles qui le liaient à tout jamais à Hélène de Lanascol.

Après le mariage, la procession se dirigea vers la maison du roi. Dandrane suivait la litière de Galaad tandis que Kaherdyn et Lionors marchaient, main dans la main, derrière les nouveaux époux. La neige tombée la nuit précédente avait enveloppé le paysage d'un éclat de cristal et elle assourdissait jusqu'au moindre bruit. Le monde était pur, immaculé, glacial, et Tristan songea avec amertume que c'était une journée idéale pour entamer une nouvelle vie.

La fête débuta au crépuscule. Les jeunes membres de l'armée acclamaient Tristan et buvaient à son bonheur au milieu des rires et des chants. Le vin gaulois coulait à flots. La soirée était déjà fort animée quand Dandrane révéla la surprise qu'elle dissimulait depuis une semaine. Le vieux Rhys, le maître bardique de Galles, s'avança au milieu de la salle et s'inclina.

«Sire Tristan, dit-il de sa voix rude, comme je suis heureux de vous trouver en vie. Dieu vous bénisse, seigneur.»

Il demanda à son élève de lui apporter sa harpe et entonna de vieux chants bretons comme «La Ballade de Maximus», «Le Lai d'Arthur» ou encore «La Défaite de Cerdic», ainsi que quelques odes de sa composition consacrées à des événements plus récents.

La douceur et la mélancolie de son chant tirèrent des larmes de bien des yeux. Quand il eut fini, Tristan détacha la broche d'or qui ornait son épaule et la déposa dans la main du barde.

«L'Aigle de Lyonesse! s'écria Rhys.

— Prenez-la, maître, je n'en ai plus besoin. Votre art m'a ramené en Bretagne, que je ne verrai plus jamais.

— L'avenir est tel que nous le façonnons, seigneur», murmura Rhys en s'inclinant.

La reine fit signe à ses femmes d'emmener la mariée. La pâle Iseut, les cheveux ceints d'une couronne faite de perles de rivière, adressa un bref regard à Tristan avant de se retirer. Les hôtes lancèrent des vivats et Rhys hocha la tête d'un air admiratif.

«Félicitations, seigneur, c'est une beauté.

— Mon Dieu, est-il déjà l'heure? Chantez-moi autre chose, mon bon Rhys, une ode qui dure jusqu'au matin.

— Seriez-vous un époux que l'on a forcé? s'étonna le barde.

— Nullement, et que l'on ne prétende jamais que je ne suis pas ici de mon plein gré. Je veux seulement... retarder cet instant. Chantez pour moi, je vous en prie.

— Fort bien, dit Rhys en s'inclinant devant le roi et la reine. Je vais vous narrer l'histoire de sire Tristan et du géant Marhalt.»

La pièce était plongée dans la pénombre quand Tristan ouvrit la porte. Un feu de bois de pommier était allumé dans l'âtre. Il lança un coup d'œil furtif vers le grand lit et ne vit qu'une forme immobile sous les fourrures. Après un instant d'hésitation, il se servit une coupe de vin qu'il but d'un trait et s'avança vers le lit.

«Hélène, êtes-vous éveillée?

— Oui.

— Asseyez-vous et parlez-moi.»

Elle ne fit pas un mouvement.

«J'ai peur.

— De moi? Ce n'est que Tristan. Je ne vous veux pas de mal. Nous n'avons pas échangé trois paroles depuis un mois. J'ai besoin de vous entendre.»

Lentement, elle se redressa. Les femmes l'avaient revêtue d'une chemise de nuit ivoire bordée de fourrure blanche qui révélait le galbe de ses seins. Tristan lui prit la main. Pour la première fois depuis des années, il sentit le désir s'éveiller en lui.

«Comme vous êtes belle, murmura-t-il, vous méritez un meilleur mari que moi.

405

— Oh, Tristan, je ne me soucie pas de cela. Restez vous-même, cela me suffit. Mais je crains de ne pas être une épouse pour vous.

— Que peut-on désirer de plus qu'une agréable compagne? dit-il en portant à ses lèvres la main de la jeune mariée. Nous sommes amis de longue date, de plus vous êtes belle et brave.

— Les hommes sont plus exigeants, bredouilla-t-elle. Ils veulent que leurs femmes leur donnent des fils. »

Elle se raidit et porta timidement la main sur la joue rasée de frais de Tristan.

«Je ne pense pas... je ne suis pas certaine de pouvoir... dormir avec vous. »

Tristan pressa ses lèvres sur la paume de sa main. Le bras levé de la jeune fille faisait s'entrouvrir son corsage.

«Je comprends votre peur. Et nul ne le saura s'il ne se passe rien entre nous. Ce sera notre secret. »

Elle se mordit les lèvres et retira sa main.

«Ce ne sera pas un vrai mariage. Pourquoi m'avoir acceptée si vous ne me vouliez pas?

— Ne pas vouloir de *vous*? fit-il en riant. Comme vous connaissez mal le désir, ajouta-t-il tandis que son doigt courait sur son épaule et descendait vers sa poitrine. Nul feu au monde n'est plus ardent que celui qui brûle en moi. »

Il s'approcha d'elle au point que leurs lèvres se rencontrèrent. Quand il se retira, elle avait le rouge aux joues et une lueur nouvelle éclairait ses yeux.

«Charmante Hélène, je vous ai acceptée parce que je veux passer ma vie à Lanascol et que nous soyons toujours compagnons. »

Elle hocha la tête, le souffle rapide.

«Mais pourquoi m'avoir agréé si vous redoutez tant le contact d'un homme?

— Parce que... je vous aime, dit-elle en levant les yeux vers lui.

— Je ne suis pas digne d'un tel trésor.

— Parce que vous aimez encore Iseut? Je le sais, Tristan, il est inutile de me le cacher. Elle est dans votre cœur et elle y sera toujours. Peu m'importe. Je l'aime aussi puisqu'elle fait partie de vous.

— Vous êtes une femme généreuse et je me sens honteux. »

Il lui prit la main et la serra.

«Vous avez supporté avec courage la pire chose qu'un homme puisse faire. Soyez patiente avec moi, cette nuit, et je vous offrirai la meilleure. Que ce ne soit pas un sacrifice. »

Il se pencha vers elle et murmura à son oreille:

«Douce Hélène, laissez-moi vous mener à la source du désir. Non, vous ne craignez rien dans mes bras, dit-il comme elle tremblait violemment. Ne redoutez pas de me toucher, je ne suis qu'un homme ordinaire.»

Il l'embrassa doucement, faisant courir ses lèvres sur son visage, sa bouche, son cou, tandis que sa main se glissait dans l'échancrure de son corsage. Lentement, patiemment, il la calma, l'amenant peu à peu au plaisir. La respiration d'Hélène s'accélérait, ses joues rosissaient et ses yeux étonnés regardaient Tristan alors que son corps répondait à ses caresses.

«Tristan, murmura-t-elle, je me sens... comme une cascade.

– Il est bien des courants dans la rivière de la félicité. Le Ciel vous attend au bout, je vous le promets.»

Trahison! Cette pensée traversa son esprit à la vitesse de l'éclair et paralysa sa main. Iseut... ne lui avait-il pas promis fidélité jusqu'à la mort? Il contempla la fille de Galaad. Iseut avait été contrainte de rompre son vœu, mais pas lui: il agissait de son propre chef, il le savait au feu qui brûlait ses reins.

«Tristan», murmura-t-elle d'une voix rauque qu'il reconnut instantanément.

Elle tendit les bras vers lui. Il hésita un instant, sachant que, malgré son apparente docilité, il lui faudrait ne pas précipiter les choses. Mais son corps, trop longtemps délaissé, clamait son désir. Sans même s'en rendre compte, il la prit dans ses bras, glissa sa main entre ses cuisses et se coucha sur elle.

Alors, la nuit explosa.

Elle hurla. Déchaînée, telle une bête sauvage, elle le frappa à coups de poing et de pied, lui tirant les cheveux et renversant le chandelier.

«Hélène! Mon Dieu, Hélène!»

Il se redressa et la tint serrée contre lui tandis qu'elle criait et sanglotait.

«Laissez-moi tranquille! Immonde porc! Je vous déteste! Comment avez-vous pu? Oh, je suis si sale, si sale!

– Hélène, douce Hélène, c'est Tristan, ne me reconnaissez-vous donc pas?»

Il lui fallut attendre de longues minutes avant qu'elle ne se calme. Alors il l'allongea sur le lit, la recouvrit de fourrures et se coucha à ses côtés, immobile. Le feu qui l'avait dévoré se changeait en cendres. Il ne ferma les yeux que lorsque la respiration apaisée de la jeune épouse lui apprit que le sommeil avait été le plus fort.

Sauvé de la trahison par la terreur d'une femme... Qu'ai-je fait à celle pour qui je donnerais ma vie? Ô, mon Dieu, faites que jamais elle ne l'apprenne!

Quand il se réveilla, la lumière grise du petit matin pénétrait dans la pièce, accompagnée d'un vent frais. Enveloppée dans un lourd manteau à capuche, Iseut regardait par la fenêtre.

Tristan s'appuya sur un coude.

«Hélène? Où allez-vous si tôt?»

Elle sursauta au son de sa voix et baissa les yeux.

«Je pars, tout simplement.»

Il y avait encore des traces de larmes sur ses joues et sa voix était rauque.

– Que voulez-vous dire? demanda-t-il tout en s'habillant. Où partez-vous?»

Il marcha jusqu'à la fenêtre et referma les volets. Iseut tomba à ses genoux, les mains jointes.

«Pardonnez-moi, seigneur. Je vous en prie. Je vous en supplie. Accordez-moi votre pardon.

– Vos mains sont glacées.»

Il la ramena au lit et la coucha. Elle frissonnait.

«Ne craignez rien, je ne vous toucherai pas. Je vais ranimer le feu.»

Les flammes ne furent pas longues à danser dans l'âtre, mais la pièce était toujours si froide que son souffle se matérialisait dans l'air. Il se hâta de regagner le lit et s'enfouit sous les couvertures en claquant des dents.

«Si vous voulez me faire mourir de froid, vous avez des chances de réussir.»

Il regretta aussitôt sa plaisanterie. Elle avait les joues roses et les yeux pleins de larmes.

«Chassez-moi, Tristan. Répudiez-moi. Si vous ne pouvez me pardonner. Je ne serai jamais votre femme.

– Vous pardonner, mais de quoi? Ne soyez pas ridicule, Hélène, je ne vous abandonnerai jamais. Je pense sincèrement ce que je vous ai dit cette nuit.»

Elle tremblait de tous ses membres et il la prit par l'épaule. Son corps était tendu comme un arc.

«Nous sommes des amis, et cela me suffit.

– Ce n'est pas un mariage...

– Qui a dit ça? Pour nous, c'en est un, et je crois qu'il en va de même pour Dieu.

– Mais… nous n'avons…

– L'acte de chair n'importe que si l'on veut des fils. Vous et moi pouvons vivre sans enfants. Que Lionors donne des fils à Lanascol : en tant que femme de Kaherdyn, c'est son devoir.

– Vous êtes si généreux. Cette nuit, je… je ne voulais pas vous faire injure, mais je n'ai pu m'en empêcher.

– Je le sais.

– Vous étiez si doux, si tendre avec moi. J'ai… j'ai aimé ça, vous savez. Au début.

– Oui, dit-il avec un sourire.

– J'ignore ce qui s'est produit. Soudain, quelque chose s'est abattu sur moi, une ombre noire pourvue de serres. »

Tristan l'étreignit plus fort. Elle détourna la tête.

« Ensuite, je ne me souviens plus de rien. Quand je me suis réveillée, vous portiez des traces de morsure sur la poitrine, des griffures dans le dos. J'ai cru que le monstre vous avait attaqué, dit-elle au bord des larmes. J'ai alors compris qu'il n'y avait pas de monstre hormis celui qui vit dans ma tête. C'était *moi* qui vous avais fait ça. »

Tristan lui releva le menton et la regarda au fond des yeux.

« Vous n'abritez nulle créature monstrueuse. Vous n'êtes pas encore remise de votre épreuve, rien de plus. Quant à mes blessures, elles ne sont que superficielles. Loin du cœur, en tout cas.

– Merci », murmura-t-elle en ébauchant un sourire pour la première fois.

Il l'embrassa doucement, la coucha dans le lit et la tint dans ses bras jusqu'à ce que le sommeil vînt.

Le jour de l'équinoxe vernal, un messager arriva de Bretagne. Galaad se reposait dans le jardin où on l'avait amené pour profiter du soleil. Dandrane lui lisait d'une voix mélodieuse des versets tirés de la Sainte Bible. Dans la lingerie, Lionors et ses femmes s'activaient à confectionner les tenues qu'elles porteraient prochainement lors des noces. Dans le cabinet de travail du roi, Kaherdyn et Tristan lisaient des dépêches, dictaient des lettres au scribe, envisageaient une campagne militaire contre les Francs en cas d'échec de la diplomatie. Assise à terre, Iseut jouait avec la dernière portée de chiots.

Le courrier était un jeune homme assez nerveux, il s'agenouilla devant Tristan quand le page l'eut annoncé.

« Voici le prince de Lanascol. Veuillez vous adresser à lui, dit Tristan en désignant Kaherdyn.

– Oui, seigneur, mais ce message est destiné à Tristan de Lyonesse. J'arrive de Tintagel.»

Tristan blêmit et se leva. Il vacillait et Iseut le rejoignit avant de faire sortir Kaherdyn.

«Quelles nouvelles? Venez-vous de la part de la reine?

– Oui, seigneur.

– Comment va-t-elle?

– J'ai reçu pour instruction de ne pas parler d'elle, seigneur.

– Alors donnez-moi ce message.»

L'homme fouilla dans son sac et déposa un petit objet froid dans la main de Tristan. Il découvrit sa propre bague en or, avec l'aigle de Lyonesse gravée dans l'émail bleu. Celle-là même qu'il avait offerte à Iseut lors de leur nuit de noces. Ses paroles lui revenaient: *Vous avez mon cœur, Iseut, et au jour de la damnation, nous franchirons main dans la main les portes de l'enfer... Voici un gage d'amour... Rappelez-vous, quand vous regarderez l'aigle gravée sur ces armoiries, que vous êtes reine de Lyonesse et mon épouse.*

«N'a-t-elle... ajouté aucun message?

– Rien que trois mots, seigneur: "Ne revenez jamais".»

Tristan était pétrifié.

Iseut s'approcha, prit le messager par le bras et l'entraîna vers la porte. Elle lui donna une pièce d'or.

«Ma dame, je vous en prie, dites-le-moi, murmura-t-il. Sire Tristan est-il vraiment marié?»

Elle hocha lentement la tête puis porta son regard sur la sentinelle immobile.

«Un barde est venu à Tintagel, trois semaines après le dégel. Le vieux Rhys de Galles. Il nous a affirmé avoir chanté au banquet nuptial de sire Tristan. Il est cause de beaucoup de chagrin en Cornouailles, je peux vous le dire. Nous avons cru que ma reine mourrait à force de pleurer.»

Iseut posa la main sur son bras et sa bouche esquissa des mots.

«Qu'y a-t-il, ma dame? Garde, que dit-elle?

– Ma dame est muette depuis des années, répondit le garde. Ce n'est pas sa faute, mais c'est ainsi. On peut la comprendre en lisant sur ses lèvres.»

Iseut répéta les paroles muettes et le messager secoua la tête.

«Pour moi, c'est comme du grec...

– Elle dit: "Rapportez à votre dame que sire Tristan l'aime toujours."»

Iseut fit la révérence et se retira. Comme la porte se refermait, le courrier entrevit Tristan, à genoux, la tête cachée dans les mains.

«Seigneur, comment peut-elle savoir ça?

— Si quelqu'un doit être au courant, c'est bien elle, lui expliqua le garde. Vous étiez en présence d'Iseut, la fille du roi Galaad. L'épouse de Tristan.»

Le jardin était plein de serviteurs et de courtisans. La reine Dandrane et le médecin étaient penchés sur la couche du roi pendant que l'assistance balbutiait des prières.

«Il vit, déclara le médecin sur un ton mal assuré. Mais si peu...»

Ses plans de bataille sous le bras, Kaherdyn fendit la foule et se pencha sur le corps dévasté de son père. La partie gauche du visage de Galaad s'était affaissée comme si un sculpteur en avait eu assez de travailler l'argile et avait vaguement tenté d'effacer son œuvre.

«Que s'est-il passé? demanda-t-il, une boule dans la gorge.

— Je lui faisais la lecture, répondit Dandrane en s'essuyant les yeux. Et puis il s'est mis à raconter, à revivre les temps passés, toutes les aventures vécues de concert pendant notre jeunesse. Son visage s'était illuminé, il a même ri. Il n'avait pas parlé autant depuis très longtemps et je l'ai supplié de se ménager, mais il m'a répondu que Dieu prendrait soin de lui. Il m'a alors confié un rêve qu'il avait fait récemment: revenir en Bretagne... en Galles, dans un lieu qu'il aimerait revoir. Il voulait nous emmener tous en Bretagne au retour des beaux jours. Alors...»

Elle chercha son souffle et s'agrippa au bras de Kaherdyn.

«Il n'a plus bougé les lèvres, ses yeux se sont révulsés et il s'est... affaissé. Je n'ai pu le réveiller.

— De l'eau chaude et des couvertures, murmura le médecin. Du repos, un repos complet. Ne le déplacez plus une fois qu'il sera à l'intérieur.»

Dandrane le regarda comme si elle le voyait pour la première fois.

«Va-t-il vivre? Quelles sont ses chances? Combien de temps encore?»

Le médecin hésita beaucoup puis il se décida à parler.

«Ma dame, il y a peu d'espoir. S'il est encore en vie demain, il pourra tenir une semaine, un mois peut-être. Dieu a déjà posé sa main sur lui. Voyez la marque du Créateur...»

Dandrane se redressa.

«S'il vit encore demain, nous nous embarquerons pour la Bretagne.»

L'assistance murmura, le médecin protesta, mais la reine tint bon.

«S'il souhaite revenir en Bretagne, nous l'y emmènerons. Si Dieu lui a envoyé ce songe, il le gardera en vie assez longtemps pour lui permettre de le réaliser.»

34

CAER MYRDDIN

Appuyé au bastingage, Tristan regardait les eaux vertes et froides lécher la coque. Derrière lui, les marins repliaient la voile et mettaient en place les avirons : ils quittaient l'estuaire de la Severn pour pénétrer dans l'embouchure de la Tywy, sur la côte sud-est de Galles. De l'autre côté de l'estuaire, sur la côte nord de Dumnonia, la maison de Guvranyl dominait la même mer. Les marins chantaient et remontaient la rivière en direction de la vieille ville romaine de Maridunum. Des dizaines de petites embarcations de pêche reposaient sur une grève, une femme était assise sur le quai parmi ses ballots de laine ; plus en amont, près du pont romain enjambant la Tywy, un navire marchand de haute mer attendait à l'ancre avec, dans ses cales, ses barriques d'huile et de vin.

Son intérêt s'accrut pour ce navire étranger et Tristan se demanda de quelle cité écrasée de soleil il avait appareillé. Cela l'empêchait de repenser à sa dernière vision de la Severn : la pluie battante, la montée vers la demeure de Guvranyl, le corps frêle d'Iseut dans ses bras. Il fit la grimace et tourna la tête.

Iseut venait de grimper sur le pont et elle s'en aperçut.

« Qu'y a-t-il, Tristan, vous êtes malade ?

— Cela tourne un peu, rien de plus, dit-il avec un sourire forcé.

— C'est la Bretagne, n'est-ce pas ? Votre terre natale. Oh, je suis si heureuse que vous nous ayez accompagnés. Bientôt, vous vous sentirez mieux.

413

– Pas si vous continuez à m'appeler ainsi.

– Mon Dieu, comment ai-je pu oublier ?

– Ce n'est pas grave, personne ne vous a entendue. Comment va votre père ?

– Mieux, Marcus, dit-elle alors que son visage s'illuminait. Il n'est pas réveillé mais sa respiration est plus régulière. Mère est à ses côtés. Kaherdyn a toujours la nausée. Père se porte mieux au fur et à mesure que nous approchons, c'est étrange, non ?

– Peut-être pas. Chez votre père, rien n'est ordinaire. »

Ils regardèrent la rive occidentale. De petites constructions s'amassaient autour des quais, leurs volets grands ouverts au soleil d'avril. Une volute de fumée s'échappait du toit d'une auberge. Par-delà la ville, s'élevaient de vertes collines ponctuées de moutons et, parfois d'une ferme, ronde, trapue, avec son toit de chaume conique.

Iseut désigna le pont romain.

« C'est là que nous allons. Mère dit qu'il faut franchir ce pont.

– C'est assez facile. Il n'est pas gardé, semble-t-il. Regardez la pierre, assez solide pour résister aux pillards saxons. »

Iseut s'intéressait à présent à la rive est, peu habitée.

« La rivière doit se trouver par là et le monastère chrétien, derrière cette boucle. Plus loin, sur la colline, il y a un moulin... enfin, s'il est toujours debout.

– Un moulin ? Est-ce là que nous allons ?

– Non, nous nous rendons à Caer Myrddin et le moulin est sur la route.

– Et qu'y a-t-il à Caer Myrddin ?

– Je n'en ai pas la moindre idée, je me contente de répéter ce que mère a confié à Kaherdyn.

– Oh, ce ne doit pas être très difficile à trouver, Maridunum n'est pas si grand. Il n'y a que deux routes, apparemment, celle qui suit la côte jusqu'à Caerleon et celle de la rivière. »

Il s'adossa au bastingage.

« Pourquoi tous ces secrets selon vous ? »

Tristan comprit à cet instant qu'elle représentait pour lui le plus grand danger, avec ses yeux vifs qui semblaient jeter un sort à tous ceux qu'ils dévisageaient. En l'accompagnant, il risquait d'être reconnu.

Iseut esquiva sa question.

« Mère vous prie de trouver une chambre à l'auberge, dit-elle en déposant dans sa main une bourse pleine. Pourriez-vous également voir le capitaine du port? Cela devrait suffire, mais j'avoue tout ignorer des droits à payer.

– Cela dépend si, oui ou non, ce grigou de Vortipor est encore roi de Dyfed, plaisanta-t-il, et s'il envisage une campagne d'été. Je veillerai à ce que nous ne soyons pas floués. Quand la reine souhaite-t-elle débarquer?

– À la nuit tombante pour que personne ne remarque père.

– Il est difficile de passer inaperçu dans une ville aussi petite, mais il est trop faible et trop âgé pour qu'on le reconnaisse. Si quelqu'un nous interroge, nous répondrons qu'il va au monastère pour guérir en se baignant dans la source de Niniane.»

Elle leva vers lui ses grands yeux bleus et refoula ses larmes.

«Oh, Tristan, nous devrions peut-être nous y rendre? Y a-t-il vraiment une source qui guérit?

– Non, ma mie, dit-il en posant sa joue sur la sienne, c'est un conte que je viens d'inventer. Tenez, nous y sommes presque.»

Ensemble, ils regardèrent la rive se rapprocher. Sur une colline, au-dessus du pont, deux constructions de pierre bordaient une cour.

«Regardez ce casernement. Propre, bien agencé. Près de la route. Le commandant connaît son affaire, je me demande qui il est.

– Pourquoi? Cela importe-t-il?

– S'il me connaît, oui.

– Soyez prudent, je vous en prie, dit-elle, la main tremblante. Faites-le pour moi, sinon pour vous. Je ne suis rien sans vous, Tristan.»

Il se pencha pour lui baiser les lèvres.

«Marcus, si vous m'aimez.»

L'auberge se révéla n'être qu'une hutte formée d'une pièce unique et de dépendances, mais les murs avaient été récemment chaulés et le toit, recouvert de chaume frais. Une douzaine de canards et d'oies criards marchaient le long de la route. La porte était ouverte à tous et le tenancier, gros homme jovial aux cheveux grisonnants, accueillit Tristan.

«Vous êtes étranger, messire?»

Il posa une chope d'hydromel sur une grande table en chêne que son poids avait certainement protégée des pillards saxons. Une poignée de villageois étaient assis sur des bancs, près d'un feu de tourbe. Ils se levèrent à son entrée et s'écartèrent pour lui laisser la meilleure place.

«Merci, mon ami.»

Tristan rejeta sa cape et cinq regards étonnés se posèrent sur son épée.

«On n'a pas beaucoup d'étrangers par ici. Des marins, des voleurs pour la plupart, mais jamais de guerrier.

– Vous parlez du navire marchand? Qu'y a-t-il à son bord? Du vin?

– Oui, une quantité de tonneaux qui viennent du sud de la Gaule, destinés aux caves du roi Vortipor. De l'huile, aussi, dont une partie pour moi.

– Il ne serait pas l'heure de souper? dit Tristan avec son plus beau sourire.

– Certes, seigneur, ça sera avec plaisir! Qu'est-ce que vous diriez d'un chapon bien gras? Un gigot d'agneau peut-être?»

Tristan regarda par la fenêtre et, en découvrant la volaille, il se demanda comment les moutons avaient résisté à l'hiver.

«Euh, non, du poisson serait préférable. Une bonne soupe de poissons bien chaude, quelque chose de léger. Des dames vont débarquer un peu plus tard.»

Le tenancier cligna de l'œil.

«Je vois, la mer les a rendues malades, hein? Est-ce que messire et sa compagnie voudront un endroit pour dormir?»

Tristan examina le rideau déchiré qui séparait la pièce commune des cuisines.

«S'il y a de la place pour nous tous. Nous sommes cinq dont un invalide.

– Ne vous en faites pas, seigneur, on a un bon lit et deux paillasses. Et il y a tout plein de paille au grenier. Vous avez des chevaux? ajouta-t-il après un instant d'hésitation.»

Le tenancier savait pertinemment qu'ils avaient débarqué sans montures. Le plus poliment possible, il se renseigna; les villageois tendirent l'oreille. Tristan comprit que le moment était venu de leur servir son conte.

«Non, nous n'avons pas de chevaux, mais je vous serais obligé de m'indiquer un maquignon. J'étais sur ce navire breton. Je m'appelle Marcus Cunomorus et je suis au service de Kaherdyn, le prince breton. Il espère guérir son père au puits de Niniane.

– La source, rectifia le tenancier. C'est sur la route de la rivière, près de la maison des sœurs chrétiennes. Mon nom est Rufus, seigneur, à votre service. Votre nom est romain, seigneur, mais vous avez un accent cornique.»

Cinq têtes se relevèrent et Tristan constata que des regards gallois hostiles étaient posés sur lui. *L'unité de Perceval... et dire qu'ici, à Dyfed, les vieilles haines sont toujours tenaces.*

«Je suis né en Cornouailles, admit-il, mais quand j'étais enfant, le roi Marc a usurpé les terres de mon père, c'est pourquoi je suis allé en Armorique où l'on trouve des hommes plus honorables.»

Il but de l'hydromel pour leur laisser le temps de digérer ses paroles.

«Oui, dit à voix basse le tenancier, j'admets que j'ai déjà entendu ce genre de récit.

— Mieux vaut tenir votre langue, l'étranger, grommela un villageois à l'accent si marqué que Tristan le comprenait à peine.

— Oui, lança Rufus, il ne faut pas médire du Haut Roi Marc. Nous sommes tous des Bretons loyaux dans ce coin-ci. Nous honorons le roi.»

Tristan remarqua l'air sombre des villageois et les gouttes de sueur sur le front du tenancier.

«Ah oui? Eh bien, je vous le laisse. On ne me convaincra pas que ce n'est pas un bâtard arrogant et cupide!»

Les hommes échangèrent des regards interrogateurs. L'un d'eux adressa un signe de tête à Rufus, qui poussa un soupir de soulagement.

«Oui, ça aussi, on l'a déjà entendu. Le roi Marc n'est pas de nos amis, à nous, Gallois.

— Je croyais qu'il avait pris une princesse galloise pour épouse? s'étonna Tristan. Le prochain Haut Roi sera un fils de Galles.

— Je vois que vous avez entendu la version officielle, répondit l'homme après avoir échangé d'autres regards avec les villageois, celle que les rois de Galles et de Cornouailles aiment à raconter. Mais il y en a une autre, fit-il en baissant la voix, et on la croit plus proche de la vérité.»

Tristan eut un sourire nerveux. Il déposa une pièce d'argent sur la table, regarda le tenancier dans les yeux et commanda une autre chope d'hydromel.

La pièce disparut dans la poche de l'homme et l'un des villageois ferma la porte. Rufus servit à boire à tout le monde et s'assit à côté de Tristan.

«Vous avez déjà entendu parler de Tristan de Lyonesse?»

Soudain très pâle, il se mit à bredouiller.

«Le fils de Méliodas, celui que le roi Marc a banni? Il a péri en mer, m'a-t-on dit.

— C'est bien possible, seigneur, mais on sait surtout dans toute la Bretagne qu'il a aimé passionnément notre Iseut, mais elle était déjà promise à ce vieux bouc de Cornouailles, puisse Perceval de Gwynedd rôtir en enfer!»

Les villageois l'approuvèrent en frappant la table de leurs chopes.

«Marc l'a enfermée à Tintagel pour l'éloigner de Tristan, seigneur, mais on est nombreux en Galles à penser que ses fils sont les enfants de Tristan, pas de Marc; et je crois bien qu'à Camelot, on suppose la même chose.

— Vous exagérez certainement, dit Tristan qui s'efforçait de dissimuler sa peur panique. Quels que soient ses défauts, Marc n'est pas un sot, il n'élèverait pas les bâtards d'une épouse adultère comme ses propres héritiers.

— C'est justement pour ça qu'il ne le fait pas.

— Quoi?

— Le seigneur Marcus en apprend de belles, hein? se rengorgea le tenancier. Par deux fois, il a essayé de lui enlever ses garçons, mais elle les a cachés et ses émissaires n'ont pas eu le front de le lui avouer. Il y a un mois, Marc a fait savoir à la reine que, sitôt que les Saxons lui en donneraient le temps, il reviendrait à Tintagel pour prendre les petits avec lui.

— Il les tuera, annonça un villageois.

— Oui, c'est bien son genre, renchérit un autre.

— Mais pourquoi? s'écria Tristan. La reine ne lui a pas donné d'autres fils depuis l'exil de Tristan?»

Tous firent non de la tête.

«Non, expliqua Rufus, elle a fait deux fausses couches.

— Elle l'a fait exprès.

— Oui, elle a bu une potion.

— Un breuvage de sorcière.

— Perceval ne le supporterait pas! dit Tristan. Ce sont ses petits-enfants!

— Il a ses propres soucis.

— Les Gaëls sont sur ses côtes.

— Quand il le saura, ça sera déjà trop tard.

— Le roi de Cornouailles s'en fiche bien de nous, ce n'est pas nouveau.

— Et il ne veut pas de fils de Galles comme héritiers.

— C'est impossible, balbutia Tristan, ce ne sont que des rumeurs qui se nourrissent d'elles-mêmes. Qui vous les a rapportées?

— Je tiens ça de Cadoc, répondit le tenancier sur la défensive, il m'a dit ça à l'équinoxe, quand il est revenu pour enterrer son père.

Il est à Caerleon sous le commandement de sire Bruenor, cet autre chien de Cornique!»

Il cracha par terre de mépris.

Bruenor à Caerleon! Tristan avait la tête qui tournait.

«Et où se trouve le roi Marc à présent?

— Il se bat contre les Saxons, à l'ouest de Vindocladia, vous vous rendez compte?

— Si près? Comment est-ce possible? Qu'arrive-t-il à la Bretagne?

— On vit des jours noirs, affirma un villageois.

— On prétend que Marc est devenu fou, dit le tenancier en vidant sa chope. Il tue sans vergogne tous ceux qu'il croise sur son chemin. Certains racontent que c'est la faute d'Iseut, elle se refuse à lui par amour pour sire Tristan. En tout cas, elle ne lui donnera pas de fils, et il ne veut pas de ceux qu'elle a déjà. Un beau panier de crabes, la Bretagne, oui, voilà ce que c'est. Ce qu'il faut, déclara d'une voix forte l'aubergiste en se tournant vers le soleil couchant, c'est un nouvel Arthur!»

Les villageois frappèrent à nouveau la longue table de leurs chopes. Rufus tendit la main vers le nord.

«Il y a là-bas des anciens qui prient chaque soir, des vieux qui se souviennent d'Arthur.

— Au monastère?

— Non, les sœurs sont des saintes femmes très généreuses, mais elles n'ont aucun pouvoir. Sire Marcus, ici, en Galles, nous prions sur cette colline qu'on appelle le cœur de la Bretagne: c'est là que Merlin gît, enfermé dans la roche, jusqu'à ce qu'Arthur revienne et le tire de son long sommeil.»

Tristan soupira de soulagement. Il reconnaissait les dernières paroles du «Lai d'Arthur», qu'appréciaient tous les Gallois. Cependant, les paroles suivantes du tenancier le laissèrent sans voix.

«Caer Myrddin. C'est par là, de l'autre côté du moulin.»

Tristan montait la garde devant l'appentis où se reposait Galaad. La reine Dandrane était assise auprès de son mari tandis qu'Iseut et Kaherdyn se tenaient recroquevillés sur des paillasses. Le mobilier était des plus simples, mais les draps étaient propres et la pièce bien balayée. Il y avait eu un instant de flottement quand Kaherdyn avait proposé de veiller à la place de Tristan sous prétexte qu'Iseut était une femme mariée et qu'elle jouissait d'une certaine préséance. Tristan avait souri: les noces de Kaherdyn avaient été repoussées à son retour et il ne pensait plus qu'aux choses de l'amour. À bord, il avait tout fait pour préserver l'intimité d'Iseut et de son époux. Cela devenait lassant et Tristan espérait qu'une fois marié à Lionors, il cesserait de s'intéresser à l'union de sa sœur.

La porte s'ouvrit soudain sur Dandrane.

«Il est réveillé! s'écria-t-elle, affolée. Il veut partir! Sur-le-champ!

– Mais… c'est impossible, il est plus de minuit. Et l'escorte dort sur le bateau…

– Nous n'en avons pas besoin. Kaherdyn et vous-même porterez la litière. Croyez-vous pouvoir trouver une torche afin d'éclairer la route?

– Mais, ma dame, c'est dangereux, marcher seuls la nuit, en pays inconnu…

– Non, dit-elle fermement, nous connaissons très bien cette région, Galaad et moi. Nous vous guiderons et Iseut tiendra le flambeau. Pressez-vous, nous n'avons pas beaucoup de temps.»

Quand il revint avec la lanterne, il découvrit Galaad couché sur la litière, enroulé dans de chaudes couvertures. Ses yeux bleu vif rendaient son visage encore plus hagard.

La petite procession franchit le pont de pierre et s'engagea sur le chemin qui longeait la rivière. La nuit était très sombre et des traînes de nuages cachaient les rares étoiles. Le sol était si froid qu'il craquait sous leurs pas. Nul ne parlait, sauf la reine pour donner des indications à sa fille. Ils ne rencontrèrent personne. Après le monastère endormi, ils virent une ferme incendiée et abandonnée depuis longtemps. Un chien aboya dans le lointain et Tristan crut percevoir l'écho des clarines des moutons.

«Arrêtons-nous là.»

Sur l'ordre de Dandrane, Iseut brandit sa lanterne et la forme spectrale d'un moulin en ruine se détacha dans les ténèbres. Les murs s'écroulaient et le toit avait disparu. Une grosse meule était posée de guingois sur un tas de pierres.

La reine indiqua un chemin qui se perdait dans la colline.

«Venez.»

Le chemin passait entre des prairies, des taillis de feuillus et des buissons de ronces, et il semblait rétrécir à chaque pas. À un moment, il fit une fourche dont l'embranchement le plus large redescendait vers la plaine, et Iseut s'arrêta. À gauche, un petit sentier longeait des buissons de mûres et menait à une sombre forêt.

«Laissez-moi deviner, grommela Kaherdyn. Nous prenons à gauche.

– Oui, murmura Dandrane. Comme votre père, vous savez où aller sans même vous en rendre compte.»

Iseut fit encore vingt pas et s'immobilisa. Elle leva sa lanterne et montra quelque chose devant elle. Sous les arbres, ils virent une cabane ainsi qu'une botte de foin et un bac rempli d'eau.

«Une écurie! s'exclama Kaherdyn. Quelqu'un vit ici!

– C'en est bien une, répondit calmement Dandrane, mais elle est vide.

– Pourtant, ce foin...

– Les paysans la conservent dans cet état. Ils rêvent que Myrddin, à l'instar d'Arthur, reviendra un jour et ils veulent être prêts à l'accueillir. Donnez-moi la lanterne, Iseut, je vous éclairerai le reste du chemin.»

Ils grimpèrent avec difficulté jusqu'à une grosse roche fendue et débouchèrent de l'autre côté sur un rebord herbeux, devant l'ouverture ronde et basse d'une grotte. Dandrane y pénétra sans la moindre hésitation. Inquiet, Tristan la suivit avec la litière: cette grotte pouvait receler n'importe quoi, des bêtes sauvages, même des bandits, pourtant la reine semblait rentrer dans un domaine qui lui était propre.

«Déposez-le là», dit-elle en indiquant une partie nivelée, juste devant la paroi.

Tristan et Kaherdyn installèrent délicatement la litière, puis Dandrane s'agenouilla auprès de Galaad.

«Nous y sommes. Voyez? C'est Caer Myrddin. Les villageois ont apporté des pâtés et une outre de vin.»

Effectivement, des offrandes étaient placées sur un petit tertre. La grotte elle-même était de modestes dimensions, mais assez haute pour qu'un homme s'y tînt debout. La poussière du sol avait été récemment balayée et du charbon de bois emplissait le vieux brasero à moitié rouillé. Quelqu'un prenait soin de cet endroit, c'était certain.

«Recouvrez la lanterne.»

Galaad les regardait, les yeux brillants mais le visage immobile. Iseut obéit et jeta un drap sur la lanterne. Ils se retrouvèrent plongés dans l'obscurité mais, peu à peu, ils distinguèrent des formes et des ombres.

«Conduisez-moi à l'intérieur.

– À l'intérieur de quoi? fit Kaherdyn. Mais nous y sommes, père.

– Il y a une autre grotte sous celle-ci, au cœur de la colline, expliqua doucement Dandrane. Prends la lanterne, Iseut, et accompagne-moi.»

Kaherdyn et Tristan soulevèrent la litière et suivirent Iseut dans une anfractuosité de la roche, tout au fond de la grotte. Toute tremblante, elle s'accrochait à la manche de Tristan.

Ils s'arrêtèrent une fois encore.

«Elle n'y est plus! s'écria Dandrane dont le cri résonnait entre les pierres humides. Galaad, je ne distingue plus l'entrée! Iseut, la lanterne!

– Non, dit le roi. Pas de lanterne. Vous ne la repérerez que dans le noir.»

Plus personne n'osait bouger ni parler. On n'entendait que la respiration rauque de l'homme couché dans la litière. La peur était palpable.

– Mais comment..., commença Dandrane.

– Hélène le peut», dit la voix.

Iseut serra le bras de Tristan et elle secoua la tête.

«Hélène l'a déjà trouvée.

– Vous êtes déjà venue ici? demanda Tristan à la jeune femme, qui fit une nouvelle fois signe que non.

– Oui, elle y est venue, dit calmement Dandrane. Elle avait trois ans. Elle a découvert seule la grotte intérieure. Viens ici, Iseut. Je prendrai la lanterne. Mets-toi à ma place.»

Il faisait si sombre qu'Iseut ne savait si elle avait les yeux ouverts ou fermés. Vacillant sur la roche, elle palpa les parois glissantes. Chassant toute autre pensée, elle laissa ses doigts la guider, explorer chaque fissure, chaque... là! Un trou juste assez grand pour l'abriter. Comme elle s'avançait en retenant son souffle, elle eut l'impression que la roche s'écartait. C'était absurde. Elle vacilla et tomba dans le néant.

– Père! hurla-t-elle.

– Iseut!»

Ils étaient là, ils l'avaient suivie. Elle entendait leurs pas sur le sol rocheux, leur souffle à ses oreilles. Elle voulut regarder autour d'elle mais c'était le noir complet.

La voix royale retentit dans les ténèbres.

«À présent, la lumière!»

Dandrane ôta le drap et tous poussèrent un cri d'étonnement. Devant eux s'ouvrait une immense caverne. Du sol au plafond, des piliers de pierre pâle s'élevaient à perte de vue. Une étendue liquide ceignait les colonnes et renvoyait la lueur de la lampe en une myriade de couleurs irisées.

À demi aveuglé, Tristan ferma les yeux.

«La Salle de l'Autre Monde», dit-il dans un souffle, et il fit un signe pour se protéger de l'enchantement.

Ses mots résonnèrent dans la caverne avec toute la rigueur d'un verdict.

«Ou la Porte du Ciel.»

Tristan vit le regard amusé de Galaad.

«Que l'on soit chrétien, païen ou sans dieu, ceci est un endroit sacré.»

Ils demeurèrent longtemps sans parler, émerveillés.

«Conduisez-moi jusqu'à cette corniche.»

Tristan découvrit alors une roche calcaire qui saillait hors de l'eau. L'éclat des piliers l'avait dissimulée jusqu'ici. La main de Dandrane se mit à trembler et la lumière dansante révéla une forme posée sur la roche, mais Tristan en était trop éloigné pour voir de quoi il s'agissait.

«Allons-y», dit Kaherdyn d'une voix mal assurée.

L'eau ne leur montait qu'à la cheville mais ils furent aussitôt engourdis par la température glaciale. Les remous qu'ils créaient changeaient leurs reflets en milliers d'aiguilles de lumière. Tristan retint son souffle quand il fut assez près pour distinguer les objets. Il les reconnaissait: un large cratère d'argent battu incrusté de gemmes, une longue lance à la pointe d'acier forgé. C'étaient là le Graal et la Lance que Galaad avait recherchés dans toute la Bretagne, les trésors fabuleux d'un roi d'antan qui, selon les sages, conféraient le pouvoir de maintenir à tout jamais l'unité de la Bretagne. Ce n'était pas en vain que les gens du cru appelaient cet endroit la Colline de Merlin!

Dans un silence respectueux, ils déposèrent la litière sur la pierre, tout à côté des trésors. Tristan vit les yeux de Kaherdyn se révulser quand il fit le signe de la croix d'une main tremblante. En revanche, Dandrane avait recouvré son calme. Tristan prit la main d'Iseut: ses lèvres étaient bleuies par le froid et elle respirait à peine.

«Hélène, résonna la voix de Galaad, ma fille, approche et touche le Graal.»

Elle se blottit contre Tristan, mais il l'obligea à avancer. À l'étonnement de tous, Galaad tendit la main vers sa fille.

«Ne crains rien, Hélène. Rien ne peut te nuire en ce lieu. Dieu est avec nous, ne le sens-tu pas?»

Elle hocha la tête.

«Tu es une brave enfant mais, depuis ton enlèvement, tu vis chaque jour la terreur au cœur. Ton mariage avec Tristan t'a conféré une sorte de paix, mais il n'a pas chassé la peur. C'est l'union de deux amis, pas une union d'amants.»

Iseut baissa les yeux et acquiesça.

«Je le savais! dit Kaherdyn en se tournant vers Tristan.

– Quand tu étais enfant, reprit Galaad d'une voix calme, tu as pris ce cratère dans tes mains et tu me l'as apporté. Il ne t'a fait aucun mal alors, il ne t'en fera pas davantage aujourd'hui. Prends-le et regarde ce qui est écrit.»

Iseut souleva le Graal. Des centaines de minuscules améthystes enchâssées dans de l'or resplendissaient à la lumière. Sous le bord de la coupe figurait une inscription en latin. *«Toi qui as soif, bois et sois rassasié. Toi qui erres, tiens-moi et trouve le repos.»* Elle sursauta au son de sa propre voix, si sereine, si posée, et elle interrogea son père du regard.

Dandrane pressa la main de Galaad contre sa joue baignée de larmes.

«Soyez béni.

– Kaherdyn, commanda le roi, prends la lance.»

Le jeune homme obéit. La hampe de bois poli portait également une inscription. *«Toi qui trembles, prends ceci et ne crains rien. Toi qui es perdu, ma force te protégera.»*

Un sourire se dessina sur les lèvres de Galaad.

«Voici ce que je vous lègue. Vous avez vu le cœur de la Bretagne. Vivez longtemps et préservez la terre de vos aïeux.

– Père, dit Iseut en déposant le Graal entre ses mains, ne pouvez-vous être guéri vous aussi?

– Ma belle enfant, ne t'afflige pas pour moi. Je vais rejoindre ceux que j'ai perdus: Lancelot, Arthur, Gareth des Orcades et tant d'autres. Ta place est désormais auprès de Tristan. Reste à ses côtés, quoi qu'il advienne. Ne faites qu'un, dans la chair et dans l'esprit, dans la joie et l'affliction. Il servira la Bretagne et ses fils après lui.»

Il posa la main sur son front en signe de bénédiction.

«Va à présent. Laisse-moi avec Kaherdyn et reviens me chercher à l'aube.»

Dans la grotte extérieure, il faisait froid et ils durent allumer du feu, mais Iseut se tenait à l'entrée de celle-ci. Elle tournait le dos à Tristan.

«Hélène, dit-il d'une voix qui lui parut étrange. Venez près du feu.»

Quand elle se retourna, les flammes éclairèrent son visage auquel le chagrin donnait un air solennel. Il la vit soudain avec les yeux d'un étranger, une femme d'une beauté à couper le souffle, tout empreinte d'une innocence et d'une sagesse venues d'ailleurs. Et il comprit qu'il ignorait tout d'elle.

«Les étoiles sont levées. L'étoile du roi est toujours là, au nord. Je croyais... je croyais qu'elle tombait en une gerbe de feu chaque fois qu'un grand souverain se mourait.»

Il s'approcha d'Iseut et referma sa cape autour d'elle. Un geste insignifiant pourtant lourd de sens.

«Vous avez trop écouté les bardes...»

Elle fit oui de la tête et l'évita adroitement quand elle revint vers le feu. Elle tendit au-dessus des flammes ses belles mains qui lui avaient valu son surnom et elle frissonna. Tristan sentit son cœur se tordre. Il désirait ardemment la réconforter, mais il savait qu'il avait une décision à prendre.

«Il se meurt, dit-elle d'une voix blanche.

— Oui, son agonie a débuté avant qu'il ne retrouve son pays.

— Je le sais. Je sais également pourquoi il est venu ici. Mais vous?

— Pour être...»

Il se l'était si souvent répété qu'il y croyait presque mais, après ce qui s'était passé dans la grotte, l'heure n'était plus aux mensonges.

«Non, dit-elle doucement, pas pour être avec moi. Pour être en Bretagne. Depuis que nous avons débarqué, vous n'avez qu'une hâte, quitter Maridunum. Tout ce que je vous demande, c'est de me laisser vous accompagner.

— Comment le savez-vous? Suis-je transparent comme le verre?

— Non, répondit-elle avec tristesse, je vous regarde avec les yeux de l'amour. Je connais votre cœur, Tristan. Depuis qu'elle vous a renvoyé son anneau, vous désirez revenir et régler vos différends. Je sais que vous irez en Cornouailles et je ne ferai rien pour vous en empêcher, mais je veux venir avec vous.»

Tristan s'avança vers elle comme un homme ivre. L'émotion l'étreignait.

«Marc va tuer mes fils!»

Enfin elle releva la tête et le regarda dans les yeux. Il s'apaisa.

«On me l'a dit à la taverne, ils le tenaient d'un soldat de Caerleon. Je ne sais de quand datent ces nouvelles, des mois sans doute. Il est peut-être déjà trop tard. Il a déjà fait deux tentatives et elle les a déjouées, mais cette fois-ci, il vient en personne. Je *dois* les sauver s'ils sont encore en vie, comprenez-vous?

— Oui, dit-elle calmement, mais il vous faudra une armée aussi puissante que celle de Marc, et nous n'avons pas autant d'hommes dans tout Lanascol.

– Je n'ai pas le temps de lever une armée. J'irai seul.»

Elle ne répondit rien. Ils se regardèrent en silence, puis elle se tourna vers le feu. Les flammes faisaient miroiter ses larmes.

«Je vois. Et où les emmènerez-vous pour qu'ils soient en sécurité?

– Je l'ignore, dit Tristan en fermant les yeux. Dans la forêt, peut-être. En Petite Bretagne. N'importe où du moment qu'il ne les retrouve pas.

– Vous emmèneriez la reine Iseut à Lanascol? Chez nous?

– Je ne parle pas de la reine...

– Bien sûr que si.»

Elle avait prononcé ces mots avec tant de sérénité qu'il fut incapable de protester. Elle sécha ses larmes.

«En les conduisant en Petite Bretagne, vous déclencherez une guerre. Ce sont les héritiers de Marc, après tout. Et je ne suis pas certaine que Kaherdyn lui donnera asile.»

Tristan tomba à genoux à côté d'elle.

«Alors j'agirai autrement, je ne sais pas comment. J'y songerai une fois sur place. Mais je dois y aller. Hélène, la supplia-t-il, laissez-moi partir.

– Comment se fait-il, énonça-t-elle calmement, que tous m'appellent Iseut hormis vous-même?

– Je... je préfère Hélène.

– Peu importe. Je connais la réponse. Vous ne pouvez vous contraindre à m'appeler par mon nom.

– Iseut! s'écria-t-il en lui prenant les mains et en les serrant contre sa poitrine. Oh, pardonnez-moi. Que ceci n'ait aucune importance. Ne détruisez pas ce qu'il y a entre nous. Rentrez chez vous avec Kaherdyn et votre mère...

– *Entre nous*, Tristan? Mais qu'y a-t-il? Interrogez votre cœur.

– Je l'ai déjà fait.

– Et y a-t-il quelque chose à protéger?

– Oui.»

Il la sentit se détendre. Elle n'essaya plus de retirer ses mains.

«Dans ce cas, laissez-moi vous accompagner. Je suis votre meilleure protection. Nul ne me connaît ici. Je peux vous aider, du moins jusqu'à Tintagel.

– C'est trop dangereux, vous serez plus en sécurité avec Kaherdyn.

– Je choisis le danger. Je préfère être avec vous plutôt qu'avec quiconque et je ne partirai pas si vous n'êtes pas avec moi.

– Je ne vous mérite pas, dit Tristan posant ses lèvres sur la paume de sa main.

— Et moi, je ne méritais pas Ryol. Le mérite n'a rien à faire là-dedans. Rappelez-vous le conseil de mon père : je resterai auprès de vous, quoi qu'il advienne.

— Il en a donné un autre, dit une voix à l'intérieur de la grotte. Ne faire qu'un avec lui dans l'esprit comme dans la chair. »

Kaherdyn sortit de l'ombre et les observa tous deux, l'air soucieux.

« Où allez-vous, Tristan, pour abandonner ainsi ma sœur ?

— Silence, Kaherdyn ! lui lança-t-elle. Cela ne vous regarde pas.

— Si. Père vient de me faire jurer de veiller sur vous. Il aurait dû exiger la même chose de Tristan, je me demande pourquoi il n'en a rien fait. Mais je le saurai peut-être. Où allez-vous ?

— En Cornouailles, déclara Tristan en se relevant.

— En Cornouailles ? Mais pourquoi ?

— Pour sauver mes fils de la colère du roi.

— Vos fils ? Mais les fils de qui ?

— Écoutez, Kaherdyn, intervint Iseut en se levant à son tour, serment ou pas, ceci ne vous concerne pas. Quand l'heure sera venue, vous ramènerez mère. J'irai en Cornouailles avec Tristan.

— Je vous l'interdis !

— Prince Kaherdyn, dit Tristan avant de s'incliner. Je vous dois une explication, en tant qu'époux de votre sœur et allié. Je vous supplie de m'écouter.

— C'est mieux, grommela Kaherdyn. Je vous entendrai, Tristan. Éloignons-nous d'ici.

— Kaherdyn ! lui lança Iseut. Rappelez-vous que vous n'êtes pas encore roi. Cet homme est mon époux. Il m'a sauvée d'un destin que vous-même n'auriez pu supporter. Quoi qu'il vous dise, souvenez-vous de ceci : il a déjà mérité notre pardon. »

Sur la colline froide, les deux hommes étaient enveloppés de leurs capes. Tristan parla à Kaherdyn de son amour indéfectible pour Iseut de Gwynedd. Il ne lui cacha aucun détail et reconnut chacune de ses erreurs.

« Vous ne l'avez quittée que pour lui sauver la vie, commenta Kaherdyn après un interminable silence.

— Oui.

— Pourquoi avoir épousé ma sœur ?

— Parce que j'avais l'intention de finir mes jours à Lanascol et, comme votre père me l'a dit, je ne pouvais demeurer aussi près d'elle sans la prendre pour femme, cela aurait fait jaser. Et puis, elle voulait cette union, et je n'avais pas le droit de la lui refuser.

— Vous ne la désiriez pas?

— Au contraire, cela me rendait fou.

— Pourquoi ne pas avoir dormi avec elle alors? Ne le niez pas, mon père l'a tout de suite compris.

— Je ne nie rien. Ce n'est pas par manque de désir de notre part. Kaherdyn, essayez de comprendre ce qu'une femme peut éprouver après avoir été ainsi asservie par Ryol.

— Ce n'est pas de ça que je parle mais de vous!

— Il faut pourtant en parler si vous voulez comprendre. Être aussi impuissante devant son destin! Quand une femme est humiliée par un homme ou un roi, aucun champion ne viendra se battre pour elle. Nous qui manions l'épée et chevauchons où bon nous semble sans qu'on nous pose de questions, nous étoufferions dans l'heure si nous menions la même vie qu'elles. Nous pouvons affronter ouvertement nos ennemis, pas elles. Nous pouvons assumer notre propre vengeance, pas elles. Nous pouvons dominer le cours des événements, pas elles, à moins d'avoir de l'ascendant sur un homme puissant. Votre sœur a souffert parce qu'elle est femme, et il en va de même pour Esmerée, Branwen, même la reine Iseut. C'est pourquoi votre père a parlé de peur: c'est cette peur, contre laquelle elle ne peut rien, qui m'a éloigné de son lit.

— C'est vrai?

— Demandez-le-lui vous-même.

— Elle m'arracherait les yeux, dit-il piteusement. Je n'ose pas.»

La nuit s'achevait et une lueur dorée éclairait les collines. Une étoile filante déchira le ciel. Tristan se signa d'un air triste et Kaherdyn se leva. Les voix des femmes résonnaient dans la grotte.

«Tristan, vous avez le devoir de vous rendre en Cornouailles et Iseut celui de vous suivre. J'ai juré de la protéger: il semble donc que mère et moi repartirons seuls.

— Vous êtes d'une grande sagesse, prince Kaherdyn, mais il est vrai que vous êtes le fils du Prince du Graal, puisse-t-il reposer en paix.

— L'aube est venue, nous devrions retourner auprès de lui.

— Trop tard.»

Tristan avait à peine prononcé ces mots que le sol se mit à trembler. Tristan empoigna Kaherdyn et le plaqua à terre. Ensemble, ils roulèrent jusqu'au pied de la colline tandis que le ciel et la terre se déchaînaient. Ils tombèrent dans un fossé empli de ronces. Des rochers roulaient, des cailloux s'abattaient sur eux. Puis, quand tout fut terminé, Tristan se releva péniblement. Un gros nuage de poussière enveloppait le paysage.

«La colline a disparu! Iseut! Iseut! Dandrane!

– Mère! cria Kaherdyn en le saisissant à l'épaule. Tristan, elles étaient dans la grotte!»

Ensemble, ils parvinrent jusqu'à l'endroit où se dressait la grotte. Le tapis herbeux était encore là, visible sous les cailloux, mais la colline n'était plus qu'un monticule. La grotte avait disparu, avec tout ce qu'elle renfermait.

«Hélène!» gémit Tristan.

Un cri lointain leur répondit. Ils dévalèrent le sentier pour trouver Dandrane et Iseut tapies dans l'écurie naturelle, sous les arbres.

«Merci, mon Dieu!»

Tristan serra Iseut dans ses bras et Kaherdyn courut jusqu'à sa mère.

«Il est parti, sanglota-t-elle tout en caressant les cheveux de son fils. Il est parti à tout jamais. Il est mort dans mes bras et Dieu lui-même l'a enseveli sous cette colline.»

À la porte de la taverne, Rufus se grattait le ventre d'un air pensif.

«Je me demande ce qui les amenait ici. Du fatras, toutes ces histoires de princes bretons. Sorcières et magiciens, plutôt!»

Les villageois assemblés derrière lui acquiescèrent.

«Il ne s'était rien passé à Caer Myrddin jusqu'à leur arrivée. D'abord cette lumière dans le ciel, ensuite cet orage. C'est tombé sur Caer Myrddin, pas ailleurs. Des sorcières, oui.

– Aucun prince n'aurait laissé sa mère repartir seule. En bateau. Sur la mer. Aucun prince digne de ce nom...

– Ils ont acheté les meilleurs chevaux de Rhydderch. Ce Marcus s'y connaît.

– Ce n'est pas son nom, Marcus, la jeune beauté l'a appelé Drustan, Tristan, quelque chose comme ça. On ne peut pas faire confiance à un homme qui a un faux nom.

– Tristan! dit Rufus en voyant le nuage de poussière se dissiper sur la route de Caerleon. Je me demande... Voilà une histoire à raconter à mes petits-enfants! Vous croyez que ce pourrait être...?»

Il se gratta à nouveau et bâilla puis il posa la main sur sa bourse pleine.

«En tout cas, Dieu les bénisse tous, voilà ce que je dis, quels qu'ils soient. Ils m'ont grassement payé.»

35

LE VENT DE LA NUIT

Dinadan et Guvranyl jouaient aux dés. Derrière eux, les fenêtres donnaient sur une mer d'huile et le vent du soir chargé des parfums du printemps les enveloppait de sa douce chaleur. Dinadan se leva brusquement.

«Cette fois-ci, c'en est trop! Les yeux du dragon, trois fois de suite! Vous avez lesté les dés, oui!

— J'en ai tué pour moins que ça! cracha Guvranyl.

— Dans ce cas, tuez-moi et vengez votre honneur. Je donnerais n'importe quoi pour tirer mon épée. Une année de plus de cette oisiveté forcée et je me jette à la mer!

— Question châtiment, ç'aurait pu être pire, et vous le savez très bien, dit Guvranyl en se levant à son tour. Grâce à Dieu, votre père a parlé pour nous, sinon nous engraisserions les fleurs des champs comme Régis, Dynas et Filas. Il vaut mieux monter la garde à Tintagel que trimer dans les carrières. Et puis je suis trop vieux pour ça.»

Il marcha jusqu'à l'âtre et prit la gourde de vin mise à tiédir sur les flammes.

«Vous buvez trop, Guv. N'allez pas me dire que vous ne détestez pas cet emprisonnement autant que moi.»

Guvranyl but longuement et posa sur Dinadan ses yeux chassieux.

«Je ne nie pas que je préférerais être chez moi, à Dumnonia.

Comme vous aimeriez mieux être aux côtés de votre jeune épouse, à Dorria, mais...

— Et de ma petite fille de dix-huit mois que je n'ai jamais vue!

— Oui, Marc est cruel mais, quitte à m'absenter de chez moi, je préfère être ici que servir dans son armée.

— Vous, un vieux soldat? Pourquoi?

— Ce n'est ni un meneur d'hommes ni un tacticien. Chaque fois qu'il nous conduisait au combat, je songeais à ce qu'aurait fait Tristan.

— Bon sang, vous m'avez juré de ne jamais prononcer son nom!

— Eh bien c'est que j'étais ivre, et vous de même.

— Je vous le concède. Des nouvelles des éclaireurs?

— Pas encore.

— Je suppose que ce vieux bouc tient à venir en personne prendre les garçons? La dernière fois, elle a failli lui crever un œil. Ce sera ma fin quand il découvrira qu'ils sont cachés, mais il m'a fait protecteur de la reine et je dois par conséquent la servir.

— Où sont-ils à présent?

— Je l'ignore. J'ai fait appeler Pernam sur la demande de la reine: il est le seul qui ait à la fois le courage et le pouvoir de s'opposer à Marc. J'espère qu'il arrivera avant le roi. Ensuite... ils s'arrangeront entre eux. »

Il termina l'outre et s'effondra sur le siège royal.

«Cinq contre un qu'elle se joue de lui encore une fois, proposa Guvranyl.

— Je serais capable de relever le défi cette fois-ci. Elle ne va pas bien.

— Comment ça? Elle semblait au mieux ce matin, un reste de rhume, rien de plus.

— C'est plus grave que ça. Une certaine lassitude. Depuis le début de l'année, elle baisse les bras.

— Elle est encore jeune et pleine de vie. Elle tuera Marc avant qu'il ne lui enlève ses fils, je vous l'assure!

— C'est possible», fit Dinadan, l'air absent.

On frappa à la porte et le capitaine des gardes entra. Il les salua. «Pernam, enfin!

— Des voyageurs demandent asile pour la nuit, seigneurs, dit le capitaine en s'inclinant. Un certain prince Kaherdyn de Petite Bretagne et sa sœur, dame Hélène, ainsi que sire Marcus Cunomorus qui voyage avec eux.

– Je ne connais pas ces noms, Morven, remarqua Guvranyl. Le chevalier arbore-t-il un blason ?

– Un faucon, seigneur.

– Celui d'Armorique est un bateau d'argent.

– C'est un minuscule royaume, il dit que vous n'en avez jamais entendu parler.

– Ils ne sont que trois, ils ne doivent pas être bien dangereux. À quoi ressemblent-ils ?

– Je n'ai pas bien vu le chevalier, seigneur, il s'occupait des chevaux, mais le prince doit avoir dix-sept ans et sa sœur est une beauté.

– Dieu nous préserve des belles femmes ! grogna Dinadan tandis que Guvranyl souriait en décelant davantage de chaleur dans la voix du capitaine.

– Bon, je vais les recevoir. Morven, rapportez-nous du vin et priez Merron de s'occuper des chambres.

– Oui, seigneur. »

Quand la porte se fut refermée, Dinadan plissa le front et réajusta son baudrier.

« J'aimerais savoir ce qui retarde le prince Pernam. Vous demanderez à ces voyageurs s'ils ont rencontré quelqu'un sur la route.

– Vous ne restez pas pour les accueillir ?

– Non, je vais me coucher, j'ai trop bu et trop joué aux dés.

– N'oubliez pas de passer voir la reine avant.

– Mais oui, j'obéis toujours aux ordres du roi, fit Dinadan avec un sourire amer. Je vérifierai si elle ne cache personne dans son lit. Pourquoi la traite-t-il comme si elle recevait l'armée tout entière en son absence ? Il n'a de crainte à avoir que d'un seul homme. »

Il s'en alla et traversa des salles mal éclairées pour rejoindre l'escalier menant aux appartements de la reine. Les deux sentinelles somnolaient. Tout à coup, il s'arrêta, tous les sens en alerte. La lampe de l'escalier était éteinte et la chandelle venait tout juste d'être mouchée.

« Qui va là, au nom de la reine ? » lança-t-il, l'épée à la main.

Il reconnut le bruit de l'acier contre le cuir d'un fourreau.

« Qui va là ? Annoncez-vous ?

– Chut ! »

Une main ferme se posa sur son poignet.

« Ne réveille pas la garde, Dinadan, mon vieil ami. Son sommeil m'est profitable.

– Tristan ! »

Les deux hommes s'embrassèrent.

«Si je m'attendais à te trouver ici! Tu es vivant, grâce à Dieu! Nous n'avions jamais eu de certitude.

— Tu n'as donc pas cru le barde? Elle, si.

— C'est vrai, fit Dinadan, soudain dégrisé, mais tous les bardes sont des menteurs... sauf ton respect, Tris. Au fait, comment es-tu au courant pour ce barde? Et comment es-tu arrivé ici? Où étais-tu? Tu risques ta vie en revenant en Bretagne. As-tu une armée avec toi?

— Non, dit doucement Tristan. Je ne suis ici qu'avec le prince Kaherdyn et sa sœur.

— C'est donc toi, Marcus Cunomorus?

— Eh oui.

— Le propre nom du roi Marc! Mais où as-tu rencontré ce prince? Tu as passé tout ce temps en Armorique?

— À Lanascol. Le prince Kaherdyn est mon parent désormais. Je suis l'époux de dame Hélène.

— Seigneur! Est-ce vrai?

— Oui et non. Din, je dois la rencontrer, dès ce soir.

— Mais c'est impossible, Marc va arriver.

— Je le sais.

— Je ne le laisserai pas emmener les garçons. Ne t'inquiète pas, j'ai fait venir Pernam. Mais je ne peux te laisser la voir. La reine elle-même me l'a ordonné.

— Quoi? A-t-elle dit ça après la venue du barde? Donne-moi une chance de mettre les choses au clair entre nous, elle t'en remerciera après coup.

— Tristan, oublie-la. Laisse guérir cette pauvre femme. Te retrouver ne fera que raviver son mal.

— Je dois la voir!»

Dinadan le prit par les épaules.

«Tous mes sacrifices ont donc été vains? Filas, Dynas, Régis, Branwen, Grayell, Guvranyl et une centaine d'autres ont payé le prix fort pour te venir en aide. Cela ne compte donc pas? Tristan, j'ai une fille que je n'ai jamais vue.»

Tristan enlaça Dinadan et l'embrassa sur la joue. Il poussa un profond soupir.

«Je sais que tu me tuerais pour satisfaire ton désir, constata Dinadan, mais je cède. Si ce n'est pas la reine qui a ma tête, ce sera le roi. Dans les deux cas, je suis un homme mort.

— Viens avec nous en Armorique, emmène Diarca et ton enfant. Nous nous enfuirons ensemble.

– À pied? Nous n'irons pas loin.

– Notre bateau est à l'ancre au large de Lyonesse. Il va nous attendre une quinzaine de jours, cela te donnera le temps d'aller chercher Diarca.

– Tu crois qu'Iseut acceptera de voyager avec ta femme et son frère? Tu as perdu la tête!

– Oui, quand elle saura la vérité. Mais donne-moi une chance. Monte la garde au pied de cet escalier.

– Tu ne pourras entrer sans moi, fit Dinadan en riant. Je détiens la clef de sa chambre.

– Quoi? Il l'enferme?

– S'il n'y avait que ça... Elle est pour lui comme une bête en cage. Il la fouette s'il en a envie.

– Je le tuerai à l'instant même où il posera le pied à Tintagel! s'écria Tristan hors de lui. De par Dieu, je le jure!

– Tais-toi, lui conseilla Dinadan en l'entraînant dans l'escalier, et suis-moi. »

Aucune sentinelle ne montait la garde devant la porte de la reine, fermée par une chaîne et une grosse serrure.

«Elle est couchée, murmura Dinadan. Je dois vérifier chaque soir qu'elle est bien seule.

– L'immonde! Je lui donnerai la mort lente qu'il mérite!»

Dinadan ôta la chaîne et ouvrit la porte.

Iseut aux Blanches Mains se tenait à la fenêtre et contemplait la mer.

«Comme la Cornouailles est belle. Chaque falaise semble être le bout du monde. À Lanascol, nous n'avons rien de tel, nous n'avons sous les yeux qu'un océan d'arbres.»

Guvranyl fit signe au serviteur de remplir de vin la coupe de la princesse.

«Je suis certain que c'est un endroit fort agréable. Mais dites-moi, ajouta-t-il à l'adresse du jeune prince, accroupi à côté du feu éteint, que se passe-t-il en Petite Bretagne? Cela fait des siècles que nous n'en avons pas de nouvelles.

– Tout est assez calme, grommela Kaherdyn.

– Vous rentrez chez vous alors?

– Oui, dit le jeune homme en adressant un coup d'œil à Iseut, mais ma sœur tenait d'abord à voir la Cornouailles.»

Guvranyl eut du mal à dissimuler son incrédulité.

«Nous sommes venus en Bretagne mettre mon père en terre, expliqua Iseut. Il voulait mourir en Galles. J'ai demandé à Kaherdyn de me montrer la Bretagne. Je ne l'avais jamais vue... Summer, Dumnonia, la Cornouailles, Lyonesse...

– Je m'étonne qu'on ne m'ait pas prévenu de votre arrivée. Vous avez dû passer par Caerleon. Le commandant en est gallois : sire Bruenor m'aurait averti.

– Nous avons traversé la Severn, bredouilla Kaherdyn. Notre guide nous a dit connaître un raccourci.

– Sire Marcus était donc venu en Bretagne auparavant ? Où est-il ? J'aimerais le rencontrer et savoir pour qui il s'est battu.

– Je le crois Breton de naissance, indiqua Iseut. Il nous rejoindra bientôt. »

Guvranyl s'inclina, enchanté par sa grâce, sa beauté et ses yeux remarquables.

«Bien, mais si vous avez traversé Summer, vous avez dû faire étape à Camelot, dit-il à Kaherdyn.

– Euh, non. On nous a prévenus que la région était peu sûre et je ne voulais pas mettre ma sœur en danger.

– On vous aura mal informés, mon jeune seigneur. Le roi Marc est à la guerre, mais cela se passe beaucoup plus à l'est. Il est dommage que vous n'ayez pas vu cet endroit, un des plus beaux de Bretagne.

– Une prochaine fois, peut-être. »

Guvranyl s'étonnait de ce couple étrange, cette femme remarquable qui observait tout avec intérêt et ce jeune homme boudeur qui se demandait bien ce qu'il faisait là. Que faisaient-ils à Tintagel, eux qui avaient évité des étapes aussi obligées que Caerleon et Camelot ?

La porte s'ouvrit sur un garde tout essoufflé.

«Sire Guvranyl ! Le prince Pernam ! »

Pernam entra, referma la porte derrière lui et rejeta sa capuche.

«Guvranyl, prévenez la reine sur-le-champ ! Marc est sur la lande ! »

Iseut poussa un petit cri de surprise. Pernam se retourna et découvrit le frère et la sœur. Il s'inclina.

«Mes excuses, ma dame, pour cette intrusion. J'ignorais que sire Guvranyl avait des hôtes.

– Marc, avez-vous dit ? demanda Iseut qui avait peine à respirer. Le Haut Roi ? Il vient ici ?

– Oui, mais il ne se presse pas. Une longue procession de torches traverse la lande. Il tient à une entrée solennelle. Cela nous donne du temps, dit-il à Guvranyl. Esmerée réveille les enfants. Où est Dinadan ?

— Au lit, seigneur. Dois-je le prier d'aller chercher la reine?

— Non!»

Le cri d'Iseut surprit tout le monde. Livide, elle s'adressa à Pernam.

«Je vous en supplie, seigneur, ne dérangez pas la reine.

— Le Haut Roi voudra la voir, répondit-il avec douceur.

— Je vous en conjure, que ce soit le plus tard possible. Je n'ai pas le droit de vous le demander, mais...

— Que me cachez-vous, ma dame? Dites-moi la vérité. Quel est votre nom?

— Je m'appelle Hélène de Lanascol, mais on me nomme habituellement... Iseut aux Blanches Mains.»

Pernam paraissait défait, mais Guvranyl émit un cri de surprise.

«Ô, mon Dieu! Marcus Cunomorus! Où est-il?

— Quoi? Avez-vous perdu la tête? Je viens de vous dire qu'il est sur la lande.

— Non, pas Marc, mais le chevalier arrivé avec ces gens. Il est quelque part aux écuries.

— Non, il n'y est pas.»

Ils tournèrent la tête.

«Dinadan! s'écria Pernam, soulagé. Réveillez la reine. Marc sera ici dans l'heure.»

Mais Dinadan s'avançait vers Iseut, pareil à un somnambule, ignorant de l'émoi que son arrivée avait suscité.

«Dame Hélène. Épouse de... Marcus.

— Vous devez être sire Dinadan. Il m'a beaucoup parlé de vous.

— Et moi, il ne m'a absolument rien dit de vous, répliqua-t-il, l'air grave. Il n'aurait jamais dû vous amener à Tintagel.

— Je sais pourquoi il est ici, seigneur. Ne craignez rien pour moi. J'ai les yeux grands ouverts.

— On ne saurait être plus généreuse.

— Certaines choses ne peuvent être évitées, dit-elle à Pernam dont le visage était empreint d'angoisse. S'il y a le moindre espoir que nous vivions ensemble, je devais accepter qu'il vienne ici. Je n'avais pas le choix.

— Dois-je comprendre que Marcus Cunomorus n'est autre que le nom d'emprunt de mon neveu?

— Le prince Pernam est le frère de Marc, expliqua Dinadan à Iseut, déconcertée. L'oncle de Tristan.»

Elle fit la révérence devant Pernam.

«Dans ce cas, nous sommes parents, seigneur. Tristan est mon mari.

— Seigneur! fit Guvranyl en s'écroulant sur un banc. Vous voulez me dire que Tristan est ici, à Tintagel? Mais où, pour l'amour du Ciel?

— À votre avis? questionna Dinadan avec ironie. Je l'ai laissé en haut de l'escalier menant à sa chambre, il y a une heure de ça.

— C'est de la folie. Cela nous coûtera la vie. Allez tout de suite les prévenir de la venue de Marc. Il les tuera tous deux s'il les trouve ensemble. Il sera ici dans une minute.

— Marc? Ici? balbutia Dinadan comme un homme réveillé en sursaut.»

Il se dirigeait vers la porte quand celle-ci s'ouvrit brusquement.

«Ah, trop tard!

— Le roi! annonça un garde, et Marc entra dans la pièce suivi de porteurs de torches, de compagnons et d'une horde de serviteurs.

— Trop tard pour quoi, Dinadan? Que se passe-t-il ici? Célébrerait-on quelque chose? Avec des invités?»

Il adressa un signe de tête à Iseut et Kaherdyn, qui s'inclinèrent respectueusement. Puis il plissa le front en découvrant Pernam.

«Que faites-vous ici, mon frère? Vous êtes venu sauver les bâtards de la reine?

— Messire le roi, dit Guvranyl d'une voix mal assurée. Bienvenue à Tintagel. Voici le prince Kaherdyn de Lanascol et sa sœur, dame Hélène. Ils passent la nuit ici avant de se rendre…

— En Petite Bretagne, coupa Kaherdyn avec assurance. Nous ignorions votre venue, sire, et nous ne voulons pas vous déranger. Si vous le permettez, nous allons regagner nos chambres et vous laisser à la joie de votre retour.»

Marc regardait Iseut d'un air gourmand.

«Faut-il donc vous retirer si tôt, prince Kaherdyn? Les visiteurs sont bien rares à Tintagel. Je serais honoré si votre délicieuse sœur et vous-même nous enchantiez plus longtemps de votre compagnie. Je dois aller voir ma femme, ensuite je serais heureux de converser avec vous devant une outre de vin.»

Kaherdyn avait ouvert la bouche pour refuser mais Iseut sourit au roi et s'inclina devant lui.

«Tout l'honneur est pour nous, sire. Mais devez-vous voir votre épouse sur-le-champ? Le voyage a dû vous épuiser.

— C'est vrai, cela peut attendre, dit Marc avec un grand sourire.

— Je vais veiller à ce que leurs chambres soient prêtes, dit Dinadan en reculant vers la porte.

— Restez ici. C'est le travail du sénéchal. Comment, ce n'est pas encore fait? Guvranyl, vous négligez vos devoirs, trop occupé à boire, sans doute? Alors, les lits, les chevaux?

— Euh, les lits, oui. Quant aux chevaux... je ne m'en souviens pas... Ah si, Marcus Cunomorus s'en est chargé.

— Quoi? dit Marc, le visage empourpré. Est-ce une plaisanterie?

— Nullement, mon frère, dit Pernam avec calme. Marcus est l'homme qui escorte le prince Kaherdyn et sa sœur. Ce n'est pas une plaisanterie.

— Dans ce cas, où est-il?»

Personne ne répondit. Marc les dévisagea, avec colère tout d'abord, puis avec étonnement, avec consternation enfin.

«Ah, vous avez peur, n'est-ce pas? Vous avez tous peur? Quoi, de moi? Quiconque est honnête avec moi n'a rien à craindre. Demandez à Dinadan, je ne suis cruel qu'envers les traîtres...»

Il s'arrêta brusquement de parler, les mâchoires crispées.

«Marcus Cunomorus... La Petite Bretagne, ricana-t-il. Il est ici, n'est-ce pas? Ce bâtard de catin païenne, ce fornicateur? Où est-il? Parlez!»

Comme personne ne lui répondait, il se tourna vers ses hommes.

«Vous, vous et vous. Tirez vos épées et placez-vous devant les portes. Nul ne doit sortir, vous entendez? Tuez le premier qui s'y essaiera.

— Seigneur! l'implora Iseut en tombant à genoux. C'est mon mari, je vous en conjure, ne lui faites aucun mal!

— Votre mari? persifla Marc. Dans ce cas, vous auriez dû le garder dans votre lit, ma dame. Ici, sa tête est mise à prix!

— Pitié, seigneur. Montrez-vous clément. Il n'est venu... que pour dire adieu.»

Marc était déjà à la porte. Il se retourna une dernière fois.

«C'est ce qu'il vous a dit, hein? Vous ne le connaissez pas depuis longtemps, ça se voit! ajouta-t-il alors que les yeux d'Iseut s'emplissaient de larmes. S'il se trouve dans Tintagel ailleurs que dans sa chambre, je lui laisse la vie jusqu'à demain matin. Mais s'il est en sa compagnie, je le jure devant Dieu, il connaîtra une mort lente dès ce soir!»

Le candélabre projetait une douce lumière sur le lit de la reine, sur ses boucles dorées répandues sur l'oreiller et sur son visage pâle à demi tourné. Tristan s'approcha d'elle à pas de loup, se débarrassa de sa cape et de son baudrier puis s'agenouilla. Il osait à peine respirer. Chaque fibre de son corps s'enflammait de la voir si proche. Il leva la main et effleura ses cheveux comme un barde les cordes de son instrument.

«Douce Iseut.»

Elle émit un petit gémissement.

«Est-ce vous, Dinadan?

– Dinadan?»

Elle ouvrit les yeux et, le découvrant ainsi penché, roula sur son lit. Elle le regardait d'un air farouche, incrédule. Ses cheveux étaient en désordre et sa poitrine se soulevait au rythme effréné de sa respiration.

«Iseut...»

Ses mâchoires étaient crispées, ses yeux emplis de larmes. Elle le frappa au visage.

«Je vous croyais meilleur! Je vous avais pris pour Dinadan!»

Tristan ne réagit pas. Il ne pouvait croire qu'il l'avait laissée de son plein gré, qu'il avait souffert trois longues années loin d'elle. Sa fureur emplissait la chambre, elle illuminait la nuit.

«Comment osez-vous venir ici?

– Mon cœur, comment aurais-je pu agir autrement?

– Sortez! Sortez! criait-elle de plus en plus fort. Parjure! Adultère! Menteur! Voleur! Je vais appeler la garde!»

Tristan sauta sur le lit et lui couvrit la bouche de sa main.

«Taisez-vous, je vous en supplie. Si l'on me trouve ici, ils me tueront sous vos yeux.

– Eh bien, tant mieux! Mourez pour moi comme Branwen l'a fait pour vous!»

Il la plaqua sur le lit et écrasa sa bouche sur la sienne. Elle le griffait et se débattait comme une bête fauve. Elle lui mordait les lèvres, elle le frappait de ses poings, mais l'immensité de ce désir si longtemps nié, de cette souffrance engendrée par la séparation, de cette sensation de solitude, vint à bout de sa colère et la laissa sans défense. Elle pleura, la tête sur sa poitrine, elle pleura en l'embrassant. Elle pleura encore alors même qu'elle lui cédait. Un sentiment d'impuissance s'emparait d'elle, une certitude douce-amère qu'il était son destin et sa malédiction, sa mort, sa vie, son unique amour, et que tout cela la submergeait en cet instant.

«Tristan... Tristan... Je suis perdue!»

— Iseut, murmura-t-il alors qu'il la serrait contre lui comme pour rendre leur union plus solide, indivisible, éternelle. Vous êtes mienne, aujourd'hui et à tout jamais. Pour la vie et au-delà. Nous ne formons qu'un esprit, une âme, une chair. Nul ne s'interposera jamais entre nous, je vous le jure. »

Elle se pelotonna contre lui. Des larmes coulaient sur ses joues.

« Ni mon mari ? Ni votre femme ? »

Il fouilla dans sa tunique en désordre et trouva enfin l'anneau bleu. Il le glissa à son doigt.

« C'est vous ma femme, Iseut.

— Vous avez épousé cette fille de Bretagne, après toutes les promesses que vous m'avez faites.

— Un mariage blanc, non consommé, comme le vôtre avec Marc. Je n'ai jamais couché avec elle.

— C'est vrai ? Dans ce cas, vous l'avez humiliée, et sa famille avec elle.

— J'ai fait ce qu'elle me demandait, Iseut !

— Oui, dit-elle en fermant les yeux. Mais Marc n'a pas fait ce que je lui demandais, Tristan. Depuis la nuit de la mort de Branny, notre union n'est pas seulement en paroles.

— Je le sais…

— Cela s'appelle de l'adultère.

— Non, n'en parlez pas. L'amour que nous partageons…

— Ne pas en parler ? »

Elle le repoussa, le regard incandescent, et rajusta sa chemise de nuit.

« Je dois en parler, ce n'est que justice. Nous nous méritons mutuellement, vous et moi. Vous devez tout savoir de mes souffrances, de mes humiliations. Vous m'écouterez, Tristan, quand je vous raconterai ce que cette brute m'a fait. »

Tristan s'assit à côté d'elle et il lui prit la main.

« Cette nuit-là, après que vous avez sauté par la fenêtre et que Branwen a bu le poison, il est venu dans mon lit, bien que je sois enceinte d'Isaïe, et il a eu ce qu'il voulait. Je n'ai pu m'empêcher de hurler. Non, ne dites rien. C'est votre châtiment d'entendre ces mots, comme ce fut le mien d'endurer sa vilenie. Ce fut la dernière fois qu'il vint dans ma chambre. Après notre départ de Lyonesse, il n'est plus entré dans mon lit mais… il m'a prise ailleurs. »

Tristan poussa un cri d'effroi. Elle lui décocha un regard sévère.

« Pour un guerrier, Tristan, vous vous maîtrisez mal. Écoutez-moi. Après la naissance d'Isaïe, j'ai saigné abondamment. Il a fallu le confier à une nourrice car je n'avais pas de lait. Je suis restée longtemps alitée. Je songeais à ma pauvre Branwen, qui reposait à Lyonesse. Ma seule consolation, c'était l'éloignement de Marc, parti à Logris se battre contre les Saxons.

«Isaïe avait trois mois quand il revint. Il entreprit alors de m'humilier systématiquement devant ses courtisans ou même mes serviteurs. Lors des dîners, il glissait sa main sous la table et relevait ma jupe. Ou bien il ouvrait mon corsage, se saisissait de mes seins et demandait à ses hommes s'ils en avaient déjà vu d'aussi beaux.

– Par le Christ!»

Iseut ne lui épargna aucun détail, comment il l'avait forcée après l'avoir accusée de ne songer qu'à Tristan, comment il se réjouissait de sa douleur.

«Ce fut la dernière fois qu'il me prit en privé. Après, il me viola en tout lieu du moment que quelqu'un pouvait nous voir. Oui, il m'a prise dans les couloirs sous le regard des gardes, dans le potager sous celui des cuisinières, dans la cour du château et une fois, la dernière, en plein banquet.

– Assez, assez! Je n'en puis plus!

– Ses hommes pariaient sur ses capacités et ceux qui le désapprouvaient étaient chassés. Il me prenait où bon lui semblait mais jamais dans ma chambre ni dans la pouponnière.»

Tristan pensa à sire Bruenor, à Caerleon: s'il s'était donné la peine de le voir, il aurait pu venir à Tintagel avec des renforts.

«Il le paiera de sa vie!

– Ma haine à son égard est devenue si vive que je me suis demandé comment le tuer. J'avais les plantes de Branny, son livre d'enchantements et le souvenir des sorts que jetait ma mère. J'ai préparé une boisson que je conservais dans un coffre, mais il n'est jamais venu. Par deux fois j'ai conçu l'héritier qu'il demandait... Oh, Tristan, je peux à peine en parler. J'ai scellé ma damnation le jour où j'ai bu la potion pour m'en débarrasser. J'ai tué mes bébés, tous les deux. Il ne l'a jamais su. Il a cru que je faisais des fausses couches. La seconde fois, l'hiver dernier, j'ai failli en mourir...

– Quelle folie de vous avoir laissée! J'aurais dû me douter qu'on ne pouvait lui faire confiance. Mais, mon doux amour, pourquoi ne pas avoir appelé Perceval à l'aide?

– Je l'ai appelé à mon secours, mais Marc a fait valoir ses droits d'époux. Mon père m'a dit d'être courageuse. Il n'avait pas le pouvoir de s'en mêler.»

Tristan ferma les yeux. Il y avait bien longtemps de cela, Pernam lui avait dit la même chose quand il avait voulu arracher Esmerée des mains de Segward.

«Vous ne lui avez pas tout avoué, j'en suis certain. Il serait venu avec tous les guerriers de Galles.

— Je l'admets. En dehors de vous, nul ne connaît la vérité en son entier.»

Elle s'accrocha à lui un instant.

«Notre amour... Est-ce une bénédiction ou une malédiction? Nous avons tué Branwen et deux bébés sans parler de tous ceux qui ne méritaient pas de mourir. Nous avons mis nos enfants en danger. Marc veut les tuer.

— C'est ce que j'ai appris à Maridunum et c'est pourquoi je suis là, pour vous emmener avec eux. Un navire nous attend au large. J'ai de l'aide avec moi. Cette nuit même, nous fuirons Tintagel et nous partirons vers le sud.»

Elle eut pour lui le sourire indulgent d'une mère à l'égard de son enfant.

«Oui, nous partirons pour une terre aux rêves lumineux. Vous avez toujours été un rêveur, Tristan.»

Elle se glissa à bas du lit et ouvrit un grand coffre dans lequel elle fouilla. Tristan s'empressa de remettre ses bottes. Quand elle se retourna, elle ne tenait pas ses habits de voyage, mais sa vieille harpe aux cordes de crin. La harpe de Merlin!

«Jouez pour moi, Tristan. J'aimerais écouter encore une fois votre musique... il nous reste si peu de temps.»

Il n'entendit pas ces derniers mots et prit la harpe qu'elle lui tendait.

«Je la croyais perdue à tout jamais.

— Je l'ai apportée de Lyonesse. Nos fils mis à part, je n'ai rien d'autre qui soit de vous.

— Je vais vous chanter une ballade, douce Iseut, tandis que vous vous vêtez pour la route.

— Ne vous occupez pas de ça, dit-elle avec un sourire triste. Jouez pour moi, je ne demande rien de plus.

— Nous serons partis dans l'heure!»

Iseut était à la fenêtre. Le vent de la nuit sifflait à travers les barreaux et elle percevait les vagues qui se brisaient sur les rochers. La voix de Tristan la ramenait des années en arrière. Dans le château de son père, aux côtés de Branwen, elle se tenait au chevet de cet étranger qui les avait envoûtées par sa beauté et sa chanson. Le vent murmurait à son oreille. Si elle parvenait à s'échapper de cette prison, retrouverait-elle un jour l'espérance? Elle désespérait depuis si longtemps que c'en était devenu une habitude. Mais Tristan était là, jambes croisées sur le lit, comme s'il n'était jamais parti. Sa voix, sa force, sa beauté, sa passion… tout était intact. Si seulement elle avait pu lui faire confiance, surmonter ses frayeurs, s'arracher à l'emprise de Marc…

« Tristan!

– Mon amour?

– Jurez-moi que vous ne me quitterez plus jamais.

– Je le jure.

– Promettez-moi que nous serons toujours ensemble.

– Jusqu'à la mort, ma mie. »

Il plaça une main sur son cœur et tendit l'autre vers elle.

« J'en fais le serment. »

Mais la porte s'était ouverte brusquement et Marc était entré dans la pièce.

Les deux hommes se regardèrent sans bouger, sans respirer. Puis, au même instant, ils se jetèrent sur l'épée posée sur la chaise. Encombré par sa harpe, Tristan fut plus lent et Marc s'en empara.

Le roi leur faisait face, haletant, une épée dans chaque main.

« De par Dieu, je vous tiens enfin! La mort est trop bonne pour vous. Non, aboya-t-il à l'adresse d'Iseut, ne prenez pas la peine de parler pour lui. Dites-lui adieu si vous voulez, car désormais il est à moi! »

Tristan plongea sous le lit quand l'épée s'abattit sur lui. Fou de rage, Marc se pencha mais Tristan, lui saisissant le poignet, le déséquilibra. Son épée glissa sur le sol. Tristan bondit pour s'en emparer, mais il ne se releva que pour voir Marc plaquer Iseut contre lui et placer la pointe de son arme sous sa gorge. Le roi souriait avec mépris.

« Lâche cette épée ou tu la verras mourir. »

Tristan abaissa son épée.

« Espèce de couard! Laissez-la tranquille, c'est entre vous et moi.

– Le butin revient au vainqueur, c'est cela? Oh, non, elle est ma meilleure arme contre toi. Résigne-toi, Tristan. C'est le jour de ta mort. »

Tristan jeta son épée entre Marc et lui. Iseut gémit quand le roi la repoussa brutalement.

« Mets les mains sur la nuque! »

Tristan obéit et Marc s'approcha de lui.

« Engeance de catin! »

Il lui cracha au visage. Tristan réagit, mais la pointe de l'épée du roi était déjà contre ses côtes.

«Tu as causé la perte de la Cornouailles. Tu as causé la perte de la Bretagne. Les rêves de mon père, ceux de ton père, ceux de son père… tout cela réduit à néant, à cause d'une femme!»

Tristan vit Iseut chercher quelque chose dans le coffre.

«Vous n'y comprendriez rien, Marc, même si je vous racontais tout depuis le début. Il faut donc que nous soyons ennemis.

— Oui, tant que nous vivrons tous les deux, mais j'ai l'intention de vivre plus longtemps que toi. Tu t'es trop moqué de moi. J'en ai fini avec toi, joueur de harpe!»

Marc donna un coup de genou dans le bas-ventre de Tristan et, quand il se recroquevilla, il lui enfonça sa lame entre les côtes. Iseut poussa un hurlement. Elle courut vers lui et se pencha pour tenter d'endiguer le flot de sang avec l'étoffe de sa chemise de nuit.

«Tristan, oh, Tristan! Ne me laissez pas! Je suis prête à vous suivre où vous me conduirez, sur cette terre aux rêves lumineux…»

Elle émit un cri terrible et pencha la tête. Ses cheveux baignaient dans le sang de Tristan.

Marc brandit la lame dégoulinante et l'observa à la lumière.

«Tué par sa propre épée…»

Il la jeta à terre.

«Mais j'en ai une autre pour vous puisque vous voulez le rejoindre!»

Il ramassa l'autre épée. Iseut le regardait, les yeux hagards.

«N'hésitez pas, je vous en supplie.»

Marc se contenta de grogner et de ranger son arme au fourreau.

«Je ne vous octroierai pas cette satisfaction. Vivez plutôt pour mon service, dit-il en portant la main à son sexe. Maintenant que cette ombre n'occupe plus votre lit, je crois que je viendrai vous rendre visite. Ce soir même.»

Il sortit de la pièce et claqua la porte.

Iseut tenait la tête de Tristan contre son sein et elle lui caressait les cheveux. Son corps était agité de sanglots et ses larmes coulaient en abondance. Les yeux sombres de son amant la fixaient désespérément.

«Ne craignez rien, dit-il dans un souffle. Oui, il y a une terre aux rêves lumineux… je suis sur le chemin…»

Un spasme tordit son visage. Du sang coula de ses lèvres et la lumière de son regard se mit à pâlir.

«Ne partez pas, Tristan! Mon cher cœur, ne partez pas sans moi!»

LE PRINCE DES RÊVES

Mon amour... Ses lèvres formèrent le mot mais aucun son ne sortit de sa bouche. Son souffle s'était arrêté.

Iseut pressa sa joue contre la sienne, ferma les yeux et se releva lentement. Sa chemise de nuit était maculée de sang, son visage ravagé par le chagrin. Seuls ses yeux étaient calmes. Elle versa du vin dans une coupe en argent. De la petite boîte retirée du coffre, elle sortit un sachet de toile noire. Derrière la porte, Marc hurlait des ordres à ses gardes. On entendait par la fenêtre le bruit de la mer et le vent de la nuit, paisible comme une âme qui s'en va.

Elle ouvrit les volets et, sourire aux lèvres, elle versa le contenu du sachet dans la coupe de vin. Puis elle s'agenouilla auprès de Tristan. Déjà les gardes couraient dans l'escalier.

«Mon époux, murmura-t-elle en s'allongeant auprès de lui et en le prenant dans ses bras. Mon bien-aimé... attends-moi...»

Quand la porte s'ouvrit, elle but le contenu de la coupe.

Épilogue

LE LIERRE ET LE NOISETIER

Iseut aux Blanches Mains se tenait dans le verger, enveloppée dans une lourde cape. Le ciel gris assourdissait le grondement de la mer et le crépitement de la pluie. À ses pieds s'étiraient deux longues cicatrices de terre nue qui contrastaient curieusement avec la verdeur du lieu. Aucune pierre tombale ne marquait ce site. Il n'y avait là ni couronne gravée, ni croix, rien. Seule une pousse de lierre marquait le lieu de repos de Tristan et un jeune noisetier, celui de la reine.

Un homme en robe sortit de la pouponnière. Iseut esquissa un sourire et fit la révérence. C'était grâce au prince Pernam qu'ils pouvaient enfin reposer en paix. Marc aurait fait jeter leurs corps aux poissons.

«Prince Pernam.»

«Dame Iseut, fit-il en s'inclinant. Nous sommes prêts à partir. Kaherdyn attend dans la cour avec les chevaux et dame Esmerée s'est occupée des enfants. Vous pourrez voyager à votre guise, à cheval avec votre frère ou avec nous, dans le chariot. Mais le temps presse : Marc peut encore changer d'avis.

— Seigneur, il faut une fois de plus que je vous dise à quel point nous vous sommes reconnaissants.

— C'est un triste épisode, dit-il en la prenant par les épaules, mais des jours meilleurs nous attendent. Quand vous serez à Lanascol, ces garçons illumineront votre existence. Dans cinq ans, vous vous rappellerez à peine la femme que vous êtes aujourd'hui.

446

– Je n'oublierai pas Tristan...

– Avec ses fils, son image sera à jamais sous vos yeux. Souvenez-vous que vous serez toujours la bienvenue chez nous et que vous pourrez nous confier les enfants. Esme les aime comme les siens.

– Il semait l'amour partout où il passait, dit Iseut avec un sourire triste. C'était un homme rare, à la fois brave et tendre, barde et guerrier. Quand je vois sire Dinadan... jamais un homme n'a éprouvé tant de peine. Comment avez-vous persuadé le roi de l'envoyer à Lyonesse ? Je craignais que Marc ne le tue à son tour.

– Ah, mon frère s'emporte très vite, mais il recouvre son calme tout aussi rapidement. Je lui ai fait comprendre qu'il n'a pas le temps de diviser la Cornouailles en cherchant à se venger des amis de Tristan. Il doit penser à la Bretagne, du moins à ce qu'il en reste. Et à moins de souhaiter affronter dans vingt ans l'armée de Tristan le Jeune, il lui faut reconnaître le droit de régner sur Lyonesse. Marc a accepté ce que je lui ai expliqué. Après tout, cela ne lui coûte rien, et il a beaucoup à gagner. Le vieux Guvranyl ira vivre auprès de Dinadan, à moins qu'il ne se retire à Dumnonia.

– Soyez béni, prince Pernam, murmura Iseut. Il n'y aura plus de morts et les fils de Tristan auront un avenir.

– Je l'espère. Cela dépend de ce qui arrivera à la Bretagne. Dans vingt ans, Lyonesse sera peut-être une terre saxonne, à moins qu'elle ne soit engloutie dans la mer.

– Pourvu que non !

– Faites de ces enfants des meneurs d'hommes. À la mort de Marc, ils seront ses héritiers. »

Cette idée parut surprendre Iseut.

« Pas seulement de Lyonesse, mais aussi de la Cornouailles ?

– Et de toute la Bretagne ! »

Elle contempla les tombes jumelles.

« Quel présent vous m'avez fait, mon amour. Je serai la mère de rois. »

Elle se signa lentement.

Adieu, cher Tristan. Je ne vous verrai plus que dans mes rêves...

Elle se redressa et prit Pernam par le bras.

« Voyez comment le lierre que vous avez planté sur sa tombe s'est enroulé autour du jeune noisetier qui marque la sienne. En seulement trois jours. C'est un miracle, seigneur. Un signe qu'ils ne font qu'un, même dans la mort. Et que Dieu leur a pardonné.

– Ah, fit Pernam en l'entraînant au loin, je ne comprendrai jamais votre Dieu, qui damne les hommes avant de les absoudre de leurs péchés. La Grande Déesse est plus catégorique : soit une chose est bonne, soit elle est mauvaise.

— C'est parce que notre Dieu s'est fait homme pour connaître le péché. Notre Dieu sait la valeur du pardon. Notre Dieu est amour.»

Pernam lui baisa la main.

«Pour moi, c'est ce qui compte le plus en Lui. Vous me manquerez, ma reine.

— Ne m'appelez pas ainsi, seigneur...»

Elle s'arrêta en le voyant sourire.

«Vous oubliez qui était cet homme que vous avez épousé. Il était roi de Lyonesse.»

Iseut pencha la tête pour affronter la pluie glaciale.

«Pour moi, il était un barde dont la musique avait guéri mon âme.»

Pernam l'aida à monter dans le chariot.

«Il a toujours été écartelé entre les deux aspects de sa nature. C'était son destin. Il était né entre les étoiles.»

Quand Marc regagna Tintagel, huit mois plus tard, après avoir affronté les Saxons, il fit couper le noisetier planté sur la tombe d'Iseut et arracher le lierre qui marquait celle de Tristan. Cela ne les empêcha pas de pousser à nouveau en moins de quinze jours. À deux reprises, Marc les fit détruire et, à deux reprises, ils recouvrèrent de la vigueur. Une santé médiocre et d'amères blessures sapèrent sa volonté, et il finit par les laisser croître. Le lierre s'enroula alors autour du noisetier jusqu'à ne plus former qu'une seule plante. Leurs racines étaient distinctes mais, ensemble, ils s'élevaient vers le soleil.

LA MAISON DE CORNOUAILLES

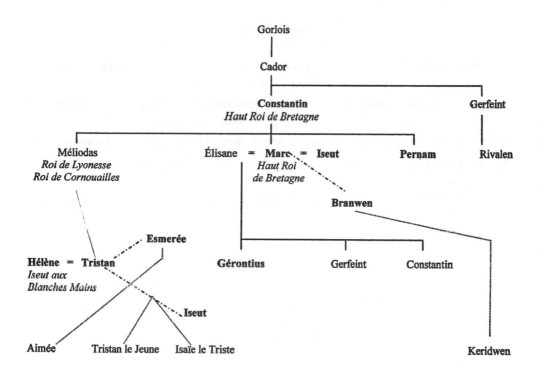

LA MAISON DE GWYNEDD

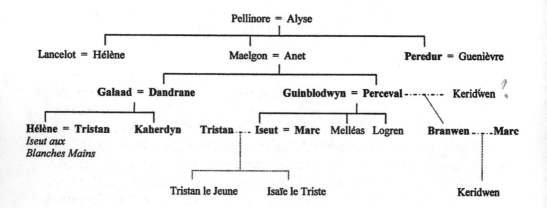

LA MAISON DE GUENT

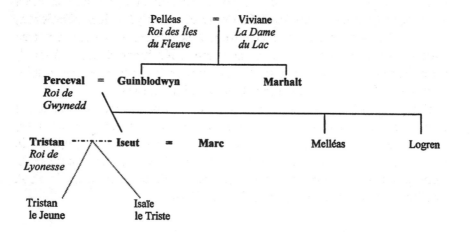

Remerciements

Les lecteurs familiers des versions traditionnelles de la légende de Tristan et Iseut retrouveront dans ce récit tous les éléments essentiels de l'histoire originale, plus un ou deux rebondissements qui m'ont permis d'en faire une sorte de suite à *Queen of Camelot* et au *Prince du Graal*, mes précédents romans consacrés à la légende arthurienne. Cette vision de l'histoire de Tristan s'appuie en grande partie sur les œuvres de Béroul, Gottfried von Strassburg et Sir Thomas Malory, des hommes qui vécurent de six à neuf siècles avant nous. Comme eux, j'ai donné à l'histoire une forme nouvelle, susceptible de plaire au lecteur contemporain. Sans eux, je n'aurais pu l'écrire.

Je dois beaucoup à mon agent, Jean Naggar, et ce fut pour moi un plaisir de profiter de son professionnalisme et de ses connaissances. Je dois encore plus à tous ceux qui, chez Del Rey, se sont occupés de mon livre : Shelly Shapiro, directeur littéraire de Del Rey Books, qui a accepté de publier mon Tristan ; David Stevenson, pour ses superbes couvertures, non seulement pour ce livre-ci mais aussi pour *Queen of Camelot* et *Le Prince du Graal* ; Patricia Nicolescu, qui a prêté la plus extrême attention aux détails et a suivi ce livre tout au long de sa fabrication ; et surtout Kathleen O'Shea David, mon éditeur, pour ses excellents conseils, sa lucidité et sa capacité à voir la forêt alors que je me perdais parmi les arbres.

Parmi les femmes qui écrivent des romans d'amour, certaines n'ont peut-être aucune difficulté à montrer leur travail à leur père, mais pour moi ce fut délicat. Je dédie ce livre à mon père et le remercie du plus profond du cœur du soutien sans faille qu'il m'a témoigné toute sa vie durant et, plus particulièrement, d'avoir aimé *Le Prince des rêves* la première fois qu'il l'a lu.

Nancy McKenzie,
15 juin 2003, jour de la Fête des Pères.

Achevé d'imprimer sur les presses de

BUSSIÈRE

GROUPE CPI

à Saint-Amand-Montrond (Cher)
en mai 2005

N° d'édition : 924. N° d'impression : 051949/1.
Dépôt légal : mai 2005.

Imprimé en France